汽车检修技能提高教程丛书

汽车故障诊断与检测技术 第3版

主　编　王盛良
副主编　陈亮明

机械工业出版社

本书系统地介绍了现代汽车发动机、底盘、电气设备及汽车综合性能检测设备的正确使用方法、检测数据的分析处理和检修基本思路，根据汽车各系统的工作流程、工作特征和工作参数从面到线、从线到点进行分析，进而诊断出存在问题的零部件（积木）。另外，本书还介绍了我国汽车强制定期检测的机构、项目以及检测线的检测流程。

本书采用"积木法"的原理进行编写，章节编排合理，内容系统连贯，图文并茂，实际操作内容多，具有较强的实用性。

本书可作为中、高职类汽车专业教材，也可供汽车从业人员、汽车驾驶人员以及汽车运行管理人员学习参考。

图书在版编目(CIP)数据

汽车故障诊断与检测技术/王盛良主编. —3版. —北京：机械工业出版社，2017.4（2025.8重印）

(汽车检修技能提高教程丛书)

ISBN 978-7-111-55923-8

Ⅰ. ①汽… Ⅱ. ①王… Ⅲ. ①汽车-故障诊断②汽车-故障检测 Ⅳ. ①U472.9

中国版本图书馆CIP数据核字(2017)第008732号

机械工业出版社（北京市百万庄大街22号　邮政编码100037）
策划编辑：连景岩　杜凡如　责任编辑：连景岩　杜凡如　徐　霆
责任校对：张　征　潘　蕊　封面设计：鞠　杨
责任印制：单爱军
中煤（北京）印务有限公司印刷
2025年8月第3版第12次印刷
184mm×260mm · 18.5印张 · 446千字
标准书号：ISBN 978-7-111-55923-8
定价：49.00元

凡购本书，如有缺页、倒页、脱页，由本社发行部调换

电话服务　　　　　　　　　　　网络服务
服务咨询热线：010-88361066　　机 工 官 网：www.cmpbook.com
读者购书热线：010-68326294　　机 工 官 博：weibo.com/cmp1952
　　　　　　　010-88379203　　金 书 网：www.golden-book.com
封面无防伪标均为盗版　　　　　教育服务网：www.cmpedu.com

丛书序

我国的汽车工业发展为什么远不如高铁工业、工程机械快？在我国汽车产销量均出现井喷式增长的黄金时期，自主品牌汽车为什么没有处于主导地位？与美、日等汽车强国相比，为什么总是形似而神非？这些是值得我们所有汽车行业从业者深思的问题。作为近 30 年我国汽车工业发展的参与者，笔者一直在反思、总结。从 20 世纪 80 年代末至 90 年代中期的手工单台生产，到现在的工业化流水线批量生产；从拥有几千家汽车制造企业和上千个品牌，到现在只剩下几个自主品牌和数十个汽车制造企业；自主品牌的国内市场占有率从 95% 以上，到现在的不足 10%。我们缺技术吗？缺资源吗？缺市场吗？除了上层建筑的问题，面对汽车保有量以每年 10%～20% 的速度递增的庞大市场，作为汽车人，我们还应该思考怎样实现弯道超车。

笔者在编写汽车专业教材时采用了"积木法"，中国的汽车工业要脱颖而出也要走"积木法"路线，这样既能降低研发、生产成本，避免造成资源分散与浪费，又能提高产品品质和市场竞争力。而要走"积木法"路线，就必须以教育为手段，因为汽车上的每一个小"积木"都能成就一番大事业。作为汽车专业人士，作为想进入汽车行业的有志之士，在万众创新、全民创业的大好形势下，成就自我，成就中国汽车产业，已经迎来最好的契机。如何把汽车"积木"变成产业项目，把项目变成特色，把特色变成效果，把效果变成效益。

这是我们要不断思考的问题。在本套教材编写再版时，笔者留下大量空间，供汽车专业的教育者、学习者、读者来补充、完善，也期待与高、中等院校汽车专业老师、学生及汽车从业人士，就专业、就业、创业及汽车企业孵化器等问题开展专题讲座与探讨，解决学与用的问题；与汽车制造企业及汽车售后企业，就项目运营、节能减排、创新发展、特色服务及操作进行面对面的交流，解决提高品牌、企业竞争力的问题。

笔者一直在摸索、一直在努力、一直在开拓，尽管培养了一大批优秀汽车行业从业者，指导了一大批汽车售后企业，也拥有一些投入生产的新项目、新技术、新工艺、新方法，但终归力量有限，中国汽车产业的发展，仍然任重道远，需要大家共同努力。本套教材仍存在许多不足，期待同行与读者批评指正，以惠及更多汽车同仁！

参与本套丛书编写的有王盛良、陈亮明、王正红、冯建源、湛刚华。

王盛良

目 录

丛书序

第1章　汽车故障诊断与检测技术概述 ························ 1
  1.1　汽车故障诊断与检测技术基础知识 ························ 1
    1.1.1　汽车故障诊断与检测技术的基本概念 ············ 1
    1.1.2　汽车故障诊断与检测技术的基本理论 ············ 2
  1.2　汽车电路检修基础 ···························· 5
  1.3　常用故障诊断与检测设备介绍 ······················· 7
    1.3.1　跨接线 ···································· 8
    1.3.2　测试灯 ···································· 8
    1.3.3　万用表 ···································· 9
    1.3.4　手提式真空泵 ································ 11
    1.3.5　气缸压力表 ································· 11
    1.3.6　真空表 ···································· 12
    1.3.7　燃油压力表 ································· 12
    1.3.8　喷油器清洗仪 ································ 13
    1.3.9　点火正时灯 ································· 13
    1.3.10　示波器 ··································· 14
    1.3.11　发动机综合分析仪 ··························· 15
    1.3.12　汽车故障诊断仪 ···························· 16
  练习与思考题 ···································· 22

第2章　汽车发动机故障诊断与检测 ····················· 23
  2.1　电控燃油喷射发动机故障诊断方法 ···················· 23
    2.1.1　电控燃油喷射发动机故障诊断原则及注意事项 ······ 24
    2.1.2　电控燃油喷射发动机故障诊断基本方法 ··········· 25
  2.2　进气系统的故障诊断与检测 ························ 38
    2.2.1　进气系统主要组成部件 ························ 38

  2.2.2 进气系统主要传感器的检测 ………………………………………………………… 38
  2.2.3 急速控制系统的故障诊断与检测 ……………………………………………………… 49
  2.2.4 进气控制系统的故障诊断与检测 ……………………………………………………… 52
  2.2.5 涡轮增压控制系统的故障诊断与检测 ………………………………………………… 56
  2.2.6 电控节气门系统的故障诊断与检测 …………………………………………………… 59
  2.2.7 进气歧管真空度的检测与诊断 ………………………………………………………… 60
  2.2.8 故障案例分析 …………………………………………………………………………… 61
 2.3 燃油供给系统的故障诊断与检测 ……………………………………………………………… 63
  2.3.1 燃油供给系统的主要组成部件 ………………………………………………………… 64
  2.3.2 燃油系统压力及燃油压力调节器的检测 ……………………………………………… 64
  2.3.3 燃油泵及其控制电路的检测 …………………………………………………………… 66
  2.3.4 喷油器及其控制电路的检测 …………………………………………………………… 69
  2.3.5 故障案例分析 …………………………………………………………………………… 72
 2.4 电子点火系统的故障诊断与检测 ……………………………………………………………… 73
  2.4.1 普通电子点火系统的故障诊断与检测 ………………………………………………… 73
  2.4.2 计算机控制电子点火系统的故障诊断与检测 ………………………………………… 74
  2.4.3 故障案例分析 …………………………………………………………………………… 82
 2.5 发动机排放控制系统的故障诊断与检测 ……………………………………………………… 83
  2.5.1 氧传感器 ………………………………………………………………………………… 83
  2.5.2 三元催化转化器的检测 ………………………………………………………………… 84
  2.5.3 废气再循环控制系统的检修 …………………………………………………………… 86
  2.5.4 汽油蒸发排放控制系统检修 …………………………………………………………… 88
  2.5.5 二次空气喷射系统检修 ………………………………………………………………… 90
  2.5.6 曲轴箱强制通风装置的检修 …………………………………………………………… 91
  2.5.7 尾气参数与故障分析 …………………………………………………………………… 91
  2.5.8 故障案例分析 …………………………………………………………………………… 92
 2.6 发动机冷却系统的故障诊断与排除 …………………………………………………………… 94
  2.6.1 冷却液温度过高的故障诊断与排除 …………………………………………………… 95
  2.6.2 冷却液温度过低的故障诊断与排除 …………………………………………………… 96
  2.6.3 冷却液消耗异常的故障诊断与排除 …………………………………………………… 97
 2.7 发动机润滑系统的故障诊断与排除 …………………………………………………………… 97
  2.7.1 机油压力过低的故障诊断与排除 ……………………………………………………… 98
  2.7.2 机油压力过高的故障诊断与排除 ……………………………………………………… 99
  2.7.3 发动机机油消耗异常的故障诊断与排除 …………………………………………… 100
  2.7.4 机油变质的故障诊断与排除 ………………………………………………………… 100
 2.8 发动机异响的故障诊断与排除 ……………………………………………………………… 101
  2.8.1 发动机异响的原因及特性 …………………………………………………………… 101
  2.8.2 曲轴连杆机构异响的故障诊断与排除 ……………………………………………… 102
  2.8.3 配气机构异响的故障诊断与排除 …………………………………………………… 106
  2.8.4 汽车异响的仪器诊断法 ……………………………………………………………… 108

练习与思考题 …………………………………………………………………………… 110

第3章 汽车底盘故障诊断与检测 …………………………………………………… 112

3.1 传动系统故障诊断与排除 ………………………………………………………… 112
3.1.1 离合器故障诊断与排除 ……………………………………………………… 112
3.1.2 手动变速器的故障诊断与排除 ……………………………………………… 118
3.1.3 电控液力自动变速器的故障诊断与排除 …………………………………… 123
3.1.4 万向传动装置的故障诊断与排除 …………………………………………… 148
3.1.5 驱动桥的故障诊断与排除 …………………………………………………… 151

3.2 行驶系统的故障诊断与排除 ……………………………………………………… 154
3.2.1 车轮不平衡的检测 …………………………………………………………… 155
3.2.2 汽车行驶系统的故障诊断与排除 …………………………………………… 159
3.2.3 电控悬架的检测与故障诊断 ………………………………………………… 163
3.2.4 汽车巡航控制系统的故障诊断与排除 ……………………………………… 171

3.3 转向系统的故障诊断与排除 ……………………………………………………… 176
3.3.1 汽车车轮定位检测 …………………………………………………………… 176
3.3.2 转向系统常见故障诊断与排除 ……………………………………………… 183
3.3.3 电子控制动力转向系统的检测与故障诊断 ………………………………… 186

3.4 制动系统的故障诊断与排除 ……………………………………………………… 192
3.4.1 汽车制动系统常见的故障诊断与排除 ……………………………………… 193
3.4.2 防抱死制动系统的检测与故障诊断 ………………………………………… 197
3.4.3 驱动防滑/牵引力控制系统的检测与故障诊断 …………………………… 202

练习与思考题 …………………………………………………………………………… 205

第4章 汽车一般电气设备的故障诊断与排除 ……………………………………… 206

4.1 充电系统的故障诊断与排除 ……………………………………………………… 206
4.1.1 充电系统的故障分类 ………………………………………………………… 206
4.1.2 充电系统故障诊断与排除的一般程序 ……………………………………… 207
4.1.3 充电系统常见故障的诊断与排除 …………………………………………… 208

4.2 起动系统的故障诊断与排除 ……………………………………………………… 210
4.2.1 起动系统的就车检查 ………………………………………………………… 210
4.2.2 起动系统常见故障的诊断与排除 …………………………………………… 211
4.2.3 起动机性能试验 ……………………………………………………………… 213

4.3 汽车照明、信号与仪表系统的故障诊断与排除 ………………………………… 215
4.3.1 照明与灯光信号系统的故障诊断与排除 …………………………………… 215
4.3.2 电喇叭的故障诊断与排除 …………………………………………………… 219
4.3.3 仪表系统的故障诊断与排除 ………………………………………………… 220

4.4 汽车辅助电气装置的故障诊断与排除 …………………………………………… 225
4.4.1 安全气囊系统的检测与故障诊断 …………………………………………… 225
4.4.2 汽车空调系统的检测与故障诊断 …………………………………………… 230

4.4.3　多路传输系统的故障诊断与排除……………………………………………… 237

练习与思考题……………………………………………………………………………… 240

第5章　汽车主要技术性能的检测 …………………………………………………… 241

5.1　汽车底盘输出功率的检测 ……………………………………………………… 241
　　5.1.1　底盘测功机的基本结构与工作原理 ……………………………………… 241
　　5.1.2　底盘测功机的使用方法 …………………………………………………… 245
5.2　汽车排气污染物的检测 ………………………………………………………… 246
　　5.2.1　汽油机排气污染物排放的检测 …………………………………………… 246
　　5.2.2　柴油车自由加速烟度的检测 ……………………………………………… 250
5.3　汽车噪声检测 …………………………………………………………………… 252
5.4　车轮侧滑量检测 ………………………………………………………………… 254
　　5.4.1　侧滑试验台的检测原理 …………………………………………………… 254
　　5.4.2　侧滑试验台的结构与工作原理 …………………………………………… 255
　　5.4.3　侧滑试验台的使用方法 …………………………………………………… 256
5.5　汽车车速表的检测 ……………………………………………………………… 257
　　5.5.1　车速表误差的形成与测量原理 …………………………………………… 257
　　5.5.2　车速表试验台 ……………………………………………………………… 258
　　5.5.3　车速表的检测方法及诊断参数标准 ……………………………………… 259
5.6　汽车制动性能检测 ……………………………………………………………… 260
　　5.6.1　汽车制动性能的路试检测 ………………………………………………… 261
　　5.6.2　制动性能的台架检测 ……………………………………………………… 263
5.7　前照灯性能的检测 ……………………………………………………………… 267
　　5.7.1　汽车灯光光学基础 ………………………………………………………… 267
　　5.7.2　屏幕法检测前照灯光束照射位置 ………………………………………… 268
　　5.7.3　使用前照灯检测仪检测前照灯性能 ……………………………………… 270

练习与思考题……………………………………………………………………………… 273

第6章　汽车检测站 …………………………………………………………………… 275

6.1　汽车检测站综述 ………………………………………………………………… 275
　　6.1.1　检测站的任务 ……………………………………………………………… 275
　　6.1.2　检测站的类型 ……………………………………………………………… 276
6.2　汽车安全环保检测站 …………………………………………………………… 276
　　6.2.1　检测内容与设备 …………………………………………………………… 276
　　6.2.2　检测流程 …………………………………………………………………… 278
6.3　汽车综合性能检测站 …………………………………………………………… 280
　　6.3.1　对检测站的要求 …………………………………………………………… 280
　　6.3.2　检测站设备的布置 ………………………………………………………… 282

练习与思考题……………………………………………………………………………… 284

参考文献 ……………………………………………………………………………… 285

汽车故障诊断与检测技术概述

> **基本思路：**
>
> 汽车故障诊断与检测技术是根据汽车各系统工作流程和工作特征（"四条线"）的不同，选用合适的检测设备、检测工具和检测方法对其进行相关参数的测量，与标准参数比较，从而判断系统或零部件是否工作正常，找出确实有问题的"积木"后进行更换。这就是现代汽车的修理，也就是说现代汽车修理技术的重点是汽车检测和故障的诊断。本章学习和研究的重点是对不同的"线"所需相关检测设备和检测工具的正确使用，以及检测数据的分析和处理。

▶▶▶ 1.1 汽车故障诊断与检测技术基础知识

汽车检测诊断是确定汽车技术状况、寻找故障原因的技术手段，通过对汽车的检测与诊断，可以在不解体情况下判断汽车的技术状况，为合理使用汽车及维护、修理工作提供科学可靠的依据。

1.1.1 汽车故障诊断与检测技术的基本概念

1. 汽车故障

汽车故障是指汽车部分或完全丧失工作能力的现象，其实质是汽车零件本身或零件之间的配合状态发生了异常变化。

汽车在使用过程中出现故障，其原因既有内在方面的，也有外在方面的。内在方面主要包括设计制造、材料选择、自然老化等；外在方面主要包括工作条件、使用维护以及正确操作等。

汽车故障按丧失工作能力的程度分为局部故障和完全故障。局部故障是指汽车部分丧失了工作能力，降低了使用性能的故障；完全故障是指汽车完全丧失了工作能力，不能行驶的故障。

汽车故障按造成后果又可分为轻微故障、一般故障、严重故障和致命故障。轻微故障一般不会导致汽车不能行驶或性能下降,不需要更换零件,用随车工具作适当调整即可排除,如点火、喷油正时不正确等。一般故障是指汽车运行中能及时排除的故障或不能排除的局部故障,一般故障会导致汽车停驶或性能下降,但一般不会导致主要部件和总成的严重损坏,可更换零件或用随车工具在短时间内排除,如供油不畅、传感器损坏等。严重故障是指汽车运行中无法完全排除的故障,此类故障可能导致零件的严重损坏,必须停车,且不能用更换零件或用随车工具在短时间内排除,如发动机拉缸、抱轴等。致命故障是指造成汽车重大损坏的故障,可能引起车毁人亡的恶性重大事故,如柴油机飞车、制动系统失效等。

2. 汽车故障诊断

汽车故障诊断是指在不解体(或仅拆下个别小件)的情况下,确定汽车的技术状况、查明故障部位及故障原因的汽车应用技术。

汽车技术状况的诊断是通过检查、测量、分析、判断等一系列活动完成的,其基本方法主要分为两种。

(1) 直观诊断法 直观诊断法又称人工经验诊断法,是指诊断人员凭丰富的实践经验和一定的理论知识,在汽车不解体或局部解体情况下,依靠直观的感觉印象,借助简单工具,采用眼观、耳听、手摸和鼻闻等手段,进行检查、试验、分析,确定汽车的技术状况,查明故障原因和故障部位的诊断方法。这种诊断方法不需要专用仪器设备,投资少、见效快,但诊断速度慢、准确性差,不能进行定量分析,需要诊断人员有较高的技术水平。

(2) 现代仪器设备诊断法 现代仪器设备诊断法是在人工经验诊断法的基础上发展起来的一种诊断方法,是指在汽车不解体情况下,利用测试仪器、检测设备和检验工具,检测整车、总成或机构的参数、曲线和波形,为分析、判断汽车技术状况提供定量依据的诊断方法。

现代仪器设备诊断法具有检测速度快、准确性高、能定量分析、可实现快速诊断等优点,而且采用微机控制的现代电子仪器设备能自动分析、判断、存储并打印出汽车各项性能参数。其缺点是投资大、操作人员需要有较高的文化素质、检测成本高等。

实际上,上述两种方法往往同时综合使用,称为综合诊断法。

3. 汽车检测

汽车检测是指为确定汽车技术状况或工作能力所进行的检查和测量。

按汽车检测的目的可分为安全环保检测和综合性能检测两大类。

(1) 安全环保检测 安全环保检测是指对汽车安全运行和环境保护方面所进行的定期和不定期检测。目的是在汽车不解体情况下建立安全和公害监控体系,确保车辆具有符合要求的外观容貌和良好的安全性能,限制汽车的环境污染程度,使其在安全、高效和低污染工况下运行。

(2) 综合性能检测 综合性能检测是指对汽车实行定期和不定期综合性能方面的检测。目的是在汽车不解体情况下,对运行车辆确定其工作能力和技术状况,查明故障或隐患部位及原因,对维修车辆实行质量监督,建立质量监控体系,确保车辆具有良好的安全性、可靠性、动力性、经济性、排气净化性和噪声污染性,以创造更大的经济效益和社会效益。

☞ 1.1.2 汽车故障诊断与检测技术的基本理论

汽车故障诊断与检测是确定汽车技术状况的应用性技术,不仅要求完善的检测、分析、判断的手段和方法,而且要求有正确的理论指导。为此,必须选择合适的诊断参数,确定合理的诊断参数标准和最佳诊断周期。诊断参数、诊断参数标准、最佳诊断周期是从事汽车故障诊断与检测工作必须掌握的基础理论知识。

1. 诊断参数

汽车诊断参数是指供诊断用的，表征汽车、总成及机构技术状况的量，它包括工作过程参数、伴随过程参数和几何尺寸参数。

工作过程参数是汽车、总成和机构在工作过程中输出的一些可供测量的物理量和化学量，如发动机功率、汽车燃油消耗量、汽车制动距离等。它提供的信息较广，是深入诊断的基础。汽车不工作时，工作过程参数无法测得。

伴随过程参数是伴随工作过程输出的一些可测量，如振动、噪声、异响、过热等。该参数可提供诊断对象的局部信息，常用于复杂系统的深入诊断。

几何尺寸参数可提供总成、机构中配合零件之间或独立零件的技术状况，如配合间隙、自由行程、圆度、圆柱度、端面圆跳动、径向圆跳动等。它提供的信息有限，但能表征诊断对象的具体状态。汽车常用的诊断参数见表1-1。

表1-1　汽车常用的诊断参数

诊断对象	诊断参数	诊断对象	诊断参数
汽车整体	最高车速/(km/h) 最大爬坡度（%） 0—100km/h 加速时间/s 驱动轮输出功率/kW 驱动轮驱动力/N 汽车燃油消耗量/(L/100km，L/(100t·km)) 侧倾稳定角/(°)	柴油机供油系统	各缸喷油器喷油量/mL 各缸喷油器喷油不均匀度（%） 供油提前角/(°) 喷油提前角/(°)
发动机总成	额定转速/(r/min) 怠速转速/(r/min) 发动机功率/kW 发动机燃油消耗量/(L/h) 单缸断火转速平均下降值/(r/min) 废气成分（体积分数）（%）	冷却系统	冷却液温度/℃ 冷却液液面高度 风扇传动带张力/kN 风扇离合器结合、断开时的温度/℃
曲轴连杆机构	气缸压力/MPa 气缸漏气量/kPa 曲轴箱窜气量/(L/min) 进气管真空度/kPa	润滑系统	机油压力/kPa 机油液面高度 机油温度/℃ 理化性能指标变化量 介电常数变化量 金属微粒的含量，质量分数（%） 机油消耗量/kg
配气机构	气门间隙/mm 配气相位/(°)	点火系统	蓄电池电压/V 初级电路电压/V 各缸点火电压/kV 各缸短路点火电压/kV 各缸断路点火电压/kV 点火提前角/(°) 闭合角/(°)
汽油机供油系统	空燃比 汽油泵出口关闭压力/kPa 供油系供油压力/kPa 喷油器喷油压力/kPa 喷油器喷油量/mL 喷油器喷油不均匀度（%）	传动系	传动系游动角度/(°) 传动系机械传动效率 传动系功率损失/kW 总成工作温度/℃
柴油机供油系统	输油泵输油压力/kPa 喷油泵高压油管最高压力/kPa 喷油泵高压油管残余压力/kPa 喷油器针阀开启压力/kPa 喷油器针阀关闭压力/kPa 喷油器针阀升程/mm	制动系统	制动距离/m 制动时间/s 制动力/N 制动协调时间/s 制动减速度/(m/s²)

(续)

诊断对象	诊断参数	诊断对象	诊断参数
转向系统	车轮侧滑量/(m/km) 车轮前束/mm 车轮外倾角/(°) 主销后倾角/(°) 主销内倾角/(°) 转向盘最大自由转动量/(°) 转向盘外缘最大切向力/N	行驶系统	车轮静不平衡量/g·mm 车轮动不平衡量/g·mm 车轮端面圆跳动量/mm 车轮径向圆跳动量/mm
		其他	前照灯发光强度/cd 前照灯光束照射位置/mm 车速表允许误差（%） 喇叭声级/dB 车内噪声级（A声级）/dB

2. 诊断参数标准

诊断参数标准是对诊断参数限值的统一规定，利用诊断参数量测量值对诊断对象的技术状况进行评价的依据。根据来源可把诊断参数标准分为三类。

（1）国家标准 指由国家机关制定和颁布的可用于诊断的技术标准。这类标准主要涉及汽车行驶安全性和对环境的影响，如 GB 7258—2017《机动车运行安全技术条件》和 GB 18285—2005《点燃式发动机汽车排气污染物限值及测量方法(双怠速及简易工况)》等。这些标准可反映汽车或汽车某机构的工作能力，因此广泛应用于汽车检测与诊断中。例如：制动距离可反映汽车制动系统的技术状况；排气中 CO 和 HC 含量大小除反映汽车对环境的影响外，还可综合反映燃油供给系统、点火系统技术状况和燃烧情况。

（2）制造厂推荐标准 指由汽车制造厂通过技术文件对汽车某些参数所规定的标准，一般主要涉及汽车的结构参数，如气门间隙、分电器触点间隙、车轮定位角、点火提前角等。这类标准一般在设计阶段确定，并在样车或样机的台架或运行试验中修订，与汽车的使用可靠性、使用寿命和经济性有关。

（3）企业标准 指汽车运输企业根据车辆的实际情况所制定的标准。这类标准因汽车使用条件不同而不同。例如：在市区与公路、平原与山区不同道路条件下，汽车使用油耗相差很大，不能采用统一的油耗标准；汽车在矿区使用较在公路上使用，润滑油的污染速度要快得多，应采用不同的润滑油换油周期。

汽车各项诊断参数的标准，一般都应包括诊断参数的初始标准 P_f、诊断参数的极限标准 P_n 和诊断参数的许用标准 P_d。

1）诊断参数的初始标准 P_f 相当于无技术故障的新车诊断参数的大小。对于汽车的某些机构或系统（如点火系统、供油系统等）来说，P_f 是按最大经济性原则来确定的。这一标准可在汽车运用过程中一直使用，例如，对某种型号汽车来说，它的点火系统最佳点火提前角在使用中应一直保持在 3°~8° 范围内，因为这项标准能确保汽车获得最大的动力性和最好的经济性。

2）诊断参数的极限标准 P_n 指汽车失去工作能力或技术性能将变坏，以及行驶安全性得不到保证时所对应的诊断参数值。诊断参数的测试值超出其极限标准值时，汽车将不能再使用。在汽车使用过程中，通过逐次诊断，并把诊断结果与诊断参数极限值比较，可预测汽车的使用寿命。诊断参数的极限标准值，由国家机关技术部门制定（如汽车修理标准）。

3）诊断参数的许用标准 P_d 是汽车保养工作中定期诊断的主要标准。在许用标准内汽车无需进行保修工作。如果在汽车运用过程中，发现诊断参数值超出了许用标准，即使汽车还有工作能力，也不能再等到原来的保修间隔里程才进行保修了，要适当提前安排保养或修理，否则汽车的技术经济性能将下降，故障率将升高。

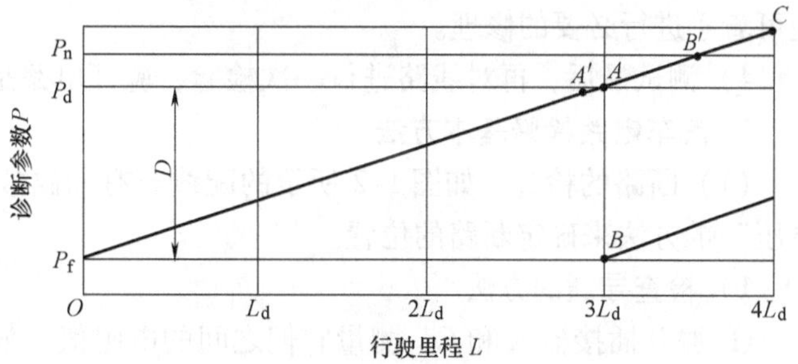

诊断参数标准的初始值、极限值和许用值，可能是单一的数值，也可能是数值范围。它们三者之间的关系及诊断参数随行驶里程的变化关系如图 1-1 所示。

3. 诊断周期

诊断周期是指汽车诊断的间隔期，以使用时间或行驶里程表示。

图 1-1 诊断参数随行驶里程的变化情况

D—诊断参数 P 的允许变化范围　L_d—诊断周期　P_fC—诊断参数 P 随行驶里程 L 的变化　A—P 变化至与 P_d 相交，继续行驶可能发生故障　B'—P 变化至与 P_n 相交，继续行驶可能发生损坏　C—发生损坏　A'—P 变化至 A' 后可继续行驶，至最近的一个诊断周期采取维修措施　AB—采取维修措施后，P 降至开始标准 P_f，汽车技术状况恢复

诊断周期的确定，是根据技术与经济相结合的原则，保证车辆的完好率最高，同时消耗的费用最少，从而获得最佳的诊断周期。

根据《道路运输车辆技术管理规定》（中华人民共和国交通运输部令 2023 年第 3 号）第三条：道路运输车辆技术管理应当坚持分类管理、预防为主、安全高效、节能环保的原则。第四条：道路运输经营者是道路运输车辆技术管理的责任主体，负责对道路运输车辆实行择优选配、正确使用、周期维护、视情修理、定期检验检测和适时更新，保证投入道路运输经营的车辆符合技术要求。第十五条至十八条对车辆的维护与修理有明确要求，第十九条至二十四条对车辆的检验检测有详细的规定和要求。

▶▶▶ 1.2　汽车电路检修基础

随着电子技术的发展，汽车电控系统的控制功能越来越多，汽车电路也越来越复杂。读懂汽车电路图，不仅可以了解各电控系统元件的工作原理及它们之间的连接关系，而且对汽车故障诊断和检修也十分重要。在对汽车进行故障诊断或检修时，利用汽车电路图可迅速查找出电控系统元件的安装位置，以便对故障相关线路进行检查，并可避免检修过程中将线路连接错误。因此，正确识读汽车电路图、分析并找出其特点和规律，是进行汽车电路故障诊断与排除以及全面检修的基础。

1. 汽车电路检修的一般程序

检修电路故障的关键是分析、判断故障原因。汽车电路检修的一般程序如下：

1）验证车主（用户）反映的情况。在详细了解故障现象和故障发生经过的基础上，作必要的验证。在动手拆、测之前，尽可能缩小故障产生的范围。

2）分析电路原理图，弄清电路的工作原理，对问题所在作出推断。对相关线路进行检查，如果相关线路工作正常，说明共同部分没问题，故障原因仅限于有问题的这一线路中；如果相关的几条线路同时出现故障，原因多半在熔断器或搭铁线上。

3）重点检查问题集中的线路或部件，通过测试，验证前面作出的推断。测试时，先对该线路中最有可能出现故障的部位加以测试，且先测试最容易测试的部位。问题一经查明，便可着手进行必要的修理。

4）测试最后，再对线路进行一次检验，验证电路是否恢复正常。

2. 汽车电路检修基本方法

（1）断路的检查　如图1-2所示的配线若有断路故障时，可用"检查导通"或"检查电压"的方法来确定断路的位置。

1）检查导通的方法

①脱开插接器A和C，测量它们之间的电阻值，如图1-3所示。若插接器A端子1与插接器C端子1之间电阻值为∞，则它们之间不导通断路；插接器A端子2与插接器C的端子2之间电阻值为零，则它们之间导通无断路，从而检查出在插接器A的端子1与插接器C的端子1之间有断路。

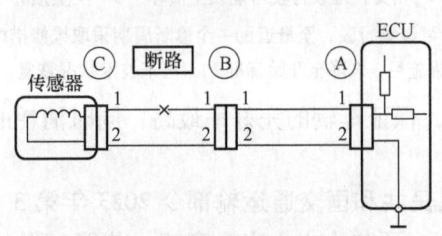

图1-2　断路的检查方法

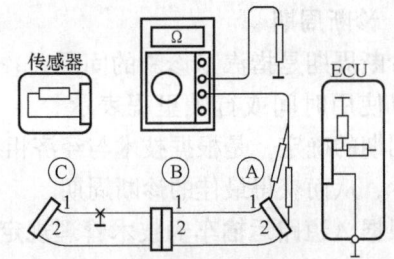

图1-3　检查配线是否通断

②脱开插接器B测量插接器A与B、B与C之间的电阻。若插接器A的端子1与插接器B的端子1之间的电阻为零，导通无断路；而插接器B的端子1与插接器C的端子1之间的电阻为∞，则在插接器B的端子1与插接器C的端子1之间有断路。

2）检查电压方法。在ECU插接器端子加有电压的电路中，可用检查导通电压的方法来检查断路故障。如图1-4所示，在各插接器接通的情况下，当ECU输出端子电压为5V时，依次测量插接器A的端子1、插接器B的端子1和插接器C的端子1与车身之间的电压。若插接器A的端子1与车身之间为5V，插接器B的端子1与车身之间为5V，插接器C的端子1与车身之间为0V，则可判定在B的端子1与C的端子1之间配线有断路故障。

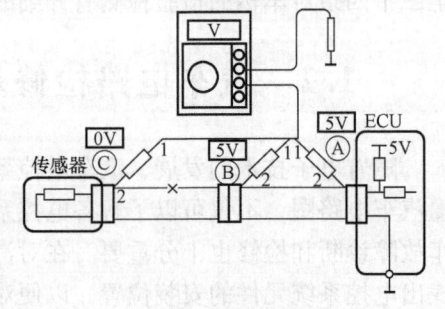

图1-4　检测电压

（2）短路的检查　如图1-5所示，如果配线有短路搭铁，可通过检查与车身或搭铁线是否导通来判断短路的部位。

1）脱开插接器C和A，测量插接器A的端子1和2与车身之间电阻，如图1-5所示。若插接器A的端子1与车身搭铁线之间导通，插接器A的端子2与车身搭铁线之间不导通，则可判断在插接器A的端子1与插接器C的端子1的配线与车身之间有短路搭铁故障。

2）脱开插接器 B，分别测量插接器 A 和 C 的端子 1 与车身搭铁之间的电阻。若插接器 A 的端子 1 与车身之间为不导通，插接器 C 的端子 1 与车身之间导通，则可以判断出插接器 B 的端子 1 与插接器 C 端子 1 的配线与车身之间有短路搭铁故障。

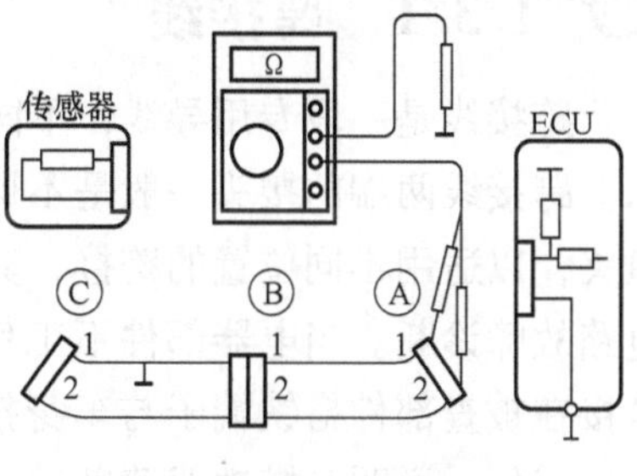

3. 汽车电路检修注意事项

1）拆卸蓄电池时，总是最先拆下负极（-）电缆；装配蓄电池时，总是最后连接负极（-）电缆。拆下或装上蓄电池电缆时，应确保点火开关或其他开关都已断开，否则会导致半导体元器件的损坏。

图 1-5 检测有无短路

2）不允许使用电阻表及万用表的 R×100 以下低阻电阻档检测小功率晶体管，以免电流过载损坏它们。更换晶体管时，应首选接入基极，拆卸时，则应最后拆卸基极。对于金属氧化物半导体管（MOS），则应当心静电击穿，焊接时，应从电源上拔下烙铁插头。

3）拆卸和安装元器件时，应切断电源。如无特殊说明，元器件引脚距焊点应在 10mm 以上，以免烙铁烫坏元器件，且宜使用恒温或功率小于 75W 的电烙铁。

4）更换烧坏的熔断器时，应使用相同规格的熔断器，使用比规定容量大的熔断器会导致电器损坏或产生火灾。

5）靠近振动部件（如发动机）的线束部分应用卡子固定，将松弛部分拉紧，以免由于振动造成线束与其他部件接触磨损。

6）与尖锐边缘磨碰的线束部分应用胶带缠起来，以免损坏。安装固定零件时，应确保线束不要被夹住或被破坏。安装时，应确保插接器接插牢固。

7）进行保养时，若温度超过 80℃（如进行焊接时），应先拆下对温度敏感的零件（如继电器和 ECU）。

此外，现代汽车的许多电子电路，出于性能要求和技术保护等多种原因，往往采用不可拆卸的封装方式，如厚膜封装调节器、固封电子电路等，当电路故障可能涉及它们内部时，往往难以判断。在这种情况下，一般先从其外围逐一检查排除，最后确定它们是否损坏。有些进口汽车上的电子电路，虽然可以拆卸，但往往缺少同型号分立元器件代替，这就涉及用国产元器件或其他进口元器件替代的可行性问题，切忌盲目代用。

总之，现代汽车电路（特别是电子电路）的检修，除要求检修人员具有一定的实际经验外，还要求具有一定的电工、电子学基础和分析电路原理及使用仪表工具的能力。

1.3 常用故障诊断与检测设备介绍

在汽车发展的早期，人们主要是依靠有经验的维修人员发现汽车的故障并作有针对性的修理，即过去人们常讲的"看"、"闻"、"摸"方式。随着现代科学技术的进步，特别是计算机技术的进步，汽车检测技术也飞速发展，目前人们能依靠各种先进的仪器设备，对汽车进行不解体检测，而且安全、迅速、可靠。在检查及诊断汽车故障时，常借助一些工具及仪器、仪表，在使用这些工具及仪器、仪表之前，必须仔细阅读有关的使用说明书，详细了解其结构性能及使用注意事项,以便做到测量准确、诊断无误。

1.3.1 跨接线

跨接线是一段专用导线,不同形式的跨接线主要是其长短和两端接头不同,如图1-6所示。跨接线两端的接头一般是不同形式的接头或鳄鱼夹,以适用不同位置的跨接,其作用主要是用于电路故障诊断。当电器部件不工作时,可将跨接线跨接在被查部件搭铁端子与车身搭铁之间,若此时部件工作,说明其搭铁线路断路;同理,将跨接线跨接在蓄电池正极与被测部件的电源端子之间,若此时部件工作,说明部件电源电路有故障(短路或断路);如部件仍不工作,说明部件本身有故障,应予以更换。

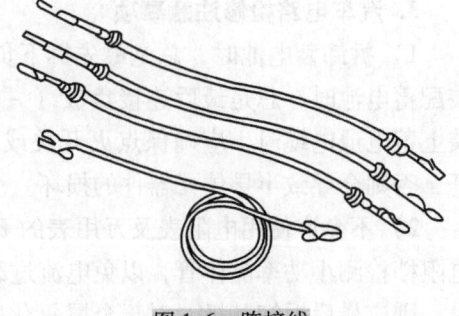

图1-6 跨接线

此外,在调取某些车系故障码时,也需使用专用跨接线跨接在诊断座的相应端子上。使用跨接线检测时应注意:

1) 用跨接线将蓄电池正极跨接到被测部件的电源端子之前,必须先确认被测部件的规定电源电压值。若将12V电源直接加在被测部件上,可能导致其损坏。

2) 不要用跨接线将被测元件电源端子直接搭铁,以免导致电源短路。

1.3.2 测试灯

测试灯实际上是带导线的电笔,又称测试笔,其主要作用是用来检查系统电源电路是否给电器部件供电,检查电器部件是否短路或断路。测试灯带有显示电路通、断的指示灯,对电路进行检测,根据指示灯的亮度还可判断被测电路的电压高低。测试灯可分为无电源测试灯和自带电源测试灯两种类型。

1. 无电源测试灯

无电源测试灯如图1-7所示。检查时,可先将测试灯的搭铁夹搭铁,再用探针触接电源端子,若灯不亮,说明被测电路有断路故障,可沿电流的流向继续依次选择测点进行检查,直到灯亮为止,此时,可判定电路的断路在最后两个测点之间。若怀疑某电路短路,可将测试灯跨接在熔丝处,然后依次断开被测线路中的线束插接器,直到测试灯熄灭为止,断路故障即发生在最后两个断开的线束插接器之间。

2. 自带电源测试灯

自带电源测试灯在手柄内加装两节1.5V干电池,主要用于检测电路断路故障,如图1-8所示。检查时,将自带电源测试灯跨接在被测线路的两端,若灯不亮,说明被测线路有断路故障。然后依次选择适当测点移动探针(或探头)缩小测试范围,直到灯亮为止,则断路点在最后两个测点之间。

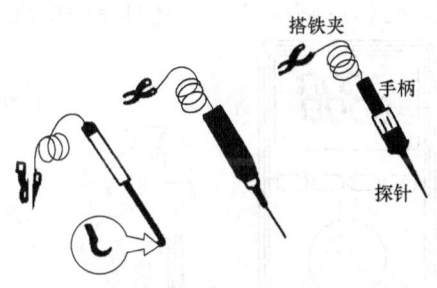

图 1-7　无电源测试灯

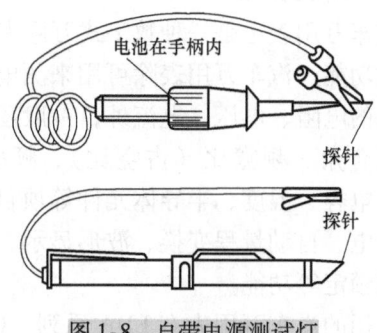

图 1-8　自带电源测试灯

1.3.3　万用表

万用表主要用来测量电阻、电压、电流等参数，以此判断电路的通断和电气元器件的技术状况。万用表可分为指针式万用表和数字式万用表两种。在汽车电控系统中，大多数电路都具有高电阻、低电压、低电流特征，因此在实际的故障诊断与检测过程中，除维修手册有特别规定外，必须使用高阻抗数字式万用表进行测试。

1. 数字式万用表

数字式万用表采用数字化测量技术和液晶显示器（LCD）显示，具有测量准确度高、测量范围广、测量速率快、输入阻抗高、抗干扰能力强、容易读数等优点，在汽车故障诊断与检测中应用广泛。数字式万用表除可以用来检测电阻（Ω）、交直流电压（V）和电流（A）外，有些还具有测试脉冲、频率和振幅等功能。

常用的数字式万用表有袖珍式和盒式两种，两者的结构原理及用途基本相同。本书以袖珍数字式万用表为例，其外形如图 1-9 所示。

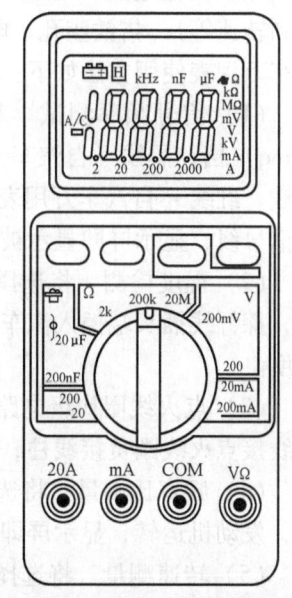

图 1-9　袖珍数字式万用表

使用数字式万用表应注意以下事项：

1）根据被测量对象性质和数值大小选择合适的档位和量程，将测量导线插入相应的座孔中。如测量喷油器电阻，即使高阻喷油器电阻值也不超过20Ω，所以将万用表档位开关拧到电阻Ω的2k量程，并将黑色测量导线插接到COM插孔，将红色导线插入到VΩ（电压电阻）插孔，再将红色和黑色测量导线测针连接到喷油器两端子上，显示屏则显示喷油器电阻值。

2）选择量程时最好从低到高逐级进行选择，以便获得准确的测量数据。

3）使用数字万用表时，严禁在电控元器件或电路处于通电状态时测量其电阻，以免外部电流流入数字万用表而将其损坏。

2. 汽车万用表

汽车万用表也是一种数字式万用表，它除具有数字式万用表功能外，还具有一些汽车专用测试功能。汽车万用表除可用来测电控元器件和电路的电阻、电压、电流外，一般还能测量转速、闭合角、频宽比（占空比）、频率、压力、时间、电容、温度、半导体元件等项目，并具有自动断电、自动量程变换、波形显示、峰值保留和数据锁定等功能。

常用的汽车万用表有 EDA 系列、OTC 系列、KM300 型、迪威 9406A 型等。如图 1-10 所示，汽车万用表主要由数字及模拟量显示屏、功能按钮、测试项目选择开关、温度测量座孔、公用座孔（用于测量电压、电阻、频率、闭合角、频宽比和转速等）、搭铁座孔、电流测量座孔等构成。汽车万用表使用方法如下：

（1）信号频率测试　将选择开关置于频率（Freq）档，黑线（自汽车万用表搭铁座孔引出）搭铁，红线（自汽车万用表公用座孔引出）接被测信号线，显示屏即显示被测频率。

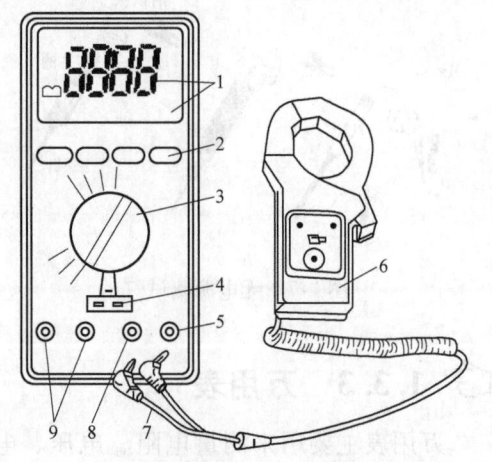

图 1-10　汽车万用表
1—数字及模拟量显示屏　2—功能按钮　3—选择开关
4—温度测量座孔　5—公用座孔　6—霍尔式电流
传感夹　7—霍尔式电流传感夹引线插头
8—搭铁座孔　9—电流测量座孔

（2）温度检测　将选择开关置于温度（Temp）档，按下功能按钮（℃/℉），将黑线搭铁，探针线插头端插入汽车万用表温度测量座孔，探针端接触被测物体，显示屏即显示被测温度。

（3）点火线圈初级电路闭合角检测　将选择开关置于闭合角（Dwell）档，黑线搭铁，红线接点火线圈负接线柱，发动机运转，显示屏即显示点火线圈初级电路闭合角。

（4）频宽比测量　将选择开关置于频宽比（Duty Cycle）档，红线接电路信号，黑线搭铁，发动机运转，显示屏即显示脉冲信号的频宽比。

（5）转速测量　将选择开关置于转速（RPM）档，转速测量专用插头插入搭铁座孔与公用座孔中，感应式转速传感器（汽车万用表附件）夹在某一缸点火高压线上，在发动机工作时，显示屏即显示发动机转速。

（6）起动机起动电流测量　将选择开关置于 400mV 档（1mV 相当于 1A 的电流，即用测量电流传感器电压的方法来测量起动机起动电流），把霍尔式电流传感夹夹到蓄电池线上，其引线插头插入电流测量座孔，按下最小/最大功能按钮，然后拆下点火高压线，用起动机转动曲轴 2～3s，显示屏即显示起动电流。

（7）氧传感器测试　拆下氧传感器线束插接器，将选择开关置于 4V 档，按下 DC 功能按钮，使显示屏显示"DC"，再按下最小/最大功能按钮，将黑线搭铁，红线与氧传感器相连；然后以快怠速（2000r/min）运转发动机，使氧传感器工作温度达 360℃ 以上。此时，如混合气浓，氧传感器输出电压约为 0.8V；如混合气稀，氧传感器输出电压为 0.1～0.2V。当氧传感器工作温度低于 360℃ 时（发动机处于开环工作状态），氧传感器无电压输出。

（8）喷油器喷油脉冲宽度测量　将选择开关置于频宽比档，测出喷油器工作脉冲频率的频宽比后，再把"选择开关"置于频率（Freq）档，测出喷油器工作脉冲频率（Hz），然后按下式计算喷油器喷油脉冲宽度：

$$S_p = \frac{\eta}{f_p}$$

式中，S_p是喷油脉冲宽度（s）；η是频宽比（%）；f_p是喷油频率（Hz）。

1.3.4 手提式真空泵

手提式真空泵又称手持式真空测量仪，发动机电控系统中采用真空驱动的元件很多，如燃油压力调节器、进气控制阀、EGR阀等，检查这些真空驱动元件的好坏一般都需对其施加一定的真空度，手提式真空泵就是一种常用的抽真空工具。如图1-11所示，手提式真空泵一般带有显示真空度的真空表、各种连接软管和接头等附件，以适应对不同车型和不同真空驱动元件的检测。

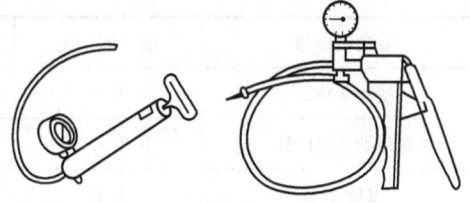

图1-11 手提式真空泵

在检测时，被测元件不需拆卸，可在车上对其检测。通过推拉手提式真空泵的手柄，施加给部件一个适当的真空度，即可确定部件上控制阀打开、关闭的真空度。

> 使用手提式真空泵应注意：
> 1）检查前将各真空软管连接好，防止因真空泄漏而导致测量结果失准。
> 2）检查时必须按规定对被测元件施加真空度，施加真空度过大会损坏被测元件。
> 3）检查完毕后，在拆开连接的真空软管前，应先释放真空度，否则将灰尘、湿气等吸入被测元件内，会造成不良后果。

1.3.5 气缸压力表

气缸压力表是用来测量气缸内压缩终了时压力的专用工具，由其测量的气缸最大压缩压力来判断气缸密封性的好坏。根据气缸压力表的测量范围不同，可分为0~1.4MPa（汽油机）和0~4.9MPa（柴油机）两种；按其形式不同，可分为推入式和螺纹接口式两种，如图1-12所示。

测量气缸压力（以汽油机为例），按下面方法进行：
1）起动发动机并运转到正常工作温度，旋下汽油机火花塞及拔掉喷油器插头。
2）节气门全开。
3）将气缸压力表装在被测试的气缸火花塞孔上。
4）用起动机转动曲轴3~5s，待表头指针

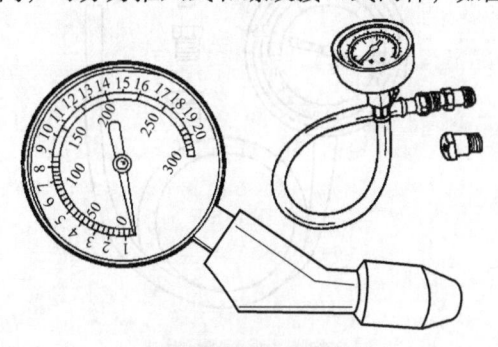

图1-12 气缸压力表

指示并保持最大压力后停止转动。

5）取下压力表，记下读数，按下单向阀，使指针回零。

6）按上述方法依次测量各缸，每缸测量次数不少于两次。

根据GB/T 3799—2005的规定，大修后的发动机气缸压缩压力应符合原设计规定——标准值。在用发动机气缸压力不得低于标准值的25%，汽油机各缸压力差不超过各缸平均压力的8%，否则发动机应大修。

常见车型发动机气缸压缩压力的标准值见表1-2。

表1-2 常见车型气缸压缩压力的标准值

发动机型号	压缩比	气缸压缩压力/kPa	各缸压力差/kPa
捷达 EA827	8.5	900~1100	≤300
桑塔纳 AJR1.8L	9.3~9.5	1000~1350	—
富康 TU3	8.8	1200	—
马自达 626 F6	8.6	794~1127	196

1.3.6 真空表

真空表是用于测量发动机进气管内负压力（真空度）的工具，如图1-13所示。检测进气管真空度时，应将真空表接在节气门的后方，汽油发动机在正常状态下，按规定的怠速值无负荷运转，拆下空气滤清器，查看真空表的读数和指示状态。改变发动机的转速，观察真空度的变化情况，根据真空度值的变化，分析和判断发动机不同工况下的技术状况。

1.3.7 燃油压力表

燃油压力表是用来检测燃油供给和喷射系统油压的专用工具，是对燃油系统进行检查和故障诊断的常用工具，如图1-14所示。通过测试系统燃油压力，可以诊断燃油系统是否有故障，进而根据测试结果确定故障性质和部位。

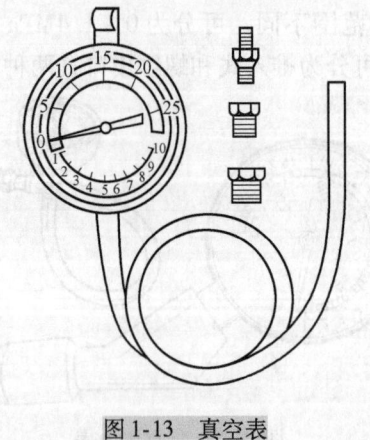

图1-13 真空表

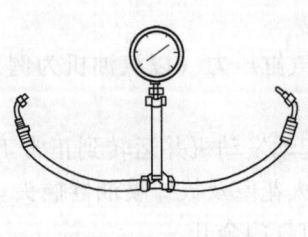

图1-14 燃油压力表

1.3.8 喷油器清洗仪

喷油器清洗仪可分为便携式和固定式两种类型。

1. 便携式喷油器清洗仪

便携式喷油器清洗仪无需拆下喷油器即可随车进行清洗。便携式喷油器清洗仪主要由储液器、电动泵等组成，如图 1-15 所示。其使用方法如下：

1）把储液器加满喷油器清洗液。

2）安装喷油器清洗仪。先释放燃油系统压力，将开关阀一侧的管路连接到燃油系统供油总管的油压检测口处，喷油器清洗仪另一端与燃油压力调节器回油管连接。

3）断开电动燃油泵驱动电路，接通喷油器清洗仪电动泵电路，起动发动机。

4）向发动机中加入去炭剂，使发动机在 2000r/min 运转 10min 后，使发动机停止运转，同时断开喷油器清洗仪电动泵的电路，喷油器清洗即完成。

2. 固定式喷油器清洗仪

固定式喷油器清洗仪外形如图 1-16 所示，此类型清洗仪一般除用来清洗喷油器外，还具有喷油器喷油量及喷油器滴漏检查功能。不同厂家的固定式喷油器清洗仪使用方法不完全相同，使用时可按使用说明书进行操作。

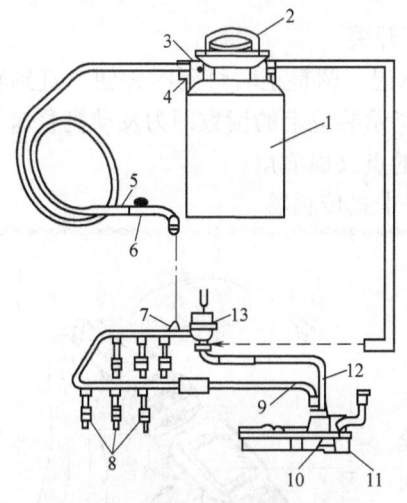

图 1-15 便携式喷油器清洗仪

1—储液器 2—清洗仪电动机 3—压力指示表 4—检测阀 5—滤清器 6—开关阀 7—油压检测口 8—喷油器 9—供油管 10—电动燃油泵 11—油箱 12—回油管 13—燃油压力调节器

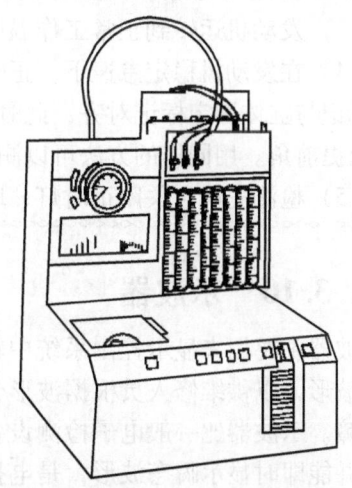

图 1-16 固定式喷油器清洗仪

1.3.9 点火正时灯

点火正时灯是专门用于测试发动机运转中点火时间是否正确的测试仪器，它用正时灯泡与高压电同时发光作为正时记号来测试点火时间。

点火正时灯结构如图 1-17 所示，由闪光灯、外卡式感应器、电源夹、电位计等构成。

正时灯是一种频率闪光灯,每闪光一次表示第1缸的火花塞发火一次,因此闪光与第1缸点火同步。当正时灯对准发动机第1缸压缩终了上止点标记,并按实际跳火时间进行闪光时,若飞轮或曲轴传动带盘上的标记还未到达固定指针,即第1缸活塞还未到达压缩终了上止点,此时,可调整正时灯电位器,使闪光时机推迟至转动部分上的标记正好对准固定指针之时,那么推迟闪光的时间就是点火提前的时间,将其显示到表头上,便可读出要测的点火提前角。

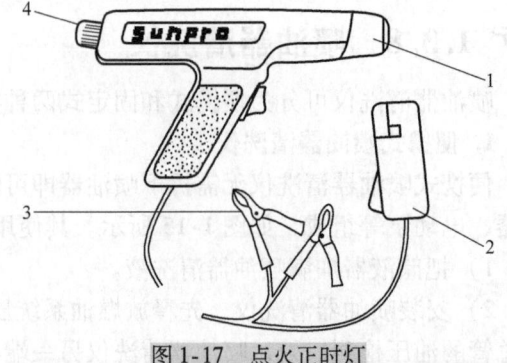

图1-17 点火正时灯

1—闪光灯 2—外卡式感应器 3—电源夹 4—电位计旋钮

点火提前角检测方法如下:

1)将正时灯的两个电源夹分别夹在蓄电池的正、负极上,红正、黑负。

2)将正时灯的外卡式传感器卡在1缸高压线上,如果是独立点火系统,应在1缸点火线圈上贴感应片,使用专用片式感应器。

3)发动机运转到正常工作温度,打开正时灯开关。

4)在发动机稳定怠速下,正时灯对准转动标记,调整正时灯延时旋钮,直到转动标记与缸体固定标记对齐,此时,正时灯上的指示装置上的读数即为发动机怠速下点火提前角。用同样的方法可以测出不同工况下的点火提前角。

5)检测完毕,关闭正时灯,取下电源夹和外卡式传感器。

1.3.10 示波器

示波器主要用来显示控制系统中输入、输出信号的电压波形,以供维修人员根据波形分析判断电控系统的故障。示波器比一般电子检测设备的显示信号速度快,并能即时显示瞬态波形,是电控系统故障诊断中的重要设备。

示波器可分为模拟式示波器和数字式示波器。模拟式示波器显示速度快但显示波形不稳定(抖动),且模拟示波器没有记忆功能,无法记录、打印线路状态或将波形存储于数据库,给故障波形分析判断带来困难。数字式示波器由微机控制,能将模拟电压信号转换成数字信号,但因信号数字化需耗一定时间,显示速度较模拟式示波器慢。数字式示波器显示波形稳定,且有记忆功能,可在测试结束后使故障波形重现,便于对波形进行进一步分析判断。数字式示波器的组成如图1-18所示。

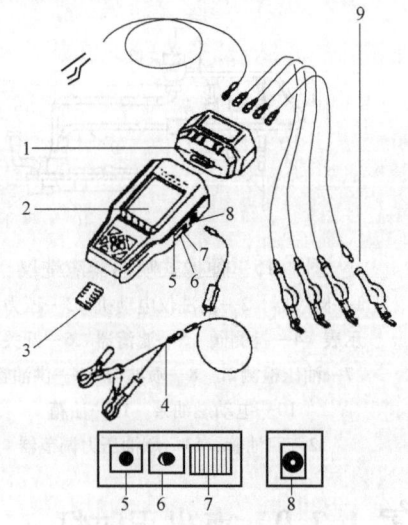

图1-18 数字式示波器的组成

1—诊断模块 2—测试主机 3—存储卡
4—外接电源线 5—热起动开关 6—电源开关
7—串行接口 8—外部电源接口 9—测试线缆

示波器的主要功能如下：

1) 可测试发动机传感器、执行器、电路和点火系统等电压波形，并能进行故障诊断。

2) 具有汽车万用表功能，可测试电压、电阻、闭合角、周期、正负峰值、峰值电压、喷油脉冲、喷油时间、点火电压和燃烧时间等。有的示波器内部还存储有汽车数据库和标准波形，使故障判断更为方便。

3) 能提供在线帮助，包括系统工作原理、测试连接方法、接线颜色等，并有图形辅助显示。

4) 有对测试内容进行记录、回放的功能，可捕捉到瞬间出现的故障。

示波器的控制，主要指对 Y 轴电压和 X 轴时间的控制。模拟式示波器一般采用开关、按键和旋钮等实现对波形垂直幅度、水平幅度、垂直位置、水平位置和亮度等的调整。数字式示波器多采用菜单式操作，只需在各级菜单上选择测试项目，无需任何设定和调整，可直接观测波形，使用非常方便。

1.3.11 发动机综合分析仪

发动机综合分析仪是发动机综合性能检测仪的简称，它能对发动机进行不解体综合测试，并配备有标准的数据及专家分析系统，可通过对测试结果与标准数据比较，为发动机技术状态判断和故障诊断提供科学依据。常见的发动机综合分析仪有深圳元征 EA—1000 型、西安凌翔 FZ2000 型等国产品牌和 BOSCH（博世）、HUMAN（凯文）、BEAR（大熊）等进口品牌。不同型号的发动机综合分析仪在结构、使用方法等方面各不相同，使用时注意认真阅读使用说明书。图 1-19 所示为元征 EA—1000 型发动机综合分析仪外形。

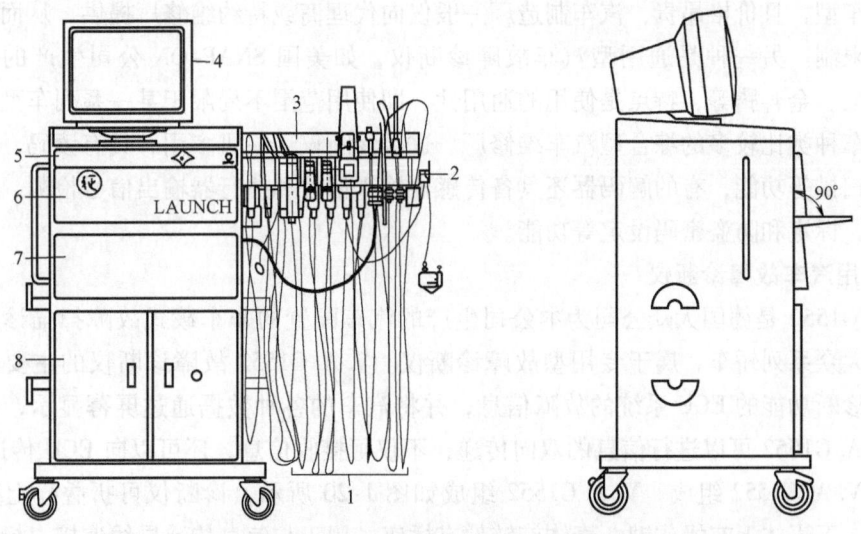

图 1-19 元征 EA—1000 型发动机综合分析仪
1—信号采集系统 2—传感器挂架 3—前端处理器 4—显示器
5—热键板 6—主机柜和键盘柜 7—打印机 8—排放仪柜

发动机综合分析仪一般都具有如下功能：
1）无外载测功功能，即加速测功法。
2）检测点火系统。初级与次级点火波形的采集与处理，平列波、并列波与重叠和重叠角的处理与显示，断电器闭合角和开启角及点火提前角的测定等。
3）机械和电控喷油过程各参数（压力、波形、喷油、脉宽、喷油提前角等）的测定。
4）进气歧管真空度波形测定与分析。
5）各缸工作均匀性测定。
6）起动过程参数（电压、电流、转速）测定。
7）各缸压缩压力判断。
8）电控供油系统各传感器的参数测定。
9）万用表功能。
10）排气分析功能。

1.3.12 汽车故障诊断仪

汽车故障诊断仪俗称解码器，它是一种通信式计算机测试设备，通过汽车上的专用诊断接口在一定协议支持下与汽车ECU进行互相通信，交流各种信息，从而获取ECU工作的重要参数。

当前广泛使用的汽车故障诊断仪有两种类型，一种是专用诊断仪，如通用公司的TECH-Ⅱ、福特公司的Super Star Ⅱ、克莱斯勒公司的DRB-Ⅱ、奔驰公司的HHT、奥迪公司的V.A.G1552、日产公司的Consult等是为各车系设计的故障诊断仪器。这类诊断仪只适用于单一系列车型，且价格昂贵，汽车制造厂一般仅向代理商或特约维修厂提供，从而其使用的范围受到限制。另一种是通用型汽车故障诊断仪，如美国SNAP-ON公司生产的MT2500，国产的元征、金奔腾等，特点是使用的通用性，即使用范围不局限于某一系列车型，特别适合维修汽车种类比较多的综合型汽车维修厂。这类诊断仪还一机多用，具有读码、解码、清码、数据扫描等功能，有的解码器还具备传感器输入信号和执行器输出信号检测、调整以及系统匹配、标定和防盗密码设定等功能。

1. 专用汽车故障诊断仪

V.A.G1552是德国大众公司为本公司生产的汽车配置的非车载式故障扫描诊断仪，主要应用于大众系列轿车，属于专用型故障诊断仪。V.A.G1552故障诊断仪的主要作用是调用带有自诊断功能的ECU系统的故障信息，并将汽车的各种数据通过屏幕显示，帮助分析故障。V.A.G1552可以进行信息的双向传递，不仅可接收信息，还可以向ECU传递信息。

（1）V.A.G1552组成　V.A.G1552组成如图1-20所示，诊断仪可折叠，上壳体有液晶显示屏，下壳体上有操作键，壳体旋转部有插座，用于与信息传递导线连接。标准配置两根连接导线，可用于不同的大众系列汽车。诊断仪壳体两侧有程序卡插槽，程序卡内装有各种汽车的数据，新车上市后，应对程序卡进行升级以获得新车的数据。诊断仪后面还配有打印机接口。

(2) 操作键功用 操作键由一组 0~9 的数字键和几个功能键组成，用于功能选择。

1) Q 键表示确认，当显示屏出现某一测试功能，按 Q 键，则进入该功能。

2) C 键表示取消输入，按这个键可以退出当前的测试状态，退回到上一操作阶段或中断运行中的程序。

3) HELP 键提供操作信息。

4) →键用来向前运行程序或屏幕翻页。

5) ↑和↓键用来上下移动光标，以在列表中选择测试功能，也用于改变匹配设置。

(3) V. A. G1552 与汽车 ECU 连接及操作方法

1) 将适配接口一端与 V. A. G1552 连接，打开位于变速杆前的诊断插接口盖板，如图 1-21 所示，将与诊断插口适应的适配接口插紧。

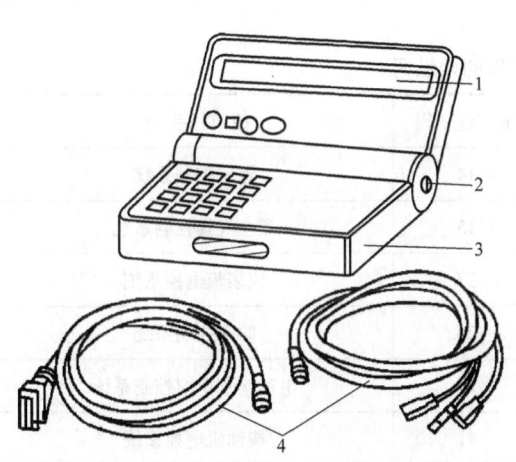

图 1-20 V. A. G1552 及附件示意图
1—显示屏 2—测试线插座 3—诊断仪 4—测试线

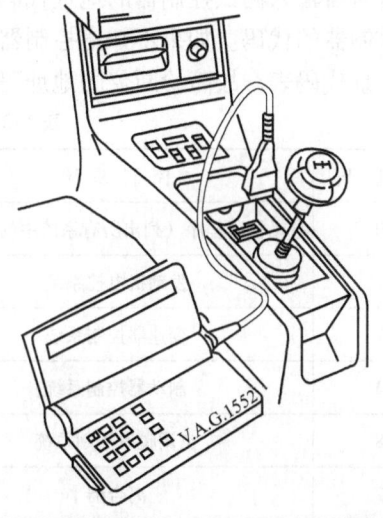

图 1-21 连接 V. A. G1552 故障诊断仪

2) 接通点火开关，但不起动发动机，这时显示屏将显示：

V. A. G—SELF DIAGNOSIS	HELP
1—Rapid data transfer*	
2—Flash code output*	

V. A. G—自诊断	帮助
1—快速数据传送*	
2—闪烁码输出*	

按"01"键，进入"发动机电子控制系统"，按 Q 键确认。显示屏显示控制单元的标识和代码：

```
800 907 559 B 1.8L R4/5V MOTR HS D01
Cording 04001                      WSC
```

各代码含义如下：

800 907 559 B—控制单元的零件号

1.8L—发动机排量

R4/5V—发动机的结构形式，直列四缸 5 气门
MOTR—系统标识
HS—手动变速器（AT—自动变速器）
D01—程序状态号
Cording 04001—控制单元代码
WSC—V. A. G1552 上的维修站代码。

按→键，V. A. G1552 进入"快速数据传送"的地址代码选择模式。

```
Test of vehicle systems        HELP         车辆系统测试      帮助
Enter address word ××                       输入地址码 ××
```

这时需输入测试控制器的地址代码，用数字键输入一个两位数，这个两位数表示汽车上不同控制器的代码。如果不知道控制器地址代码，可按帮助键"Help"，显示屏上将显示控制器地址代码表。故障诊断仪的地址码见表1-3。

表 1-3　故障诊断仪的地址码

地址码	控制系统	地址码	控制系统
00	自动检测程序（列出所有系统中的故障码）	14	悬架控制系统
01	发动机电控系统	15	安全气囊控制系统
02	变速器控制系统	17	仪表板电控系统
03	制动器控制系统	24	防滑控制系统
08	空调暖风控制系统	26	电动车顶车窗控制系统
12	离合器	41	柴油机电控系统

3）输入控制器地址代码后，按下确认键 Q，代码及系统名称将显示出来。例如输入"01"代码，则显示：

```
Vehicle System Test        Q          车辆系统测试      确认
01—Engine electronics                 01—发动机电控系统
```

如输入系统错误，可按修改键 C 后，重新输入代码。
控制器代码表中的"00"代码与其他代码不同，它用来起动自动检测程序：

```
Vehicle System Test        Q          车辆系统测试      确认
00—Automatic Test Sequence            00—自动检测程序
```

如按下 Q 键，检测仪将顺序地显示控制器地址代码，如果控制器内存有信息，该信息将被显示在屏幕上。此后存储器内的故障码将一个接一个自动显示在显示屏幕上，故障码全部输出完后，结束与该控制器对话，开始转入下一个代码所指的控制器。直到故障诊断仪扫描检测完所有的控制器及故障码，它将返回到初始运行状态。

4）测试功能的选择。通过数字键输入"发动机电控系统"的地址码"01"，并按 Q 键确认，显示器上将显示：

```
0123456789    ENGINE    →
Cording 00012    WSC01234
```

这表示已经进入发动机控制系统，WSC00000 表示经销商代号。按下→键，显示器将显示功能代码及功能列表供选择。诊断功能代码见表 1-4。

表 1-4 诊断功能代码表

功能代码	功　　能	功能代码	功　　能
01	查询控制单元版本	06	结束输出
02	查询故障码	07	控制单元编码
03	执行元件诊断	08	读测量数据块
04	基本设定	09	读单元测量数据块
05	清除故障码	10	匹配，自适应

2. 通用型汽车故障诊断仪

X431 是元征公司最新一代汽车诊断仪，采用开放式汽车诊断技术。开放式诊断平台，可与计算机联机，支持随机打印，采用全中文操作界面和触摸屏，随机有帮助信息，操作简单易学。

（1）X431 的基本结构 解码器 X431 主要由测试主机、随机外挂打印机、诊断测试盒组成，其外观如图 1-22 所示。X431 的三大件可以分开，它们各具有独立的功能和作用，可根据需要和配置情况进行工作。除此之外，X431 还配有一些进行汽车诊断所需的附件，如测试主线、电源线、开关电源、CF 卡、CF 卡读写器以及各种测试插头等，配置如图 1-23 所示。

主机正面有带触摸屏的 LCD 显示器和开机、关机微动按键。左侧装有 CF 卡，右侧设有 RS-232 串口、RJ-45 电话线接口、外接键盘接口、耳机接口。主机可单独使用，在它单独使用时，就是一台标准的手持计算机，具备个人数据管理、游戏等功能。诊断

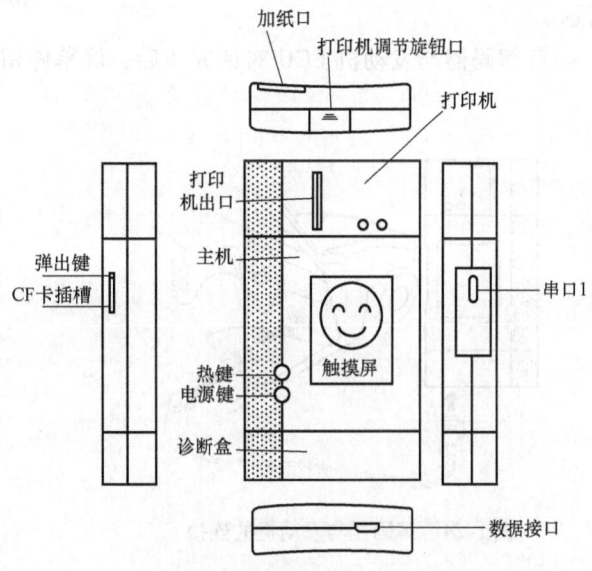

图 1-22 解码器 X431 整机结构

盒担负着汽车诊断的主要功能，可以网上下载升级，不用像以前的解码器那样升级需要换卡。打印机与主机是标准接口相连，用于打印测试结果。诊断测试盒分拆后，可用作 PC 的上位机进行诊断，也就是说在不用主机的情况下，同 PC 配合相应的软件也可进行诊断，这种软件可直接从网上下载。

(2) X431 的使用

1）测试条件

① 汽车蓄电池电压应在 11~14V，X431 的额定电压为 12V。

② 节气门应处于关闭位置，即怠速触点应接通。

③ 散热器和变速器温度应达到正常温度（冷却液温度 90~110℃，油温 50~80℃）。

2）测试基本步骤

① 找到发动机的诊断接口。

② 找出与该接口相对应的解码器配套插头。

③ 连接解码器与发动机接口，如图 1-24 所示。

④ 接通电源，打开点火开关。

⑤ 打开解码器电源开关，启动诊断程序，如图 1-25 所示。

⑥ 选择车型，确认进入，如图 1-26 所示。

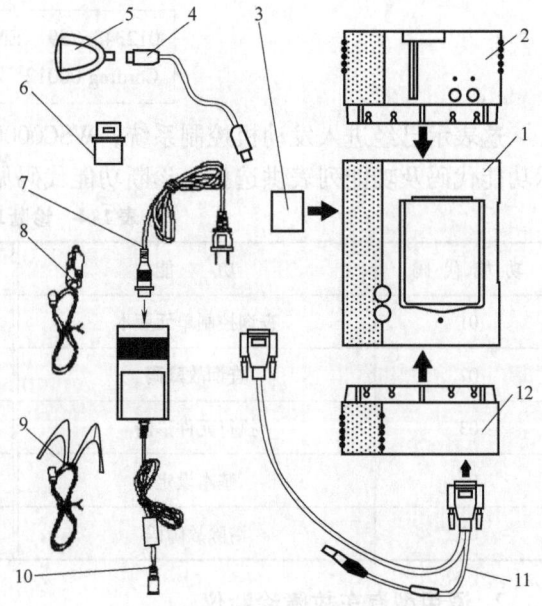

图 1-23　X431 配置示意图

1—主机　2—打印机　3—CF 卡　4—USB 电缆（连接 CF 卡读写器和计算机）　5—CF 卡读写器　6—测试插头　7—电源转接线　8—点烟器线　9—双钳电源线　10—开关电源　11—测试主线　12—诊断测试盒

⑦ 解码器与发动机 ECU 对话完毕后，屏幕停留在可操作的主菜单上，如图 1-27 所示。

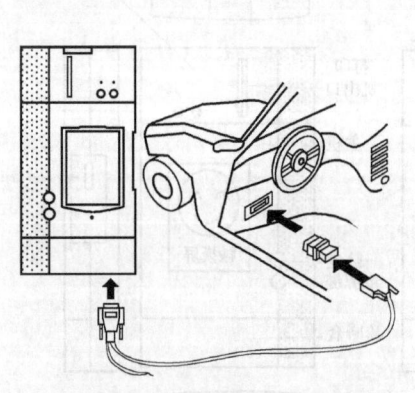

图 1-24　解码器与发动机的连接

图 1-25　启动诊断程序界面

⑧ 选择进入"读取故障码"；如有故障码，屏幕将显示故障码，如图 1-28 所示。

⑨ 点击进入清除故障码，如图 1-29 所示。

⑩ 起动发动机，点击进入"读取数据流"功能，如图 1-30 所示。

⑪如要读取某项数据，可点击选择。屏幕随即显示所选项目的即时数据，如图 1-31 所示。点击打印，随机附带的打印机可打出屏幕数据。

图1-26 选择车型

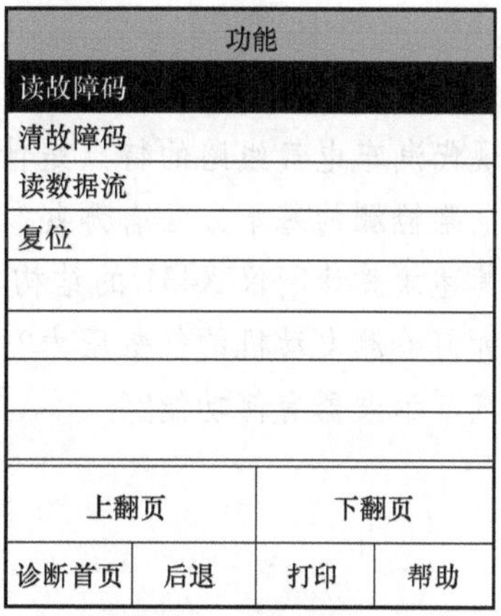

图1-27 主菜单界面

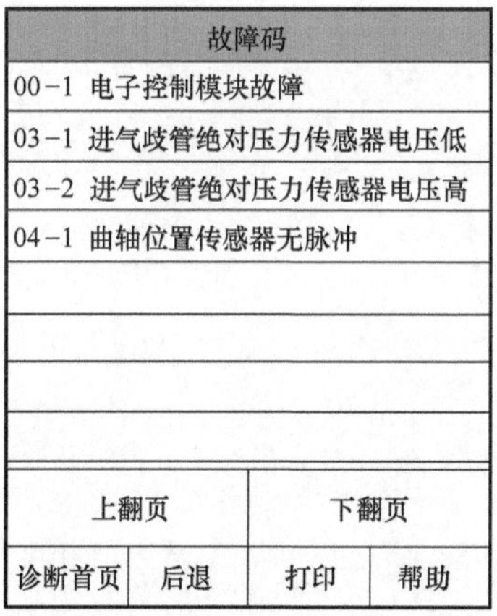

图1-28 故障码显示界面

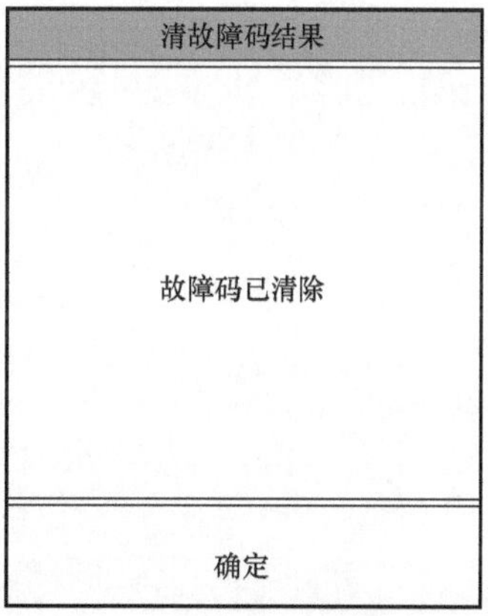

图1-29 清除故障码

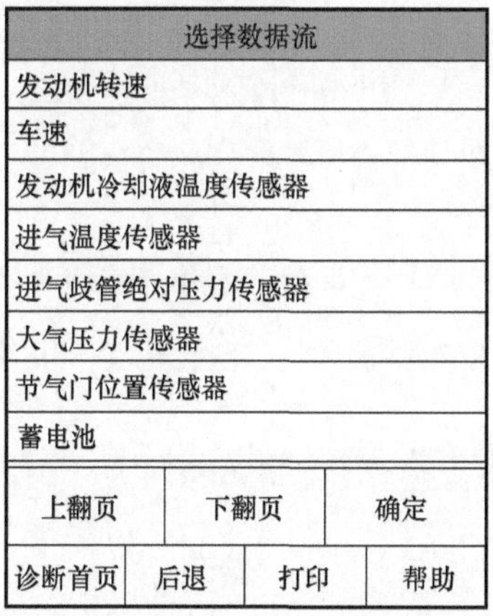

图1-30 读取数据流界面

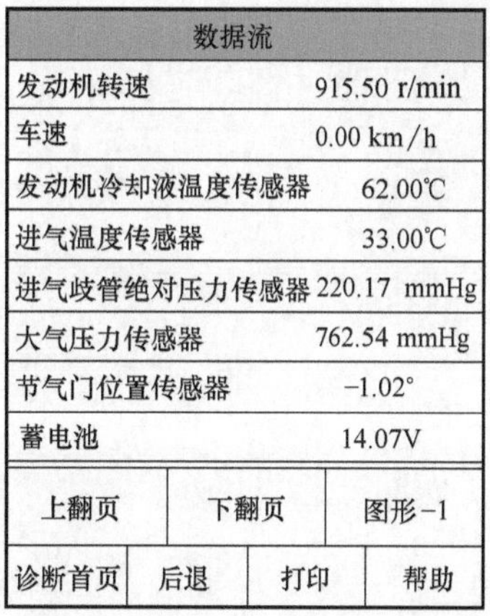

图1-31 所选项目与即时数据

练习与思考题

1. 简述汽车检测诊断的作用和方法。
2. 现代汽车电气线路的特点是什么?
3. 电路检测的基本方法有哪些?
4. 简述故障诊断仪 X431 的结构与使用方法。
5. 如何检测发动机的气缸压力?
6. 汽车示波器有何功能?

第 2 章 汽车发动机故障诊断与检测

> **基本思路：**
>
> 对现代汽车发动机的检测，首先应掌握其相应检测工具和检测设备的正确使用方法，然后再根据发动机各系统的工作流程和工作特征，按照一定的程序进行检测。这样不仅不会在检测过程中引起新的问题，做到事半功倍，而且还能对故障分析和诊断起到删繁就简、切中要害的作用。因为汽车发动机工作时牵涉到力的传递路线、电的流动路线、气的流动路线和各种液体的流动路线，所以对于不同的路线其检测诊断方法也不一样。本章学习和研究的关键是掌握发动机各"线"检测的途径和方法，以及对检测数据的分析和处理。

▶▶▶ 2.1 电控燃油喷射发动机故障诊断方法

故障诊断就是根据故障表现出来的现象采用正确的检测设备和正确的检测流程、方法进行科学的数据分析，找出故障部位或故障零部件，电控燃油喷射发动机常见故障的表现主要有：

① 发动机不能起动。

② 发动机起动困难。

③ 发动机功率降低、油耗增多、排气管冒黑烟。

④ 发动机运转不稳定、抖动。

⑤ 排气管排出蓝色浓烟，在加机油口处会看到有"喘气"现象，并且有油烟窜出。

⑥ 排气管排出白烟并有水珠滴下现象。

⑦ 漏冷却液、漏气或漏机油。

⑧ 发动机运转时爆燃回火等发出敲击、摩擦、尖叫等异常响声。

⑨ 故障指示灯常亮、仪表显示等其他异常现象。

2.1.1 电控燃油喷射发动机故障诊断原则及注意事项

1. 电控燃油喷射发动机故障诊断原则

（1）先外后内　首先对电控系统以外的可能部位进行检查，然后再对电控系统进行检修。

（2）先简后繁　容易检查的部分先检查，能用简单方法检查的先予以检查，熟悉的、有把握的故障或部件先检查。

（3）故障码优先　电控发动机一般都有故障自诊断功能，当电控系统出现故障时，故障自诊断系统会立刻检测到故障并以故障码的方式储存该故障的信息，并通过故障指示灯向驾驶人报警。因此，在进行故障检测诊断前应首先读取故障码，以免走弯路。

（4）多用故障诊断表（故障征兆一览表）　很多大公司都提供了自己车系的故障诊断一览表，对照表中的故障现象，再根据表中按顺序列举的故障部位查找诊断，是一种行之有效的方法。

（5）先思而后行　故障诊断无把握时不可轻易解体发动机，一定要分清是机械部分的问题还是电控系统的问题，切不可盲目拆检。

（6）先备而后用　检修车型不熟悉时要多收集相关技术资料，弄清其基本工作原理。

2. 电控燃油喷射发动机故障诊断注意事项

在检修电控燃油喷射发动机时，为防止工作失误造成新的故障，应注意：

1）接通点火开关时，不允许拆开任何12V电气装置（如：蓄电池、喷油器、怠速控制阀、点火装置等）的连接线路，以防止电气装置中线圈产生自感电动势损坏ECU或传感器。

2）在进行故障诊断时，应首先观察故障指示灯是否点亮。若故障指示灯亮（打开点火开关后，故障指示灯亮或均匀闪烁几秒钟后熄灭或发动机起动后熄灭为正常现象），应按原车规定的程序调取故障码，并根据故障码提示检查相关元器件和电路；若故障指示灯没亮，应按基本程序进行检查。

3）严禁在发动机运转时将蓄电池断开，以防损坏传感器或ECU等电子元器件。

4）在诊断维修中，注意各车型插接器的锁扣形式，不可盲目用力硬拉。安装时要插接到位，并将锁扣锁住。

5）发动机出现故障时，切忌盲目拆卸，首先要确定是否为机械故障，如果机械部分确实无故障，再对电控系统进行检查。

6）发动机电控系统的常见故障往往是接线不良引起的，在故障诊断与检测中，应注意检查插接器是否清洁、连接是否可靠。

7）检查燃油系统之前，应断开蓄电池负极电缆，以防损坏电控系统元器件。但断开蓄电池负极电缆后，电控单元的记忆故障码会自动消除，必要时应在断开前用专用仪器先读取故障码。

8）对电控系统电路或元器件进行检查时，除了特别说明外，必须使用高阻抗数字万用表测试电压、电阻或电流。

9）电控燃油喷射发动机熄火后，燃油供给系统残余压力仍较高，为防止发生意外事故，对燃油系统进行拆卸前，必须释放燃油系统的残余压力。

10）在车身上使用电弧焊前，应先断开电控单元电源。在靠近ECU或传感器的地方进行车身修理作业时，应特别小心。

11）加装音响电器等设备的天线时，应安装在距 ECU 较远的地方，以防对 ECU 产生干扰。禁止加装大功率的无线电发射设备（如 10W 以上的无线电对讲机）及仪器等，若必须加装，应采取防干扰屏蔽等设施。

12）蓄电池的极性不能接反，不准在无蓄电池（如蓄电池无电）的情况下，用外接电源起动发动机，以免电压过高损害电控系统元器件。

13）电控燃油喷射发动机装有三元催化转化器和氧传感器等装置，对汽油质量要求较高，必须使用无铅汽油，并按规定定期更换燃油滤清器。

2.1.2 电控燃油喷射发动机故障诊断基本方法

1. 电控燃油喷射发动机故障诊断基本程序

电控燃油喷射发动机故障诊断的一般程序如图 2-1 所示。

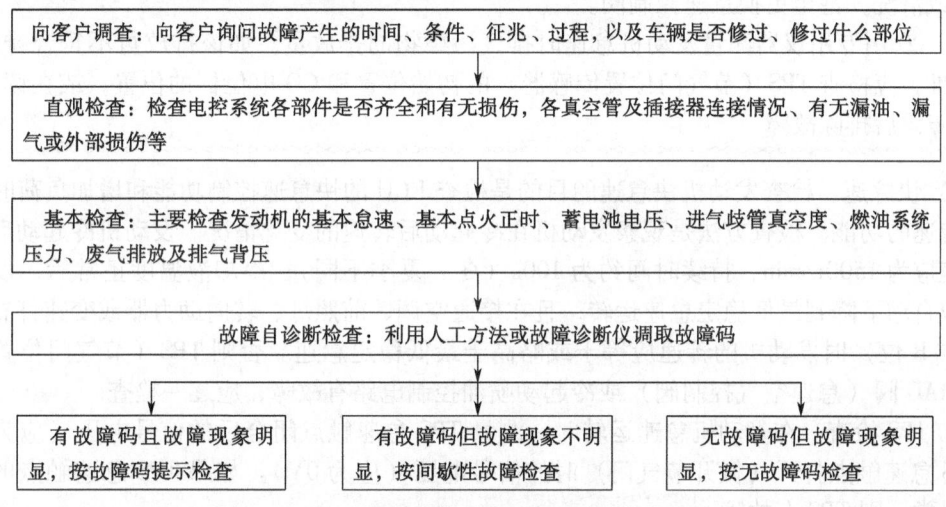

图 2-1 电控发动机故障诊断的一般程序

（1）向客户调查　向客户了解故障产生的时间、征兆、情况、条件，如何发生，是否已检修过及检修过什么部位等。尽管有些客户的描述不够清楚，但认真分析客户提供的信息，对迅速诊断故障或许会有帮助。

（2）直观检查　直观检查的目的是排除一般性的故障成因，避免走弯路。直观检查的主要内容包括：检查电控系统各部件是否齐全和有无损伤，检查各真空软管是否损坏、是否连接错误、是否堵塞，检查各插接器是否连接可靠，检查发动机有无明显的漏气、漏油等现象。

（3）基本检查　基本检查的目的是确定电控发动机能否在正常前提条件下进行工作。通过基本检查往往能很快找出故障的部位和原因。基本检查的内容主要包括发动机的基本急速、基本点火正时、蓄电池电压、进气歧管真空度、燃油系统压力、废气排放及排气背压等。

（4）调取故障码　如果故障指示灯亮，按规定程序调取故障码，并按故障码提示对相应的传感器或执行器及其电路进行检查。

如果故障现象时隐时现，且存在故障码，但根据故障码提示又检查不出故障原因，应按间歇性故障进行处理；若故障征兆明显，故障指示灯不亮，调取故障码显示正常码，应按无故障码进行检查。

2. 电控燃油喷射发动机的性能检查

(1) 怠速性能检查

1) 最低稳定怠速。检查最低稳定怠速性能的目的是为了防止发动机在怠速时熄火,并确保发动机在怠速时的排放污染最小。

检查发动机最低稳定怠速性能时汽车应符合下列要求：冷却液温度正常（90~105℃）；所有电器均处于关闭状态；变速器应处于空档（自动变速器处于 N 位或 P 位）；点火正常。

检查方法是：

① 在发动机怠速运转（4 缸发动机为 800r/min，6 缸和 8 缸发动机均为 700r/min）时进行单缸断火，同时观察发动机转速（或进气管压力）的变化情况。这时，发动机转速应下降 50~100r/min（进气管压力应提高 5kPa），否则应调整怠速调节螺钉或清洗，甚至更换怠速控制阀。

② 用专用仪器测量发动机怠速时排气污染物的排放量。如该排放量不符合排放标准，应检查 TPS（节气门位置传感器）的初始位置和 CO 电位器的位置，或在读取故障码后排除故障。

2) 快怠速。检查发动机快怠速的目的是检查 ECU 的快怠速控制功能和增加负荷时稳定怠速转速的功能。检查方法是观察发动机在冷起动后转速的变化情况。发动机冷起动后的怠速转速应为 1500r/min，持续时间约为 100s（冬、夏季不同）；冷却液温度正常后，发动机转速应自动下降到最低稳定怠速运转，且在接通空调、前照灯、转向助力器或变速杆置于 D 位（或 R 位）时发动机的转速应等于或略高于最低稳定怠速。否则 TPS（节气门位置传感器）、IAC 阀（怠速空气控制阀）或冷起动喷油控制电路有故障,应逐一检查。

① TPS 检查。在发动机怠速运转时，测量 TPS 怠速触点闭合后的信号电压（应为 5V）和 TPS 怠速触点打开（微开节气门）时的信号电压（应为 0V）。如果 TPS 怠速触点的信号电压异常，则 TPS 有故障。

② IAC 阀检查。拆下 IAC 阀（不拆开其插接器），观察点火开关打开和关闭时 IAC 阀的动作情况。点火开关打开时 IAC 阀应打开，点火开关关闭时 IAC 阀应关闭，否则 IAC 阀有故障。

③ 冷起动喷油控制电路的检查。微机直接控制喷油器附加供油。冷起动发动机时观察怠速转速，应高于 1500r/min，或用解码器检测喷油器喷油脉冲宽度，应大于发动机正常运转时的宽度。若情况不符，则 ECU 的有关控制电路有故障。

(2) 空燃比闭环控制性能检查　发动机冷却液温度、点火系统、供油系统都正常和转速为 2500r/min 的情况下，用电压表（2V 档）在氧传感器线束侧插接器上测量氧传感器的信号电压，应在 0.1~0.9V 之间不断地变化，且在 10s 内变化不少于 8 次。如果氧传感器的信号电压变化次数少于 8 次，说明空燃比闭环控制电路有故障，应在空燃比开环控制状态下进一步检查。

拔下氧传感器线束侧插接器，先遮住空气滤清器进气口（使混合气变浓），然后放开空气滤清器口，并拔下曲轴箱强制通风（PCV）装置软管或其他真空管（使混合气变稀），同时检测氧传感器信号电压的变化情况。如果氧传感器的信号电压先上升后下降，说明 ECU 电路有故障；如果氧传感器的信号电压基本不变，则氧传感器有故障。

(3) 排放污染控制性能检查

1) 活性炭罐控制电路。炭罐是在发动机中负荷工况下才进入工作的，因此当发动机怠速运转时，VSV（真空开关）关闭，在炭罐出气口应无真空度，否则，VSV 关闭不严或 TPS 失准；当发动机转速大于 2000r/min 时，VSV 应有动作声，炭罐出气口应有真空度，否则，VSV 或 ECU 相关电路有故障。

注意：汽车每行驶 1 万 km，应更换一次炭罐。

2) EGR（废气再循环）阀。EGR 阀是发动机中负荷工况时投入工作的，废气再循环的条件是：冷却液温度大于 60℃，节气门开度大于 25%，发动机转速大于 2000r/min。

发动机怠速运转时，如果将 EGR 阀的真空软管接到节气门后方，发动机转速应下降 100r/min，否则 EGR 阀有故障。

(4) 断油控制性能的检查　断油控制分为急减速断油、超速断油和清缸断油。它们的目的分别是节油、降低排放污染，确保汽车行驶安全和提高发动机的起动性能。

1) 急减速断油的检查方法：在发动机怠速运转至冷却液温度正常时，用导线短接 TPS 插接器（仅限于 4 端子插接器）上的 IDL 和 E2 端子（即让怠速触点闭合），然后踩下加速踏板，使发动机转速达到 1800r/min，这时发动机转速应会突然下降到 1200r/min；稳住加速踏板位置，发动机转速应在 1200～1800r/min 之间反复地变化（俗称"游车"）。若不出现上述情况，说明 TPS 怠速触点或 ECU 相关电路有故障。

2) 超速断油的作用是限制发动机的最高转速（6500r/min）。超速断油控制性能的检查方法是：拆下 1 只喷油器线束侧插接器，然后在将加速踏板踩到底时起动发动机，同时用电压表（20V 档）检查喷油器线束侧插接器两端子间是否有脉冲电压。此时应没有脉冲电压（电压表指针不摆动），否则说明 TPS 或 ECU 相关电路有故障。

3) 清缸断油用于在发动机多次起动不着后清除气缸内的燃油，其检查方法与超速断油相同。

(5) 供油系统性能检查　打开燃油箱盖，并接通点火开关，这时应能听到电动燃油泵的运转声（持续 3～5s）。若听不到，用专用导线将诊断座上的燃油泵测试端子跨接（如丰田车跨接 +B 与 FP 端子）到 12V 电源上后再听燃油泵是否有运转声。此时若听到电动燃油泵运转声音，说明电动燃油泵的控制电路有故障，并且多为继电器故障。若接通点火开关后能听到电动燃油泵运转声，但回油管不回油或回油量很小，则油泵滤网堵塞，燃油滤清器堵塞或汽油泵性能不良。

(6) 点火系统性能检查

1) 点火正时检查：电控点火系统的点火提前角由初始点火提前角、基本点火提前角和修正点火提前角三个部分组成。

检查点火正时就是检查初始点火提前角，具体方法如下：
① 使发动机运转至冷却液温度正常。
② 用点火正时灯照射带轮或飞轮上的正时标记，检查初始点火提前角。若初始点火提前角不符合要求，对有分电器的可通过转动外壳的方法进行调整；对无分电器的电控点火系统，应检查正时带或正时链条安装的位置是否正确。
③ 调整初始点火提前角后踩下加速踏板，观察点火提前角是否随发动机转速的提高而增大。若点火提前角不增大，则 ECU 的相关电路有故障。

2）点火系统的故障检查步骤如下。

检查点火系统故障时可用起动机带动发动机转动，步骤如下：

① 检查信号发生器的信号电压（应为 1.5～5V 的交流电压），若无信号电压，则说明信号发生器有故障。

② 检查 ECU 是否有脉冲电压输出，若无，则 ECU 有故障。

③ 检查点火器（接点火线圈初级绕组侧）是否有 12V 脉冲电压，若无，则点火器有故障。

④ 检查点火线圈的高压线是否跳火，若无，则点火线圈有故障。

⑤ 检查各缸高压线是否有 12mm 跳火距离，若无，则大多为分电器分火头或盖漏电。

⑥ 检查各缸高压线的电阻值和火花塞的状况。各缸高压线的电阻值应不大于 20kΩ，否则，应更换高压线。火花塞间隙应为 1.2mm，且瓷体应发白，否则应更换火花塞（注意：汽车每行驶 4 万 km，应更换 1 次火花塞）。

3. 电控燃油喷射发动机的故障自诊断

发动机电控系统中，电控单元（ECU）内部都设有故障自诊断系统，它能在汽车行驶过程中不断检测控制系统各部分的工作情况。当 ECU 检测到来自传感器或输送给执行元件的故障信号时，立即点亮仪表板上的 CHECK ENGINE 灯（俗称故障指示灯），以提示驾驶人发动机有故障；同时，系统将故障信息以设定的代码（故障码）形式存储在电控单元内，以帮助维修人员确定故障类型和范围。对车辆进行维修时，维修人员可通过特定的操作程序调取故障码、按故障码的提示进行检查及修理、清除故障码的步骤进行维修。

发动机电控系统出现故障，既可利用汽车故障诊断仪读取故障码，也可进行人工读码。

（1）人工读取和清除故障码　人工读取故障码一般是利用跨接线短接故障诊断座的相应的端子，从而激发仪表板上的故障指示灯闪烁，再根据故障指示灯的闪烁规律来读取故障码。第一代随车自诊断系统一般都采用人工读取故障码，读取故障码后，必须通过查阅维修手册获取故障码的含义，现在已经很少采用。不同的车型人工读取故障码的方法不同，下面介绍几款常见车型故障码的人工读取及清除方法。

1）丰田车系故障码的人工读取及清除方法。

① 静态读取故障码的方法如下：

a. 打开点火开关，但不起动发动机。

b. 用跨接线跨接诊断座中的 TE1 和 E1 端子或 16 端子故障诊断座中的 5、6 号端子，如图 2-2 所示。

c. 根据仪表板上 CHECK ENGINE 故障指示灯的闪烁规律读取故障码。

若无故障码，则故障指示灯等间隔地闪烁，其中亮、熄时间均为 0.25s，如图 2-3a 所示。

若存在故障码，故障指示灯将不断闪烁，循环显示所有故障码，每一循环依数值由小到大的顺序显示。丰田车系故障码为两位数，故障指示灯闪亮与熄灭的时间均为 0.5s，闪亮次数代表故障码数值，一个故障码的十位与个位之间有 1.5s 熄灭的间隔，两个代码之间有 2.5s 的熄灭间隔，每一循环重复显示有 4.0s 熄灭的间隔，如图 2-3b 所示。

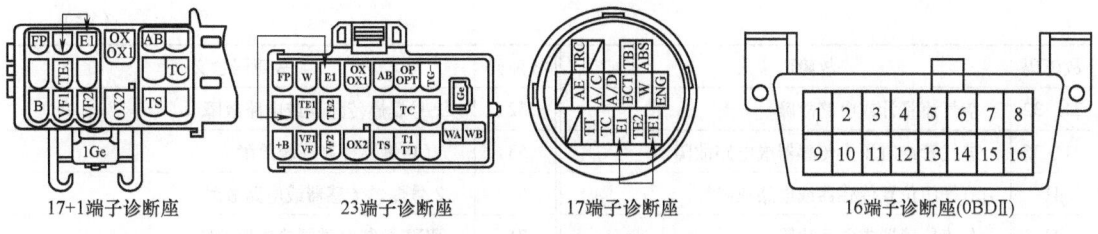

图 2-2 丰田车系故障诊断座

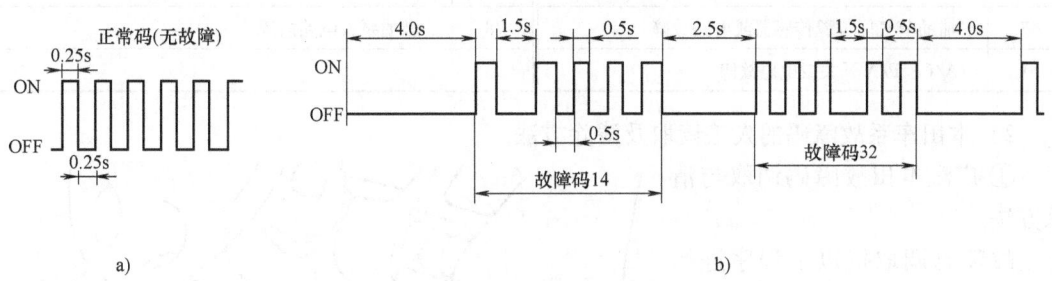

图 2-3 丰田车系故障码的显示
a) 无故障 b) 有故障

② 动态（试验状态）读取故障码的方法如下：

a. 关闭点火开关。

b. 用跨接线跨接故障诊断座上的 TE2 与 E1 端子，以启动试验状态。

c. 打开点火开关，检查发动机故障指示灯是否闪烁。闪烁，可确认已进入试验状态；不闪，检查 TE2 端子电路。

d. 起动发动机，并以不低于 10km/h 的车速进行路试。

e. 路试结束后，再用另一根跨接线短接诊断座上的 TE1 和 E1 端子，由仪表板上的故障指示灯闪烁规律读取故障码。

f. 完成检查后，脱开 TE2、TE1 和 E1 端子跨接线，关闭点火开关。

③ 清除故障码。当故障排除后，应清除 ECU 存储器内的故障码，方法有两种：一是关闭点火开关，拔下 EFI 熔丝（20A）10s 以上；二是将蓄电池负极电缆断开 10s 以上，但此种方法同时使时钟、音响等存储信息丢失。

④ 故障码表。丰田车系故障码含义见表 2-1。

表 2-1 丰田车系故障码含义

故障码	故障码含义	故障码	故障码含义
11	ECU 电源电路故障	22	冷却液温度传感器或电路故障
12	凸轮轴/曲轴位置传感器或电路故障	24	进气温度传感器或电路故障
13	凸轮轴/曲轴位置传感器或电路故障	25	混合气过稀故障
14	点火控制器或电路故障	26	混合气过浓故障
15	点火控制器或电路故障	27	左辅助氧传感器或电路故障
16	自动变速器 ECU 故障	28	右主氧传感器或电路故障
21	左主氧传感器或电路故障	29	右辅助氧传感器或电路故障

(续)

故障码	故障码含义	故障码	故障码含义
31、32	空气流量计或电路故障	52	1号爆燃传感器或电路故障
31、35	进气管绝对压力传感器或电路故障	53	ECU 爆燃控制系统故障
41	节气门位置传感器或电路故障	55	2号爆燃传感器或电路故障
42	车速传感器或电路故障	71	EGR 控制电磁阀或电路故障
43	点火开关或起动电路故障	72	燃油切断电磁阀或电路故障
47	辅助节气门位置传感器或电路故障	78	燃油泵或电路故障
51	A/C、P/N 开关或电路故障		

2）本田车系故障码的人工读取及清除方法。

① 广汽本田故障码调取与清除方法。

故障码调取按以下程序进行操作：

a. 关闭点火开关。

b. 用专用短路插接器 SCS 或导线连接 2 端子诊断座（广汽本田诊断座位于仪表板下方，如图 2-4 所示）。

c. 打开点火开关但不起动发动机，根据仪表板上的 MIL 或 CHECK ENGINE 灯闪烁规律读取故障码。1～9 单码通过短闪方式显示，双码的十位数用长闪方式

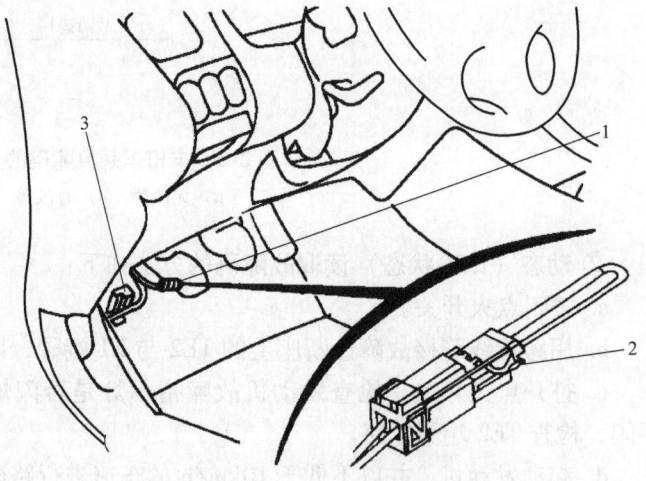

图 2-4 广汽本田故障码读取方法
1—诊断座位置 2—专用短路插接器 SCS 3—数据传输接口（2 端子）

显示，个位数用短闪方式显示。多个故障码按由小到大的顺序依次输出，故障码输出波形如图 2-5 所示。故障码含义见表 2-2。

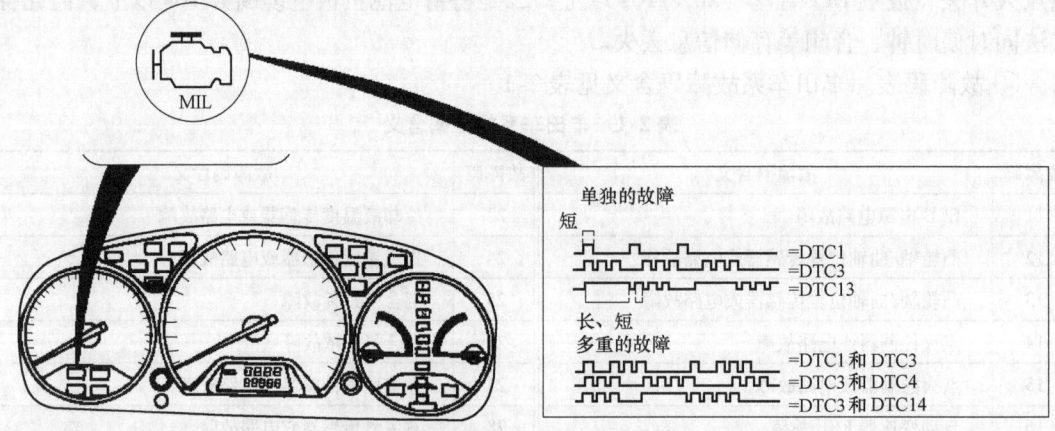

图 2-5 广汽本田故障码显示方式

表 2-2　广汽本田故障码含义

故障码	故障码含义	故障码	故障码含义
灯一直亮	ECU 故障	10	进气温度传感器或电路故障
1	氧传感器或电路故障	13	大气压力传感器或电路故障
3	进气管绝对压力传感器或电路故障	14	急速控制阀或电路故障
4	曲轴位置传感器或电路故障	15	点火线圈、点火控制系统或电路故障
6	冷却液温度传感器或电路故障	16	喷油器或电路故障
7	节气门位置传感器或电路故障	21	可变配气相位控制电磁阀或电路故障
8	上止点位置传感器或电路故障	23	爆燃传感器或电路故障
9	第一缸位置传感器或电路故障	41	氧传感器加热器或电路故障

故障码清除程序如下：

a. 关闭点火开关。

b. 从诊断座上拆下专用短路插接器 SCS。

c. 记下收音机预设的频率。

d. 从前排乘客座位前面的仪表板下熔丝/继电器盒中拆下 13 号（7.5A）备用时钟熔丝或断开蓄电池负极电缆 10s 以上即可清除故障码。

e. 重新设置收音机的频率和时钟。

② 日本本田故障码调取与清除。日本本田各车型故障码的读取与清除方法、故障码含义略有不同，在维修时注意查阅相关资料。日本本田各车型故障码的调取与清除方法可分以下 3 种类型：

a. 在仪表板上设有 CHECK ENGINE（故障指示）灯。此类车型（如 ACCORD 等）的故障码的读取与清除方法和广汽本田相同，只是诊断座位于工具箱内右侧或发动机室侧。

b. 计算机位于工具箱下面，在计算机上设有 1 个红色 LED 灯。此类车型（如 HONDA）的故障码读取方法是：打开点火开关，计算机上的红色指示灯即开始闪烁故障码，但每次只显示 1 个故障码，故障码的显示方式与广汽本田相同；故障排除后，拆开蓄电池负极电缆 10s 以上即可清除故障码。1 个故障码清除后，再进行路试，检查有无其他故障码。

c. 计算机位于驾驶人座椅下面，计算机上有 4 个指示灯。此类车型的故障码读取方法是：打开点火开关，计算机上的 4 个 LED 灯即开始闪烁故障码；每个 LED 灯闪亮代表一个数字（由右至左分别为 1、2、4、8），将闪亮的指示灯所代表的数字相加，即为故障码，如图 2-6 所示。每次只显示 1 个故障码，故障排除后，断开蓄电池负极电缆 10s 以上可清除故障码。

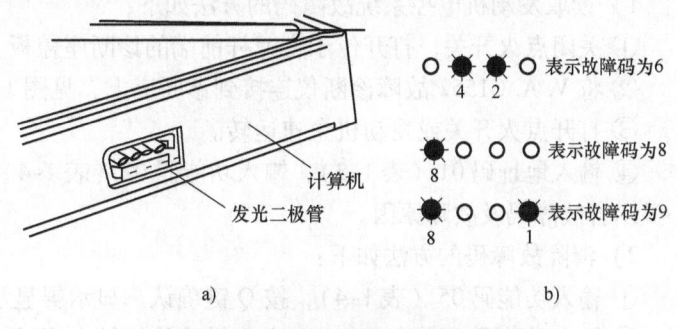

图 2-6　本田车系 4 个 LED 灯输出的故障码

a) 计算机　b) 故障码

3）福特车系。1991 年后福特公司生产的轿车多装备 EEC-Ⅳ 系统，在此仅以装备该系统的美规福特车型为例介绍故障码的读取与清除方法。故障码的读取可分为 KOEO（Key On Engine Off，点火开关打开，发动机不运转）和 KOER（Key On Engine Run，点火开关打开，发动机运转）两种状态。

美规福特车系一般采用 6 + 1 端子诊断座。调取故障码时可用指针式电压表或 LED 灯，根据电压表的摆动次数（或 LED 灯的闪烁规律）读取故障码，也可根据仪表板上的"CHECK ENGINE"灯闪烁规律读取故障码。故障码以三位数表示。

用电压表读取故障码时，如图 2-7 所示，首先将电压表量程选择在 0~15V，将电压表正表笔与蓄电池正极相连，负表笔与诊断座的 STO（测试输出）端子连接，使计算机进入 KOEO 或 KOER 状态，再用导线连接诊断座上的 STI（测试输入）和 SIGNAL RETURNPIN（信号返回）端子，即可根据电压表的摆动次数读取故障码。如显示故障码"112"时，电压表指针先摆动 1 次，停 2s，再摆动 1 次，又停 2s，随后摆动 2 次。

清除故障码时，先进入 KOEO 状态，当刚开始输出故障码时，立即拆下诊断座上的连接导线，即可清除故障码。

1994 年后装用 OBD Ⅱ 系统，且保留短接方式读取故障码的福特汽车，可将 16 端子 OBD Ⅱ 诊断座上的 13 号端子和 15 号端子短接，即可从仪表板上的 CHECK ENGINE 灯读取故障码。

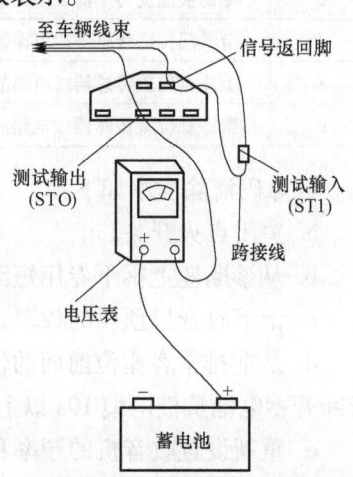

图 2-7 美规福特车故障码读取方法

（2）用故障诊断仪读取和清除故障码　目前很少采用人工方法读取故障码，各车系都有自己的专用故障诊断仪来读取和清除故障码，如大众/奥迪车系采用 V. A. G1551/1552、V. A. S5051/5052 故障诊断仪，丰田车系采用 INTELLIGENT 高智能诊断仪，日产车系采用 CONSULT Ⅱ 诊断仪，通用车系采用 TECH Ⅱ 诊断仪，宝马车系采用 GT1 等。

下面以大众 V. A. G1552 专用故障诊断仪为例介绍使用故障诊断仪读取和清除故障码的方法。

1）读取发动机电控系统故障码的方法如下：
① 关闭点火开关，打开位于变速杆前端的诊断座盖板。
② 将 V. A. G1552 故障诊断仪连接到诊断座上，见图 1-21。
③ 打开点火开关或发动机怠速运转。
④ 输入地址码 01（表 1-3），输入功能码 02（表 1-4），按 Q 键确认，按→键显示屏逐一显示各故障码及故障原因。

2）清除故障码的方法如下：
① 输入功能码 05（表 1-4），按 Q 键确认。显示屏显示：故障码已被清除。
② 输入功能码 06（表 1-4），按 Q 键确认，结束测试。

（3）第二代随车自诊断系统 OBD Ⅱ　1993 年以前的诊断系统为第一代诊断系统，各制造厂家采用的诊断座、故障码、诊断功能各不相同，给检测诊断带来不便。OBD Ⅱ（ON BOARD DIAGNOSITICS-Ⅱ）是随车自诊断系统第二代的简称，它是由美国汽车工程师学会

（SAE）制定的，经由美国环境保护机构（EPA）及美国加州资源协会（CARB）认证通过的一套标准，并要求各汽车制造厂家依照 OBD Ⅱ 标准提供统一的诊断模式、插座，有一台诊断仪器即可对各车种进行诊断检测。

在 OBD Ⅱ 标准公布后，世界各汽车厂家纷纷采用，形成了国际标准。1994 年约有 10% 的汽车厂家采用了这一标准，1995 年约有 50%，而 1996 年几乎全部厂家都在考虑采用这一标准。美国政府要求，1998 年后销往美国的电控汽车都必须加装 OBD Ⅱ 诊断系统。因此，了解、掌握和使用 OBD Ⅱ 国际标准，将简化汽车检测诊断、维修工作。

1）OBD Ⅱ 的特点

① 统一诊断座，为 16 针，如图 2-8 所示。

② 统一的诊断座位置，在驾驶室仪表板下方。

③ 解码器和车辆之间采用标准通信规则。

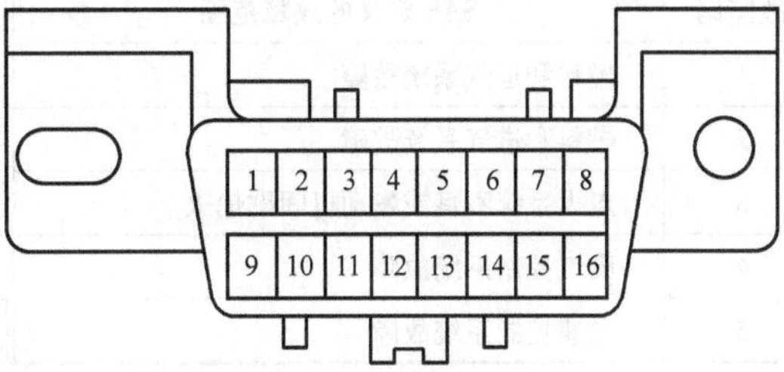

④ 统一诊断含义。

⑤ 具有行车记录器功能。

⑥ 可以监控排放控制系统。

⑦ 解码器能读码、记录数值及清码等。

⑧ 用标准的技术缩写术语定义系统的工作元件。

图 2-8 OBD Ⅱ 诊断座

2）诊断座。OBD Ⅱ 诊断座统一为 16 针，在 16 个片脚中，其中 7 个是标准定义的信号片脚，其余 9 个由生产厂家设定。资料传输（DATA LINK CONNECTOR，DLC）脚有两个标准：ISO——欧洲统一标准（INTERNATIONAL STANDARDS ORGANIZATION 9141-2），利用 7#、15# 脚传输资料；SAE——美国统一标准（SAE-J1850），利用 2#、10# 脚传输资料。

OBD Ⅱ 诊断座各端子功能见表 2-3。

表 2-3 OBD Ⅱ 诊断座各端子功能

端子	功 用	端子	功 用
1	供制造厂应用	9	供制造厂应用
2	SAE-J1850 资料传输	10	SAE-J1850 资料传输
3	供制造厂应用	11	供制造厂应用
4	车身直接搭铁	12	供制造厂应用
5	信号回路搭铁	13	供制造厂应用
6	供制造厂应用	14	供制造厂应用
7	ISO—9141 资料传输	15	ISO—9141 资料传输
8	供制造厂应用	16	接蓄电池"+"极

3）OBD Ⅱ 故障码由 1 位字母和 4 位数字组成，结构如下：

① 第 1 位为英文字母，表示故障码的系统划分，分配 4 个字母，分别为 B——车身系统；C——底盘系统；P——动力系统；U——未定义。

② 第2位为数字，表示故障码类型，共4个数字，类型如下：

0——美国汽车工程师学会（SAE）定义的（通用）故障码。

1——汽车生产厂家定义的（扩展）故障码。

2、3——随系统划分B、C、P、U的不同而不同，在P系统中，2或3由SAE留作将来使用；在B或C系统中，2为汽车厂家保留，3由SAE保留。

③ 第3位数字，是由SAE定义的故障范围，见表2-4。

表2-4 SAE定义的故障范围

故障码	SAE定义的故障范围	故障码	SAE定义的故障范围
1	燃料和进气系统故障	6	计算机或执行元件系统故障
2	燃料和进气系统故障	7	电控变速器控制系统故障
3	点火系统不良或发动机间歇熄火	8	电控变速器控制系统故障
4	废气控制系统故障	9	SAE未定义
5	急速控制系统故障	10	SAE未定义

④ 4、5位为数字，代表原厂的故障码。OBD Ⅱ规定的故障码的组成与结构，对于任何厂牌、车型都是适用的。表2-5所列为丰田车型的部分故障码。

表2-5 丰田（TOYOTA）OBD Ⅱ故障码表

故障码	故障码含义	故障码	故障码含义
P0100	空气流量计电路故障	P0203	3号缸喷油器电路不良
P0110	进气温度传感器电路开路或短路	P0204	4号缸喷油器电路不良
P0115	冷却液温度传感器电路开路或短路	P0303	3号缸间隙不点火
P0120	节气门信号电压低于0.1V，大于4.9V	P0335	发动机在起动和运转中，曲轴传感器信号未送入ECU
P0121	节气门位置传感器调整不合适		
P0130	主氧传感器电压一直偏高或偏低	P0505	急速电动机工作不佳
P0133	主氧传感器变动率太低	P0510	节气门位置传感器不良
P0136	发动机在负载状态，副氧传感器电压偏高或偏低	P0720	变速器车速传感器信号不良
		P0750	换档电磁阀A不良
P0201	1号缸喷油器电路不良	P1300	IGF或IGT点火信号不良
P0202	2号缸喷油器电路不良	P1780	P/N档位开关信号不良

4）OBD Ⅱ故障码的读取。OBD Ⅱ故障码的读取方法，可使用原厂提供的专用仪器或解码器读取，也可采用跨接线短接相应端子来读取。如通用车系、丰田车系可跨接5#、6#端子，福特车系可跨接5#、13#端子，由仪表板上的CHECK ENGINE故障指示灯读取故障码；沃尔沃（VOLVO）车系按图2-9所示跨接LED灯，将A搭铁1s后脱开，即可显示1个故障码，搭铁5s后可清除故障码。

4. 间歇性故障诊断

在故障诊断中最困难的情形是有故障，但没有明显的故障征兆。在这种情况下必须进行彻底的故障分析，然后模拟与用户车辆出现故障时相同或相似的条件和环境。

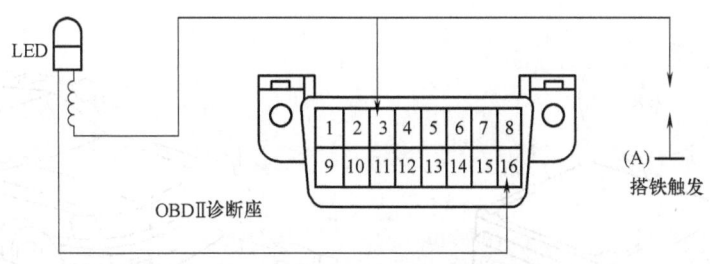

图 2-9　沃尔沃车系故障码的读取方法

（1）振动法（图 2-10）　当振动可能是引起故障的原因时，即可采用振动法进行试验。基本试验方法主要有：

1）插接器。在垂直和水平方向轻轻摇动插接器（图 2-10a）。

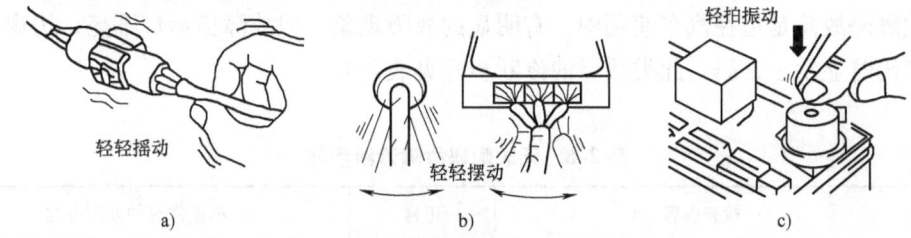

图 2-10　用振动法模拟故障

a）轻摇插接器　b）轻摆配线　c）轻拍零件和传感器

2）配线。在垂直和水平方向轻轻地摆动配线（图 2-10b）。插接器的接头、振动支架和穿过开口的插接器体都是应仔细检查的部位。

3）零件和传感器。用手指轻拍装有传感器的零件，检查是否失灵（图 2-10c）。切记不可用力拍打继电器，否则可能会使继电器开路。

（2）加热法　当有些故障只是在热车时出现，可能是因为有关零件或传感器受热引起的。可用电吹风机或类似加热工具加热可能引起故障的零部件或传感器，检查是否出现故障，如图 2-11 所示。但必须注意：加热温度不得高于 60℃（温度限制在不致损坏电子元器件的范围内）；不可直接加热计算机中的零件。

（3）水淋法　当有些故障是在雨天或高湿度的环境下产生时，可用水喷淋在车辆上，检查是否发生故障，如图 2-12 所示。

> 但应注意：不可将水直接喷淋在发动机电控零件上，而应喷淋在散热器前面，间接改变湿度和温度；不可将水直接喷在电子元器件上；尤其应该防止水渗漏到计算机内部（如果车辆漏水，漏入的水可能侵入计算机内部，所以当试验车辆漏水故障时必须特别注意）。

（4）电器全接通法　当怀疑故障可能是因用电负荷过大而引起时，可接通车上全部电气设备（包括加热器鼓风机、前照灯、后窗除雾器等）检查是否发生故障。

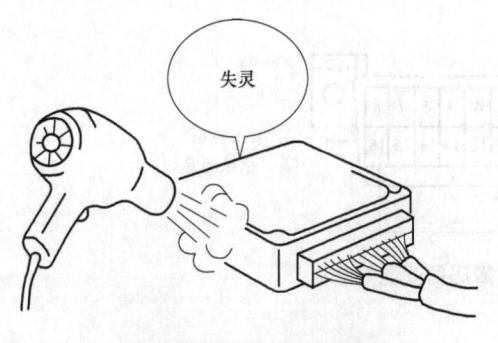 

图 2-11　用加热法模拟故障　　　　　图 2-12　用水淋法模拟故障

5. 无故障码故障诊断

无故障码故障是指在汽车使用中，有明显的故障现象，但故障指示灯不亮，按规定程序读取故障码时显示正常码。此类故障的诊断步骤见表 2-6。

表 2-6　无故障码故障诊断步骤

步骤	检查内容	正常	不正常时的处理方法
1	发动机不工作时检查蓄电池电压	不低于 11V	充电或更换电池
2	旋转发动机检查曲轴能否转动	能转动	按"故障征兆一览表"诊断
3	起动发动机检查能否转动	能转动	直接转到步骤 7 进行检查
4	检查空气滤清器滤芯是否过脏或损坏	滤芯良好	清洁或更换滤芯
5	检查发动机怠速运转情况	怠速运转良好	按"故障征兆一览表"诊断
6	检查发动机点火正时	点火正时准确	调整
7	检查燃油系统压力	压力正常	检查排除燃油系统故障
8	检查火花塞和高压线跳火情况	火花正常	检查排除点火系统故障
9	上述检查是否查明故障原因	查明故障原因	按"故障征兆一览表"诊断

6. 故障征兆一览表

对电控燃油喷射发动机电控系统进行故障诊断时，按故障码显示或无故障码时，但故障又确实存在，可根据故障现象查阅该车型维修手册故障征兆一览表，按表中给定的诊断次序（1、2、3……）诊断并排除故障。汽车维修手册中一般都列有故障征兆一览表，表中列出了故障征兆、怀疑部位和诊断次序。表 2-7 为 D 型电控燃油喷射发动机故障征兆一览表，表中给出的数字为诊断次序，如：故障现象为发动机不能起动，且曲轴不能转动，按故障征兆一览表诊断故障时，第一步应检查起动机继电器，第二步检查起动机，第三步检查空档起动开关。

第2章 汽车发动机故障诊断与检测

表2-7　D型电控燃油喷射发动机故障征兆一览表

故障现象 可能故障部位	不能起动			起动困难				急速不良				性能不良				失速				
	曲轴不能转动	无点火征兆	燃烧不良	发动机转动缓慢	常温下起动困难	冷起动困难	热起动困难	基本急速转速不正确	急速过高	急速过低	急速不稳	发动机加速不良	进气管回火	排气管放炮	爆燃	起动后失速	踩下加速踏板后失速	松开加速踏板后失速	空调工作时失速	由N位挂入D位时失速
开关状态信号电路					9															
点火信号电路		2	5		10						12									
冷却液温度传感器电路			4		4	1	1	2	2	1	2	9	1	1		7				
进气温度传感器电路					11	5	4		5			10	4	5						
绝对压力传感器电路		5	1					4	3		10	8	3	3		6	1	2		
节气门位置传感器电路								4	6			7	2	4		2				
起动信号电路						2														
爆燃传感器电路															1					
空档起动开关电路									8											1
A/C信号电路				2						7									1	
燃油压力调节器			3		5	6	5				5	11	5	2		2	4			
燃油泵控制电路		4	8		6	7	6				6	12	6			3				
油管路					7	8	7				7	13	7			4	5			
喷油器及其电路		6	6		13	9	8	9	4		11	14	8	6		8	6			
急速控制阀电路		8	2		3	4	3	3	2		8					5				
EFI主继电器电源		3														3	1	2	2	
节气门减速缓冲器																				
燃油切断系统																				
燃油质量		7			1	3	2			1	3					2	1			
起动机继电器	1																			
空档起动开关	3																			
起动机	2			1																
火花塞		1			2						3	4		3						
分电器					12							4	5							
节气门操纵装置								1	1											
冷却风扇系统																4				
制动系统故障("发咬")												2								
变速器故障												1								
气缸压缩压力		9	7		8							9								
发动机ECU		10	9		14	10	9	5	10	7	13	15	9	7	5	9	7	3	3	3

2.2 进气系统的故障诊断与检测

进气系统出现故障，发动机的表观现象主要有以下几种情况：
① 发动机无法起动。
② 发动机起动困难。
③ 起动后熄火。
④ 动力下降；加速变慢。
⑤ 油耗增加。
⑥ 发动机怠速不稳、动力不足及加速不良。
⑦ 排气管"放炮"。
⑧ 进气管回火。
⑨ 发动机尾气排放超标。

2.2.1 进气系统主要组成部件

电控燃油喷射发动机进气系统基本相同，主要部件包括空气滤清器、节气门体和进气管。怠速控制系统的怠速控制阀及控制系统的进气温度传感器、空气流量计（L型EFI系统）或进气压力传感器（D型EFI系统）、节气门位置传感器也安装在进气系统中。在部分电控燃油喷射发动机的进气系统中，还装有进气控制系统、增压控制系统等部件。

进气系统的作用是计量和控制发动机燃烧时所需的空气量，系统工作原理如图2-13所示。发动机工作时，经空气滤清器过滤后的空气，通过空气流量计（L型EFI系统）计量，再经节气门体进入进气总管，经分配至进气歧管且与喷油器喷出的燃油混合后，被吸入气缸内进行燃烧。在L型EFI系统中（图2-14），发动机进气量通过空气流量计来计量，而在D型EFI系统中（图2-15），进气量则由进气压力传感器（进气歧管绝对压力传感器）来计量。节气门体中设有节气门，用以控制进入发动机的空气量，从而控制发动机的输出功率（负荷）。在节气门体的内部或外部设有与主进气道并联的旁通怠速进气道，并由怠速控制阀控制怠速时的进气量。

图2-13 进气系统原理图

2.2.2 进气系统主要传感器的检测

1. 空气流量计的检测

空气流量计的作用是检测发动机的进气量，并将进气量大小转变为电信号输入电控单元ECU，以供ECU计算喷油量、点火正时、废气再循环控制及发动机怠速控制等控制参数。

一般空气流量计或连接线路出现故障，会造成汽车起动困难、怠速不稳、发动机动力不足、加速不良、易熄火等现象。空气流量计有多种类型，体积流量型的有叶片式（翼板式)、量芯式、卡门漩涡式;质量流量型的有热线式、热膜式。

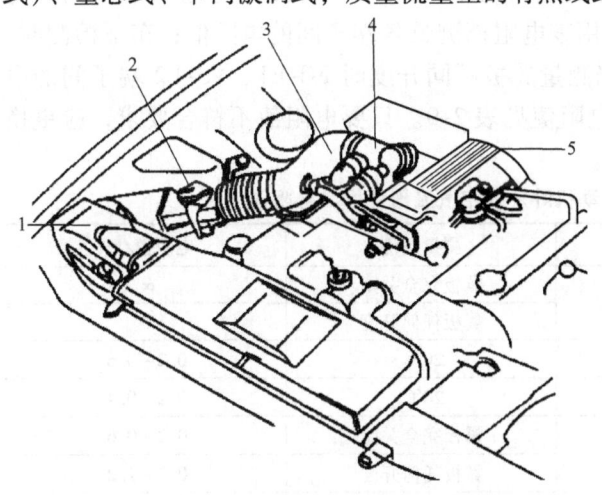

图2-14 雷克萨斯LS400空气供给系统
1—空气滤清器 2—空气流量计 3—进气连接管
4—节气门体 5—进气室

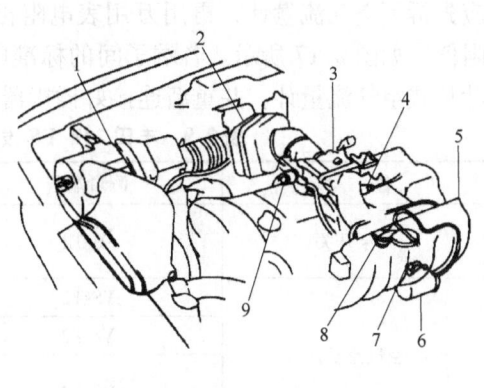

图2-15 皇冠3.0轿车空气供给系统
1—空气滤清器 2—稳压箱 3—节气门体 4—进气歧管绝对压力传感器 5—进气室 6—真空罐
7—电磁真空阀 8—真空驱动器 9—急速控制阀

(1) 叶片式空气流量计的检测 图2-16所示为丰田子弹头2JZ-FE发动机叶片式空气流量计内部电路及测量原理图。

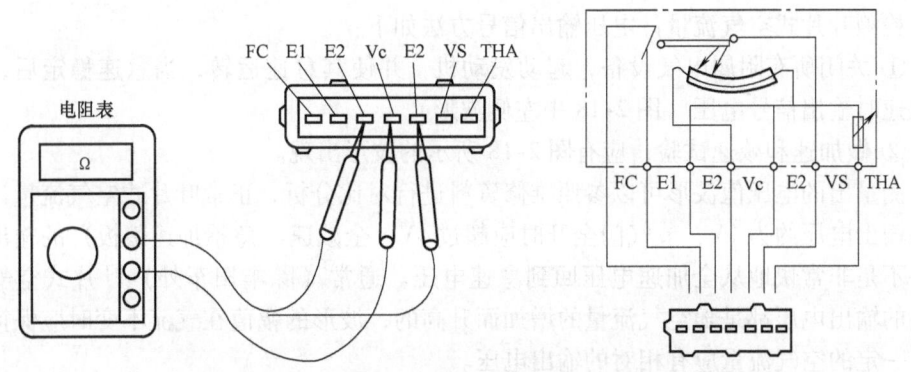

图2-16 丰田2JZ-FE发动机叶片式空气流量计测量图

1) 叶片式空气流量计电压测量。使用电压表测量ECU端Vc-E2端子和VS-E2端子,其标准电压值见表2-8。若无电压说明叶片式空气流量计有故障。

表2-8 丰田2JZ-FE发动机叶片式空气流量计标准电压值

端子	故障	测量条件		标准电压/V
Vc-E2	无电压	点火开关置于ON	—	4.0~6.0
VS-E2			翼板完全关闭	3.7~4.3
			翼板全开	0.2~0.5
		急速	—	2.3~2.8
		3000r/min		0.3~1.0

2）叶片式空气流量计电阻检测。电阻检测可在车上或车下检测。车上就车检测时，先脱开叶片式空气流量计的插接器，再用万用表电阻档测量各端子间的电阻值；车下检测时，应先拆下空气流量计，再用万用表电阻档测量翼板不同开度时 FC-E1、VS-E2 端子间的电阻值，如图 2-17 所示。各端子间的标准电阻值见表 2-9。只要电阻值不符合要求，应更换叶片式空气流量计，并重新连接好插接器。

表 2-9 丰田 2JZ-FE 发动机叶片式空气流量计标准电阻值

名称	测量端子	测量条件	电阻值/kΩ
油泵开关	FC-E1	翼板完全关闭	∞
		翼板任何开度	0
空气流量计	VS-E2	20℃	0.2~0.6
	Vc-E2	20℃	0.2~0.4
	VS-E2	翼板完全关闭	0.2~0.6
		翼板任何开度	0.2~1.2
进气温度传感器	THA-E2	-20℃	10.0~20.0
		0℃	4.0~7.0
		20℃	2.0~3.0
		40℃	0.9~1.3
		60℃	0.4~0.7

3）波形分析。

> 检测叶片式空气流量计电压输出信号方法如下：
> ① 关闭所有附属电气设备，起动发动机，并使其怠速运转，当怠速稳定后，检查怠速时输出信号电压（图 2-18 中左侧波形）。
> ② 做加速和减速试验，应有图 2-18 所示的波形出现。
> 测量出的电压值波形可以参照维修资料进行对比分析，正常叶片式空气流量计怠速时输出电压约为 1V，节气门全开时应超过 4V，全减速（急抬加速踏板）的输出电压并不是非常快地从全加速电压回到怠速电压。通常（除丰田车外）叶片式空气流量计的输出电压都是随空气流量的增加而升高的，波形的幅值在气流不变时应保持稳定，一定的空气流量应有相对的输出电压。

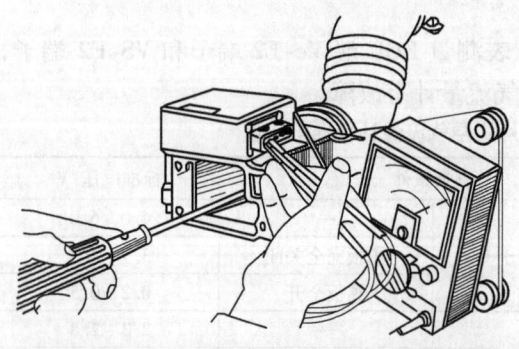

图 2-17 叶片式空气流量计电阻值的车下检测

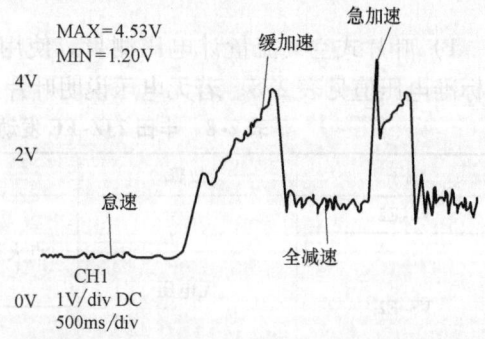

图 2-18 叶片式空气流量计电压输出波形图

(2) 卡门漩涡式空气流量计的检测 图 2-19 所示为丰田雷克萨斯 LS400 轿车 1UZ-FE 型发动机卡门漩涡式空气流量计与 ECU 的连接线路图。

1) 卡门漩涡式空气流量计电阻的检测方法如下：

① 关闭点火开关，拔下空气流量计的插接器。

② 用万用表测量空气流量计插接器插座内端子 THA 与 E2 之间的电阻，如图 2-20 所示。测量结果应符合表 2-9 所列的标准值，若不符，应更换空气流量计。

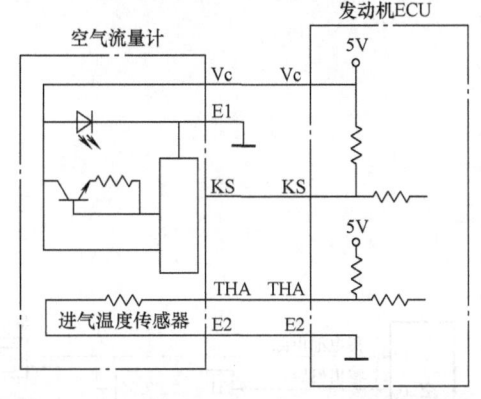

图 2-19 丰田雷克萨斯 LS400 型轿车 1UZ-FE 发动机卡门漩涡式空气流量计与 ECU 连接线路图

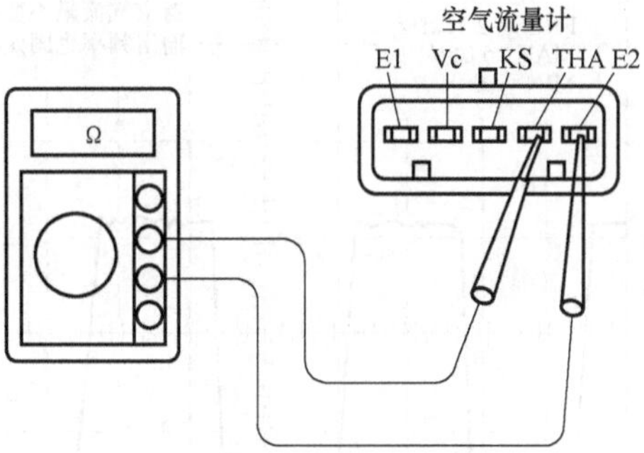

图 2-20 电阻的检测

2) 卡门漩涡式空气流量计电压的检测方法如下：

① 插回空气流量计的插接器，打开点火开关。

② 用万用表检测空气流量计插接器上 THA-E2、Vc-E1、KS-E1 端子之间的电压值，如图 2-20 所示。检测结果应符合表 2-10 所列标准值，若不符，则：

a. 检测发动机 ECU 与空气流量计之间的连接线路有无开路或断路。若不正常，检修或更换导线。

表 2-10 卡门漩涡式空气流量计检测标准值

名称	检测端子	检测条件	标准值
进气温度传感器	THA-E2	-20℃	10.00～20.00kΩ
		0℃	4.00～7.00kΩ
		20℃	2.00～3.00kΩ
		40℃	0.90～1.30kΩ
		60℃	0.40～0.70kΩ
	THA-E2	急速，20℃	0.5～3.4V
空气流量传感器	Vc-E1	点火开关打开（ON）	4.5～5.5V
	KS-E1	点火开关打开（ON）	4.5～5.5V
		急速	2.4～4.0V

b. 拔下空气流量计上插接器，打开点火开关，检测发动机 ECU 的 Vc-E1、KS-E1 端子之间的电压值，标准值应为 4.5～5.5V。若不正常，检查并更换 ECU；若正常，更换空气流

量计。

3）波形分析。卡门漩涡式空气流量计输出波形为数字式，如图2-21所示。检测时，输出信号的幅值、频率及形状应是一致的，且输出信号加速时不但频率增加，脉冲宽度也同时改变，波形脉冲幅值大多数为5V。如果不符合上述要求，应更换空气流量计。

（3）热线式空气流量计的检测　图2-22所示为日产VG30E发动机热线式空气流量计与ECU的连接电路。

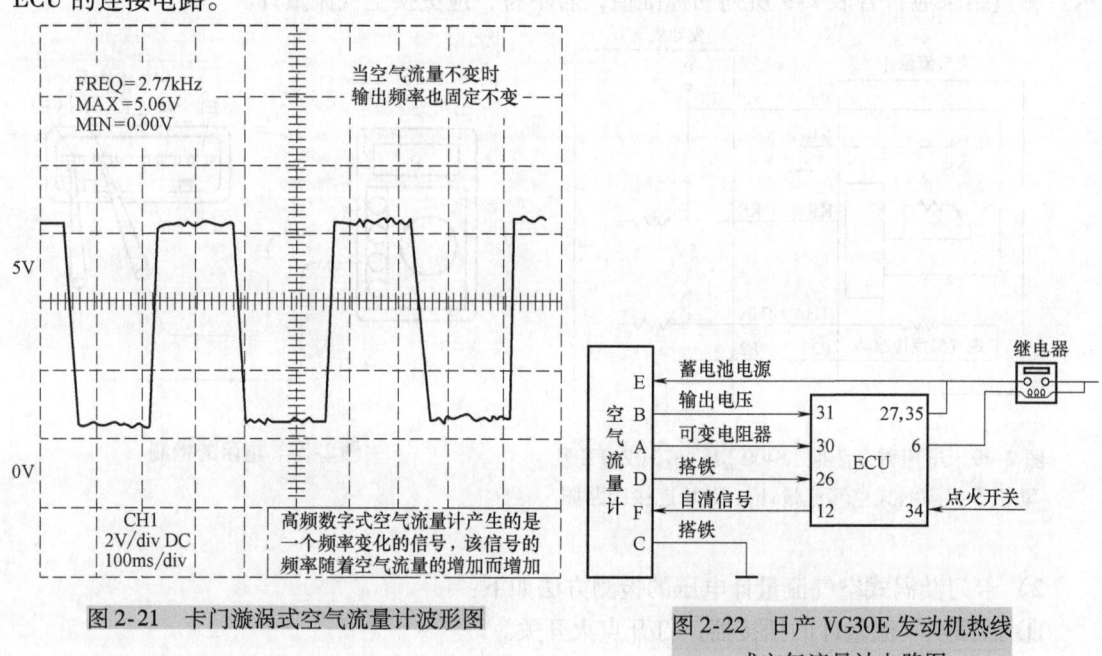

图2-21　卡门漩涡式空气流量计波形图

图2-22　日产VG30E发动机热线式空气流量计电路图

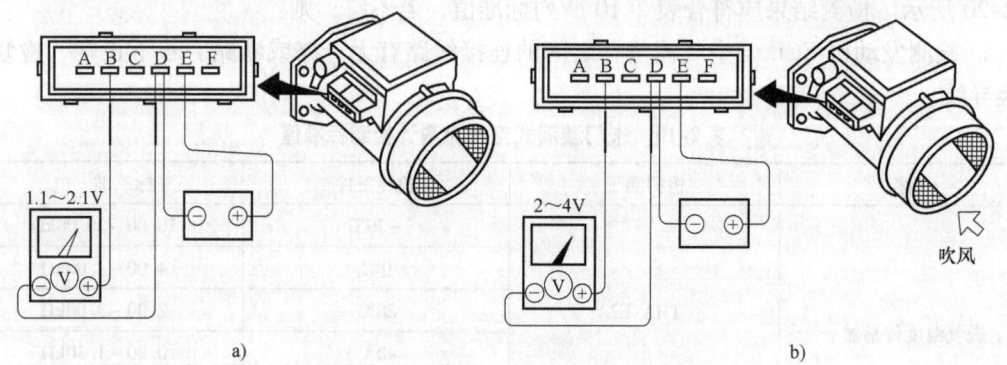

图2-23　热线式空气流量计的检测

a）静态输出信号的检测　b）动态输出信号的检测

1）输出信号电压的检测。拔下空气流量计的插接器，拆下空气流量计；将蓄电池的电压施加于空气流量计的端子D和E之间（电源极性应正确），用万用表电压档测量端子B和D之间的电压，如图2-23a所示，其标准电压值为(1.6±0.5)V。如其电压值不符，则须更换空气流量计。在进行上述检测之后，给空气流量计的进气口吹风，同时测量端子B和D之间的电压，如图2-23b所示。在吹风时，电压应上升至2~4V。如电压值不符，则须更换空气流量计。

2）自洁功能的检查。装好热线式空气流量计及其插接器，拆下空气流量计的防尘网，起动发动机并加速到 2500r/min 以上。当发动机停转后 5s，从空气流量计进气口处，可以看到热线自动加热烧红（约 1000℃）约 1s。如无此现象发生，则须检查自清信号或更换空气流量计。

3）波形分析。热线式空气流量计电压输出波形为模拟信号，当空气流量增大时，输出电压也随之升高，如图 2-24 所示。检测空气流量计电压输出信号的方法如下：

① 关闭所有附属电气设备。

② 检查发动机真空度应在 20~80kPa 范围内。

③ 起动发动机，并怠速运转，怠速稳定后，检查怠速输出信号电压（应为图 2-24 中左侧波形）。做加速和减速试验，应有类似图 2-24 中的波形出现。

④ 通常热线式空气流量计输出电压范围是从怠速时超过 0.2V 变至节气门全开时超过 4V，当全减速时输出电压应比怠速时

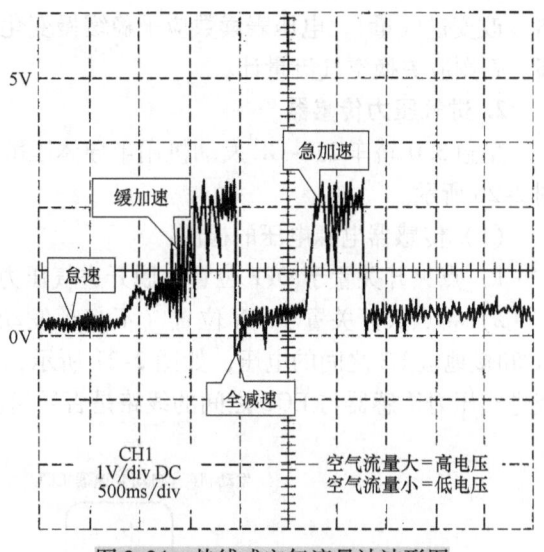

图 2-24 热线式空气流量计波形图

的电压稍低。可从维修资料中找出输出电压参考值进行比较，若有差异，则空气流量计有故障。

（4）热膜式空气流量计的检测　图 2-25 所示为桑塔纳 2000GSI、捷达 GTX、帕萨特 B5 轿车发动机热膜式空气流量计插接器各端子情况及流量计与 ECU 连接线路。

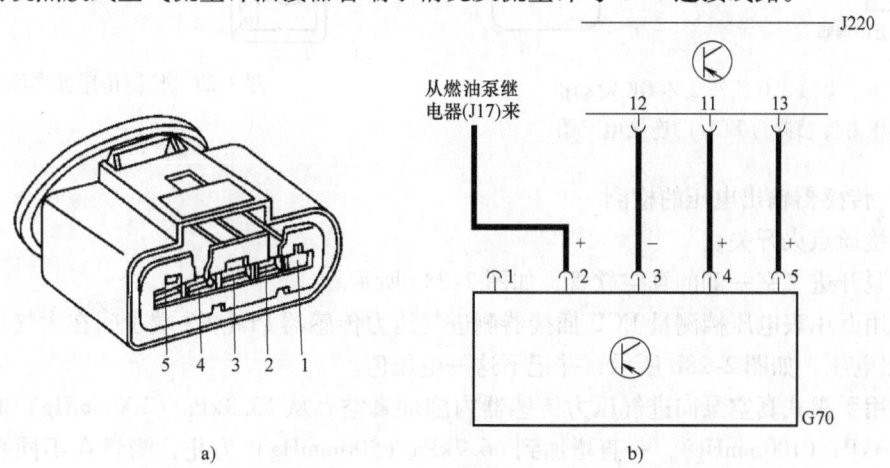

图 2-25 热膜式空气流量计插接器端子及电路连接图
a）热膜式空气流量计插接器端子图　b）热膜式空气流量计电路连接图

1）用 LED 灯连接空气流量计插接器 2 端子和发动机搭铁点，起动发动机，LED 灯应当亮，若不亮，应检查熔断器与插接器 2 端子之间是否存在断路，如果正常，则检查燃油泵继

电器。

2）空气流量计供电电压的检查必须在燃油泵继电器和熔断器正常的情况下，用万用表检测空气流量计插接器 4 端子与搭铁之间的电压，应为 5V。否则，应检查连接线路，如正常，更换发动机 ECU（J220）。

3）用吹风机向空气流量计内吹风，用万用表测量插座端子 5 和 3 之间的电压。改变距离（改变进气量），电压表读数应平稳缓慢变化，距离远时电压值下降；距离近时电压值升高。否则应更换空气流量计。

2. 进气压力传感器

皇冠 3.0 轿车 2JZ-GE 发动机用半导体压敏电阻式进气压力传感器与 ECU 的连接电路如图 2-26 所示。

（1）传感器电源电压的检测

1）点火开关置于 OFF 位置，脱开进气压力传感器的插接器。

2）将点火开关置于 ON 位置（不起动发动机），用万用表电压档测量插接器中电源端 Vc 和接地端 E2 之间的电压，如图 2-27 所示，其电压值应为 4.5~5.5V。如有异常，应检查进气压力传感器与 ECU 之间的线路是否导通。若断路，应更换或修理线束。

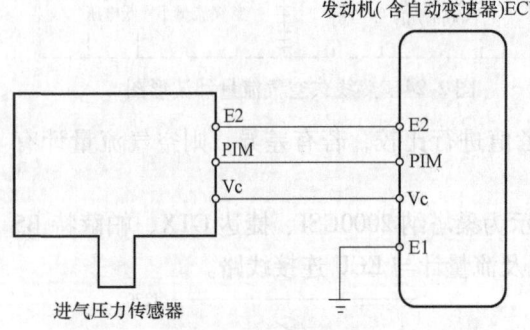

图 2-26　皇冠 3.0 轿车 2JZ-GE 发动机进气压力传感器与 ECU 的连接电路图

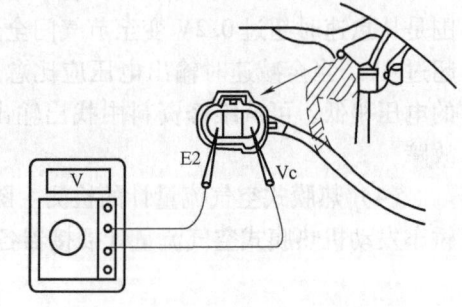

图 2-27　检测传感器电源电压

（2）传感器输出电压的检测

1）接通点火开关。

2）脱开进气室一侧的真空软管，如图 2-28a 所示。

3）用万用表电压档测量 ECU 插接器侧进气压力传感器 PIM-E2 端子间在大气压力状态下的输出电压，如图 2-28b 所示，并记下这一电压值。

4）用手提式真空泵向进气压力传感器内施加真空，从 13.3kPa（100mmHg）起，每次递增 13.3kPa（100mmHg），一直增加到 66.7kPa（500mmHg）为止，测量在不同真空度下传感器 PIM-E2 端子间的输出电压。该电压应能随真空度的增大而不断上升。将不同真空度下的输出电压下降量与标准值相比较，如不符，应更换进气歧管压力传感器。皇冠 3.0 轿车 2JZ-GE 发动机进气压力传感器的标准输出电压值见表 2-11。

（3）波形分析　关闭所有附属电气设备，起动发动机，并使其怠速运转，怠速稳定后，检查怠速输出信号电压。做加速和减速试验，应有如图 2-29 所示波形出现。

第 2 章 汽车发动机故障诊断与检测

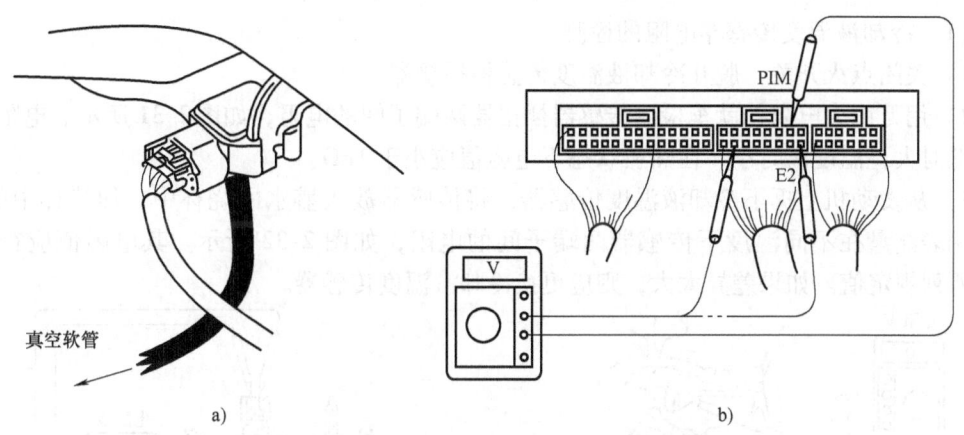

图 2-28 进气压力传感器输出信号电压的检测
a) 拆开传感器真空软管 b) 输出信号电压的检测

表 2-11 皇冠 3.0 轿车 2JZ-GE 发动机进气压力传感器的标准输出电压值

真空度/kPa（mmHg）	13.3（100）	26.7（200）	40.0（300）	53.3（400）	66.7（500）
电压值/V	0.3～0.5	0.7～0.9	1.1～1.3	1.5～1.7	1.9～2.1

3. 冷却液温度传感器的检测

发动机冷却液温度传感器基本上是采用负温度系数（NTC）热敏电阻，其作用是为发动机燃油喷射、自动变速器换档、离合器锁定、油压控制以及空调自动控制提供依据。冷却液温度传感器出现故障会导致发动机排放超标、冷热车起动困难及发动机运转不稳等故障现象。

图 2-30 所示为丰田皇冠 3.0 轿车冷却液温度传感器与 ECU 的连接电路图。

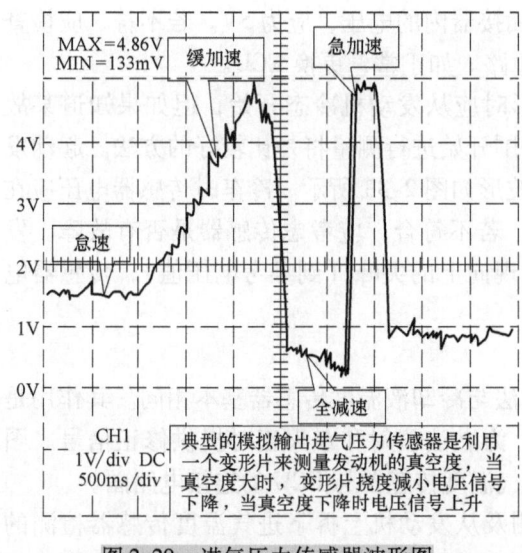

图 2-29 进气压力传感器波形图

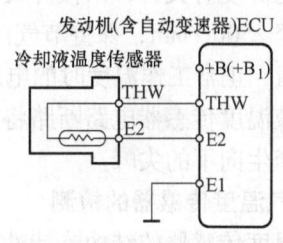

图 2-30 冷却液温度传感器
与 ECU 的连接电路图

(1) 冷却液温度传感器电阻的检测

1) 关闭点火开关，脱开冷却液温度传感器插接器。

2) 用万用表电阻档就车检测传感器插接器两端子间的电阻，如图2-31所示。电阻值在温度低时大，温度高时小，在热机状态下电阻值应小于1kΩ。

3) 从发动机上拆下冷却液温度传感器，将传感器放入盛水的烧杯中，加热杯中的水，用万用表测量在不同温度下传感器两端子间的电阻，如图2-32所示。其电阻值应符合表2-12所列规定值。如果差异太大，则应更换冷却液温度传感器。

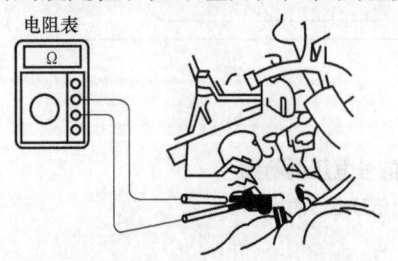

图2-31 冷却液温度传感器就车检测电阻

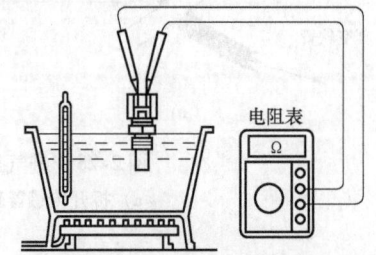

图2-32 冷却液温度传感器不同温度下电阻的检测

表2-12 丰田汽车冷却液温度/进气温度传感器的电阻值

温度/℃	电阻/kΩ	温度/℃	电阻/kΩ
0	6	60	0.6
20	2.2	80	0.25
40	1.1		

(2) 冷却液温度传感器电压的检测

1) 拔下冷却液温度传感器插接器，打开点火开关。

2) 用万用表电压档测量冷却液温度传感器插接器内的电压，应为5V。若不符，应检查传感器插接器与ECU的连接线路是否有断路、短路。如正常，更换ECU。

(3) 波形分析 测试冷却液温度传感器波形时应从发动机冷态开始，但如果知道某故障与某特定温度有关时，从被怀疑的故障温度范围开始进行测量将是比较好的方法。起动发动机加速至2500r/min，保持节气门不变，观测波形如图2-33所示。冷车时传感器电压应在3~5V之间，正常工作温度时的电压在1V左右，若不符合，应考虑传感器是否有故障。发动机冷却液温度传感器电路断路将使电压波形出现向上的尖峰（到参考电压值），传感器电路短路将产生向下的尖峰。

4. 进气温度传感器的检测

进气温度传感器的结构、特性及故障检查方法与冷却液温度传感器基本相同。其作用是用来测量进气温度，向ECU输入进气温度信号，为燃油喷射和点火正时提供修正信号。图2-34所示为丰田皇冠3.0轿车2JZ-GE发动机进气温度传感器与ECU的连接电路图。

(1) 进气温度传感器电阻的检测 就车检测及从发动机上拆下进气温度传感器检测的方法与冷却液温度传感器的检测方法均相同，所测电阻值也与冷却液温度传感器的相同。

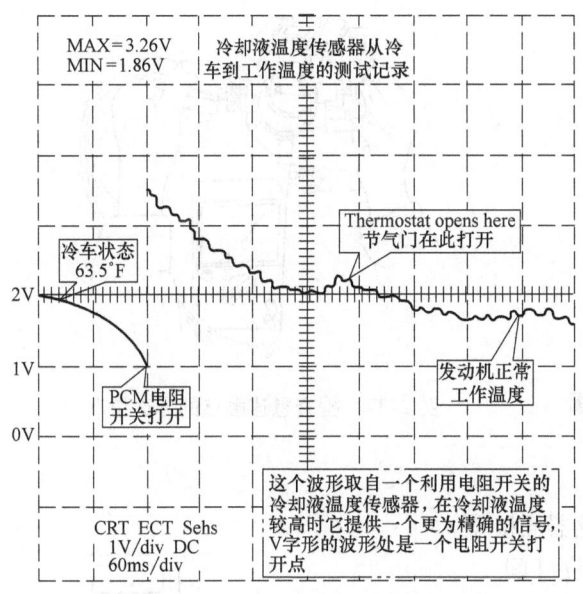

图 2-33 冷却液温度传感器波形图

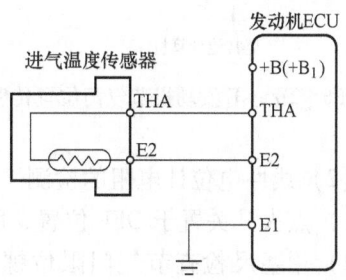

图 2-34 2JZ-GE 发动机进气温度传感器与 ECU 连接电路图

(2) 进气温度传感器输出信号电压的检测 将点火开关置于 ON，用万用表电压档测量 ECU 的 THA 端子与 E2 端子间或进气温度传感器插接器 THA 与 E2 端子间的电压值。在 20℃ 时应为 0.5~3.4V。否则，应进一步检查进气温度传感器连接线路是否存在断路或短路故障。

(3) 波形分析 试验及分析方法与冷却液温度传感器相同，进气温度传感器标准波形图如图 2-35 所示。

5. 节气门位置传感器的检测

节气门位置传感器有开关型、线性电位计型和综合型（怠速开关、节气门电位计）3 种。目前以综合型应用最为广泛。

节气门位置传感器作用是将节气门开度的大小转变成电信号输入 ECU，用于燃油喷射及其他辅助控制（如 EGR、开闭环控制等）。节气门位置传感器出现故障，会造成发动机急速过高或过低、无急速或急速发抖及排放超标等现象。

图 2-36 所示为丰田皇冠 3.0 轿车 2JZ-GE 发动机节气门位置传感器的电路图。

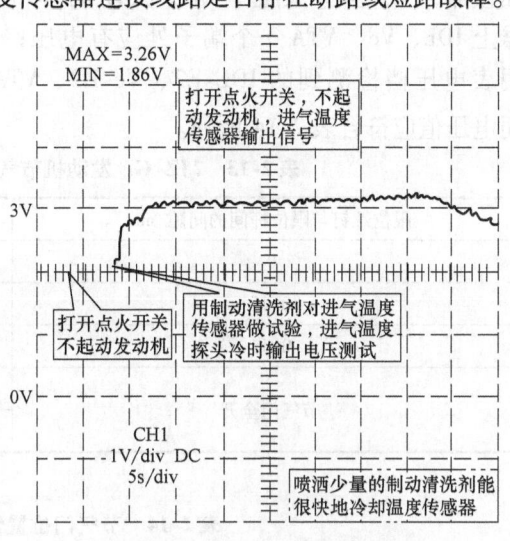

图 2-35 进气温度传感器波形图

(1) 怠速触点导通性的检测 点火开关置于 OFF 位置，拔下节气门位置传感器的插接器，用万用表电阻档在节气门位置传感器插接器上测量怠速触点 IDL 的导通情况（图 2-37）。当节气门全闭时，IDL-E2 端子间应导通（电阻为 0）；当节气门打开时，IDL-E2 端子间应不导通（电阻为∞）。否则应更换节气门位置传感器。

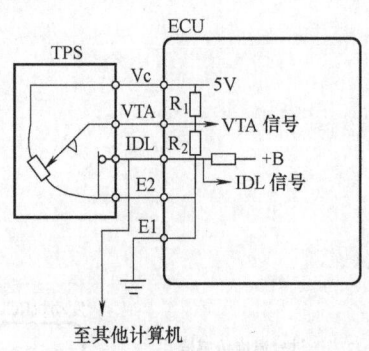

图 2-36　2JZ-GE 发动机节气门位置传感器电路图

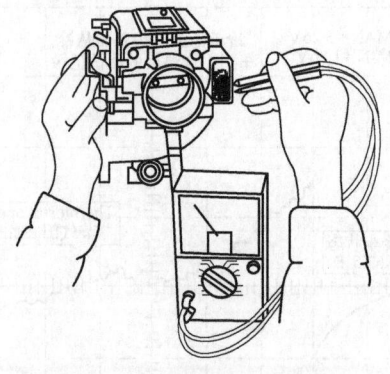

图 2-37　检查怠速触点的导通情况

（2）线性电位计电阻的检测

1）点火开关置于 OFF 位置，脱开传感器插接器。

2）用塞尺检查节气门限位螺钉与限位杆间的间隙，用万用表测量节气门位置传感器端子间的电阻值，如图 2-38 所示。

3）间隙和电阻值应符合表 2-13 中的给定值，否则应调节或更换节气门位置传感器。

（3）电压的检测　插好节气门位置传感器的插接器，当点火开关置于 ON，发动机 ECU 插接器上 IDL、Vc、VTA 3 个端子处应有电压；用万用表电压档检测到的 IDL-E2、Vc-E2、VTA-E2 间电压值应符合表 2-14 所列。

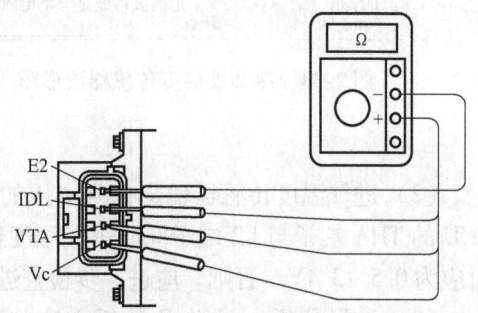

图 2-38　节气门位置传感器电阻的测量

表 2-13　2JZ-GE 发动机节气门位置传感器各端子间的电阻值

限位螺钉与限位杆间的间隙/mm	端子名称	电阻值/kΩ
0	VTA-E2	0.34~6.3
0.45	IDL-E2	0.5 或更小
0.55	IDL-E2	无限大
节气门全开	VTA-E2	2.4~11.2
	Vc-E2	3.1~7.2

表 2-14　节气门位置传感器各端子间的电压值

端子	检测条件	标准电压/V	异常
IDL-E2	节气门开	9~14	更换节气门位置传感器
Vc-E2	节气门任何位置	4.0~5.5	检查线路或 ECU
VTA-E2	节气门全闭	0.3~0.8	更换节气门位置传感器
	节气门开	3.2~4.9	

(4) 节气门位置传感器的调整 拧松节气门位置传感器的两个固定螺钉（图2-39a），在节气门限位螺钉和限位杆之间插入0.50mm塞尺，同时用万用表电阻档测量IDL和E2的导通情况（图2-39b）。逆时针转动节气门位置传感器，使急速触点断开，然后按顺时针方向慢慢转动节气门位置传感器，直至急速触点闭合为止（万用表有读数显示），拧紧节气门位置传感器的两个固定螺钉。再先后用0.45mm和0.55mm的塞尺插入节气门限位螺钉和限位杆之间，测量急速触点IDL和E2之间的导通情况。当塞尺为0.45mm时，IDL和E2端子间应导通；当塞尺为0.55mm时，IDL和E2端子间应不导通，否则应重新调整节气门位置传感器。

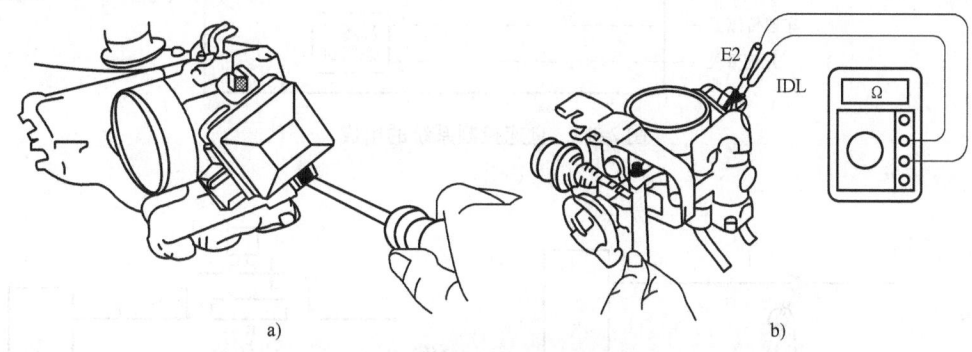

图2-39 节气门位置传感器的调整
a）拧松固定螺钉 b）测量IDL与E2端子的导通情况

2.2.3 急速控制系统的故障诊断与检测

急速是指节气门关闭，加速踏板完全松开，且发动机对外无功率输出并保持最低转速稳定运转的工况。车用发动机对急速工况下的性能要求主要为稳定性和燃油经济性及排放污染方面的要求。在汽车使用中，发动机急速运转的时间约占30%，急速转速的高低直接影响燃油消耗量及排放污染。急速过低，发动机冷车运转、空调打开、电器负载增大、自动变速器挂入档位、动力转向工作时，由于负载增加或运行条件差，容易导致发动机运转不稳甚至熄火。此外，急速转速过低，会增加排放污染；急速过高，会增加燃油消耗量。

1. 急速控制系统的组成与工作原理

急速控制系统主要由传感器、ECU和执行机构3部分组成，如图2-40所示。传感器的作用是检测发动机的运行工况和负载设备的工作状况，ECU根据各种传感器的输入信号确定一个急速运转的目标转速，并与实际转速比较，根据比较结果控制执行机构工作，以调节进气量，使发动机急速转速保持在目标转速上。

若发动机在正常运行工况中进行急速控制，会与驾驶人通过加速踏板对进气量调节发生干涉。因此，在急速控制系统中，还需根据节气门位置信号和车速信号确定急速工况，只有在节气门关闭、车速为零时才进行急速控制。

2. 急速控制的方法

急速控制的实质就是对急速工况下的进气量的控制。在电控燃油喷射发动机中，控制急速进气量的方法可分为两种基本类型：旁通空气式和节气门直动式。如图2-41所示，旁通空气式急速控制系统，设有旁通节气门的急速空气道，由执行机构控制流经急速空气道的空气量，而节气门直动式通过执行机构改变节气门的最小开度来控制急速进气量。目前比较常用的是旁通空气式怠速控制系统。按执行元件类型的不同，旁通空气式怠速控制系统又分为步进电动机型、旋转电磁阀型、占空比控制电磁阀型、开关型等。

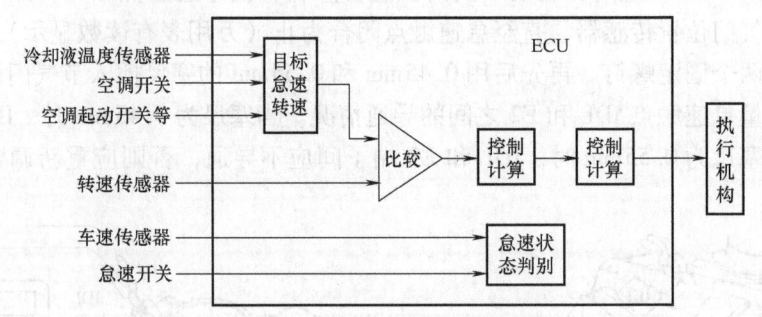

图 2-40　怠速控制系统的组成

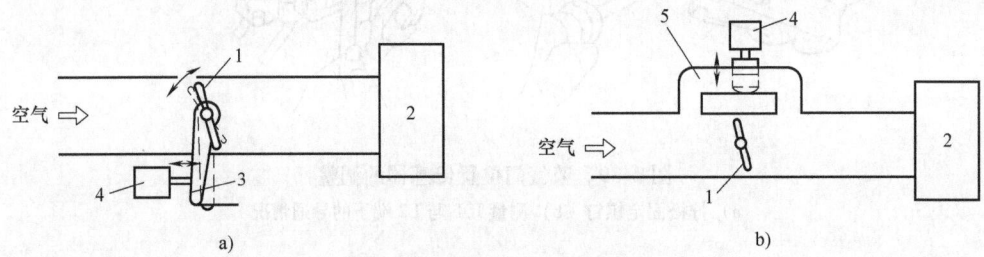

图 2-41　怠速控制的方法
a) 节气门直动式　b) 旁通空气式
1—节气门　2—进气管　3—节气门操纵臂　4—执行元件　5—怠速旁通空气道

不同车型的怠速控制系统，其控制内容不完全相同，控制内容包括：起动控制、暖机控制、负荷变化控制、反馈和学习控制等。

3. 怠速控制阀的检测

（1）步进电动机型怠速控制阀的检测　图 2-42 所示为丰田皇冠 3.0 轿车 2JZ-GE 发动机步进电动机型怠速控制阀电路。

1）怠速控制阀的就车检查。发动机起动后再熄火，2~3s 内应能听到怠速控制阀发出"嗡嗡"的工作声音（此时怠速控制阀打开到最大位置，以便发动机起动）。也可拔下怠速控制阀的插接器，待发动机起动后再插上，此时发动机转速应有变化。以上检查若有异常，应进一步检查怠速控制阀、控制电路及 ECU。

2）怠速控制阀步进电动机的检测。

①电阻的检测：拆开怠速控制阀插接器，分别测量怠速控制阀端子（图 2-43）B1 与 S1、S3，B2 与 S2、S4 之间的电阻，阻值均应为 10~30Ω，否则应更换怠速控制阀。

②步进电动机性能的检测：将蓄电池正极接至 B1 和 B2 端子，负极按顺序依次接通 S1、S2、S3、S4 端子时，随步进电动机旋转，控制阀阀芯向外伸出，如图 2-44a 所示；若蓄电池负极按相反的顺序依次接通 S4、S3、S2、S1 端子时，则控制阀应向内缩回，如图 2-44b 所示。若工作情况不符合上述要求，应更换怠速控制阀。

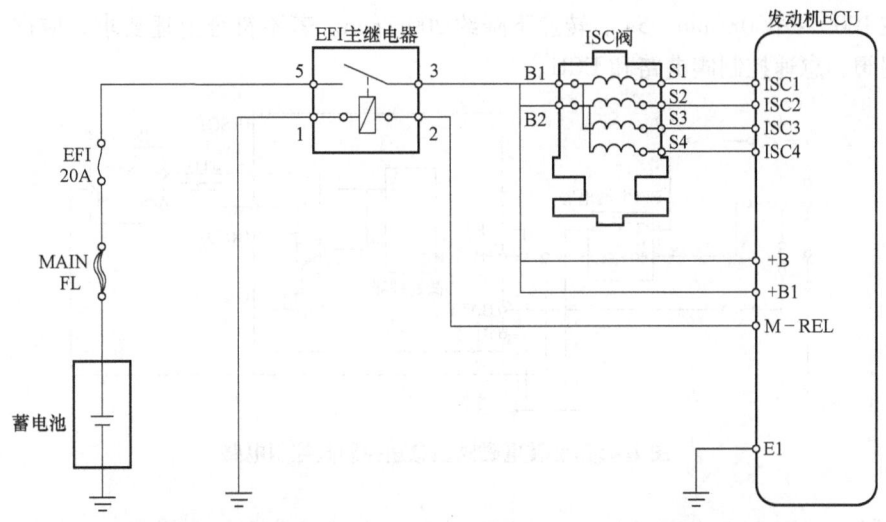

图 2-42　皇冠 3.0 轿车 2JZ-GE 发动机步进电动机型怠速控制阀电路

（2）旋转电磁阀型怠速控制阀的检测　图 2-45 所示为丰田 PREVIA 轿车发动机旋转电磁阀型怠速控制阀电路。在故障诊断与检测中，一般进行如下检查：

1）脱开怠速控制阀插接器，在控制阀上分别测量中间端子（+B）与两侧端子（ISC1 与 ISC2）之间的电阻，正常值应为 $18.8 \sim 22.2\Omega$，否则应更换怠速控制阀。

2）脱开怠速控制阀插接器，点火开关置于 ON 但不起动发动机，在线束侧测量电源端子 +B 与搭铁之间的电压，应为蓄电池电压，否则说明怠速控制阀电源电路有故障。

3）发动机运转到正常工作温度，变速器处于空档位置时，使发动机维持怠速运转，用跨接线短接故障诊断座 TE1 与 E1 端子，发动机转速

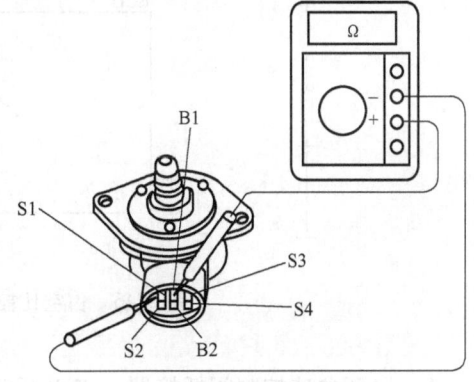

图 2-43　步进电动机电阻的检测

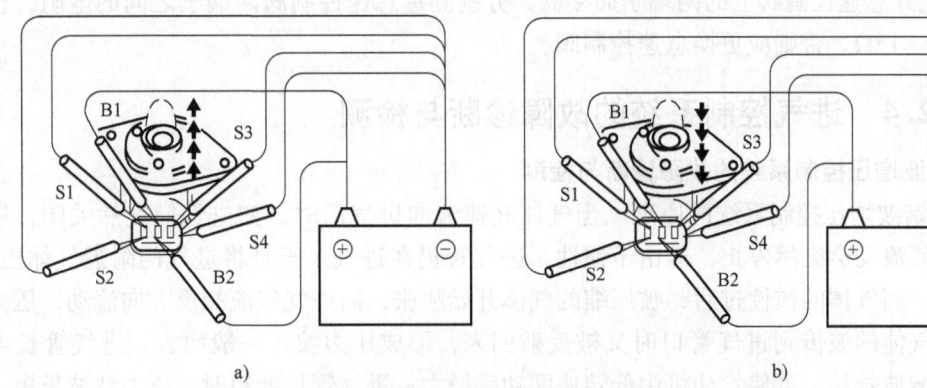

图 2-44　皇冠 3.0 轿车 2JZ-GE 发动机怠速控制阀性能检测
a）阀芯向外伸出　b）阀芯向内缩进

应保持在 1000~2000r/min，5s 后转速下降约 200r/min。若不符合上述要求，应进一步检查怠速控制阀、怠速控制阀电路和 ECU。

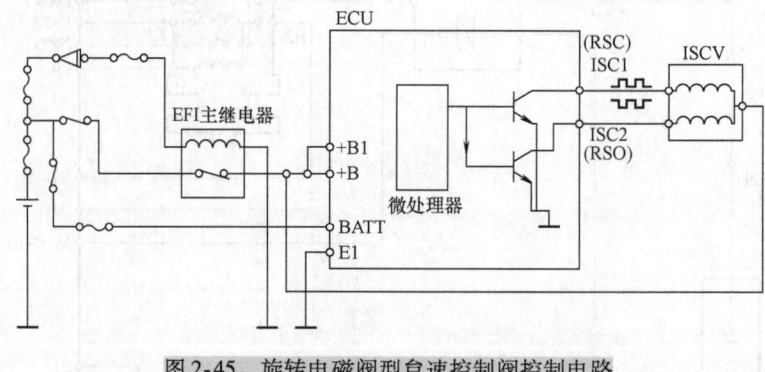

图 2-45　旋转电磁阀型怠速控制阀控制电路

(3) 占空比控制电磁阀型怠速控制阀的检测　本田轿车占空比控制电磁阀型怠速控制阀电路如图 2-46 所示。在故障诊断与检测中，主要应进行以下检查：

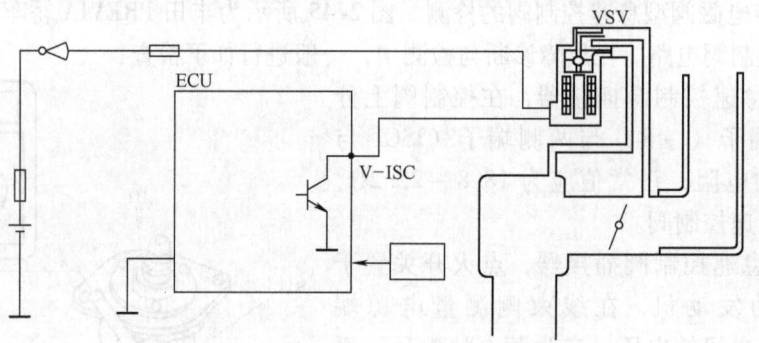

图 2-46　占空比控制电磁阀型怠速控制阀电路

1) 脱开怠速控制阀插接器，点火开关置于 ON 但不起动发动机，在线束侧测量电源端子与搭铁端子之间的电压，应为蓄电池电压，否则应检查怠速控制阀电源电路。

2) 脱开怠速控制阀上的两端子插接器，分别测量怠速控制阀两端子之间的电阻，正常值应为 10~15Ω，否则应更换怠速控制阀。

2.2.4　进气控制系统的故障诊断与检测

1. 谐波增压控制系统的故障诊断与检测

(1) 谐波增压控制系统的原理　当气体高速流向进气门时，如进气门突然关闭，进气门附近气流流动会突然停止，但由于惯性，进气管仍在进气，于是将进气门附近气体压缩，压力上升。当气体的惯性过后，被压缩的气体开始膨胀，向进气气流相反方向流动，压力下降。膨胀气体的波传到进气管口时又被反射回来，形成压力波。一般而言，进气管长度长时，压力波波长长，可使发动机中低转速区功率增大；进气管长度短时，压力波波长短，可使发动机高速区功率增大。

谐波增压系统的功能是根据发动机转速的变化，改变进气管内压力波的传播距离，以提高充气效率，改善发动机的性能。

谐波增压控制系统的结构如图 2-47 所示，系统控制原理如图 2-48 所示。ECU 根据转速信号控制真空电磁阀的开闭。低速时，真空电磁阀关闭，真空罐的真空不能进入真空驱动器的膜片气室，进气控制阀处于关闭状态。此时进气管长度长，压力波波长长，以适应低速区域形成气体动力增压效果。高速时真空电磁阀打开，真空罐的真空进入真空驱动器的膜片气室，真空驱动器驱动进气控制阀开启。由于大容量空气室的参与，缩短了压力波的传播距离，使发动机在高速区域也得到较好的气体动力增压效果。

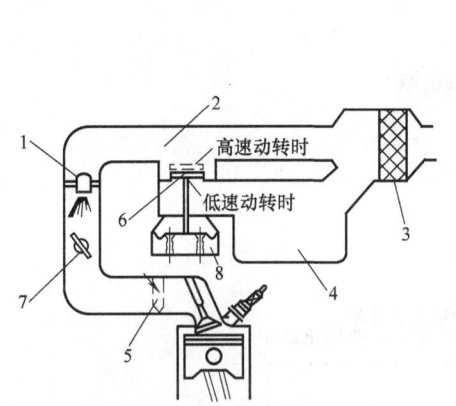

图 2-47 谐波增压控制系统的结构
1—喷油器 2—进气道 3—空气滤清器 4—进气室 5—涡流控制气门 6—进气控制阀 7—节气门 8—真空驱动器

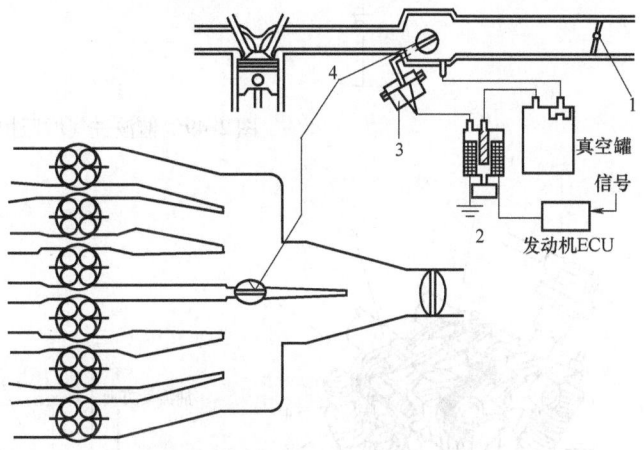

图 2-48 谐波增压控制系统控制原理
1—节气门 2—真空电磁阀 3—真空驱动器 4—进气控制阀

（2）谐波增压控制系统的检修

1）进气控制阀的检修。将执行器接上 55.3kPa 的负压，检查执行器推杆的动作。执行器推杆在 1min 内应不缩回，否则，转动调整螺钉。

2）真空电磁阀的检修。谐波增压控制系统控制电路如图 2-49 所示，主继电器闭合后，通过 3 端子给真空电磁阀供电，ECU 通过 ACIS 端子控制真空电磁阀的搭铁回路。用万用表测量真空电磁阀的电阻，正常值应为 $38.5 \sim 44.5\Omega$（皇冠 3.0 轿车）。

2. 可变配气相位控制系统的故障诊断与检测

配气相位是指用曲轴转角来表示的进、排气门开闭时刻和开启持续时间。可变配气相位系统主要控制进气门的开启和关闭正时，也就是控制进气门打开和关闭的最大提前角和最大迟闭角。其主要分为两大类，即改变凸轮轴转角的可变气门正时技术和改变气门升程的可变气门升程技术。下面以本田可变配气正时及气门升程电子控制（Variable Valve Life Timing & Valve Electronic Control，VTEC）系统为例介绍可变气门正时系统的故障诊断与检修。

本田 VTEC 系统结构如图 2-50 所示，主要由中间摇臂 2、主摇臂 8、次摇臂 3、同步活塞 A 和 B 及凸轮轴 9 等组成。VTEC 控制系统电路如图 2-51 所示。

（1）故障码为 21 的检测　在故障指示灯亮后，读取故障码为 21，表示 VTEC 的控制电磁阀及线路有故障。清除故障码后，若试车仍然有此故障出现，则说明系统电磁阀的确出了故障。

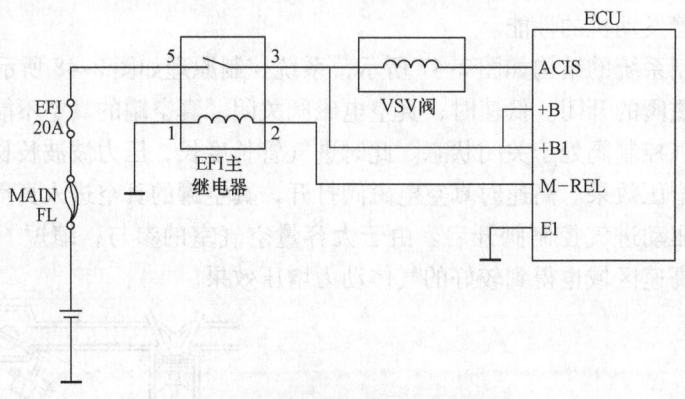

图 2-49　谐波进气增压控制电路

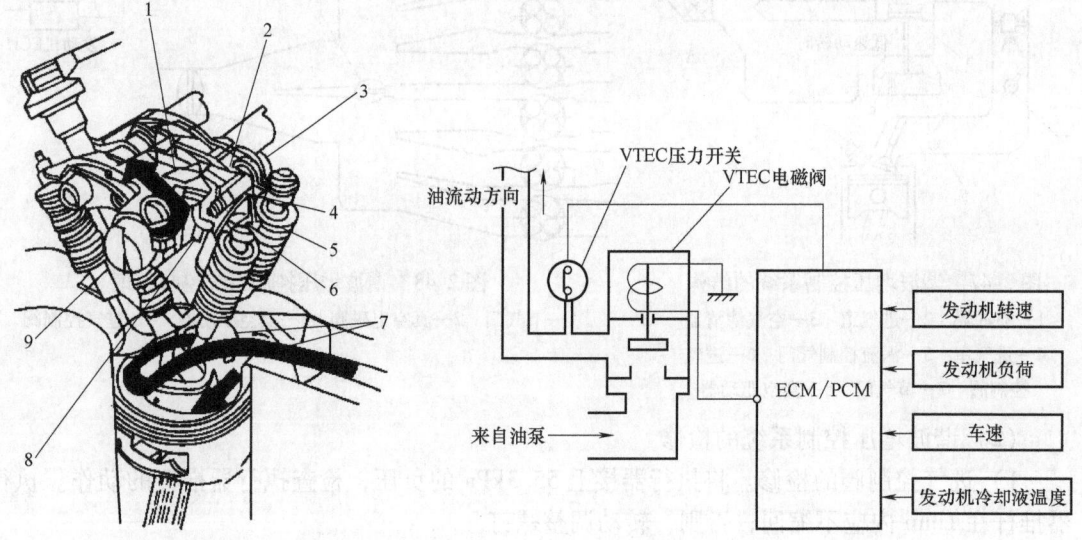

图 2-50　VTEC 机构的组成　　　　　图 2-51　VTEC 系统控制电路
1—正时板　2—中间摇臂　3—次摇臂　4—同步活塞 B　5—同步活塞 A　6—正时活塞　7—进气门　8—主摇臂　9—凸轮轴

1）先目视线路是否有断路或接触不良的情况，如果正常，进行下一步。

2）将电磁阀的外壳搭接电池负极，电磁阀的导线碰击蓄电池正极，注意聆听是否有电磁阀动作的声音，如果无声，则说明电磁阀损坏。可检测电磁阀插座端子与搭铁壳体间的电阻值，应为 14～30Ω。如果正常进行下一步。

3）检查控制单元 ECM 的 A4 端子接头与电磁阀插接器之间的导通情况。检测 A4 端子接点间的电阻，看是否有断路和短路情况。如果线路也正常，则更换控制单元 ECM。

（2）故障码为 22 的检测　当系统显示出"22"故障码时，表示 VTEC 压力开关及线路有问题。清除故障码后，若试车仍然有此故障出现，则说明 VTEC 压力开关及线路的确出了故障，应进行检查。

1)检查压力开关的两导线端子,在发动机不工作时应处于不导通状态,否则说明压力开关损坏。

2)检测压力开关插接器的棕、黑色线端子和搭铁之间是否导通;检测压力开关插接器的蓝、黑色线端子与 ECM 的 D6 端子对应的导线接点是否导通。

3)在压力开关上施加 250kPa 的压力,看此时主压力开关两端子是否导通。

4)如果电控系统没有故障,就应该检查机械及液压部分。

(3)液压控制系统常见故障检查 该系统的液压控制部分易出现的故障主要有:机油变质或太脏、油道堵塞、液压控制执行阀卡滞、油道有泄漏。对于液压控制系统动作不正常的故障,发动机自诊断系统是无法检测到的。但当怀疑该系统有产生故障的可能及迹象时,可按如下方法对 VTEC 电磁阀及液压控制活塞进行检查:

1)按上述方法确认 VTEC 电磁阀没有短路及断路故障。

2)将 VTEC 控制电磁阀与液压阀体总成从气缸盖上拆下,检查 VTEC 电磁阀和液压阀体与气缸盖间的椭圆形滤清器是否被堵塞。分解电磁阀与阀体时,用手推动柱塞,看其是否能自由运动,检查电磁阀处的滤清环及密封件,如果有损坏则更换新件,安装电磁阀时应使用新的 O 形密封圈,并更换新机油。

3)如果以上检查均正常,则检查液压控制阀活塞是否能灵活运动,可用手按动此阀的上端,如有必要清洗此阀。

(4)VTEC 系统其他部件的检修

1)滞差动作总成。在雅阁轿车上滞差动作总成装于气缸盖上。检查时,先将此总成从气缸盖上拆下来,然后用指尖推动柱塞,如果柱塞不能平滑运动,应予以更换。

2)正时板同步总成。正时板和回位弹簧装在进气摇臂轴的凸轮轴支架上。检查时,应查看正时板、回位弹簧和套管有无划痕或裂纹,有无因过热而变色等现象,检查弹簧是否可靠地连接在凸轮轴支架和正时板上。

3)同步组件。在拆下摇臂总成之后,应将摇臂与同步组件分离,以便进行如下检查:一是检查正时弹簧,如有异常应更换;二是检查摇臂和同步活塞有无磨损、卡滞、擦伤,有无过热迹象(变蓝),必要时予以更换;三要从 3 号凸轮轴支架上拆下机油控制喷嘴,清洗后再装上。

(5)VTEC 系统摇臂机构的检查 先进行手动检查。在气门间隙及配气正时正确的情况下,拆开气门室盖,摇转曲轴,带动凸轮轴转动,观察进气门摇臂是否都能正常运动。再逐缸在凸轮的基圆上(该缸活塞处于上止点 TDC 位置),用手指按动中间进气摇臂,观察中间进气摇臂应能单独灵活运动,否则说明此机构有故障。若中间进气摇臂有故障,应将中间进气摇臂、主进气摇臂和次进气摇臂作为整体拆下,检查中间和主摇臂内的活塞,活塞应能平滑地移动,否则应视情况修理或更换。如果需要更换摇臂,应将中间、主、次摇臂作为整体更换。

在进行完手动检查后可用压缩空气模拟压力机油对系统机构进行检查,应保证在气门间隙及配气机构运动正常的前提下进行该项检查。注意:在使用气门检查工具之前,应确保接于空气压缩机上的气压表读数超过 400kPa。

1)打开气门室盖,用专用工具堵住释气孔摇臂轴末端—用螺钉封住的检查孔,将此孔的密封螺钉拆掉,然后连接气门检查工具。

注意：重新拧紧密封螺钉前，擦去螺钉螺纹和凸轮轴托架螺纹上的油垢。

2）检查孔处接上一个专用接头，再通过这个专用接头接上压缩空气管道，然后再通入大约400kPa的气压，作用于摇臂的同步活塞A和B上。

3）这时同步活塞仍应不向外移动，然后再向上扳动正时板，当正时板被扳高到2~3mm时，同步活塞应弹出。将中间进气摇臂与主、次进气摇臂连接为整体，仔细观察同步活塞的接合是否灵活自如。

注意：可从中间摇臂、主摇臂和次摇臂之间的间隙处看到同步活塞；将正时板嵌入正时活塞上的凹槽内时，活塞便被锁定在弹出位置；向上推动正时板时，用力不要太大。

4）施加压力时，确保主进气摇臂和次进气摇臂通过活塞连接在一起，当用手推中间进气摇臂时，它与主进气摇臂和次进气摇臂之间不应有相对运动（中间摇臂不能单独活动）。如果中间摇臂能单独活动，则应将中间进气摇臂、主进气摇臂和次进气摇臂作为整体进行更换。

5）向同步活塞A和B施加气压，向上推动正时板。这时，同步活塞应回到原来位置，同步活塞A和B应脱开啮合，3只摇臂间相互无运动干涉，否则应将进气摇臂作为整体进行更换。

6）用专用工具检查每个游动件总成能否平滑地移动，如果不能平滑地移动，则应更换游动件总成。检查完毕后，MIL（故障指示灯）应不亮。

2.2.5 涡轮增压控制系统的故障诊断与检测

涡轮增压控制系统的功能是根据发动机进气压力的大小，控制增压装置的工作，以达到提高进气压力、提高发动机动力性和经济性的目的。根据增压装置使用动力源的不同，增压装置可分为动力增压和废气涡轮增压两种。前者利用发动机输出的动力源或电源驱动增压装置工作，后者利用发动机排出的废气能量驱动增压装置工作。目前多采用废气涡轮增压。下面以奥迪A6 1.8T（AEB）发动机为例介绍涡轮增压控制系统的故障诊断与检修，奥迪A6 1.8T（AEB）发动机涡轮增压控制系统总体构成如图2-52所示。

1. 维修注意事项

1）在废气涡轮增压器安装完成之后使发动机空转运行约1min并且不马上提速，以此来使涡轮增压器的润滑油供应稳定下来。

2）在拆开或连接之前对连接件及其周围进行彻底清洁，清洁时不要使用掉纱的抹布，部件必须保持清洁才能安装。

2. 基本检查

1）检查废气涡轮增压器的涡轮壳，应无因过热、咬合、变形或其他损伤而产生的裂纹，否则应更换废气涡轮增压器。

2）检查涡轮油孔，应无淤积和堵塞。

3）检查废气涡轮增压装置的进油管和回油管，应无堵塞、压瘪、变形或其他损坏。

4）检查废气涡轮增压器，应不漏机油。

5）检查安装在活性炭罐和废气涡轮增压器前部进气软管之间的活性炭罐单向阀、制动助力器和进气歧管之间的单向阀，应安装正确，上面的箭头应指向导通方向。

6）检查所有的管路，应连接牢固，无泄漏、老化等。

3. 各元器件检查方法

（1）机械式空气再循环阀的检测　机械式空气再循环阀装在涡轮增压器前面，在通过增压器空气再循环阀的真空控制下，在发动机超速切断、急速及部分负荷时打开，使节气门前面存在的增压压力卸压，涡轮增压器保持在较高的转速。一般在发动机功率不足或有负荷变化冲击时检查机械式空气再循环阀。

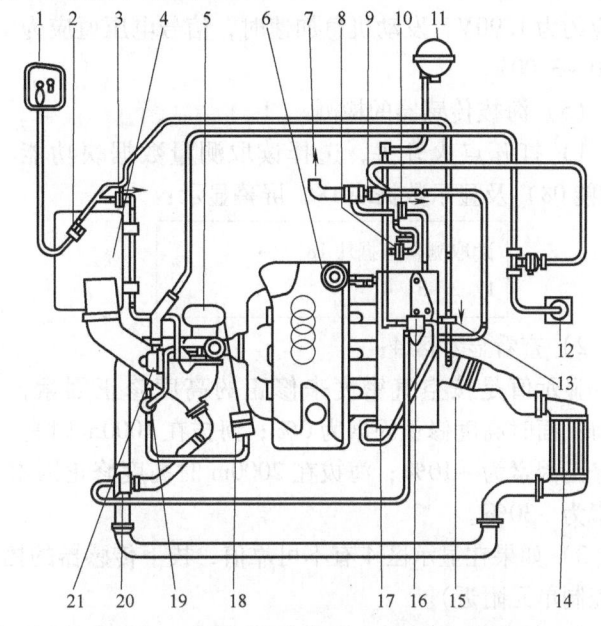

（2）增压器空气再循环阀（N249）的检测　检查涡轮增压器空气再循环阀的内阻，其位置如图2-53所示。拔下涡轮增压器空气再循环阀的插接器，用万用表电阻档在涡轮增压器空气再循环控制阀侧插接器处检查涡轮增压器空气再循环阀的电阻（图2-54），其值应为27~30Ω。

（3）增压压力限制电磁阀（N75）的检测　增压压力限制电磁阀的检修过程和方法与涡轮增压

图2-52　奥迪A6 1.8T发动机废气涡轮增压控制系统总体构成

1—活性炭罐　2—活性炭罐电磁阀　3—活性炭罐单向阀　4—空气滤清器　5—涡轮增压器　6—燃油压力调节器　7—接制动助力器　8、10、13—单向阀　9—抽气泵　11—真空罐　12—曲轴箱通风装置　14—增压空气冷却器　15—节气门控制单元（J338）　16—增压器空气再循环阀（N249）　17—进气歧管　18—增压压力调节单元　19—增压压力限制电磁阀（N75）　20—机械式空气再循环阀　21—曲轴箱通风压力调节阀

器空气再循环阀的检测过程和方法完全一样，只是增压压力限制电磁阀内阻为23~35Ω。

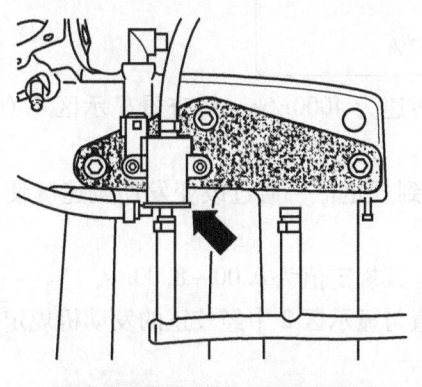

图2-53　奥迪A6增压器空气再循环阀N249的安装位置

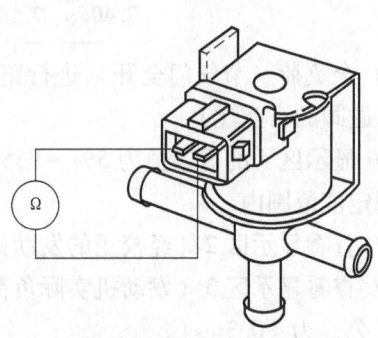

图2-54　增压器空气再循环阀电阻的检测

(4) 增压压力传感器的检测　检查增压压力传感器的信号电压，其位置如图2-55所示。插上增压压力传感器插接器，用万用表电压档测量增压压力传感器插接器信号端子和搭铁端子之间的电压。发动机急速运转时，信号电压值应约为1.90V，发动机急加速时，信号电压值应为2.00~3.00V。

(5) 海拔传感器的检测

1) 打开点火开关，选择读取测量数据块功能（功能08）及显示数据块18，屏幕显示：

```
读取测量数据块 18　→
1　2　3　4
```

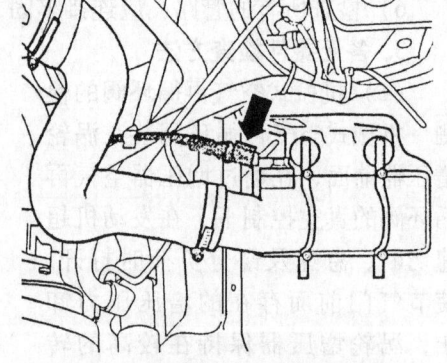

图2-55　奥迪A6增压压力传感器G31的安装位置

2) 查看显示区4：

显示值是按空气密度来修正的高度修正因素，在海平面时高度修正因素为0%；海拔在1000m时高度修正因素为-10%；海拔在2000m时高度修正因素为-20%；海拔在3000m时高度修正因素为-30%。

3) 如果在显示区4有不可靠值，拔下传感器的插接器（海拔传感器安装于电控盒发动机控制单元附近）。

4) 打开点火开关，如图2-56所示，测量海拔传感器的端子1与端子3以及端子2与3之间电压，其电压规定值均为约5V。

5) 如果没达到规定值，关闭点火开关。检查并排除导线的断路或短路故障，如果导线没有故障，换装一个新的海拔传感器（F96）。如果更换新的海拔传感器后，显示区继续显示不可靠值，则换装一个新的发动机控制单元。

4. 增压控制检查

1) 选择读取测量数据块（功能08）及显示数据块25，屏幕显示：

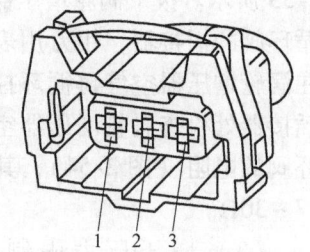

图2-56　海拔传感器端子

```
读取测量数据块 25　→
7.40ms　7.10ms　7.05ms　67%
```

2) 全负荷（节气门全开）进行路试，发动机转速为4000r/min时查看显示区4（增压控制电磁阀的占空比）。

3) 显示区4的规定值为5%~95%。如没有达到规定值，通过改变发动机速度使占空比在规定值范围内。

4) 查看显示区2（经校正的发动机规定负荷），其规定值为0.00~8.00ms。

5) 查看显示区3（发动机实际负荷），其规定值与显示区2中经校正的发动机规定负荷相同（公差为±0.3ms）。

发动机实际负荷超出公差范围，可能是下列故障造成的：①增压控制电磁阀有电气故障。②增压控制系统的软管松动,漏气或阻塞。③增压控制电磁阀 N75 阻塞。④涡轮增压器与进气歧管之间有漏气之处。⑤旁通阀机构发卡或不灵活。⑥涡轮增压器损坏（涡轮被异物卡死）。

5. 增压最高压力测试

将变速器挂入 3 档,在发动机转速为 2000r/min 时以节气门全开进行加速,观察仪表板上的发动机转速表。在发动机转速约为 2500r/min 时,压力表上显示的值应为 1.600～1.700bar（160～170kPa）,V. A. S5051 或 V. A. G1551 上显示数据块 115 的显示区 4 上显示的数据为 1.600～1.700bar（160～170kPa）。当增压压力过高时,电控单元将切断发动机的燃油供给,以保护发动机。

2.2.6 电控节气门系统的故障诊断与检测

电控节气门系统包括用于确定、调整及监控节气门位置的所有部件。它主要由加速踏板、加速踏板位置传感器、发动机控制单元、数据总线、电控节气门（EPC）指示灯和节气门控制部件（执行机构）等组成,如图 2-57 所示。图 2-58 所示为奥迪 A6 APS 与 ATX 发动机电控节气门系统电路图,节气门控制部件壳体内包括节气门驱动装置 G186,节气门角度传感器 G187 和 G188。节气门驱动装置 G186 是一个伺服电动机,该电动机由发动机控制单元控制,按与弹簧力相反方向打开节气门。节气门角度传感器 G187 和 G188 是电位计（可变电阻）,它将节气门的位置信号传送给发动机控制单元,这两个角度传感器是相互独立的。

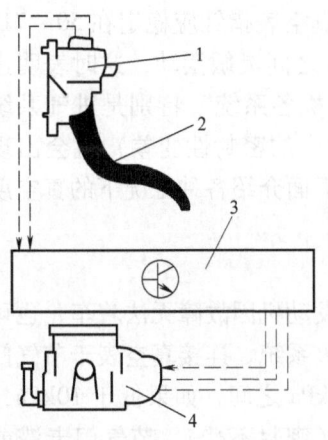

图 2-57 电控节气门示意图
1—加速踏板位置传感器 2—加速踏板
3—发动机控制单元 4—节气门控制器

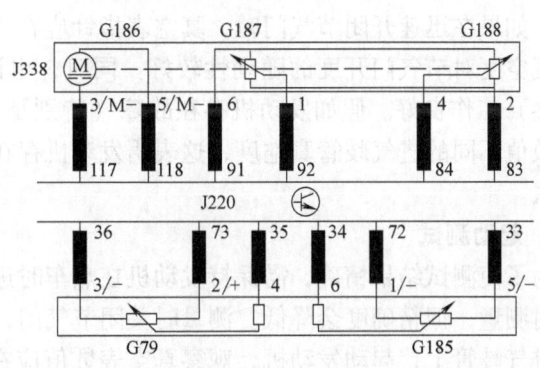

图 2-58 奥迪 A6 APS 与 ATX 发动机电控节气门系统电路图
J338—节气门控制部件　G186—节气门驱动装置　G187—节气门角度传感器 1　G188—节气门角度传感器 2　J220—发动机控制单元
G79—加速踏板位置传感器 1　G185—加速踏板位置传感器 2

下面以大众车系为例介绍电控节气门系统的故障诊断与检测。

1. 加速踏板位置传感器的检测

检查供电电压为5V，搭铁线要良好，信号电压随踏板位置改变而改变；检查导线连接（短/断路检测）；检测传感器阻值，电阻值是接近线性变化。

2. 节气门控制单元检测

用 V. A. G1551 进入读取数据流功能，输入数据号"062"，读取数据流。表2-15 所列数据应该符合标准，如不符合，根据图2-59 所示的端子标定对节气门控制单元进行检测。

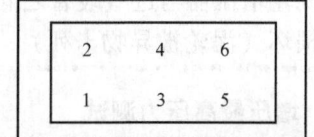

图 2-59 节气门控制单元插接器
1—TPS1 2—5V 3—电动机 M+
4—TPS2 5—电动机 M- 6—ECM（--）

表 2-15 062 组数据流

显示组 062：电子节气门电位计	显示区			
	1	2	3	4
显示屏	××%	××%	××%	××%
表示	节气门角度传感器1	节气门角度传感器2	加速踏板位置传感器1	加速踏板位置传感器2
工作范围	最小：0% 最大：100%	最小：0% 最大：100%	最小：0% 最大：100%	最小：0% 最大：100%
规定值	3%~93% 急速值：8%~18%	3%~97% 急速值：80%~90%	12%~97%	4%~49%

2.2.7 进气歧管真空度的检测与诊断

在不同的发动机转速下，可检测到不同数值的进气歧管真空度。就大多数汽油发动机而言，在正常急速状态下运转时，如果各系统均工作正常，则真空表指针应稳定在 50~71kPa 之间，如果在迅速开闭节气门时，真空表指针应在 7~85kPa 之间灵敏摆动，这时表明进气歧管真空度对节气门开度的随动性较好。同时，也说明发动机各系统（特别是进气系统的密封性）工作良好。假如发动机存在故障（特别是机械故障中的密封性变差）就会出现与上述数值不同的进气歧管真空度，这表明发动机存在故障。下面介绍各种工况下的真空度测试方法。

1. 起动测试

为了使测试结果精确，需保持发动机在热车时进行。如发动机因故障无法着车，也可在冷车时测量，但精确度会降低。测量时关闭节气门，切断点火系统，连接真空表于节气门后方的进气歧管上，起动发动机，观察真空表数值应在 11~21kPa 之间，如果低于 10kPa，可能原因如下：发动机转速过低（起动机无力），活塞环磨损（密封不严），节气门卡滞或烧蚀，进气歧管漏气，过大的急速旁通气路等。

2. 急速测试

在发动机正常工作时，在急速条件下，用真空表测量其值应为 50~70kPa。若测量值不在此范围，要根据不同情况，加以分析，以判断故障所在。

1）如果急速测试时的真空表读数不正常，则应进行以下检查：①检查初始点火正时。②检查配气正时。③检查气缸压力。④检查曲轴箱强制通风控制阀。

2）如果急速测试时的真空表指针有规律地下降 6~9kPa，则应进行以下检查：①查出不工作的火花塞。②查出烧坏的气门（压力测试）。③查出烧坏的活塞（压力测试）。

3）如果发现真空表读数值不规则地下降到 10~27kPa 时，则应进行以下检查：①检查火花塞。②查找卡滞的气门。③查找卡滞的气门挺杆或液压挺杆。

4）如果真空表指针缓慢摆动于 27~34kPa 之间，则应进行以下工作：①调整空燃比（混合气可能太浓）。②检查火花塞（火花塞间隙可能太小）。

5）如果怠速时真空表指针很快地在 47~61kPa 之间摆动则说明：进气门挺杆与导管磨损、配合松旷。如果真空表指针在 34~76kPa 之间缓慢摆动，并且随着发动机转速的升高摆动加剧则说明气门弹簧弹力不足。

6）如果怠速时真空表指针在 18~65kPa 之间大幅度摆动是由气缸衬垫漏气引起的。

7）如果发动机怠速过高，测试歧管真空度小于 40kPa，说明是发动机的节气门之后的歧管或总管漏气，漏气部位多数是歧管垫以及与歧管相连接的许多管线，如真空助力器气管等。

8）如果发动机起动困难，保证不了稳定怠速运转，测试发动机的真空度在 50kPa 以上，说明发动机的进气管路没有问题，故障在于电控系统造成的点火不良或喷油不良，例如点火线圈故障等。

3. 急加速测试

在发动机急加速时进行测试，也可显示活塞漏气的程度。急加速时，真空表的读数应突然下降；急减速时，真空表指针将在原怠速时的位置向前大幅度跳越。即当迅速开启和关闭节气门时，真空表指针应随之摆动在 7~8kPa 之间。

1）如果活塞漏气严重，真空表指针的摆动幅度将不太明显。真空表指针摆动幅度越宽，表明发动机技术状况越好。

2）如果怠速时真空表指针低于正常值，急加速时指针回落到"0"附近，节气门突然关闭时指针也不能升高到 86kPa 左右，此现象主要是由活塞环、进气管造成的。

4. 排气系统阻塞测试

在发动机转速为 1000r/min 的条件下进行此项测试工作，仔细观察真空表读数，如果读数明显地逐渐下降，则表明排气系统存在阻塞现象。

5. 巧用真空表测试真空度时应注意的事项

1）发动机怠速运转时，若气门存在卡滞，则真空表指针将以不规则的间隔退回。

2）气门间隙都偏小，则真空表读数将会偏低，大致在 44~47kPa 之间，且指针来回摆动，若只有一个气门间隔调整值偏小，则真空表指针在该气缸每次点火时会出现规则地下降。

3）当可燃混合气过浓时，则真空表指针会来回摆动，伴随排气管冒黑烟甚至"放炮"，应调整空燃比。

4）上面的数值都是在相当于海平面下测得的数值，我们知道进气歧管真空度随海拔的升高而降低。通常海拔每升高 500m，真空度将减小 5.5kPa。因此我们在测定进气歧管真空度时，要根据所在的海拔情况进行换算。

2.2.8 故障案例分析

案例一　卡罗拉怠速不稳

（1）故障现象　一辆丰田 ST191 型卡罗拉轿车，热车时发动机怠速不稳，加速不良且有冒黑烟现象,在加速过程中排气管还伴有"突突"的爆燃声。

(2) 故障排除 用元征431—ME故障诊断仪(俗称电眼睛)读取故障码,显示无故障码。

按照电控发动机怠速运转不良疑难故障排除方法,检查各缸工作是否正常。4个气缸压力均在1.0MPa左右,配气及点火正时都正常,用示波器检查点火正时波形正常,燃油泵工作压力及保持压力均在正常范围内。后对空气滤清器滤芯、燃油滤清器滤芯、节气门体及喷油器进行了清洗或更换,效果不明显。

进一步对发动机动态数据流进行了检测,检测结果怠速转速为850r/min,冷却液温度为85℃,喷油脉宽为5.8ms,其标准值一般为2~4ms,明显超过标准值,说明发动机负荷太大。观察氧传感器的电压值为0.8~1.0V,说明空燃比较高,混合气过浓。

进气压力传感器或空气流量计是控制空燃比的第一参数,所以决定先对进气压力传感器进行检查。由于发动机ECU内无故障码显示,则进气压力传感器(MAP)不存在断路和短路情况。在发动机怠速运转过程中,拔下MAP传感器插接器,这时故障现象发生了变化,故障指示灯闪亮,但发动机运转平稳,黑烟消失,加速良好,说明故障原因应该在MAP传感器上。

拔下MAP传感器插接器,用数字万用表测量,MAP传感器的供电电压在5.0V左右。插上插接器,起动发动机,测量MAP传感器信号电压(输出电压)为4.5V,猛踩加速踏板时电压无变化。拔下MAP传感器真空软管,信号电压仍为4.5V。发动机熄火,点火开关置于ON位,信号电压仍然为4.5V。再次起动发动机,用手触摸MAP传感器上的真空软管,无真空源。至此故障真相大白,MAP传感器真空管堵塞是造成信号电压不变的直接原因,这时MAP传感器输往发动机ECU的4.5V信号电压相当于节气门全开时的电压,使发动机ECU误认为节气门全开,因而发出加浓喷油指令,使混合气过浓,空燃比失调,造成发动机燃烧不完全,冒黑烟,动力下降。

发动机进气歧管上的真空细软管被积炭堵塞,用钢针将其钻通并进行清洗,找来一个三通插头重新装上真空管,接好真空表、起动发动机,怠速时真空表显示为64kPa,再次测量信号电压为1.2V,随着加速踏板被踩下,电压逐渐升高。此时发动机加速良好,怠速平稳,黑烟消失,故障彻底排除。

案例二 奥迪A6不易起动

(1) 故障现象 一辆奥迪A6 2.6L轿车,经常发生冷车和热车时都不易起动的情况,但是踩加速踏板,发动机就能起动,只要一松加速踏板,发动机就可能熄火。这样反复几次后,汽车发动机才能起动。

(2) 故障排除 根据故障现象,该车故障原因可能在电控部分。先提取故障码,计算机显示两个故障码,一个是冷却液温度传感器短路或断路,另一个是EGR电磁阀短路或断路。

检查发现冷却液温度传感器有间断性断路故障,应给予更换。检查EGR电磁阀及线路,发现插接器根部导线接触不良,重新连接好导线,消除故障码,第二天早晨试车,一切正常。

过了一周车主反映,该车冷车时起动正常,热车时起动还是不正常,踩加速踏板才能起动。用V.A.G1552重新提取故障码,无故障码显示。读取数据流,发动机怠速时,发动机转速在760~850r/min之间不断变化,明显有转速不稳的症状。经过系统分析,故障原因应在点火和进气这两个系统上。首先检查点火系统，各缸火花塞和点火线圈都基本正常，但第1、4两缸的高压线有漏电痕迹，决定更换。再检查进气系统，进气管没有漏气的地方，各真空管连接良好，检查节气门无卡滞现象。检查怠速电动机，拆下电动机，不拔插接器。打开点火开关，电动机打开一定角度，关闭点火开关，电动机又关闭了。反复几次，发现怠速电动机有时打不开或有时不关闭，出现了卡滞现象，而且随温度的升高，怠速电动机卡滞的频率也升高。更换一只新的怠速电动机，试车，所有的故障都排除了。

(3) 故障分析　该车怠速电动机卡死后，发动机进气很少，几乎不进气，造成混合气过浓。由于混合气浓度与起动时所需的空燃比差距大，所以发动机不容易起动。但当踩下加速踏板时，节气门打开一定角度，使空气进入，空燃比发生变化，混合气可点燃，发动机就能起动。

案例三　宝来动力不足

(1) 故障现象　宝来1.8T自动档轿车行驶中出现动力不足，继续行驶后发现驻车制动手柄和变速杆下面烫手，EPC警告灯亮。

(2) 故障排除　用V. A. G1552查询发动机控制单元，发现故障很多，其中有：G79信号太大/超差、G185信号太大/超差、空气流量计故障、活性炭罐电磁阀故障、2/3/4缸偶见失火现象等。由于驻车制动手柄和变速杆下面烫手，可能是由于失火后个别缸不工作，燃油未经点火直接排到排气管内，产生后燃，导致排气管处温度过高造成的。空气流量计、活性炭罐等故障同时出现，可能是熔丝S243被烧掉。

那么熔丝被烧掉是如何引起的呢？电子节气门的故障是如何引起的呢？检查发现2/3/4缸火花塞异常，三元催化转化器后的氧传感器G130线束被烤焦，4根导线相互缠绕在一起，导致短路现象，S243被烧掉。

更换2/3/4缸异常的火花塞、三元催化转化器、氧传感器G130、线束和熔丝S243后试车。怠速转速平稳，但有时出现不踏加速踏板发动机转速自动升高到4000～5000r/min的现象，并伴随着EPC警告灯亮。

更换加速踏板总成，进行基本设定，故障没有排除。更换发动机控制单元，故障排除。

(3) 故障分析　由于个别缸失火，造成排气管温度异常升高，导致G130线束短路，不仅S243被烧掉，同时使发动机控制单元内部有些处理器被烧掉，导致怠速转速偶尔会升高到4000～5000r/min，控制单元误诊断为加速踏板位置传感器故障，并用EPC警告灯报警。

▶▶▶ 2.3　燃油供给系统的故障诊断与检测

燃油供给系统出现故障，发动机的表观现象主要有以下几种情况：
① 发动机无法起动。
② 发动机起动困难。
③ 发动机动力不足。
④ 发动机运转不良。

⑤ 发动机冒烟和排气管"放炮"。
⑥ 发动机进气管回火。
⑦ 发动机怠速不稳。
⑧ 发动机加速熄火。
⑨ 发动机油耗过高。
⑩ 发动机抖动。
⑪ 发动机噪声很大。

2.3.1 燃油供给系统的主要组成部件

各种发动机的燃油供给系统基本相同，都是由电动燃油泵、燃油滤清器、燃油压力调节器、脉动阻尼器及油管等组成，如图 2-60 所示。电动燃油泵将燃油从油箱中泵出来经燃油滤清器、燃油分配管向喷油器提供足够压力的燃油，喷油器根据来自电控单元（ECU）的控制信号向节气门上方或进气歧管内喷射定量的燃油，燃油压力调节器根据进气歧管的真空度调节回油管的回油量，让多余的燃油经回油管流回燃油箱。

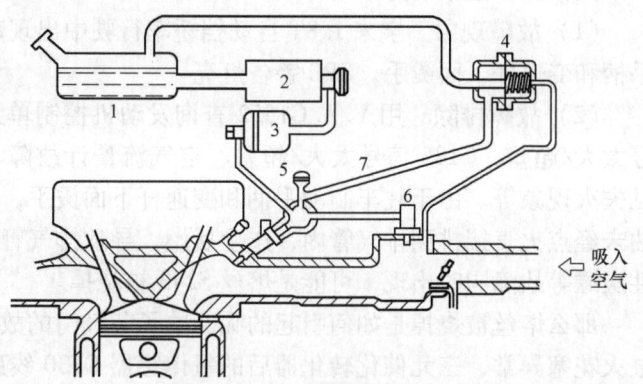

图 2-60 燃油供给系统的组成

1—燃油箱 2—燃油泵 3—燃油滤清器 4—燃油压力调节器
5—喷油器 6—冷起动喷油器 7—燃油分配管

2.3.2 燃油系统压力及燃油压力调节器的检测

1. 燃油系统压力的释放

汽油喷射发动机为便于再次起动，在发动机熄火后，燃油系统内仍保持有较高的残余压力。在拆卸燃油系统内任何元器件时，必须先释放燃油系统压力，以免系统内的压力油喷出，造成人身伤害或火灾。燃油系统压力释放方法如下：

1) 起动发动机，维持怠速运转。
2) 在发动机运转时，拔下油泵继电器或燃油泵电源接线，使发动机自行熄火。
3) 再次起动发动机 2~3 次，即可完全释放燃油系统压力。
4) 关闭点火开关，装上油泵继电器或燃油泵电源接线。

2. 燃油系统压力测试

通过测试燃油系统压力，可诊断燃油系统是否有故障。测试时需使用专用油压表和管接头，测试方法如下：

1) 释放燃油系统压力。
2) 检查蓄电池电压应在 12V 左右（电压高低直接影响燃油泵的供油压力），断开蓄电池负极电缆。

3）将专用油压表连接到燃油系统中。不同车型燃油压力表连接方式有所不同，主要有3种连接方式：第一种是把油压表接到油压测试头上；第二种是用专用接头将油压表连接在输油管的进油管接头处，如图2-61所示；第三种方式是用专用接头将油压表连接在燃油滤清器与输油管之间安装脉动阻尼器的位置（进行压力测试时拆下脉动阻尼器），如图2-62所示。

4）擦干溅出的汽油，重新接好蓄电池负极电缆，起动发动机并维持怠速运转。

5）打开燃油泵压力表开关，标准油压应为300kPa左右（桑塔纳2000GSi时代超人轿车发动机燃油压力为280～300kPa之间）。若：

① 油压过高，应检查燃油压力调节器。

② 油压过低，应检查油管有无堵塞或折弯，燃油泵、燃油压力调节器工作是否正常，燃油滤清器是否堵塞。

6）燃油泵停止运转10min后，燃油保持压力不低于150kPa。

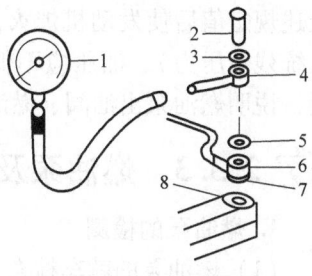

图2-61 燃油系统压力表的连接（1）

1—压力表 2—接头螺栓
3、5、7—垫片 4—油压表接头
6—油管 8—燃油分配管

3. 燃油压力调节器的检测

燃油喷射系统燃油压力调节器的检测主要包括以下两个方面。

（1）燃油压力调节器工作情况检查 将燃油压力表串接在进油管中，起动发动机并怠速运转，燃油压力应在250kPa左右；当突然加大节气门开度时，燃油压力应迅速增大到320kPa左右。

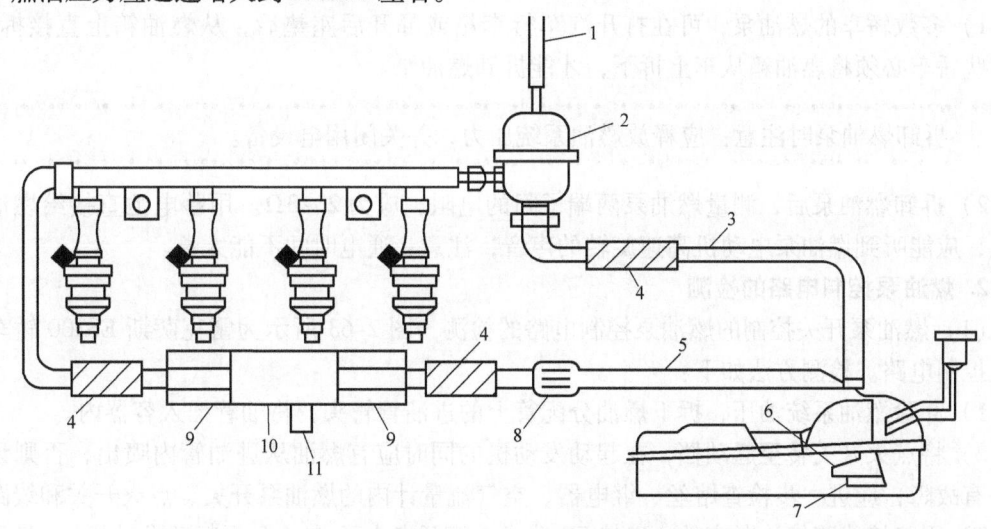

图2-62 燃油系统压力表的连接（2）

1—真空软管 2—燃油压力调节器 3—回油管 4—软管 5—压力油管 6—燃油泵
7—油泵滤网 8—燃油滤清器 9—管接头 10—三通管接头 11—油压表接头

拆下燃油压力调节器上的真空软管时，油压应比怠速运转时燃油压力高50kPa左右。若油压过低，可夹住回油软管以切断回油管路，再检查燃油压力表指示压力，若压力恢复正常，说明燃油压力调节器有故障，应更换；若压力仍过低，应检查燃油系统有无泄漏，燃油泵滤网、燃油滤清器和油管路是否堵塞，若无泄漏和堵塞故障，应更换燃油泵。若燃油压力表指示压力过高，应检查回油管是否堵塞，若回油管路正常，说明燃油压力调节器有故障，应更换。如果燃油压力符合标准，使发动机运转至正常工作温度后，重新接上燃油压力调节器上的真空软管，燃油压力表指示压力应略有下降（约50kPa），否则应检查真空管路是否堵塞或漏气。

（2）燃油压力调节器保持压力的检查 起动发动机并怠速运行，燃油压力表压力达到上述规定值后使发动机熄火，燃油泵停止工作，等待10min后，观察燃油压力表（即燃油系统残余压力），油压应不低于200kPa。若压力过低，应检查燃油系统是否泄漏，若无泄漏，说明燃油泵出油阀、燃油压力调节器回油阀或喷油器密封不良。

2.3.3 燃油泵及其控制电路的检测

1. 燃油泵的检测

（1）燃油泵的就车检查

1）用专用导线将诊断座上的燃油泵测试端子跨接到12V电源上，如：丰田车系跨接诊断座上的+B和FP端子即可。也可拆开燃油泵的插接器，直接用蓄电池给燃油泵通电。

2）点火开关置于ON，但不起动发动机。

3）旋开燃油箱盖应能听到燃油泵工作的声音，或用手捏进油软管感觉应有压力。

4）若听不到燃油泵工作声音或进油管无压力，应检修或更换燃油泵。

5）若燃油泵存在不工作故障，按上述方法检查正常，则应检查燃油泵控制电路。

（2）燃油泵的拆装与检修

1）多数轿车的燃油泵，可在打开汽车行李箱或翻开后座垫后，从燃油箱上直接拆出。也有些轿车必须将燃油箱从车上拆下，才能拆卸燃油泵。

拆卸燃油泵时注意：应释放燃油系统压力，并关闭用电设备。

2）拆卸燃油泵后，测量燃油泵两端子间的电阻，应为2～3Ω。用蓄电池直接给燃油泵通电，应能听到燃油泵电动机高速旋转的声音，注意：通电时间不能太长。

2. 燃油泵控制电路的检测

（1）燃油泵开关控制的燃油泵控制电路的检测 图2-63所示为雷克萨斯ES300轿车燃油泵控制电路。检测方法如下：

1）卸除燃油系统油压，拆下燃油分配管上的进油管管头，将油管插入容器内。

2）将点火开关转至起动档，在起动发动机的同时应有燃油从进油管内喷出，否则说明电路有故障，应进一步检查熔丝、继电器、空气流量计内的燃油泵开关、点火开关和线路。

3）用跨接线跨接诊断座的+B与FP端子，打开点火开关（但不起动发动机），打开燃油箱盖，并倾听有无燃油泵运转的声音。若有运转声，说明控制电路正常；若无运转声，说明控制电路有故障，则应检查电路中的熔丝、继电器有无损坏，线路有无短路或断路。

4）若上述检查中电动燃油泵控制电路正常，但起动发动机燃油泵不工作，则检查叶片式空气流量计内的燃油泵开关触点。拆下空气滤清器，打开点火开关，用手指或螺钉旋具推动叶片式空气流量计的测量叶片，此时，在燃油箱口应能听到燃油泵运转的声音，否则说明空气流量计内的燃油泵开关损坏,应更换空气流量计。也可用万用表检测叶片不同位置燃油泵开关两端子的导通性进行判断。

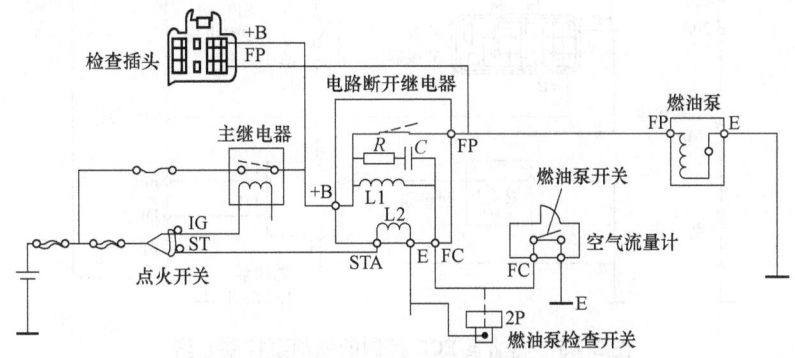

图 2-63　燃油泵开关控制的燃油泵控制电路

(2) 燃油泵继电器控制的燃油泵控制电路的检测　雷克萨斯 LS400 轿车的燃油泵控制电路如图 2-64 所示。燃油泵继电器控制的燃油泵控制电路的检修要领是检测电阻器的电阻值,标准值应为 0.7Ω；用万用表的电压档测量 ECU 的 FPR 端电压,当发动机由怠速工况急加速时,电压应由 12V 降为 0。

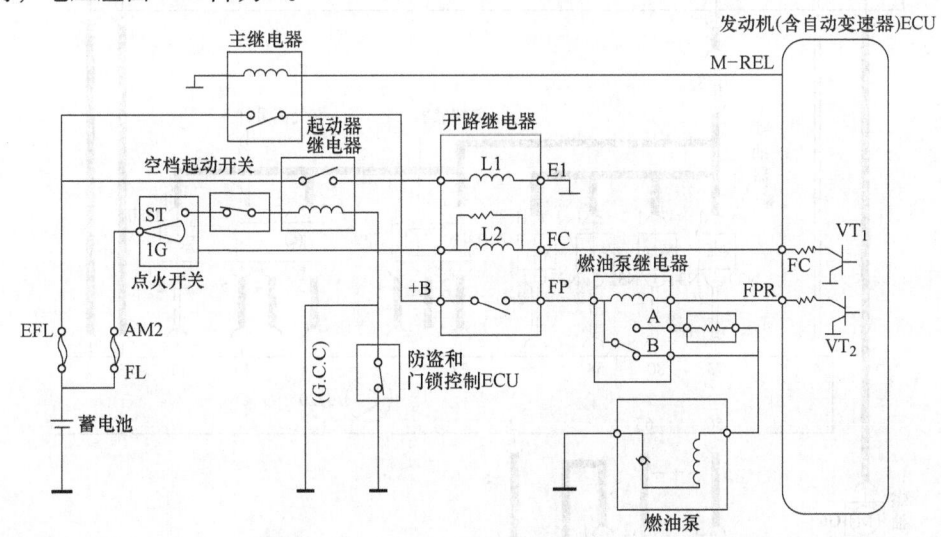

图 2-64　燃油泵继电器控制的燃油泵控制电路

(3) 燃油泵 ECU 控制的燃油泵控制电路的检测　图 2-65 所示为丰田皇冠 3.0 轿车的燃油泵控制电路。其检修要领是用万用表检测 FP 与搭铁间的电压,怠速时为 8~10V,加速时为 12~14V；点火开关在 ON 位置时,+B 与搭铁端电压为 8~16V,FPC 端与搭铁间电压在怠速时为 2.5V,加速时为 4~6V。

(4) 桑塔纳 2000GSi AJR 发动机电动燃油泵控制电路的检测　桑塔纳 2000GSi AJR 发动机电动燃油泵控制电路如图 2-66 所示。其检测方法如下:

1) 打开点火开关,燃油泵应运转约 2s。

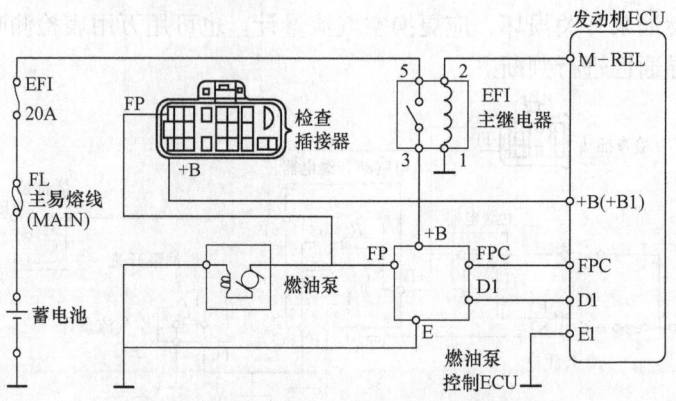

图 2-65 燃油泵 ECU 控制的燃油泵控制电路

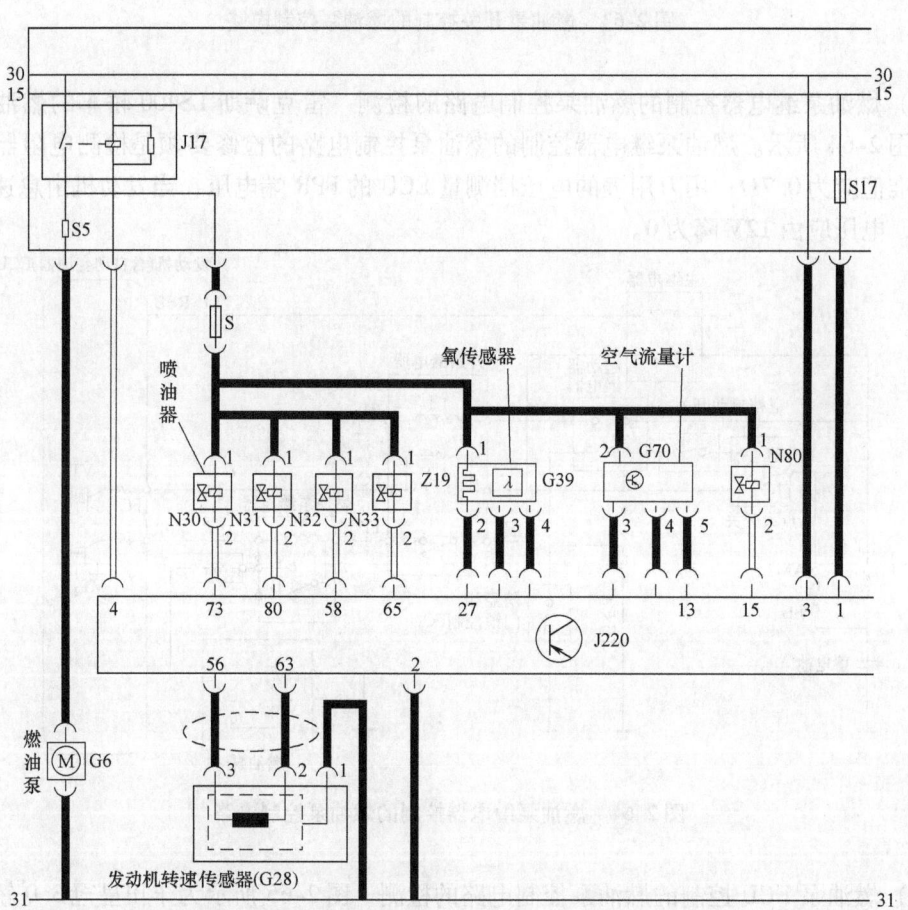

图 2-66 桑塔纳 2000GSi AJR 发动机燃油泵控制电路

2）若燃油泵不运转，关闭点火开关，拔下中央控制盒上 2 号位的燃油泵继电器。如图 2-66 所示，检测继电器供电情况，插座第 2 脚、第 4 脚与搭铁之间的电压应为蓄电池电压。

3）用导线将燃油泵继电器插座 30、87 脚短接，燃油泵应连续运转。若燃油泵仍不运转，则检查熔断器盒 5 号位熔丝。若熔丝未断，则打开行李箱饰板，从密封凸缘拆下 3 端子的燃油泵插接器，检测插接器1、3脚之间的电压，应为蓄电池电压。若无电压，检查连接线是否有断路故障。若正常，则拆检燃油泵或更换燃油泵。

4）若燃油泵运转正常，拔下连接燃油泵继电器插座30、87脚座的短接导线，插回燃油泵继电器，起动发动机，检查燃油泵是否运转。若不运转，则：

①检测燃油泵继电器是否正常，若正常进行下一步。

②起动发动机，检测ECU（J220）4脚是否搭铁，若不搭铁进行下一步。

③用示波器检测发动机转速传感器信号是否正常，若正常则更换ECU。

2.3.4 喷油器及其控制电路的检测

1. 喷油器的检测

（1）简单检查方法　在发动机工作时触试或用"听诊器"（图2-67）检查喷油器针阀开闭时的振动或声响，若感觉无振动或听不到有节奏的"嗒嗒"声，说明喷油器或其控制电路有故障。

（2）喷油器电阻的检测　关闭点火开关，拆开喷油器插接器，用万用表电阻档测量喷油器两端子间的电阻，如图2-68所示。高阻值喷油器电阻应为13~16Ω，低阻值喷油器应为2~3Ω，否则应更换喷油器。

图2-67　喷油器的听诊方法

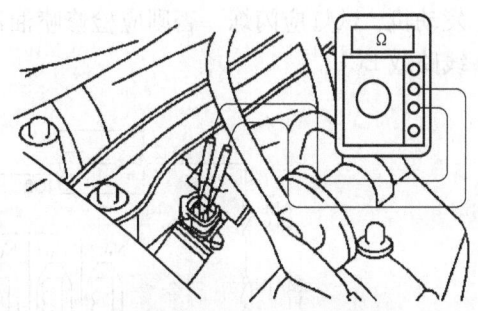

图2-68　喷油器电阻的检测

（3）喷油器滴漏的检查　喷油器滴漏可在喷油器清洗仪上进行检查，也可将喷油器和进油管拆下，再将燃油系统连接好，用专用导线将故障诊断座上的燃油泵测试端子（丰田轿车可将诊断座+B与FP端子短接；桑塔纳轿车2000GSi时代超人可拔下装在中央控制盒上2号位的燃油泵继电器，并用导线将燃油泵继电器插座30、87脚短接）接到12V电源上，或直接用蓄电池给燃油泵通电。燃油泵运转后，观察喷油器有无滴漏现象，允许每个喷油器在1min内滴漏不超过1滴，否则应更换喷油器。

（4）喷油器喷油量的检查　喷油器喷油量的检查也可在喷油器上进行，也可按滴漏检查做好准备工作。燃油泵运转后，用蓄电池和导线直接给喷油器通电，并用量杯检查喷油器的喷油量，如图2-69所示。每个喷油器应检查2~3次，同时检查喷油器喷油雾化情况。各缸喷油器喷油量和均匀度应符合标准，否则应清洗或更换喷油器。

注意：低阻喷油器不可直接与蓄电池相连，应串联一个 8～10Ω 的附加电阻。此外，不同车型喷油器的喷油量各不相同，一般为 50～70mL/15s，各缸喷油器的喷油量相差不超过 10%。

2. 喷油器控制电路的检测

各车型喷油器控制电路基本相同，一般是通过点火开关和主继电器（或熔丝）给喷油器供电，ECU 控制喷油器搭铁。只是不同发动机喷油器数量、控制方式、分组方式不同，ECU 控制端子的数量不同，喷油器控制电路如图 2-70 所示。

使用中，若喷油器不工作，拆开喷油器插接器，点火开关置于 ON，但不起动发动机。用万用表电压档测量其电源端子与搭铁间的电压，应为蓄电池电压。否则应检查供电线路、点火开关、主继电器或熔丝是否有故障。若电压正常，则说明喷油器、喷油器搭铁线路（与 ECU 连接线路）或 ECU 有故障。

当喷油器供电电压正常，阻值也正常时，拔下喷油器插接器，在插接器两端串联一个 330Ω 电阻值的 LED（发光二极管）灯，起动发动机，试灯应闪烁，否则应检修喷油器搭铁线路或 ECU。

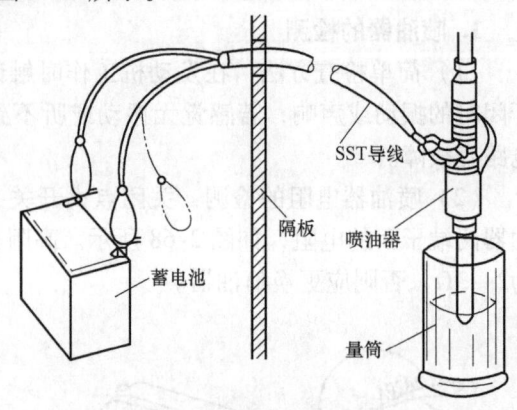

图 2-69　喷油器喷油量的检测

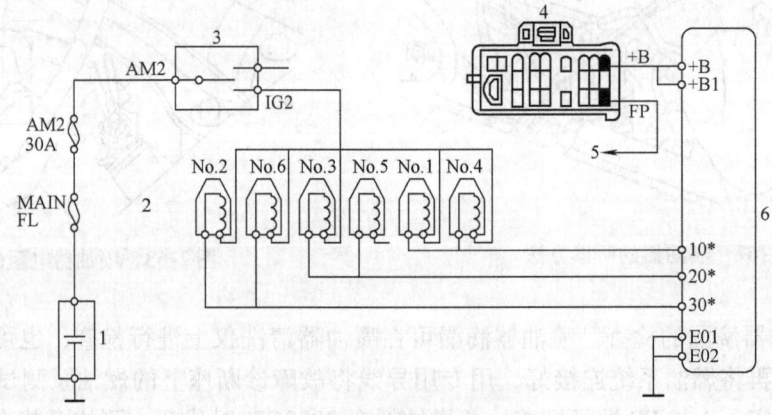

图 2-70　喷油器控制电路

1—蓄电池　2—喷油器　3—点火开关　4—检查插接器　5—接电动燃油泵　6—发动机 ECU

3. 喷油器喷油波形分析

用示波器可以观测喷油器的喷油波形，其标准波形如图 2-71 所示。图 2-71a 为饱和开关型喷油器标准喷油波形，这种喷油器多用于多点燃油喷射系统；图 2-71b 为峰值保持型喷油器标准喷油波形，这种喷油器多用于单点喷射系统，但有少数几种多点喷射（MFI）系统，像通用的 2.3LQUAD—4 发动机系列、土星 1.9L 和五十铃 1.6L 也采用峰值保持型喷油器。

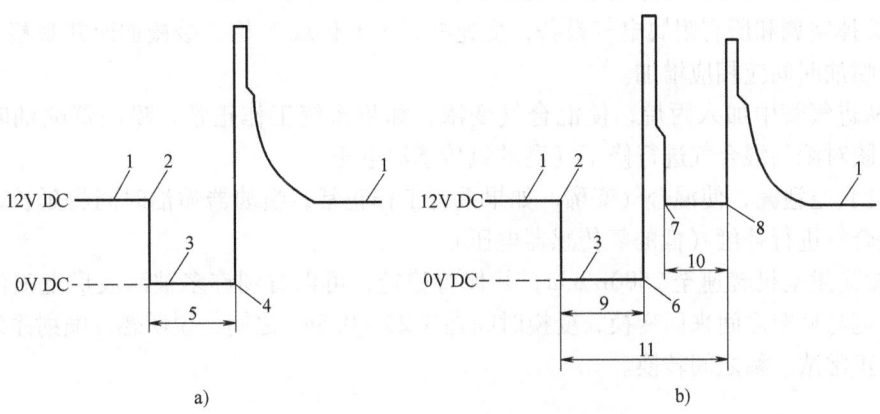

图 2-71 喷油器的标准喷油波形

a) 饱和开关型喷油器标准喷油波形 b) 峰值保持型喷油器标准喷油波形

(1) 喷油器波形上各段的含义

1——ECU 控制喷油器断路时，有 12V 电压，但电路中无电流通过，喷油器不工作。

2——ECU 控制喷油器控制回路搭铁，喷油器开始喷油。

3——喷油器喷油。由于喷油器控制回路搭铁（电压降至 0V），喷油器约有 4A 电流通过。该段波形成为喷油波形上的喷油区，对应的时间为喷油时间。图 2-71b 中该段为基本喷油量，对应的时间为基本喷油时间，大约为 0.8~1.1ms。

4——ECU 停止喷油信号到达，喷油器控制回路电流切断，喷油结束。喷油器线圈产生自感电压，峰值电压约为 35V。

5——喷油时间。当燃油喷射系统能正确控制混合气浓度时，喷油时间将根据发动机工况和氧传感器的输出电压发生变化。通常情况下，急速时喷油一般为 1~6ms；起动或大负荷时喷油时间一般为 6~35ms。

6——峰值保持型喷油器基本喷油时间结束，喷油器控制回路的电流由 4A 立即转换到一个带限流电阻的电路，使电流减小到 1A 但仍维持喷油器针阀开启，以便转入加浓补偿喷油。由于电流减小，也引起喷油器线圈产生自感电压，峰值约为 35V。

7——峰值保持型喷油器在加速、大负荷和大气修正等工况时开始加浓补偿喷油。

8——ECU 停止喷油信号到达，加浓补偿量喷油结束，喷油器线圈产生自感电压，峰值约为 30V。

9——基本喷油时间。

10——加浓补偿量喷油时间。

11——峰值保持型喷油器总喷油时间。

(2) 喷油器的喷油波形测试步骤

1) 示波器 COM 测针在发动机上搭铁或连接蓄电池负极，CH1 测针连接在喷油器插座控制信号线上。

2) 起动发动机，以 2500r/min 转速运转 2~3min，直至发动机达到正常工作温度，并使燃油反馈系统进入闭环，通过观察示波器上氧传感器的信号确定这一点。

3）关掉空调和所有附属电气设备，变速杆置于P位或N位，缓慢加速并观察，在加速时喷油器喷油时间应相应增加。

4）从进气管中加入丙烷，使混合气变浓，如果系统工作正常，喷油器喷油时间将缩短，它试图对浓的混合气进行修正（高的氧传感器电压）。

5）让真空泄漏，使混合气变稀，如果系统工作正常，喷油器喷油时间将延长，它试图对稀的混合气进行补偿（低的氧传感器电压）。

6）提高发动机转速至2500r/min，并保持稳定，可以看到许多被测波形上喷油器喷油时间在稍宽与稍窄之间来回变换，变换时间在0.25~0.5ms之间，说明燃油喷射系统能控制混合气在正常浓、稀之间转换。

2.3.5 故障案例分析

案例一　丰田皇冠3.0轿车故障排除

（1）故障现象　起动发动机数秒后自行熄火，熄火后再起动，数秒后仍自行熄火，发动机起动过程中故障指示灯没有点亮。

（2）故障诊断与排除　调取故障码为正常码，由此排除电控系统的故障，测量燃油压力也正常。然而在发动机起动后测量燃油压力，数秒后逐渐减小到0，发动机熄火。将诊断座+B与FP端子短接，起动发动机后则一切正常，遂用试灯检查燃油泵插接器电压，发现在熄火前几秒灯泡熄灭，为发现问题再检查燃油泵ECU插接件。测量由ECU送来的燃油泵控制信号，起动时为5V，怠速时为2V，信号电压正常，而且2V信号在发动机熄火后才消失，由此而知燃油泵控制信号正常，故障原因可能在燃油泵ECU。于是更换另外一辆正在行驶的同型号轿车燃油泵ECU，装好后试车，故障依旧。再次检查线路，发现燃油泵ECU上12V电源线在起动后几秒后降至0V，顺线路检查，发现熔丝盒下方有一插座松动，将其插牢后起动发动机，起动后不再自行熄火，故障排除。

（3）故障分析　在检查、维修电喷发动机时，维修人员往往容易忽略电源及搭铁线的检查，ECU在正常工作时必须提供充足的电压及良好的搭铁，其他电子控制器也应满足同样的条件，有时搭铁线利用本身壳体，并未有专线搭铁，对此在检修时必须重视。而另外一些情况是电源供电不良，问题多出现在供电线路上，对此在检测时用数字万用表检查蓄电池电压与电线，也许就能发现故障的真正原因。

案例二　嘉年华怠速不良

（1）故障现象　1996款福特嘉年华转速波动严重，怠速时发生振动，并在热车后，怠速运转期间，发动机剧烈振动。

（2）故障诊断排除　测量怠速电动机电阻值在7.7~9.31Ω之间，自行控制搭铁以检查怠速电动机有无动作。测燃油压力正常（260~320kPa）。将发动机起动，夹住燃油回油管时，油压有迅速上升的正常现象。拆下油压调节器真空软管，接手动真空泵，摇动真空泵，发现油压变化正常。

发动机熄火，观察油压表，在20min之内，应不得在150kPa以下。此时发现油压快速下降，且低于150kPa。将喷油器拆下，发现喷油器漏油。将喷油器清洗，确认不漏油。安装后试车，故障排除。

2.4 电子点火系统的故障诊断与检测

电子点火系统可分为两类,即普通电子点火系统(无触点式)和微型计算机控制点火系统(又称电控点火系统),后者又可分为带分电器式电控点火系统和不带分电器式电控点火系统。

电子点火系统与传统点火系统比较,主要增加了点火信号传感器和电子点火器(点火模块),取消了断电器触点。点火信号传感器相当于传统点火系统分电器的断电器凸轮,由触发轮和传感器等组成。常见的点火信号传感器有磁感应式、光电式和霍尔效应式3种。电子点火器的作用是接通或切断点火线圈的初级电流,相当于传统分电器的断电器触点。在故障诊断与检测中,电子点火系统与传统点火系统对低压电路的故障诊断方法是完全不相同的;而高压电路故障诊断方法与传统点火系统基本相同。

> 点火系统出现故障,发动机的表观现象主要有以下几种情况:
> ① 发动机无法起动。
> ② 发动机起动困难。
> ③ 发动机动力不足。
> ④ 发动机运转不良。
> ⑤ 发动机冒烟和排气管"放炮"。
> ⑥ 发动机进气管回火。
> ⑦ 发动机怠速不稳。
> ⑧ 发动机加速熄火。
> ⑨ 发动机油耗过高。
> ⑩ 发动机抖动。
> ⑪ 发动机噪声很大。

电子点火系统故障的常用诊断方法有:搭铁跳火法、干电池检查法、模拟信号法、示波器法和故障诊断仪法等。

2.4.1 普通电子点火系统的故障诊断与检测

普通电子点火系统主要由电源、点火开关、带感应式点火信号传感器(信号发生器)的分电器总成、电子点火器、点火线圈及火花塞等组成。图2-72所示为桑塔纳LX轿车发动机装配的普通电子点火系统线路连接图,采用了霍尔效应式点火信号传感器。

1. 霍尔式信号发生器的检查

(1) 霍尔信号电压的检测　打开点火开关,转动分电器转子,用万用表检测点火控制器3、6端子上的电压,如图2-73所示。电压表读数应在0~9V之间变化,否则说明点火信号发生器有故障,应更换。

(2) 模拟信号法检测

1) 在点火线圈1号端子与搭铁之间连一试灯。从分电器上拔下插接器,如图2-74所示。

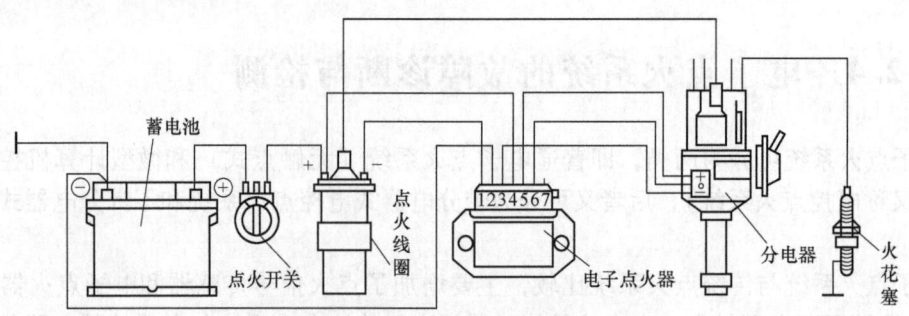

图 2-72 普通电子点火系统线路连接图

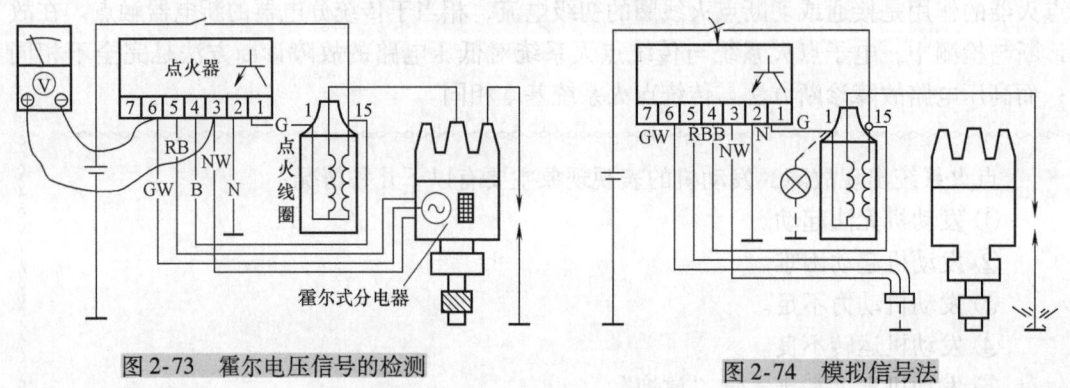

图 2-73 霍尔电压信号的检测　　图 2-74 模拟信号法

2) 打开点火开关,将插接器绿色线作短路搭铁,同时取中央高压线距气缸体 3~5mm 进行跳火。

3) 若试灯亮度变化、中心跳火强烈,说明传感器正常。

4) 若试灯亮度不变,说明电子点火器损坏或信号线断路。

2. 电子点火器的检测

(1) 信号线电压检测

1) 打开点火开关,用万用表测量电子点火器 2、4 端子电压应为 12V,测 3、5 端子电压应为 12V,否则说明电子点火器已损坏,应更换。

2) 测分电器信号发生器插接器红黑线与棕白线电压应为 12V,否则说明线路有断路。

(2) 点火线圈初级线圈接线柱的检测　将万用表电压档的正表笔接点火线圈的 15 号端子,负表笔接点火线圈 1 号端子,拔出分电器信号线插接器,打开点火开关,电压表读数应为 6V,且在 1~2s 内降至 0V。否则说明电子点火器已失效,应更换。

2.4.2　计算机控制电子点火系统的故障诊断与检测

计算机控制电子点火系统主要由传感器、发动机电控单元(ECU)、电子点火器、点火线圈、配电器等组成。

1. 丰田皇冠 3.0 2JZ—GE 发动机点火系统故障诊断与检测

丰田皇冠 3.0 2JZ—GE 发动机点火系统属于带分电器电控点火系统,系统原理如图 2-75 所示。点火系统由 ECU 控制点火器、点火器控制点火线圈,采用磁电式曲轴位置传感器和凸轮轴位置传感器。

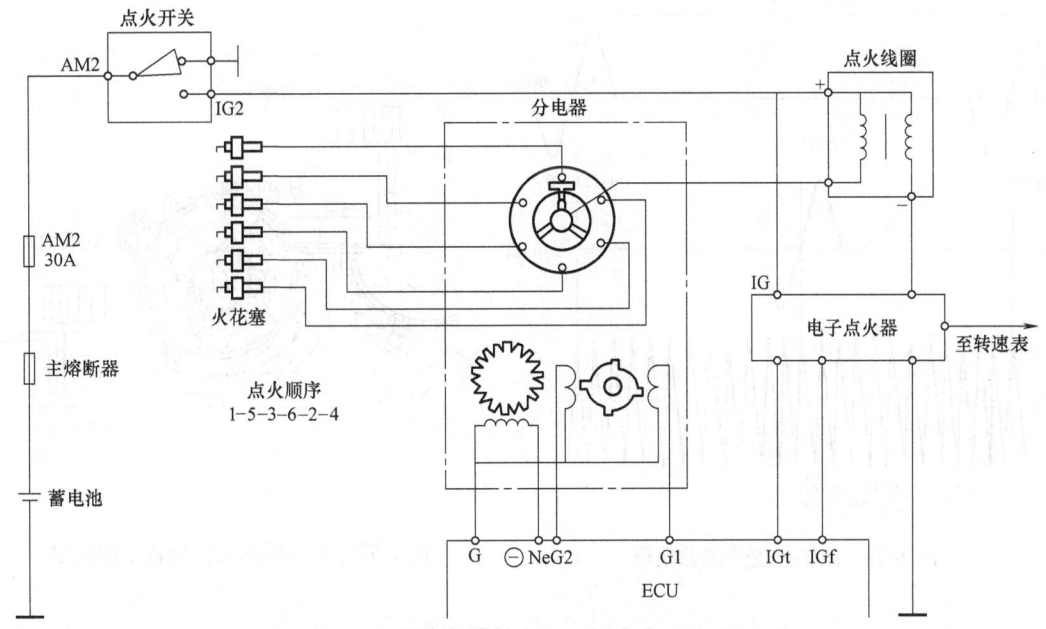

图 2-75　丰田皇冠 3.0 2JZ—GE 发动机点火系统原理图

(1) 曲轴位置传感器和凸轮轴位置传感器的检测

1) 传感器电阻的检测。拔下传感器的插接器，用万用表电阻档测量传感器各端子间的电阻，其值应符合表 2-16 的数值要求，否则须更换曲轴位置传感器。

表 2-16　曲轴位置传感器的电阻值

端子	条件	电阻/Ω	端子	条件	电阻/kΩ
G1-G	冷态	125~200	Ne-G	冷态	155~250
	热态	160~235			
G2-G	冷态	125~200		热态	190~290
	热态	160~235			

2) 传感器输出信号检测。拆下曲轴位置传感器插接器，用万用表或示波器检测 Ne-G、G1-G、G2-G 应有脉冲信号输出。用示波器进行检测时应先起动发动机，让发动机怠速运转，观察示波器上的波形应符合图 2-76 所示。传感器波形的幅值随转速而增加，且幅值、频率和形状在一定的条件下应相似，相邻两脉冲时间间隔相等。若没有脉冲信号输出，则必须更换曲轴位置传感器。

3) 传感线圈与信号转子的间隙检查。用塞尺测量信号转子与传感线圈凸出部分的空气间隙，如图 2-77 所示。其间隙应为 0.2~0.4mm，若间隙不符合要求，则须调整或更换分电器总成。

(2) 点火线圈的检测　拔下点火线圈的插接器，用万用表电阻档测量点火线圈的电阻，其阻值应符合表 2-17 所列的电阻值。若不符，则须更换点火线圈。

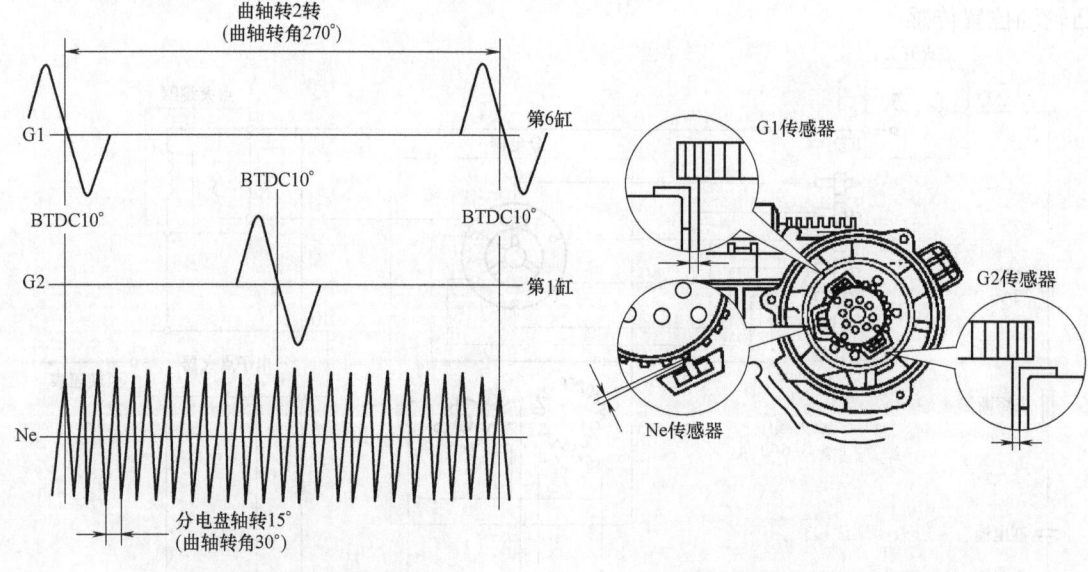

图 2-76 曲轴位置传感器波形　　图 2-77 传感线圈与信号转子的间隙

表 2-17 点火线圈的电阻

点火线圈	条件	电阻/kΩ	点火线圈	条件	电阻/kΩ
初级绕组	冷态	0.36~0.55	次级绕组	冷态	9.0~15.4
	热态	0.45~0.65		热态	11.4~18

(3) 点火器的检测　打开点火开关,用万用表分别检查点火器的 IG 端子和点火线圈的 +端子与搭铁之间的电压,应为蓄电池电压,否则说明电源电路有故障。发动机怠速时,检查点火器 IGt 端子与搭铁端子之间,应有脉冲信号(0.5~1.0V),否则说明控制线路或 ECU 有故障。发动机怠速时,检查点火器的 IGf 端子与搭铁之间,应有脉冲信号(0.5~1.0V),否则说明点火器有故障。

(4) IGt 与 IGf 信号的检测　点火系统 IGt 或 IGf 信号不良,应对点火器、ECU 及 ECU 与点火器的连接线路进行检测。

从分电器上拔下中央高压线,距离气缸体 5~7mm 跳火,或插上跳火器,起动发动机,检查跳火情况。

若跳火检查火花正常:

1) 检查 ECU 与点火器之间 IGf 信号电路是否断路或短路,若有异常,予以修理或更换配线或插接器。

2) 如果检查线路情况正常,则拔下点火器插接器,打开点火开关,检测线束端 IGf 与搭铁之间的电压,标准值应为 4.5~5V。否则检查或更换 ECU。

3) 上述检查都正常,则故障在点火器,应更换。

若跳火检查无火花：

检测 IGt 端子与搭铁的电压。打开点火开关时，其标准值为 9～14V；起动发动机，其标准电压为 0.5～1.0V。

1）若检查符合标准值：

① 打开点火开关，检测点火器 IG 端子的电压，其值应为蓄电池电压，否则应检查点火开关、熔丝。

② 检查点火线圈的连接电路。

③ 检查点火线圈的电阻值。

④ 若上述检查都正常，则故障在点火器，应更换。

2）若检查不符合标准值：

① 检查 ECU 与点火器之间 IGt 信号电路有无断路或短路故障。若有异常，修理或更换配线或插接器。

② 检查或更换 ECU。

2. 现代 SONATA 点火系统的故障诊断与检测

现代 SONATA 发动机点火系统属于功率晶体管外接式点火系统，将功率晶体管装在计算机外部，便于更换。图 2-78 所示为其电路图。

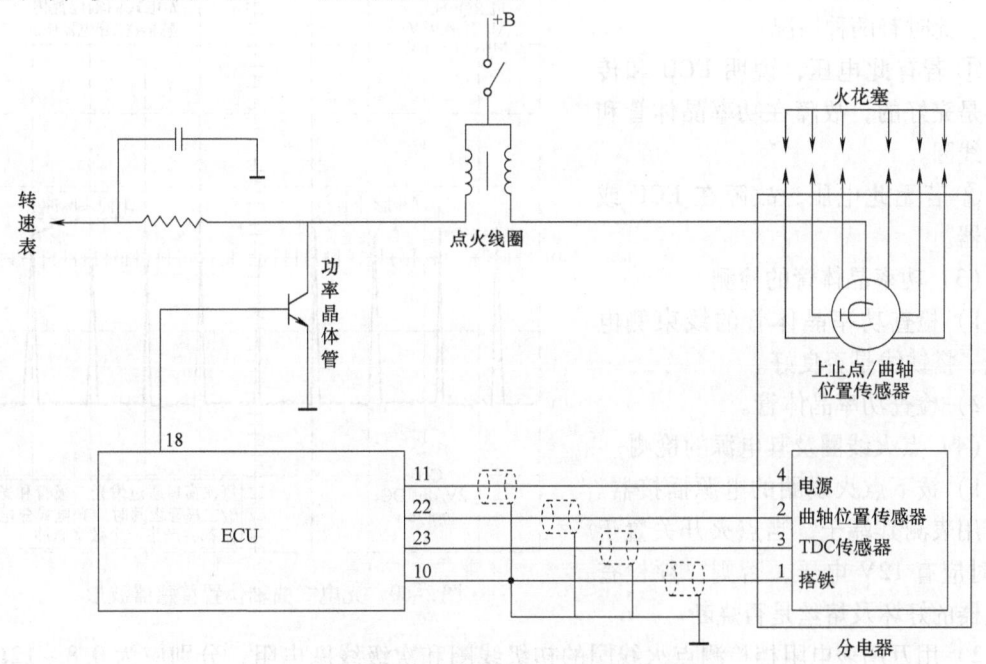

图 2-78 现代 SONATA 发动机点火系统电路

（1）上止点/曲轴位置传感器的检测　此传感器安装在分电器内，为光电式曲轴位置传感器，其中管脚 4 是 ECU 提供的电源，管脚 1 是搭铁线，管脚 2 是传感器给 ECU 的曲轴位置信号，管脚 3 是传感器给 ECU 的上止点信号。传感器插接器的端子位置如图 2-79 所示。

1）电压的检测方法如下：

① 拆开传感器插接器，打开点火开关，但不起动发动机。

② 用万用表电压档测量插接器端子4与端子1间的电压，应为12V，端子2和端子3与端子1间的电压，应为4.8~5.2V。

③ 若不符，应检查连接线路。若连接线路正常，则应更换ECU。

2）传感器输出信号的检测方法如下：
① 插好传感器插接器，起动发动机。
② 用万用表检测插接器端子2和端子1之间的电压应为1.8~2.5V，端子3和端子1间的电压应为0.2~1.2V。
③ 若电压不在规定范围内，则应更换曲轴位置传感器。

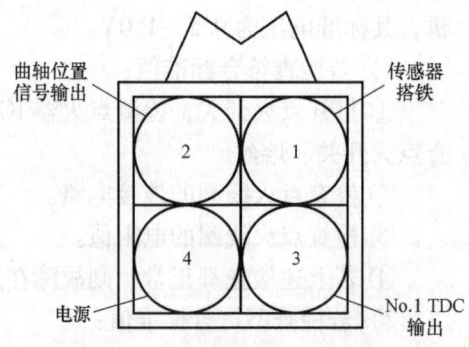

图2-79 传感器插接器的端子位置图

3）传感器输出信号波形分析。起动发动机，观察示波器的波形应与图2-80相似。

（2）检查ECU的输出信号
1）拔下功率晶体管的插接器。
2）判别出其3个管脚的极性，用万用表电压档测其基极（管脚18）的电压。
3）发动机起动时应有1~2V的电压。此时有两种情况：
① 若有此电压，说明ECU和传感器是完好的，故障在功率晶体管和点火线圈。
② 若无此电压，故障在ECU或传感器。

（3）功率晶体管的检测
1）检查功率晶体管的线束侧电源线、搭铁线是否良好。
2）检查功率晶体管。

（4）点火线圈及其电源的检测
1）拔下点火线圈的电源插接器。用万用表测其端子，当点火开关置于ON时应有12V电压，否则，须检查继电器的好坏及熔丝是否烧断。

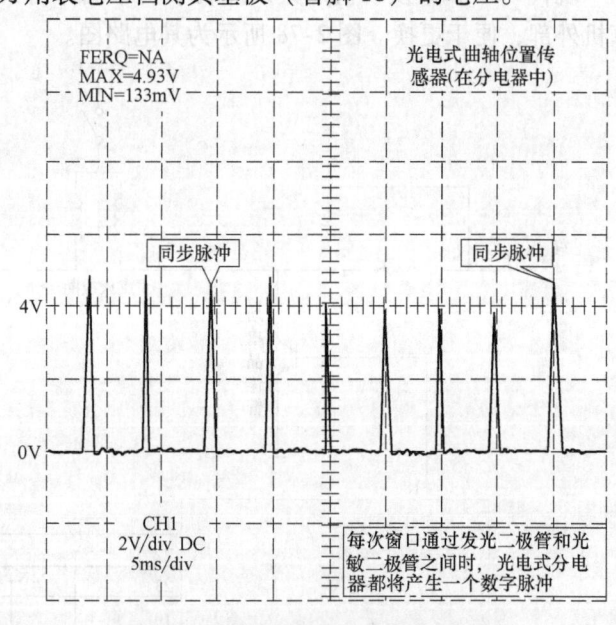

图2-80 光电式曲轴位置传感器波形

2）用万用表电阻档检测点火线圈的初级线圈和次级线圈电阻，分别应为0.8~12Ω和10~13kΩ。

3. 桑塔纳2000GSi AJR发动机无分电器点火系统的故障诊断与检测

桑塔纳2000GSi AJR发动机采用的是同时点火的无分电器点火控制系统，主要包括点火线圈、火花塞和发动机控制单元，其电路原理如图2-81所示。点火控制组件（N152）包括两个点火线圈（N和N128）和点火模块（N122），如图2-82所示。在点火控制组件壳体上标有 A、B、C、D 高压插孔，分别对应 1、2、3、4 高压线。1、4 缸共用一个点火线圈，2、3 缸共用一个点火线圈，如图 2-83 所示。这种点火系统必须有曲轴位置传感器及 TDC 信号，桑塔纳 2000GSi AJR 发动机采用的是霍尔式凸轮轴位置传感器（G40）和磁电式转速传感器（G28）。

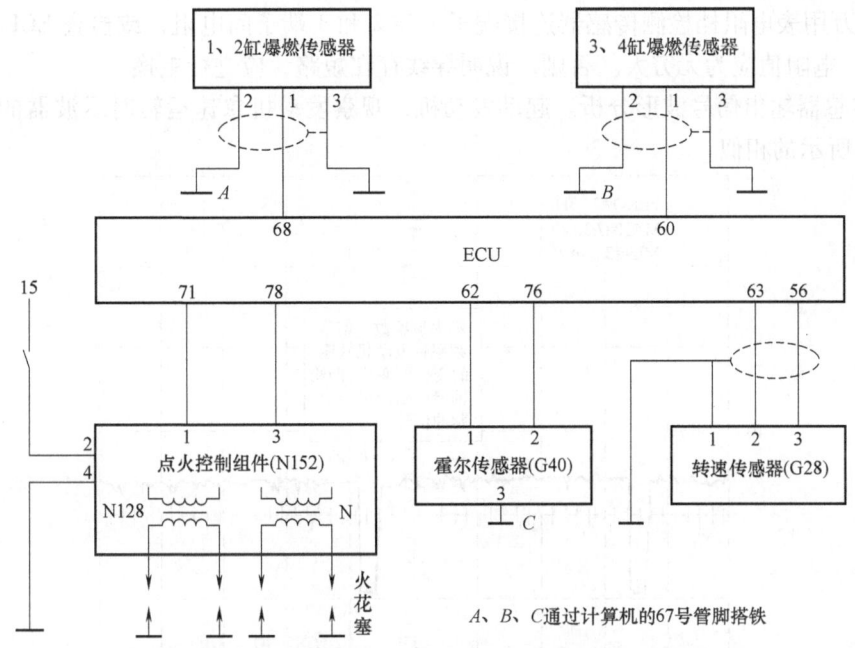

图 2-81 桑塔纳 2000GSi AJR 发动机点火系统电路

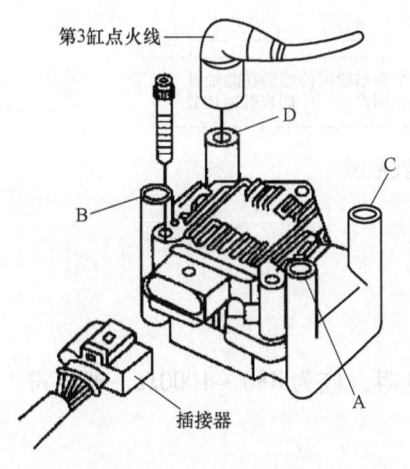

图 2-82 点火控制组件

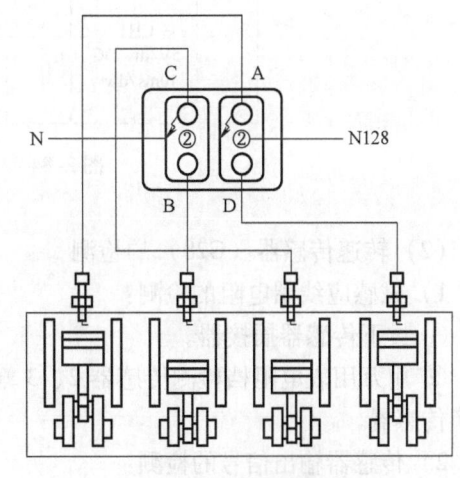

图 2-83 点火线圈

（1）霍尔传感器（G40）的检测
1）传感器电源电压的检测：
① 断开点火开关，拔下传感器插接器。
② 打开点火开关，用万用表电压档测量传感器 1 端子与 3 端子间的电压，应为 4.5V 以

上。若电压为零,说明线束存在短、断路或 ECU（J220）故障。

2）导线电阻的检测：

① 用万用表的电阻档检查传感器各端子与 ECU 的连接线,连接线束不超过 1.5Ω。若电阻无穷大,说明存在导线断路或接触不良,须进行维修。

② 用万用表电阻档检测传感器连接端子 1 与 2 和 3 端子间电阻,或检查 ECU 的各端子间的电阻,电阻值应为无穷大。否则,说明导线存在短路,应进行更换。

3）传感器输出信号波形分析。起动发动机,观察发动机怠速运转时示波器的波形,应与图 2-84 所示的相似。

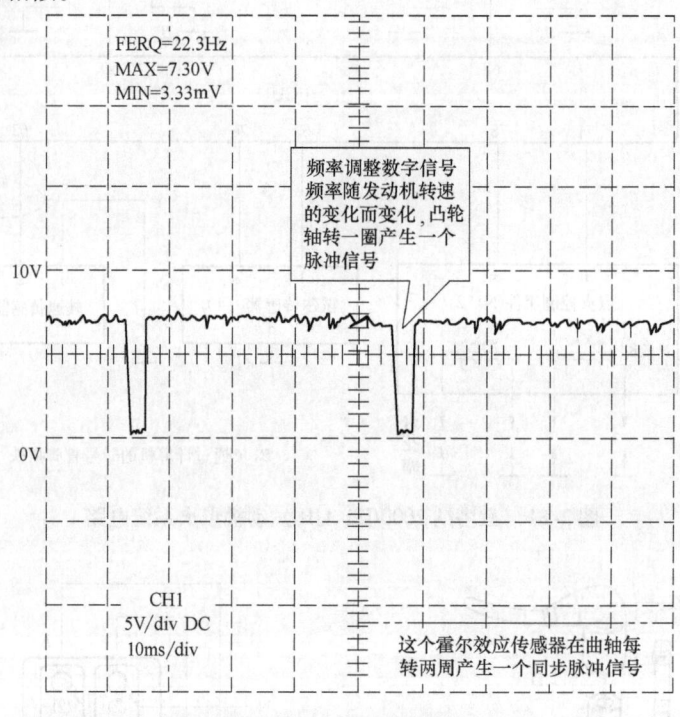

图 2-84　霍尔传感器波形图

(2) 转速传感器（G28）的检测

1）磁感应线圈电阻的检测：

① 拔下传感器插接器。

② 用万用表电阻档检测传感器 2、3 端子间的电阻,应为 480~1000Ω,若不符,则应更换传感器。

2）传感器输出信号的检测：

① 拔下传感器插接器。

② 用万用表交流电压档或示波器连接在传感器侧插接器的 2、3 端子上,起动发动机,应有交流电压信号产生。

(3) 爆燃传感器的检测

1）爆燃传感器电阻的检测：

① 关闭点火开关,拔下传感器插接器。

② 用万用表检测传感器插接器上端子 1 与 2 及 1 与 3 间的电阻均应为 ∞，否则应更换爆燃传感器。

2）爆燃传感器输出信号的检测。插上传感器插接器，起动发动机，测量端子 1 与 2 间的电压，正常值应为 0.3~1.4V。

3）传感器输出信号波形分析。打开点火开关，不起动发动机，用一些金属物轻轻敲击发动机（爆燃传感器附近）。敲击发动机时，示波器显示波形应有波动，敲击越重，振动幅度越大，如图 2-85 所示。若不符合要求，应更换爆燃传感器。

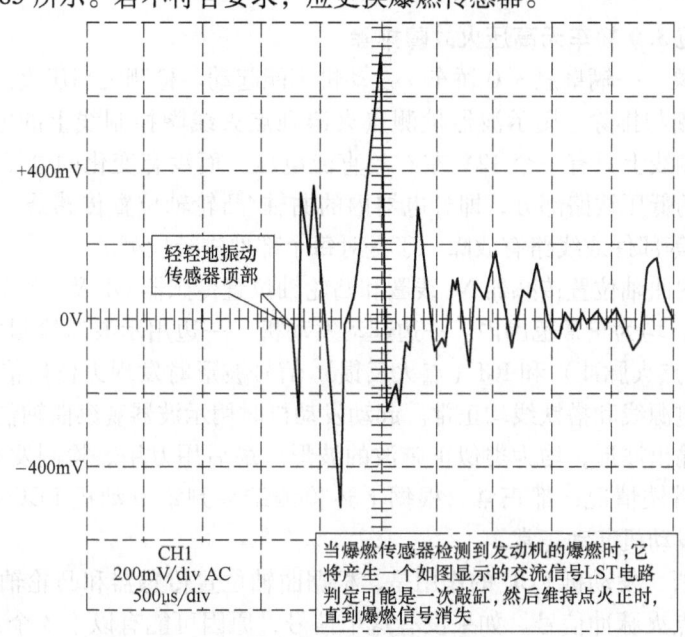

图 2-85　爆燃传感器波形图

(4) 点火控制组件的检测

1) 点火控制组件电源电压的检测：

① 拔下点火控制组件上的插接器。

② 打开点火开关。

③ 用万用表检测插接器 2 与 4 端子的电压，端子排列如图 2-86 所示，该值应为蓄电池电压。若不符，应检查点火线圈到 15#电源线是否有断路现象。

2) 点火线圈的检测。用万用表检测 A、D 端子（1、4 缸次级绕组）电阻和 B、C 端子（2、3 缸次级绕组）电阻（图 2-82），均为 4~6kΩ。若不符，则应更换点火控制组件。

(5) ECU 对点火控制组件功能的检查

1) 拔下燃油泵继电器，拔下点火控制器插接器。

2) 用示波器或二极管检测灯（可自制一个二极管试灯并且串联一个 330Ω 的电阻），检测起动时点火控制器插接器 1 与 4 端子、3 与 4 端子，是否有点火脉冲信号或二极管

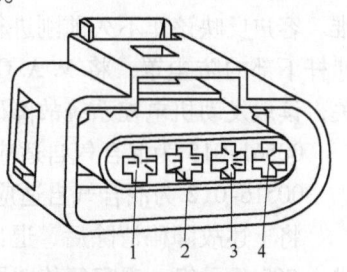

图 2-86　点火控制组件插接器端子排列

检测灯闪亮。此时有两种情况：

① 点火脉冲信号正常或二极管检测灯闪亮，说明 ECU 的点火功能正常，故障在点火控制器，应更换。

② 若无点火脉冲信号或检测灯不闪亮，则说明 ECU 至点火控制组件之间连接导线存在故障或 ECU 或传感器存在故障。

2.4.3 故障案例分析

案例一 皇冠3.0轿车无高压火故障排除

（1）故障现象 一辆皇冠3.0轿车，发动机不能起动。检测无高压火。

（2）故障诊断与排除 用示波器检测点火器到点火线圈控制线上的电压波形时发现：起动发动机时控制线上只有一个12V左右的直流电压，而没有变化的电压波形。由此判定故障在点火系统的低压线路部分，即分电器内的曲轴/凸轮轴位置传感器、点火器、点火线圈和发动机 ECU 等部件或线路有故障，于是对每个部件进行检测。

检测分电器内曲轴位置传感器 Ne 线圈和凸轮轴位置传感器 G1 及 G2 线圈的电阻，分别为 154Ω 和 160Ω，均为正常范围内。一边起动发动机，一边用示波器检测发动机 ECU 和点火器之间的 IGt（点火脉冲）和 IGf（点火反馈）信号波形时发现无任何信号波形，而且检测表明点火器的电源线和搭铁线均正常。起动发动机时用示波器观察曲轴位置传感器和凸轮轴位置传感器的输出波形，均为类似正弦波的波形。最后用万用表检测发动机 ECU 电源端子与搭铁端子的搭铁情况，都正常。根据上述检测结果判定发动机 ECU 损坏。更换 ECU 后，故障消失，发动机起动正常。

（3）故障分析 发动机 ECU 的作用是，根据曲轴位置传感器和凸轮轴位置传感器的信号向点火器提供点火脉冲信号。如果没有这个信号，原因可能有以下3个：发动机 ECU 没有接到曲轴位置传感器和凸轮轴位置传感器的信号；发动机 ECU 的电源电压或搭铁不正常；发动机 ECU 损坏。在确认前两个原因不存在的情况下，肯定是发动机 ECU 损坏了。点火反馈信号是点火器向发动机 ECU 提供点火系统工作的信号，没有点火脉冲信号也就没有点火反馈信号。

案例二 时代超人轿车故障排除

（1）故障现象 一辆桑塔纳时代超人轿车，行驶里程8万km，早晨冷车不易起动，起动后，怠速运转不稳，热车后加速时闯车，车速超过 120km/h 提速困难。

（2）故障诊断与排除 经仔细询问客户后试车，果然热车后加速时闯车，而且提速困难。客户反映该车不久前刚进行正常保养，更换了火花塞。先进行计算机检测，拆下位于变速杆下部的防尘罩，将 V.A.G1552 故障诊断仪连接到 OBD Ⅱ 16 针诊断座上，打开点火开关，读取发动机电控系统故障码，显示故障码如下：

00561-015 为混合气自适应值超过调节界限下限/SP

00516-012 为混合气自适应值超过调节界限上限/SP

将上述故障码清除后，退出故障诊断，起动发动机保持怠速运转状态，输入功能码08，进入007显示组，观察氧传感器反馈信号电压，该信号电压能够在 0.1~1.0V 之间波动，但变化频率较慢。将 V.A.G B18 仪表接入进油管，进行油压测试，怠速时，油压表显示为 0.25MPa，加大节气门开度时，油压表指针在 0.28~0.3MPa 之间摆动，关闭点火开关

10min 后，燃油系统的保持压力为 0.16MPa。油压值符合标准，可以判定燃油泵工作性能良好，油压调节器正常。根据客户反映该车行驶 8 万 km，但未清洗过燃油系统，使用清洗机对燃油系统进行彻底清洗路试后，故障现象有所减轻，检查火花塞、缸线都很正常，此时考虑到大众车系，节气门体脏污对怠速及加速工况均有所影响，因此将其清洗后，进行基本设置，但仍不见成效，接着检查并清洗空气流量计、更换氧传感器，但故障依旧。第二天早晨起动时，发动机难以起动，检查时发现 1、4 缸火花塞点火较弱，考虑到此车 1、4 缸共用一个点火线圈，更换点火线圈后，故障得以排除。由此得知，该故障的根本原因是点火模块工作不良造成 1、4 缸点火能量不足，最终导致混合气燃烧状况变差。

案例三 奥迪轿车经常出现发动机怠速时抖动、加速不良的现象

（1）故障现象 一辆奥迪 A6 电喷车，发动机排量为 2.6L。该车发动机怠速时抖动，加速不良，到维修厂进行了保养，更换了燃油滤芯、空气滤芯、检查并清洗了火花塞，故障消失。几天后，发动机又出现怠速抖动、加速不良的现象。

（2）故障诊断与排除 当发动机工作不正常时，发现仪表板上的发动机故障指示灯不亮。用专用故障诊断仪诊断电控系统，无故障码输出，说明发动机电控系统工作正常。

用燃油压力表检查燃油系统压力，发现当发动机抖动或加速不良时，燃油系统压力无变化，说明燃油系统正常。检查发动机上的真空管，无裂纹、漏气现象。

最后检查点火系统的高压电路，起动发动机，当发动机工作不正常时，分别拔下各缸高压线，在距火花塞 5mm 左右，观察发动机转速有无变化。当拔下 4 缸高压线时，发现发动机转速变化不大。将高压线再插到火花塞上，发动机工作变得平稳了。反复拔插高压线，发动机怠速时一会儿抖动，一会儿正常。插上 4 缸高压线，用手摇转 4 缸高压线，发动机有时出现抖动现象，因此分析，故障可能出在这里。

拔下 4 缸高压线，经检查高压线无裂纹、烧蚀处，测其电阻值，正常。拆下 4 缸火花塞，发现电极间隙合适，火花塞电极上也无积炭、油污等不正常工作痕迹。将火花塞绝缘体上的油污擦净，发现上面有个细小裂纹。更换火花塞后，发动机工作平稳，加速有力。

2.5 发动机排放控制系统的故障诊断与检测

为了减少汽车排放污染，现代汽车采用了由 ECU 控制的多种排气净化装置，如空燃比反馈控制、三元催化转化器、废气再循环、燃油蒸发排放控制及二次空气喷射系统等。

> 发动机排放系统出现故障，发动机的表观现象主要有以下几种情况：
> ① 发动机起动困难。
> ② 发动机动力不足。
> ③ 发动机油耗增加。
> ④ 发动机异响增大。
> ⑤ 发动机尾气超标，冒黑烟等。

2.5.1 氧传感器

氧传感器的功能是通过检测排气中氧离子浓度，获得混合气的空燃比信号，并将该信号

转变为电信号输入发动机 ECU。ECU 根据氧传感器信号，对喷油时间进行修正，实现空燃比反馈控制，使发动机能够得到最佳浓度的混合气。常用的氧传感器有二氧化锆式和二氧化钛式，有 1 线、2 线、3 线和 4 线等形式。其中 1 线与 2 线的只有信号，而 3 线和 4 线的还装有加热线圈。

桑塔纳 2000GSi 采用的是 4 线制二氧化锆式氧传感器，其电路连接如图 2-87 所示。

1. 氧传感器电压的检测

1）关闭点火开关，拔下氧传感器插接器。

2）打开点火开关，检测氧传感器插接器端子 3、4 之间的电压，其值应为 0.45 ~ 0.55V。

3）起动发动机，检测氧传感器插接器端子 1、2 之间的电压，其值应为蓄电池电压。

4）若不符，应检查氧传感器插接器与 ECU 的连接线路是否存在断路、短路故障。若正常，更换 ECU。

2. 氧传感器加热电阻的检测

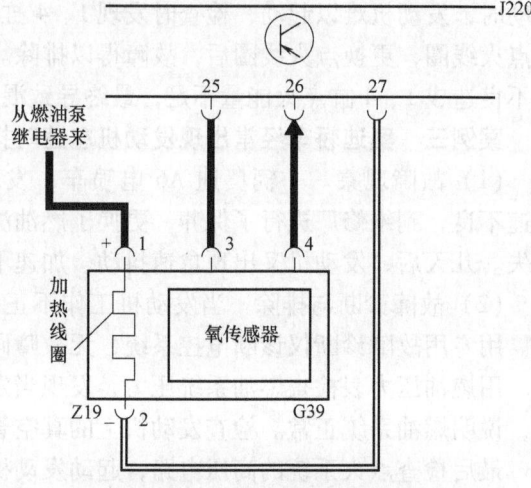

图 2-87　氧传感器线路连接图

关闭点火开关，用万用表检测氧传感器插接器端子 1、2 间的电阻值，其值应为 1 ~ 5Ω。若不符，应更换氧传感器。

3. 氧传感器输出电压的检测

1）插好氧传感器插接器。

2）起动发动机，怠速运转，直至发动机达到正常工作温度，急加速提高发动机转速，然后回到怠速运转，并运行 2min。

3）关闭点火开关，拔下氧传感器插接器。

4）起动发动机，怠速运转，用万用表检测氧传感器插接器端子 3 与 4 间的电压，其值应在 0.1 ~ 1.0V 之间波动。拔下一根发动机的真空管，使混合气过稀，则氧传感器输出电压应减小到 0.1 ~ 0.3V。堵住空气滤清器的进口或用一个 4 ~ 8kΩ 的电阻代替冷却液温度传感器，产生浓混合气，则氧传感器输出电压应增大，约为 0.8 ~ 1.0V。

5）若不符合以上值或电压变化频率太慢，应更换氧传感器。

4. 氧传感器输出信号波形的检测

1）以 2500r/min 的转速运转至预热发动机，然后使发动机怠速运转 20s。

2）在 2s 内将加速踏板从怠速加至节气门全开 5 ~ 6 次（注意，不要超速）。

3）使屏幕上的波形停止跳动以便检查，应有图 2-88 所示的波形，否则应检修氧传感器。

2.5.2　三元催化转化器的检测

三元催化转化器（TWC）主要是将废气中的碳氢化合物（HC）、一氧化碳（CO）及氮氧化物（NO_x）还原为 CO_2、水蒸气及氮气。其结构如图 2-89 所示。国外规定，汽车原装的三元催化转化器应该保用 8 万 km 或 5 年无损坏。因此在使用期内一般情况下无需对三元催化转化器进行定期维修，只有对发动机进行调试或国家有关部门检测车辆时，才检查三元催化转化器的工作情况。但我国车辆受使用条件和油品等限制，三元催化转化器损坏的概率较高，故在二级维护时应检查三元催化转化器的工作情况，以便及时发现问题。检测三元催化转化器的工作情况可以使用能测量汽车尾气中 O_2、CO_2、CO 和 HC 含量的废气分析仪。

1. 三元催化转化器使用注意事项

1）装有氧传感器和三元催化转化器的汽车，禁止使用含铅汽油，防止催化剂"铅中毒"而失效。

2）三元催化转化器固定不牢或汽车在不平路面上行驶时的颠簸，容易导致催化剂载体损坏。

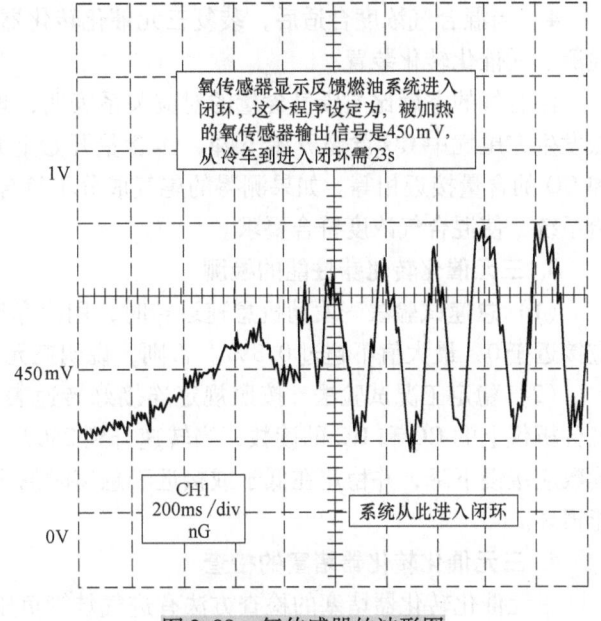

图 2-88 氧传感器的波形图

3）装用蜂巢型转化器的汽车，一般汽车每行驶 8 万 km 应更换转换器芯体；装用颗粒型转化器的汽车，其催化剂颗粒的质量低于规定值时，应全部更换。

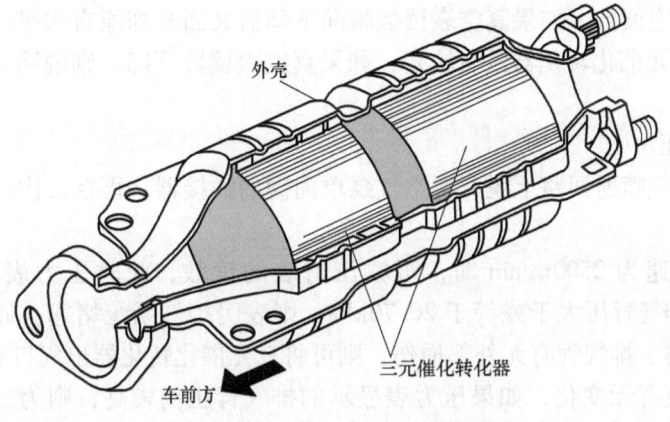

图 2-89 三元催化转化器的结构

2. 三元催化转化器的工作条件检测

在检测三元催化转化器工作情况之前，必须首先检查汽车尾气中 CO_2、O_2 和 CO 的含量，以判断混合气浓度是否合适，混合气浓度合适后，才能检测三元催化转化器的工作情况。

1）脱开三元催化转化器进气口。

2）使发动机运转至正常工作温度。

3）在发动机怠速运转时将汽车废气分析仪的探测管插入与三元催化转化器进气口相连

的排气管内至少 40mm，等待 1min 以上，待汽车废气分析仪上的 CO_2、O_2 和 CO 读数稳定后，再读取读数。注意：该项测试应该在 3min 内完成。

4）当混合气浓度合适后，装复三元催化转化器进气口，在发动机温度正常时方能继续检测三元催化转化装置。

混合气的空燃比与废气含量的对应关系表明，理论混合气空燃比在 14.7∶1 左右，起始点发生在尾气中 CO_2 含量开始下降、O_2 含量开始上升的时刻，在理论混合气时，尾气中 O_2 和 CO 的含量接近相等。如果测得的尾气成分不符合上述要求，则按照维修手册调整燃油供给系统，使混合气浓度符合要求。

3. 三元催化转化器性能的检测

（1）急速试验法　发动机急速运转时，用汽车废气分析仪测量汽车尾气中的 CO 含量，应接近于 0，最大值不超过 0.3%。否则，说明三元催化转化器可能已损坏。

（2）稳定工况试验法　按照规定连接好转速表，使发动机缓缓加速，同时观察汽车废气分析仪上的 CO 和 HC 的读数，当转速升到 2500r/min 并稳定在这一转速时，CO 与 HC 的读数应缓慢下降，并稳定在低于或接近于急速时的排放水平。否则，说明三元催化转化器可能损坏。

4. 三元催化转化器堵塞的检查

三元催化转化器堵塞的检查方法有进气歧管负压法和排气背压法两种。

（1）进气歧管负压法

1）将废气再循环阀的负压软管取下，并将管口堵住。

2）将真空表接到进气歧管上，将发动机缓慢加速到 2500r/min。

3）观察真空表读数。如果真空表读数瞬间下降后又回升到原有水平，并能稳定保持至少 15s，则说明三元催化转化器没有堵塞；如果真空表读数下降，则说明三元催化转化器或排气管堵塞。

（2）排气背压法

1）从二次空气喷射回路上脱开接空气泵单向阀的插接器，再在二次空气喷射管路中接入压力表。

2）发动机转速为 2500r/min 时，观察压力表的读数，此时压力表的读数应该小于 17.24kPa，如果排气背压大于或等于 20.70kPa，则表明排气系统堵塞。如果想观察三元催化转化器、消声器、排气管有无外部损伤，则可将三元催化转化器出气口和消声器脱开后再观察压力表的读数有无变化，如果压力表显示的排气背压仍较高，则为三元催化转化器损坏；如果压力表读数突然下降，则说明堵塞发生在三元催化转化器后面的部件。

2.5.3　废气再循环控制系统的检修

废气再循环（EGR）控制系统主要由计算机（ECM）、EGR 控制电磁阀、EGR 阀、EGR 真空控制阀及废气管道等组成，如图 2-90 所示。

1. 废气再循环控制系统的初步检查

对于 EGR 控制系统，应首先检查其真空软管有无破损，插接器有无松动、漏气等现象。

2. 废气再循环控制系统的就车检查

1）起动发动机，使发动机急速运转。

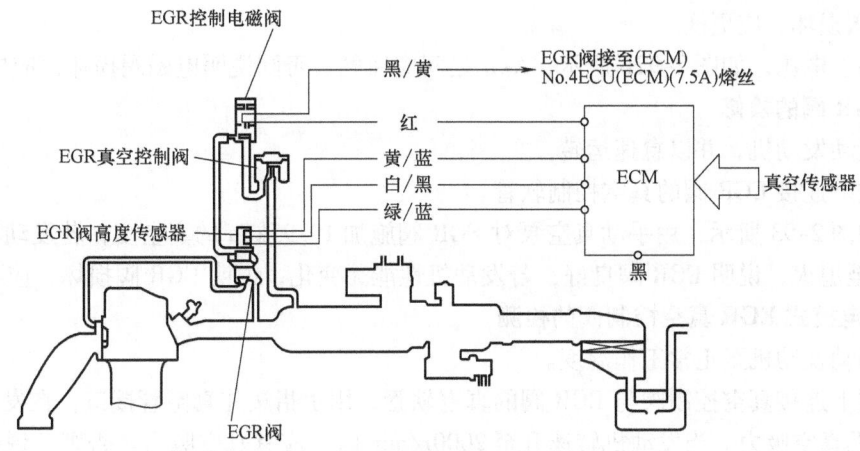

图 2-90 废气再循环控制系统

2）将手指按在 EGR 阀上（图 2-91），检查 EGR 阀有无动作。

3）在冷车状态下踩下加速踏板，使发动机转速升至 2000r/min 左右，此时 EGR 阀不工作，手指应感觉不到 EGR 阀膜片动作。

4）预热发动机至正常工作温度，再将发动机转速升至 2000r/min，此时手指应能感觉到 EGR 阀开启时膜片的动作。若 EGR 阀的动作与上述规律不符，说明 EGR 阀有故障，应检修或更换。

3. EGR 控制电磁阀的检测

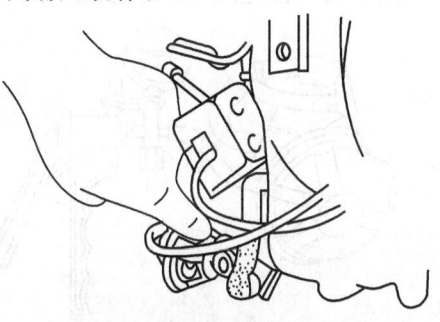

图 2-91 就车检查 EGR 控制系统

1）关闭点火开关，拔下 EGR 控制电磁阀插接器，用万用表电阻档检测电磁阀电磁线圈的电阻，其阻值应符合规定（一般为 20～500Ω）。否则，应更换 EGR 控制电磁阀。

2）拔下 EGR 控制电磁阀的插接器及真空软管，拆下 EGR 控制电磁阀（三通阀）。

3）当电磁阀线圈不通电时（图 2-92a），A-B、A-C 之间应不通，B-C 之间应通气，否

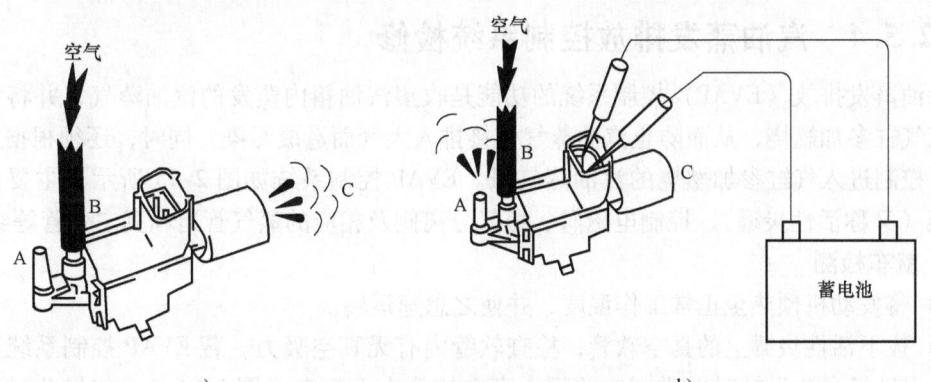

图 2-92 废气再循环控制电磁阀的检查
a）不通电时 b）通电时

则为电磁阀损坏，应更换。

4）接上电源，如图 2-92b 所示，A-B 之间应通气。否则说明电磁阀损坏，应更换。

4. EGR 阀的检修

1）起动发动机，并以急速运转。

2）拔下连接 EGR 阀的真空控制软管。

3）如图 2-93 所示，用手动真空泵对 EGR 阀施加 19.95kPa 的真空度，若发动机急速性能变差甚至熄火，说明 EGR 阀良好；若发动机性能无变化，说明 EGR 阀损坏，应更换。

5. 非电控式 EGR 真空控制阀的检测

1）起动发动机至正常工作温度。

2）拔下连接真空控制阀与 EGR 阀的真空软管，用手指按住真空管接口，在发动机急速运转时应无真空吸力。当发动机转速升至 2000r/min 时，应有真空吸力。否则，说明真空控制阀损坏。

3）拆下真空控制阀，在真空管接口处（通节气门体）接上手动真空泵，如图 2-94 所示。用手指堵住连接 EGR 阀真空接口。

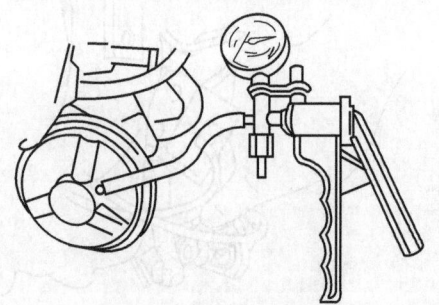

图 2-93 EGR 阀的检查

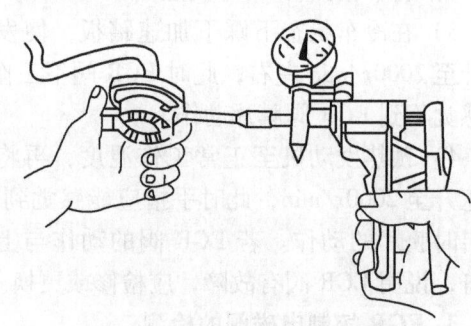

图 2-94 真空控制阀的检查

4）向连接排气管的进气口施加气压，同时扳动手动真空泵，施加一定真空，手指堵住的接口处能感觉到真空吸力。抽真空停止后，吸力能保持，无明显下降，放松废气进口施加的气压，真空吸力也应随之消失。若有异常，应更换真空控制阀。

2.5.4 汽油蒸发排放控制系统检修

汽油蒸发排放（EVAP）控制系统的功能是收集汽油箱内蒸发的汽油蒸气，并将汽油蒸气导入气缸参加燃烧，从而防止汽油蒸气直接排入大气而造成污染。同时，还须根据发动机工况，控制进入气缸参加燃烧的汽油蒸气量。EVAP 控制系统如图 2-95 所示，主要由蒸气回收罐（又称活性炭罐）、控制电磁阀、蒸气分离阀及相应的蒸气管道和真空软管等组成。

1. 就车检测

1）将发动机预热至正常工作温度，并使之急速运转。

2）拔下活性炭罐上的真空软管，检查软管内有无真空吸力。若 EVAP 控制系统工作正常，在发动机急速运转时电磁阀应关闭，真空软管内无真空（图 2-96a）。如果此时真空软管内有真空，则用万用表电压档检查电磁阀插接器端子上是否有电压。若电磁阀插接器端子上有电压，说明 ECU 有故障；若无电压，则说明电磁阀有故障（卡死在开启位置）。

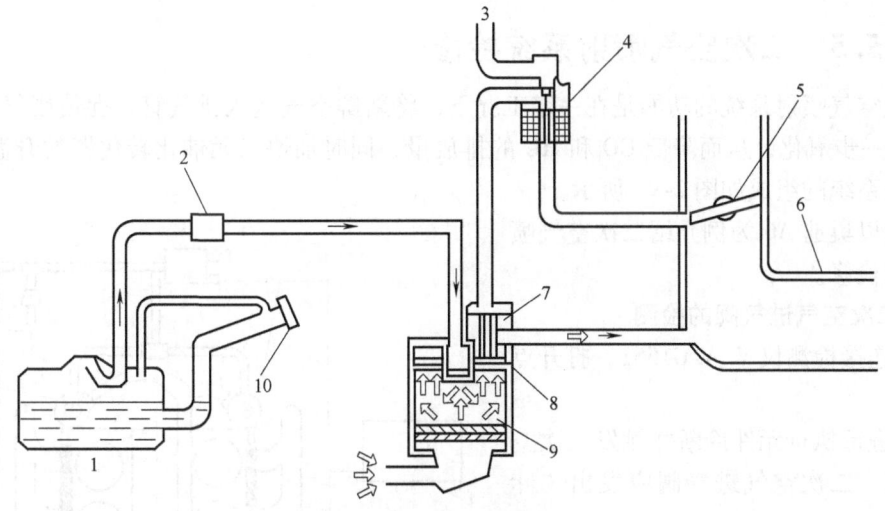

图 2-95 EVAP 控制系统

1—油箱 2—单向阀 3—接缓冲器 4—炭罐控制电磁阀 5—节气门 6—进气歧管
7—排放控制阀 8—定量排放小孔 9—活性炭罐 10—油箱盖（附真空排放阀）

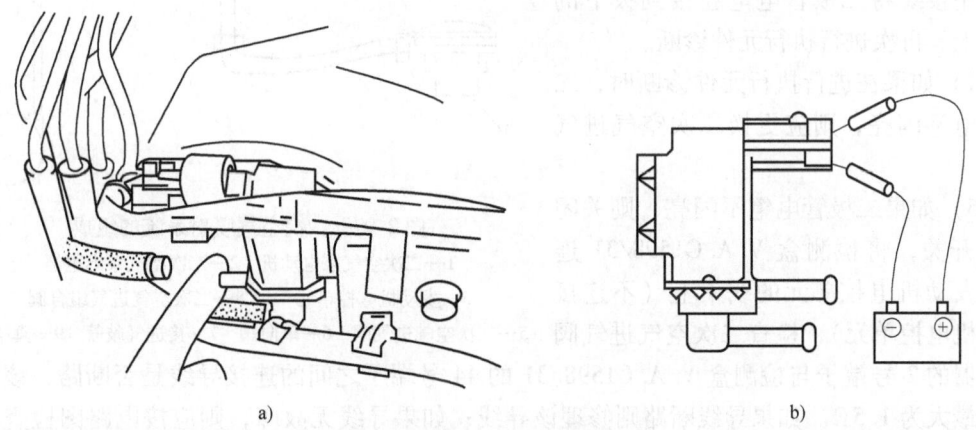

图 2-96 控制电磁阀的检测

a) 就车检查 b) 单件检查

3) 踩下加速踏板，当发动机转速大于 2000r/min 时，检查上述真空软管内有无真空。若真空软管内有真空，则说明该系统工作正常；若真空软管内无真空，则用万用表电压档检查电磁阀插接器端子上是否有电压。若电压正常，说明电磁阀有故障；若电压异常，则说明 ECU 或控制线路有故障。

2. 电磁阀的单件检测

(1) 检查电磁阀电磁线圈的电阻值 拔下电磁阀插接器，用万用表电阻档测量电磁阀电磁线圈的电阻值。电阻值应符合规定，否则应更换电磁阀。

(2) 检查电磁阀的工作 拆下电磁阀，首先向电磁阀内吹气，电磁阀应不通气；然后将蓄电池电压加到电磁阀插接器的两端子上（图 2-96b），并同时向电磁阀内吹气，此时电磁阀应通气。若电磁阀的状态与上述情况不符，则电磁阀有故障，应更换。

2.5.5 二次空气喷射系统检修

二次空气喷射系统的功能是在一定工况下，将新鲜空气送入排气管，促使废气中的CO和HC进一步氧化，从而降低CO和HC的排放量，同时加快三元催化转化器的升温。二次空气喷射系统的组成如图2-97所示。

下面以奥迪A6为例介绍二次空气喷射系统的检修。

1. 二次空气进气阀的检测

1）连接检测仪V.A.G1551，打开点火开关。

2）进行执行元件诊断并触发二次空气进气阀，二次空气进气阀应发出"咔嗒"声。

3）如果二次空气进气阀没有发出"咔嗒"声，则拔下二次空气进气阀的插头，用接线将二极管电笔连接到拔下的插头上，再次进行执行元件诊断。

4）如果在进行执行元件诊断时，二极管电笔闪亮，则应更换二次空气进气阀。

5）如果二极管电笔不闪亮，则关闭点火开关，将检测盒V.A.G1598/31连接到发动机电控单元的线束上（不连发动机电控单元），检查二次空气进气阀

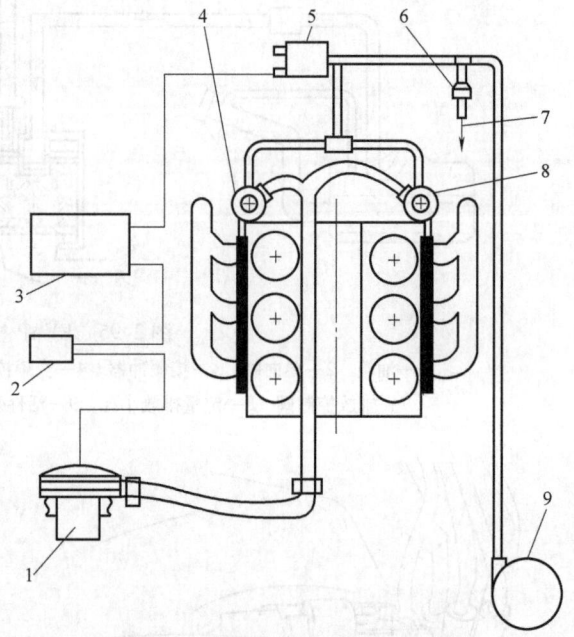

图2-97 二次空气喷射系统的组成

1—二次空气泵电动机 2—二次空气泵继电器
3—发动机电控单元 4、8—二次空气进气组合阀
5—二次空气进气阀 6—单向阀 7—接进气歧管 9—真空罐

插接器的2号端子与检测盒V.A.G1598/31的44号端子之间的连接导线是否断路，该导线电阻最大为1.5Ω。如果导线断路则修理该导线；如果导线无故障，则应按电路图检查二次空气进气阀的供电是否正常。

2. 二次空气泵继电器的检测

1）连接检测仪V.A.G1551，打开点火开关，选择01发动机电控单元。

2）进行执行元件诊断并触发二次空气泵继电器。

3）二次空气泵电动机在二次空气泵继电器的控制下，应间歇运转，直到按下V.A.G1551上的→键中止执行元件诊断为止。

4）如果二次空气泵电动机在二次空气泵继电器的控制下，没有间歇运转。则拔下二次空气泵电动机的2针插头，用接线将二极管电笔连接到拔下的插头上，再次进行执行元件诊断。如果二极管电笔闪亮，则更换二次空气泵电动机；如果二极管电笔不闪亮，二次空气进气阀没有发出"咔嗒"声，则应进行步骤6的检查。如果二极管电笔仍不闪亮，二次空气进气阀发出"咔嗒"声，则应进行步骤5的检查。

5）检查二次空气泵熔丝。如果熔丝正常，则从继电器盒内拔下二次空气泵继电器，检查二次空气泵继电器的供电。如果供电正常，则更换二次空气泵继电器。

6) 关闭点火开关,将检测盒 V. A. G1598/31 连接到发动机电控单元的线束上(不连接发动机电控单元),从继电器盒内拔下二次空气泵继电器,检查二次空气泵继电器插头的 6/85 端子与检测盒 V. A. G1598/31 的 46 号端子之间的连接导线是否断路,该导线电阻最大为 1.5Ω。如果导线断路则修理该导线;如果导线无故障,则更换发动机电控单元。

2.5.6 曲轴箱强制通风装置的检修

曲轴箱强制通风(PCV)装置采用封闭式通风,防止曲轴箱中的可燃废气排入大气中造成污染,并让其进入燃烧室进行燃烧。PCV 装置由 PCV 阀及管路组成,如图2-98 所示。

1)检查曲轴箱通风管是否漏气或阻塞。

2)检查 PCV 阀:在发动机正常怠速运转时(暖机后),用手指或鲤鱼钳轻轻夹住 PCV 阀至进气歧管间的 PCV 管,PCV 阀有"咔嗒"响声为正常。若无响声,拆下 PCV 阀检查,如果 PCV 阀外表受损或有裂痕、柱塞被卡住,应更换。

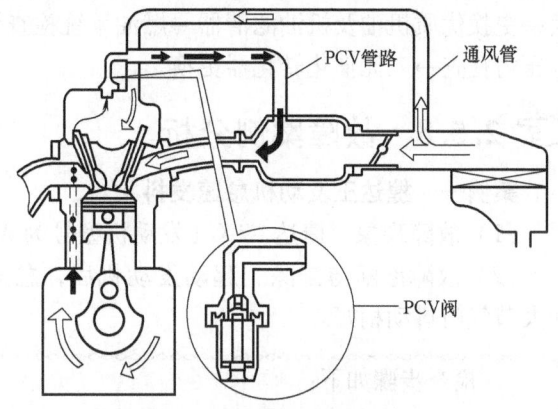

图 2-98 曲轴箱强制通风装置

2.5.7 尾气参数与故障分析

根据尾气分析仪检测的结果判断发动机的故障,如表2-18 所示。

表 2-18 用五气尾气分析仪判断不同故障的废气排放

	检测项目及变化	HC	CO	CO_2	O_2	NO_x
发动机故障原因	混合气浓	中度超标	大幅超标	有所下降	有所下降	中度下降
	混合气稀	中度超标	大幅下降	有所下降	有所超标	中度超标
	混合气过稀	大幅超标	大幅下降	有所下降	大幅超标	大幅下降
	气缸缺火	大幅超标	有所下降	有所下降	中度超标	中度下降
	点火过早	有所下降	稍有下降	无变化	无变化	大幅超标
	点火稍迟	稍有增加	稍有增加	无变化	无变化	大幅下降
	点火过迟	有所超标	无变化	中度下降	有所超标	有所超标
	气缸压力过低	中度超标	有所下降	有所下降	有所超标	中度下降
	排气泄漏	有所下降	有所下降	有所下降	有所超标	无变化
	进排气凸轮磨损	稍有下降	有所下降	有所下降	稍有超标	稍有下降
	发动机一般磨损	有所超标	有所超标	有所超标	有所超标	稍有下降
	二次空气喷射坏	有所超标	大幅超标	中度下降	中度下降	无变化
	三元催化转化器损坏	大幅超标	大幅超标	中度下降	中度下降	大幅超标
	EGR 泄漏	无变化	无变化	稍有下降	无变化	大幅超标

汽车尾气超标排除基本流程:气→油→电→机械;清洁→检查→调整→检漏;进排气→

燃油→润滑→冷却。

（1）NO_x 超标排除的基本流程　发动机冷却系统检查→发动机燃烧室积炭→三元催化转化器清洁→更换优质机油及机油滤清器→EGR 系统检查→三元催化转化器更换。

（2）CO 超标排除的基本流程　清洁进、排气道及三元催化转化器和节气门及滤清器更换→更换优质机油及机油滤清器→燃油系统检查调整→PPCV、EVAP 系统检查→点火系统检查→传感器检查→三元催化转化器更换。

（3）HC 超标排除的基本流程　清洁进、排气道及三元催化转化器和节气门及滤清器更换→更换优质机油及机油滤清器→燃油系统检查调整→发动机温度检查→点火系统检查→气缸压力检查→三元催化转化器更换。

2.5.8　故障案例分析

案例一　捷达王发动机怠速发抖

（1）故障现象　捷达 GTX（发动机型号为 AHP）发动机怠速发抖。

（2）故障诊断与排除　起动发动机后，怠速运转，发动机抖动，有个别缸工作不良，加大节气门抖动稍好。

检查步骤如下：

1）首先对点火系统进行检查。拔下各缸高压线插上备用火花塞，高压线与点火线圈连接，转动点火开关使起动机运转，观察各缸火花均是蓝火，火花很强。从发动机拆下火花塞，火花塞间隙正常，电极部分燃烧良好，呈棕黄色，瓷绝缘良好。装上火花塞、高压线，起动发动机后进行断火试验，各缸均工作，说明点火系统工作正常。

2）检查燃油供给系统。如果燃油供给不足，也会造成发动机抖动。在燃油分配管和压力油进口橡胶管连接处断开，接入燃油压力表，起动发动机检查燃油压力，分别检查怠速油压、加速变化油压及熄火后保持压力均正常。

3）使用故障诊断仪对发动机电控系统进行检查。进入发动机电控单元，查询故障存储器，无故障码显示。如果有故障码出现，应先排除相应故障，再进行下步检查。

4）阅读发动机 ECU 的数据块，通过数据观察各元器件性能。进入 007 数据块、第二区域，显示为 0.15V。该显示值是氧传感器电压，一般正常显示应在 0.1～0.9V 之间进行跳动显示。这一数值是排气系统反馈给 ECU 的信号，影响喷油量，因此怀疑氧传感器堵塞。更换一只氧传感器，故障依然未排除。

5）阅读数据块 002、第四显示区，显示为 2.2g/s。此值代表的是空气流量计测量的空气流量，是控制燃油混合比的重要参数，一般在 2.7g/s 左右比较正常。更换空气流量计，故障仍未排除。

6）根据对数据块的阅读及更换的元器件分析，氧传感器和空气流量计问题不大。数据块显示值是实测值，氧传感器电压低，说明燃油混合气稀；空气流量值低，说明进气量小。如果进气量小信号输给 ECU，喷油量经过 ECU 修正使喷油量变小。燃油混合气稀说明进气量大，这就很可能是进气管路漏气，多余空气没经过空气流量计而进入气缸燃烧。

7）检查进气系统无泄露情况。另一个进气通道是活性炭真空系统。检查该系统发现活性炭罐电磁阀常开，不能关闭。一般情况活性炭罐系统不工作，电磁阀是应关闭的。更换活性炭罐电磁阀，故障排除，怠速正常。

(3) 故障分析　活性炭罐到发动机进气歧管有一管路，管路上安装一个电磁阀，由发动机 ECU 控制其开闭。当发动机加速和转速较高时，活性炭罐电磁阀打开，通过进气道真空将活性炭收集的燃油蒸气吸入进气道再燃烧。当活性炭罐电磁阀损坏，常开电磁阀开启与关闭不受发动机 ECU 控制，有一股空气直接通过活性炭罐及管路进入进气管，而没有通过空气流量计测量，使发动机 ECU 收到一个比正常空气量小的空气流量信号，使喷油量减少，混合气稀，造成发动机功率不足，发动机抖动。

案例二　雷克萨斯 LS400 起动困难

(1) 故障现象　雷克萨斯 LS400 豪华轿车，故障初期主要表现为发动机转速提升困难，故障指示灯亮，随着故障的发展，又出现了起动困难的现象，且每行驶几千米即熄火，过一段时间才能再行起动。

(2) 故障诊断与排除　该车故障现象与燃油雾化不良很类似，燃油雾化不良为电喷车常见故障，主要原因为电动汽油泵泵油压力不足、汽油滤清器阻塞、喷油器积炭等。打开发动机罩，先进行汽油压力测试，正常。拆检汽油滤清器正常，喷油器有少许积炭，清洗装复后，故障依旧。

打开点火开关，读取故障码为 21、28 和 71。21、28 为发动机主氧传感器故障，71 为 EGR 系统故障。限于现实使用条件，主氧传感器是大部分在用电喷车常见故障。EGR 系统出现故障，常见部位为废气再循环阀，而随后对它的检查未发现异常。据驾驶人反映在偏远地区加油后，汽车行驶即逐渐不正常，于是怀疑油品质有问题，换油后故障依旧。

既然供油系统正常，油也没问题，只有从点火方面入手了。拆检火花塞，间隙正常，有轻微烧蚀和积炭。做火花实验，火花强劲，用正时灯检查，点火提前角正常。

起动中无意听到进气管有连续的漏气声，查找漏气部位，发现漏气声是从废气再循环阀处产生的，而对该阀的检查未出现异常。仔细考虑推断，漏气声很可能是由于排气管堵塞后排气压力太大，直接顶开废气再循环阀产生的。起动发动机，果然排气很弱，拆下发动机与消声器之间的接口，发动机很顺利地起动了，当然，噪声很大。拆下排气管中段，目视三元催化转化器已经破裂，用撬棍打通并倒出三元催化转化器，同时清除主氧传感器上的污垢，装复，消除故障码后试车，发动机恢复正常。

(3) 故障分析　为了有效减少排气污染，高档轿车排气管中均装有促进废气转化的三元催化转化器，为了提高转化效率，多制成孔状，以增大反应接触面积。该车因长期使用不良汽油，三元催化转化器中毒，堵塞排气管，排气背压剧增，直接顶开废气再循环阀，使其动作失准，产生故障码 21、28。排气管堵塞后，排气背压增大，导致各缸排气不彻底，同时经过废气再循环阀漏入的废气进一步劣化了混合气，使发动机加速性能下降。随着排气堵塞的加剧，加速性能不断恶化，最终出现难以起动、容易熄火的故障。

在排除电控系统故障时，故障码可以为故障诊断提供依据，但故障码并不一定能完全反映出故障的症结所在。有些时候，在排除故障码所指出的原因后，要根据故障码所示的内容，检查相关部件，经过合理的分析和判断来确定故障的根本原因。

案例三　桑塔纳时代超人自行熄火

（1）故障现象　一辆桑塔纳时代超人轿车起动困难，急加速时冒黑烟，怠速不稳，行驶中有时熄火，严重时着车5min左右就自动熄火。

（2）故障分析与排除　此种故障发生初始阶段时，一般表现为动力性稍差，油耗增加，因此不被驾驶人重视。在车辆继续使用中，随着时间的推移故障现象频繁发生，并且会逐步演变成行驶着车运行5min左右自行熄火。检修过程中发现了点火系统、燃油系统均正常，于是初步怀疑是防盗系统的原因，因为防盗系统中的环形天线或接收器发生故障时，发动机也只能维持运转几分钟。利用V.A.G1551读取故障码，故障码内容为氧传感器信号不良。

按正常的维修思路，先进行防盗系统的维修。更换新的点火锁环形天线和接收器后，发动机能维持运转了，但怠速不稳，急加速排放仍冒黑烟。此时换上新的氧传感器，试车，动力性能无明显改善，急加速排放还是冒黑烟。再次通过V.A.G1551读取发动机故障码，还是氧传感器信号不良。利用MT2400 Scanner示波器检查氧传感器的波形和信号电压时，发现该氧传感器是不合格产品，存在严重的质量问题，再次更换新的氧传感器后，并利用MT2400示波器检查波形及信号电压显示正常，试车10km结果一切正常，故障排除。

▶▶▶ 2.6　发动机冷却系统的故障诊断与排除

冷却系统的作用是使发动机在任何工况，高温部件都能得到适度的冷却，使发动机始终在最适宜的温度范围内工作，同时，冷却系统还为暖风系统提供热源。发动机冷却系统一旦出现故障，会导致发动机无法正常工作甚至严重损坏。冷却系统常见故障有温度过高、温度过低、冷却液消耗异常等。桑塔纳2000GSi型轿车AJR型发动机冷却系统的布置如图2-99所示。

发动机冷却系统出现故障，发动机的表观现象主要有以下几种情况：

① 发动机冷却不足，冷却液温度表指示冷却液温度过高。

② 发动机冷却过度，发动机升温时间过长或发动机长期在低于正常工作温度下运行。

③ 发动机冷却风扇不转。

④ 发动机冷却液泄漏，消耗过多。

⑤ 散热器散热不良等。

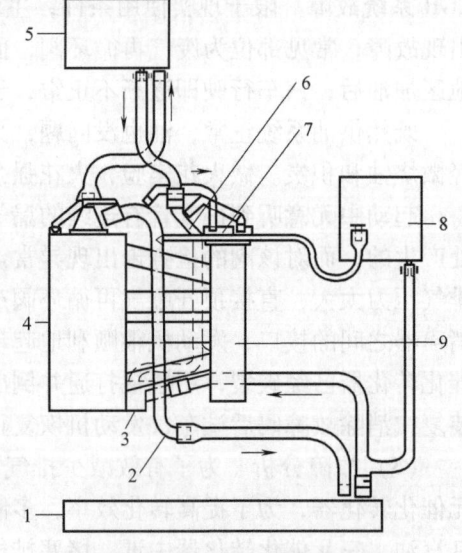

图2-99　桑塔纳2000GSi型轿车AJR发动机冷却系统布置图

1—散热器　2—上冷却液管　3—节温器
4—气缸体　5—暖风热交换器　6—下冷却液管
7—进气预热　8—膨胀水箱　9—进气歧管

2.6.1 冷却液温度过高的故障诊断与排除

1. 故障现象

1）冷却液温度警告灯闪烁或冷却液温度表指针长时间在红区，冷却液沸腾出现蒸汽。

2）发动机动力不足，在加速时伴随有明显的金属敲击声，不易熄火。

2. 故障原因

1）冷却液不足。

2）水泵损坏，冷却系堵塞或损坏。

3）散热器或气缸体内水套积垢多、堵塞。

4）节温器失效、卡死或堵塞，节温器不能正常开启，冷却液不能流过散热器。

5）散热器风扇电动机或散热器双温热敏开关出现故障。

6）百叶窗关闭或开度不足。

7）低速档、超负荷行驶时间过长。

8）点火正时不准或配气相位不对。

9）混合气过稀或过浓，燃烧室积炭过多。

10）机油油量不足或黏度太大。

3. 故障诊断与排除

1）检查冷却液量是否不足。

2）检查百叶窗是否关闭或开度不足。

3）检查水泵、风扇：

① 水泵（或风扇）的传动带是否过松、打滑或断裂。

② 使用硅油离合器的风扇，热机后将发动机熄火，用手转动风扇叶片，若无阻力或阻力很小，说明硅油离合器有故障，应检修或更换。

③ 装电动风扇的发动机，发动机冷却液温度高于规定数值时不转，应检查熔丝是否良好。若熔丝正常，拔下热敏开关插头，将两插片直接接通，若电扇转动，说明温控开关有故障；若电扇仍不转，说明电扇损坏或电扇的温控开关的电路有故障。

4）检查发动机机体内有无冷却液渗漏。

5）检查机油油量及黏度。若油量少，应及时添加；若机油黏度过大，应更换机油。

6）使发动机在冷车情况下运转，将散热器盖打开，操纵加速踏板，突然变化发动机转速，从加液口观察冷却液液面的变化，若无搅动现象，则为水泵不正常，应检查排除水泵故障。

7）分别在急速、中、高速条件下观察排气颜色。若排出是黑烟，说明混合气过浓，应进行调整或维修；由急速急加速时，若发动机转速有短时失速或回火现象，说明发动机混合气过稀。

8）若发动机温度过高，而散热器的温度并不高，或散热器上储水箱温度高，下储水箱却较冷时，可能是节温器的阀门没打开或阀门升程太小，应检查更换节温器。拔下节温器，将节温器浸入水中加热检查节温器阀门开启温度，如图 2-100 所示，当水温达到规定数值时，节温器应开始打开，水沸腾时节温器阀门升程应达到要求的高度，若不正常，应更换节温器。

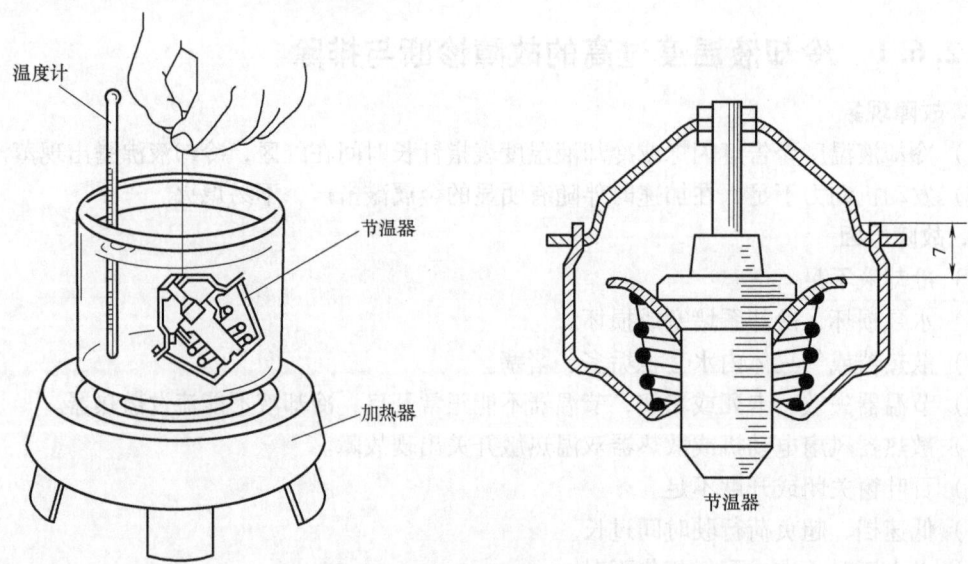

图 2-100　节温器的检测

9）拆下火花塞，用工业内窥镜观察发动机燃烧室内积炭情况，若积炭过多，应加以清除。

10）拆下散热器盖并加满冷却液，使发动机运行几分钟后，观察散热器盖处是否有很多水泡冒出甚至喷水。若有，则发动机气缸垫已损坏。

11）以上检查均正常，则检查发动机排气门间隙。若间隙过大应进行调整；若间隙正常，检查发动机排气系统是否堵塞，再对发动机配气相位进行检查和调整。

2.6.2　冷却液温度过低的故障诊断与排除

1. 故障现象

1）发动机行驶乏力，发动机油耗增加。

2）发动机工作很长时间或全部工作时间内，冷却液温度达不到正常工作温度范围，低于85℃。

3）该故障现象多发生在冬季行驶或寒冷地区。

2. 故障原因

1）百叶窗不能关闭。

2）节温器失效，卡在全开位置，冷却液在低温下也进入大循环。

3）温控开关、风扇电动机线路故障（风扇常开）。

4）冷却液温度表或冷却液温度传感器失效。

5）环境温度太低且逆风行驶。

3. 故障诊断与排除

1）检查百叶窗是否关闭自如或未装保温罩。

2）冷车起动后打开散热器盖，使发动机加速，观察水流速度和流量。若水流速度很快、流量大，说明节温器常开或未装节温器，应更换或加装节温器。

3）若冷却液温度表指示温度偏低，而用手触试散热器时感觉很烫，用温度计测量冷却液温度却正常，说明冷却液温度表或冷却液温度传感器有故障。

4）若冷却液温度表指示冷却液温度过高，说明冷却液温度表或线路损坏。

5）冷车起动发动机，电动风扇应不运转（装电动风扇的车辆）。若此时电动风扇运转，说明温控开关失效，应更换。

2.6.3 冷却液消耗异常的故障诊断与排除

1. 故障现象

一般发动机冷却系统是全封闭的，正常情况下，冷却液不需经常添加。若冷却液面下降很快，说明冷却液有泄漏故障。

2. 故障原因

1）水管破裂。
2）水泵水封磨损过度或损坏漏水。
3）气缸体或气缸盖有裂纹或气缸垫渗漏。
4）散热器盖及密封垫损坏。
5）膨胀水箱盖泄漏。

3. 故障诊断与排除

1）直观检查气缸体、散热器、水泵及各水管连接处有无冷却液渗漏，若难以判断，可对冷却系统进行加压检查。

2）若检查发现机油中有水或发动机运行无力且排气管冒白烟（有水蒸气），则可判定为内漏，应对发动机拆卸进行检修。

2.7 发动机润滑系统的故障诊断与排除

发动机润滑系统对发动机正常工作起至关重要的作用，若润滑系统出现故障，各运动副摩擦表面将得不到良好的润滑、散热及清洗，必然会加速零件的磨损，影响发动机正常工作，降低发动机的使用寿命。发动机润滑系统的常见故障有机油压力过低、机油压力过高、机油消耗异常、机油变质等。桑塔纳2000GSi轿车AJR发动机润滑系统的布置如图2-101所示。

发动机润滑系统出现故障，发动机的表观现象主要有以下几种情况：
① 发动机磨损过大，故障率增多。
② 发动机机油油压过高。
③ 发动机机油油压过低。
④ 发动机机油指示灯常亮。
⑤ 发动机动力不足，加速变慢。
⑥ 发动机油耗增加。
⑦ 发动机低温起动困难。

⑧ 发动机机油易变质。
⑨ 发动机机油消耗过多，排气管冒蓝烟。
⑩ 发动机温度过高。
⑪ 发动机响声增大。
⑫ 发动机曲轴箱通风不良。

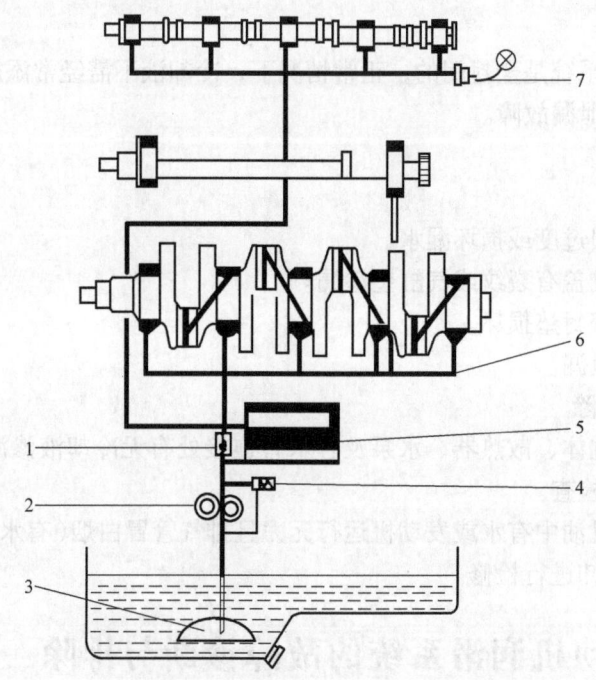

图 2-101 桑塔纳 2000GSi 轿车 AJR 发动机润滑系统的布置图
1—旁通阀 2—机油泵 3—集滤器 4—限压阀
5—机油滤清器 6—主油道 7—压力开关

2.7.1 机油压力过低的故障诊断与排除

1. 故障现象

1）发动机怠速运转下，机油压力表读数始终低于标准值或机油警告灯亮。
2）机油压力警告灯闪亮，蜂鸣器报警。

2. 故障原因

1）机油油面过低，机油黏度低。
2）机油变质或混入燃油、冷却液等。
3）机油压力表或传感器失效。
4）机油泵损坏或内部零件磨损。
5）限压阀调整不当或限压阀失效。
6）机油集滤器滤网堵塞。

7）发动机各轴颈轴承配合间隙过大或机油油路、管路严重泄漏。

3. 故障诊断与排除

1）拔出机油尺，检查机油油面。若油面过低，应补充机油。

2）将机油滴到干净的纸上，观察机油的油质和黏度。若不符要求，应更换机油。

3）拆下机油压力传感器，装上机油压力检测表，若油压达到规定值，而机油压力表指示油压过低（或机油警告灯不灭），说明机油压力传感器或机油压力表故障。换上新的机油压力传感器，起动发动机并怠速运转，若机油压力表指示正常，则机油压力传感器故障；若故障依旧，表明机油压力表故障。

4）若机油压力检测表指示的油压低于规定值，则为主油道或机油泵故障。将机油压力表安装在气缸体主油道机油压力传感器位置上，起动发动机，检测机油压力。若机油压力仍高于规定值，说明滤清器至主油道有堵塞或限压阀故障；当机油压力变化不大且较低，拆下限压阀清洗，在弹簧后端面加装垫片后重新进行压力检测，若机油压力明显提高，说明限压阀故障。

5）加装垫片后压力仍偏低，应拆下油底壳，检查集滤器是否堵塞、曲轴轴承和连杆轴承配合间隙是否过大，若过大，应加以修复。

6）以上检查均正常，说明故障为机油泵磨损过甚。

2.7.2 机油压力过高的故障诊断与排除

1. 故障现象

1）检查机油压力超过 0.40MPa。

2）机油警告灯闪亮且蜂鸣器响。

2. 故障原因

1）机油黏度太大或机油温度偏低。

2）曲轴箱通风阀（PCV 阀）堵塞。

3）机油滤清器滤芯堵塞且旁通阀开启困难。

4）限压阀调整不当或卡滞。

5）润滑油道、气缸体主油道堵塞。

6）曲轴、凸轮轴各轴颈与轴承配合间隙太小，增加了机油流动的阻力。

7）机油压力表、机油压力传感器及机油压力指示装置失效。

3. 故障诊断与排除

1）拔出油尺检查机油黏度。若黏度过大，应予以更换。

2）拆下曲轴箱通风管检查 PCV 阀是否堵塞，若堵塞说明机油压力偏高是因曲轴箱通风不良引起的，应更换 PCV 阀。

3）拆下机油压力传感器，装上机油压力检测表。起动发动机，并怠速运转，观察机油压力检测表读数。

① 若机油压力达到规定值，说明机油压力传感器或机油压力表故障。换上新的机油压力传感器，起动发动机怠速运行，若机油压力表指示正常，则机油压力传感器故障；若故障依旧，则机油压力表故障。

② 若机油压力高于规定值，拆下旁通阀取出旁通阀弹簧，起动发动机怠速运行。若油

压正常,说明机油滤清器堵塞,旁通阀开启困难导致压力过高;若故障现象依旧,将限压阀调整螺栓旋出少许,若机油压力降低,说明限压阀调整不当。

4)在气缸盖主油道上安装压力表检测机油压力,若机油压力过低,说明气缸体主油道到气缸盖间有堵塞,应予以修复。

5)对于大修后或新装配的发动机,转动曲轴应感觉其旋转灵活,若转动曲轴时感觉重,则说明是由曲轴装配过紧引起的机油压力偏高。

2.7.3 发动机机油消耗异常的故障诊断与排除

1. 故障现象

1)机油消耗量超过0.1L/100km。
2)发动机工作时,排气管冒蓝烟。
3)积炭增多,火花塞油污现象严重。

2. 故障原因

1)活塞、活塞环、气缸严重磨损,间隙过大,窜机油。
2)活塞环装配不正确(活塞环的开口没有错位或错位不当),环位错装,环槽间隙过大,有泵油现象。
3)气门杆油封失效,气门导管磨损。
4)机油滤清器、空气压缩机等各部位的油封或密封垫损坏导致漏油。
5)曲轴箱通风阀失效,箱内温度过高。
6)气门室盖、油底壳、放油塞、正时齿轮(链轮、带轮)、曲轴前后油封、凸轮轴油堵。

3. 故障诊断与排除

1)试车检查,使发动机加速运转,查看排气管是否冒蓝烟。
2)若无,检查发动机上是否有机油泄漏痕迹。若有机油泄漏,在清洁好发动机外部油污后,起动发动机,观察泄漏情况,或往发动机润滑油中加入荧光检漏剂,用荧光检漏仪检查机油泄漏部位。若有泄漏应予以修复。
3)若排气管冒蓝烟,说明有机油窜入燃烧室,则:

① 检测气缸压力,若气缸压力过低,同时出现发动机动力不足,起动困难,则说明气缸活塞组磨损过大、密封不良而导致气缸窜油,应对发动机进行维修。

② 若气缸压力正常,说明故障在气门导管处,应检查气门与气门导管间隙是否过大、气门油封是否失效等。

③ 检查曲轴箱通风阀是否粘结而不能正常工作,若有粘结,发动机可能会有冒蓝烟现象。

2.7.4 机油变质的故障诊断与排除

1. 故障现象

1)机油取样,颜色变黑。
2)机油液面高度增加,且呈混浊乳白色,伴有发动机个别缸不工作或过热现象。

2. 故障原因

1)机油使用时间过长,未定期更换,高温氧化使机油变质。

2）活塞和气缸间隙变大，活塞环漏气，燃油下泄量大，稀释机油。
3）气缸垫密封不严或气缸体、气缸盖有裂纹，造成冷却液漏入曲轴箱使机油变为乳白色。
4）曲轴箱通风不良，机油中混杂有废气中的燃油，使机油变质。
5）机油滤清器堵塞，机油未经过滤而直接通过旁通阀，润滑短路，造成机油内杂质过多。
6）机油泵磨损，供油能力下降。

3. 故障诊断与排除

1）检查机油是否使用时间过长，未定期更换。
2）检查机油中是否有水分，进而检查冷却系是否有裂纹。
3）检查机油滤清器滤清效果是否良好。
4）检查曲轴箱通风阀是否失效。
5）检测气缸压力，判断气缸活塞组是否漏气窜油。

2.8　发动机异响的故障诊断与排除

技术状况良好的发动机，运转中能听到均匀的排气声和轻微的噪声。若发动机在运转过程中，伴随有其他声响，如发出连续的金属干摩擦声、间歇或连续的金属敲击声等，即为发动机异响。

发动机出现异响故障后，将造成部件磨损加速，甚至发生事故性的破坏，所以必须根据故障现象，分析故障产生的原因，找出异响的部位，准确地将其诊断出来，并采取必要的维修措施排除故障。

2.8.1　发动机异响的原因及特性

1. 发动机异响的原因

发动机各系统和机构中的某些故障，均可导致异响的出现，异响涉及的范围很广，产生异响的原因很多，归纳如下：

1）爆燃或早燃，引起点火敲击响。
2）某些运动部件因磨损使其间隙过大，导致异响。如曲轴主轴承响、连杆轴承响、活塞敲缸响等。
3）部件装配、调整不当，配合间隙失准，如活塞销装配过紧、气门脚间隙调整不当造成异响。
4）部件损坏、断裂、变形、碰擦。如气门弹簧折断、曲轴折断等引起异响。
5）部件因工作温度过高熔化卡滞。
6）润滑不良。
7）回转件平衡遭到破坏。
8）使用材料、油料和配件的材质、型号规格、品质不符合要求。

2. 发动机异响的特性

发动机异响与其转速、负荷、温度和润滑条件等因素有关。

(1) 转速　一般情况下，转速越高机械异响越强烈（活塞敲缸响例外）。尽管如此，在高速时各种响声混杂在一起，听诊某些异响反而不易辨清。因此诊断时的转速不一定是高速，要具体异响具体对待。如当主轴承响、连杆轴承响和活塞销响较为严重时，在怠速和低速下也能听到。总之，诊断异响应在响声最明显的转速下进行，并尽量在低转速下进行。

(2) 负荷　发动机不少异响与发动机的负荷有关。如曲轴主轴承响、连杆轴承响、活塞敲缸响、汽油机点火敲击响等，均随负荷增大而增强，随负荷减小而减弱。但是，也有些异响与负荷无关，如气门响，负荷变化时异响并不变化。

(3) 温度　有些异响与发动机温度有关，而有些异响与发动机温度无关或关系不大。在机械异响诊断中，对于热膨胀系数较大的配合副要特别注意发动机的热状况，最典型的例子是铝活塞敲缸。在发动机冷起动后，该异响非常明显，然而一旦温度升起，响声即减弱或消失。所以，该异响诊断应在发动机低温下进行。

(4) 润滑条件　不论什么机械异响，当润滑条件不良时，异响一般都显得比较明显。

3. 发动机异响的振动区域

发动机常见异响引起的振动，可分为以下几部分，如图2-102所示。

(1) 气缸体与油底壳之间　可用螺钉旋具或听诊器辅助听诊曲轴轴承响、连杆轴承响等故障。

(2) 气缸体与气缸盖之间　可用螺钉旋具或听诊器辅助听诊活塞敲缸响、气门落座响等故障。

(3) 气缸盖与气门室罩壳之间　可用螺钉旋具或听诊器辅助听诊凸轮轴轴承响、液压挺杆响（或气门脚响）等。

(4) 发动机前端附件部分　可用螺钉旋具或听诊器辅助听诊发电机等附件及传动带的异响。

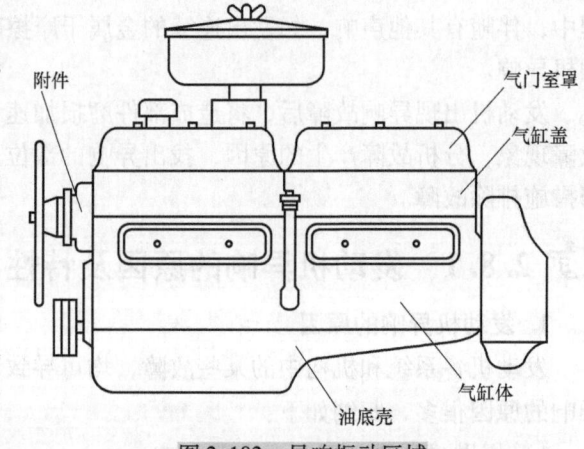

图 2-102　异响振动区域

(5) 正时传动带防护罩部位　可听诊正时传动带张紧轮轴承异响。

2.8.2　曲轴连杆机构异响的故障诊断与排除

曲轴连杆机构的常见异响有曲轴主轴承响、连杆轴承响、活塞敲缸响、活塞销响和活塞环响等。此类异响都严重影响发动机的正常工作，加剧发动机的损坏，缩短使用寿命，必须认真诊断排除。

1. 曲轴主轴承响

(1) 故障现象

1) 汽车加速或发动机突然加速时，发出沉闷连续的"嘡嘡"的金属敲击声，同时伴有发动机振动的现象。

2) 响声随发动机转速提高而增大，随负荷增大而增强，但与发动机温度变化不大。

3) 单缸断火响声无明显变化（不上缸），相邻两缸同时断火，响声明显减弱。

4）响声严重时，机油压力明显下降。

(2) 故障原因

1）曲轴主轴承与轴颈间隙过大。

2）曲轴轴向间隙过大。

3）曲轴主轴承盖螺栓松动。

4）曲轴主轴承与轴颈润滑不良，使轴承的减磨合金烧蚀或脱落。

5）曲轴弯曲。

(3) 故障诊断与排除

1）发动机低、中速状态下抖动节气门，发动机发出明显而沉闷的连续敲击声，同时伴有发动机振抖现象，则一般可诊断为曲轴主轴承响。

2）若进行单缸断火试验，响声变化不大，而相邻两缸断火，响声明显减弱或消失，则可诊断为两缸之间的曲轴主轴承响。

3）若发动机在高速时机体有较大的振动，机油压力下降明显，则说明曲轴主轴承与轴颈间隙过大或轴承合金烧蚀脱落。

4）发动机转速不高，机体振动较大，甚至有摆动摇晃现象，同时发出沉重、粗闷而较大的"嘣、嘣"敲击声，可诊断为曲轴断裂。

5）响声随温度升高而增大，高速时变得杂乱，则可能为曲轴弯曲。

6）踩下离合器踏板，若响声减弱或消失，放松离合器踏板后，响声又重现，则为曲轴轴向间隙过大而发响。

2. 连杆轴承响

(1) 故障现象

1）发动机怠速运转时无明显响声，而高速时有"滴滴"敲击声，急加速时尤为明显。

2）响声随发动机转速的提高而增大，随负荷的增加而增强。

3）单缸断火，响声明显减弱或消失。

4）发动机温度发生变化时，响声不变化。

5）轴承严重松旷时，在怠速或低中速运转中，可听到"咯棱、咯棱"的响声。

(2) 故障原因

1）连杆轴承与轴颈磨损过度，造成径向间隙过大。

2）连杆轴承盖固定螺栓松动或折断。

3）连杆轴承的减磨合金烧蚀或脱落。

4）连杆轴颈失圆。

5）连杆润滑不良。

(3) 故障诊断与排除

1）发动机由怠速转速向中速过渡时，响声渐为清晰。随着转速的提高，敲击声更为突出，在气缸体与油底壳间听诊明显，可诊断为连杆轴承响。

2）逐缸单缸断火，若响声减弱或消失，则为断火之缸连杆轴承响。

3）发动机无论转速和温度的高低，都发出严重而无节奏的"当当"声，且伴有振动，进行断火试验响声无变化，可诊断为连杆轴承合金烧蚀。

3. 活塞敲缸响

（1）故障现象

1）发动机怠速时，在气缸的上部发出有节奏的"嗒嗒"敲击声，转速升高后响声消失。

2）发动机低温时响声明显，温度升高后响声减弱或消失。

3）该缸断火时，响声减弱或消失。

（2）故障原因

1）活塞与气缸壁间隙过大。

2）气缸润滑条件不良。

（3）故障诊断与排除

1）冷车运转将发动机转速控制在响声最明显处，观看加机油口是否冒烟，排气管是否冒蓝烟，并用螺钉旋具抵触加机油口处一侧的气缸壁，将耳朵贴在螺钉旋具的木柄上，倾听是否有振动的敲击声。若有，则为活塞敲缸响。

2）逐缸断火，若响声减弱或消失，则为断火之缸活塞敲缸响。

3）将有敲击声响气缸的火花塞拆下，注入少许机油，摇转曲轴数圈后，装上火花塞，起动发动机再进行试验。若响声明显减弱或消失，但不久又复现，可确诊为该缸活塞敲缸。

4）发动机仅冷车时敲缸，热车后响声消失，发动机可继续使用，等待机会再修。

4. 活塞拉缸响

（1）故障现象

1）怠速时发出"嗒嗒"声，高速时发出"嘎嘎"的连续金属敲击声，且伴有机体抖动现象。

2）温度升高后，响声不但不消失反而加大。

3）火花塞每跳火一次，响两次。

4）该缸断火试验，响声加大。

（2）故障原因

1）活塞与气缸壁间隙过小。

2）活塞与活塞销装配过紧而致活塞变形或反椭圆形。

3）活塞头部尺寸大，活塞环背隙或端隙过小。

4）连杆轴颈与曲轴轴颈不平行。

5）连杆弯曲、扭曲或连杆衬套轴向偏斜。

（3）故障诊断与排除

1）发动机低温时不响，温度升高后在怠速时出现"嗒嗒"连续的金属敲击声，并伴有机体振动现象，且温度越高，响声越大，听诊部位与活塞敲缸相同，可诊断为活塞变形或活塞环过紧，导致活塞与气缸壁间隙过小而拉缸。

2）发动机低温不响，温度升高后在中高速时发出急剧而有节奏的"嘎嘎"声，进行断火试验响声变化不大，可诊断为连杆装配位置不准。

3）进行逐缸断火，声响反而加大，可诊断为该缸拉缸。

4）发动机在热起动后拉缸，且单缸断火声响加大，遇此情况应停机维修，以免故障恶化。

5. 活塞销响

（1）故障现象

1）发动机怠速或中高速时发出有节奏而又清脆的"嗒嗒"响声，突然加大节气门时，响声也随之加大。高速时，响声混浊不清。

2）断火试验时，声响减弱或消失，复火时，有明显的1~2次响声。

3）火花塞每跳火1次，发响2次。

（2）故障原因

1）活塞销与连杆衬套磨损过度而松旷。

2）活塞销与活塞销座孔松旷。

3）机油压力过低，曲轴箱内机油飞溅量不足，或连杆的润滑油道堵塞，造成活塞销烧蚀严重。

4）活塞销折断。

5）活塞销锁环脱落致使活塞销窜动。

（3）故障诊断与排除

1）使发动机处于怠速位置，抖动节气门到中速位置，如响声能灵活地随之变化，并且每抖动1次节气门，都能听到突出的、尖脆而连贯的"嗒嗒"响声，可诊断为活塞销响。

2）将发动机转速控制在响声最明显处，然后逐缸断火。若断火后，声响减弱或消失，复火时发出"嗒嗒"的敲击声，且气缸上、中部比下部声响大，可诊断此缸活塞销响。

3）若响声较严重，且发动机转速越高，响声越大，而在响声最大的转速下进行断火试验，响声变得更加杂乱，可诊断为活塞销与衬套配合松旷。

4）当发动机怠速运转时，出现有节奏而较沉重的"吭、吭"碰击声；转速提高后，响声不消失，同时伴随机体抖动现象；断火试验时，响声反而增大，可诊断为该缸的活塞销自由窜动。

5）发动机急加速时，响声剧烈而尖锐，进行断火试验时，响声减弱或消失，可诊断为该缸的活塞销折断。

6. 活塞环响

（1）故障现象

1）活塞环敲击响是钝哑的"啪啪"声响，响声随发动机转速提高而增大，并且变成较嘈杂的声音。

2）活塞环漏气响，类似敲缸响，在加机油口处听较为明显，单缸断火时，响声较小，但不消失。

（2）故障原因

1）活塞环折断。

2）活塞环和环槽磨损，造成背隙和端隙过大，密封性降低。

3）气缸壁磨损后，顶部出现凸肩，重新调整连杆轴承后，使活塞环与气缸壁凸肩相碰。

4) 活塞环端口间隙过大或各环的端口重合对口。

5) 活塞环弹性过弱或气缸壁有沟槽。

6) 活塞环粘在活塞环槽上。

(3) 故障诊断与排除

1) 作单缸断火试验,响声减小,但不消失,把螺钉旋具放在火花塞上细听,发出"啪啪"声响,可诊断为活塞环折断。

2) 发出"噗噗"的声响,断火后没有变化,用螺钉旋具抵触气缸盖有明显的振动,可诊断为活塞环碰击气缸凸肩。

3) 发动机冷车起动时,发出"嘣嘣"的声响,在加机油口处可见脉动地冒蓝烟。进行断火试验时,响声消失,但仍有漏气声,加机油口处冒烟减轻,甚至消失,可诊断为活塞环漏气响。

4) 发动机温度升高,仍有明显的窜气响,进行断火试验,窜气虽有减弱,但加机油口处仍有明显漏气现象,可诊断为活塞环与气缸壁密封不严。

5) 在气缸内注入少量机油,起动后较短时间内若响声减弱或消失,可确诊为活塞环与气缸壁密封不良。若注油后,仍冒烟或更甚,可诊断为活塞环对口或活塞环弹力不足或活塞环卡死。

2.8.3 配气机构异响的故障诊断与排除

配气机构的常见异响有气门响、凸轮轴响、正时齿轮响等。异响的产生,表明各部件磨损或调整不当,将影响发动机的性能,应及时调整或修理更换。

1. 气门响

(1) 故障现象 发动机急速运转时发出连续不断的、有节奏的"嗒嗒"(在气门脚处)或"啪啪"(在气门座处)的敲击声,转速增高时响声亦随之增高,温度变化和单缸断火时响声不减弱。若有数只气门响,则声音显得杂乱。气门脚响和气门落座响统称为气门响。

(2) 故障原因

1) 气门脚响。

① 气门脚间隙太大。

② 气门间隙调整螺钉磨损或偏斜。

③ 气门脚处润滑不良。

④ 凸轮磨损过量,运转中挺柱产生跳动。

2) 气门落座响。

① 气门杆与其导管配合间隙太大。

② 气门头部与其座圈接触不良。

③ 气门座圈松动。

④ 气门脚间隙太大。

(3) 故障诊断与排除

1) 听诊气门响时,不打开加机油口盖就能在发动机周围听得清清楚楚。当发动机急速运转时,听到如现象中所述的有节奏的响声,可稍加大节气门开度。如果此时响声较明显,逐渐加油时响声又随转速的提高节奏加快，可初步断定为气门脚响或气门落座响。

2）打开气门室侧盖或气门室顶盖，用塞尺检查或用手晃试气门脚间隙，间隙最大的往往是最响的气门。运转中的发动机，当用塞尺插入气门脚间隙处致使响声减弱或消失时，即可确定是该气门响，且由间隙太大造成。

3）若需进一步确诊是气门脚响还是气门落座响，可在气门脚间隙处滴入少许机油。如瞬间响声减弱或消失，说明是气门脚响；如响声无变化，说明是气门落座响。气门落座响如为座圈松动造成，其响声不如气门脚响坚实，且带有破碎声。

2. 气门液压挺柱响

（1）故障现象　发动机运转时有"嗒嗒"声响，多只挺柱发响时，其响声变得杂乱。

（2）故障原因

1）油底壳中机油油面过高或过低。

2）机油黏度低或被稀释。

3）机油压力低。

4）液压挺柱有脏物。

5）液压挺柱磨损。

6）压力腔有空气或进油孔堵塞。

（3）故障诊断与排除

1）起动发动机听到从气门室罩发出且随发动机转速升高而频率增高的"嗒嗒"声响，可诊断为液压挺柱响。

2）单缸断火，响声无变化，可进一步确诊气门液压挺柱响。

3）检查发动机机油量及机油黏度，如正常则检查发动机机油压力，机油压力低则一般为油路堵塞或机油泵或限压阀有故障；若正常，液压挺柱磨损过大、压力腔有空气或进油孔堵塞也将导致异响。

3. 凸轮轴响

（1）故障现象

1）发动机中速运转时声响明显，从气缸体凸轮轴一侧发出钝重的"嗒嗒"声响，高速时响声模糊不清。

2）单缸断火，响声不变。

3）凸轮轴轴承附近伴有振动。

（2）故障原因

1）凸轮轴轴承与轴颈配合间隙过大，造成松旷。

2）凸轮轴轴承合金烧蚀、剥落或磨损过度。

3）凸轮轴轴向间隙过大。

4）凸轮轴弯曲。

5）凸轮轴轴承松旷转动。

（3）故障诊断与排除

1）使发动机在响声最明显的转速下运转，用螺钉旋具触及气缸体凸轮轴各轴承附近的部位进行听诊。若某处响声较强并伴有振动，可诊断为该处轴承发响。

2）进行断火试验，响声无变化。在缓慢加大节气门开度的过程中，若怠速时响声清晰，中速时响声明显，高速时响声由杂乱逐渐减弱，可诊断为凸轮轴轴向间隙过大或轴承松旷转动。

4. 正时齿轮响

（1）故障现象

1）发动机怠速运转或转速改变时，在正时齿轮室盖处发出杂乱而轻微的"嗒啦"声，转速提高后响声消失，急减速时，响声尾随出现。

2）单缸断火试验时，响声无变化。

3）响声有时受温度影响，高温时响声明显。

4）有时伴随响声出现正时齿轮室盖振动。

（2）故障原因

1）正时齿轮磨损或装配不当，啮合间隙过大或过小。

2）曲轴主轴承孔与凸轮轴轴承孔中心距在使用或保修中发生变化，变大或变小。

3）齿轮润滑不良。

4）凸轮轴正时齿轮松动。

5）凸轮轴正时齿轮轮齿折断，或齿轮径向破裂。

6）重新装配一对正时齿轮时，改变了原来的啮合位置。

（3）故障诊断与排除

1）诊断中若发现响声是无节奏的，且在发动机怠速运转时发出"嘎啦、嘎啦"的响声，中速时响声更为明显，高速时响声变得杂乱并带有破碎声，响声严重时正时齿轮室盖处有振动，则可能是齿轮啮合间隙太大造成的。

2）如果出现连续不断的"嗷嗷"响声，发动机转速越高时响声越大，并且经证实该发动机更换过正时齿轮，则有可能是齿轮啮合过紧的缘故。

3）如果出现有节奏的"哽哽"响声，发动机转速越高时响声越大，则可能是齿轮啮合间隙不均造成。若响声为连响，则故障出在曲轴正时齿轮上；若响声为间响，则故障出在凸轮轴正时齿轮上。

4）若响声是有节奏的，发动机怠速运转时能听到"嗒啦、嗒啦"的声音，中速以上时又变为紧凑的"嗒嗒"响声，这往往是金属齿轮齿面碰伤以后出现的响声，如果故障在曲轴正时齿轮上为连响，在凸轮轴正时齿轮上为间响。

5）若在发动机怠速运转时听到"咯啦、咯啦"的撞击声，加大节气门开度时，变为较杂乱的"哇啦啦"的声音，甚至还带点"咯棱、咯棱"的撞击声，正时齿轮室盖处又伴随有振动，通常为一对金属正时齿轮发生根切造成的。

2.8.4 汽车异响的仪器诊断法

1. 仪器诊断异响的原理

用仪器诊断发动机的异响，是利用仪器的加速度传感器（拾振器），把各种异响对应的振动信号拾取出来变为电信号，经过选频、放大后送到示波器显示出振动波形，对异响进行频率鉴别和幅度鉴别，再辅之以单缸断火（或单缸断油）、转速变化、听诊等传统手段，就能快速地判断出异响的种类、部位和严重程度。常用的综合检测仪包括深圳 EA—1000 型、BOSCH FSA—560 型、济南 WFJ—2 型、天津 YT416 型等。

2. 波形观测方法

（1）曲轴主轴承响　将加速度传感器抵在发动机油底壳中上部稍前位置，如图2-103a中所示黑点部分。曲轴主轴承异响全缸波形如图2-103b所示，第5缸主轴承异响故障波形如图2-103c所示。

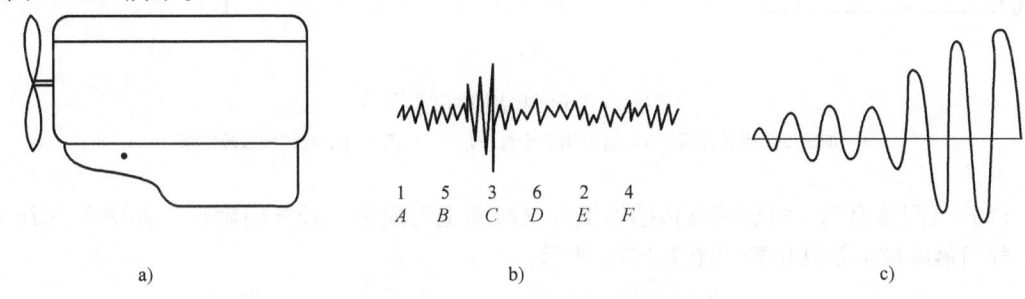

图2-103　曲轴主轴承异响波形
a）加速度传感器位置　b）主轴承异响全缸波形　c）第5缸主轴承异响波形

（2）连杆轴承响　将加速度传感器抵在曲轴箱上部对正连杆轴承处，测1、2、3缸时抵在 A 点，测4、5、6缸时抵在 B 点，如图2-104a所示。连杆轴承异响的全缸波形和第2缸连杆轴承异响的故障波形分别如图2-104b、c所示。

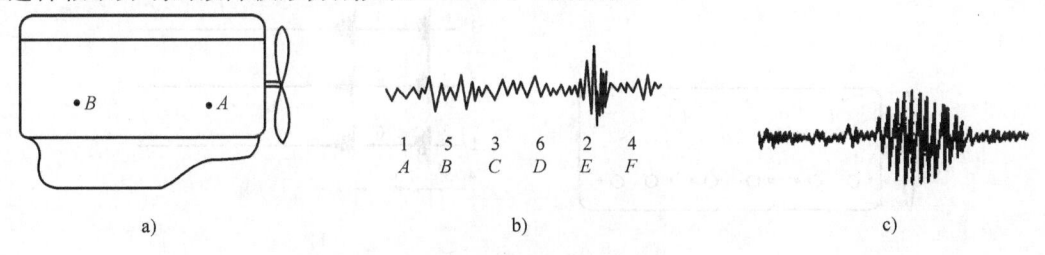

图2-104　连杆轴承异响波形
a）加速度传感器位置　b）连杆轴承异响全缸波形　c）第2缸连杆轴承异响故障波形

（3）活塞敲缸响　将加速度传感器抵在气缸的上部，如图2-105a所示。活塞敲缸响全缸波形及第6缸敲缸响波形分别如图2-105b、c所示。

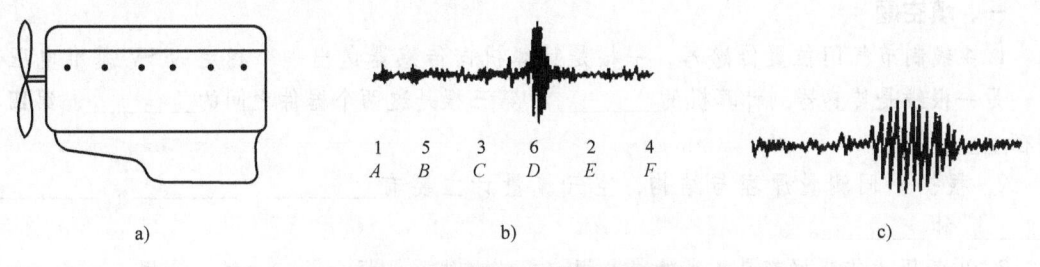

图2-105　活塞敲缸响故障波形
a）加速度传感器位置　b）活塞敲缸响全缸波形　c）第6缸敲缸响故障波形

（4）活塞销响　将加速度传感器抵在气缸盖上对准各缸活塞处，如图2-106a所示。活塞销的全缸波形和第3缸活塞销响故障波形，如图2-106b、c所示。

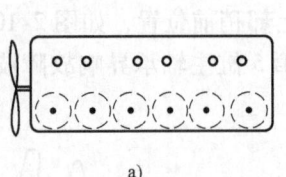 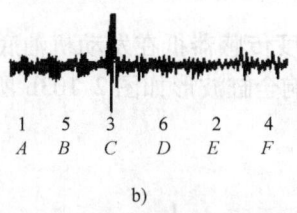 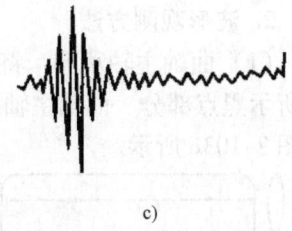

a) b) c)

图 2-106 活塞销响波形

a) 加速度传感器位置 b) 活塞销响全缸波形 c) 第 3 缸活塞销响故障波形

(5) 气门落座响 将加速度传感器抵在气缸盖上对应进、排气门附近，如图 2-107a 所示。气门落座波形及其位置如图 2-107b 所示。

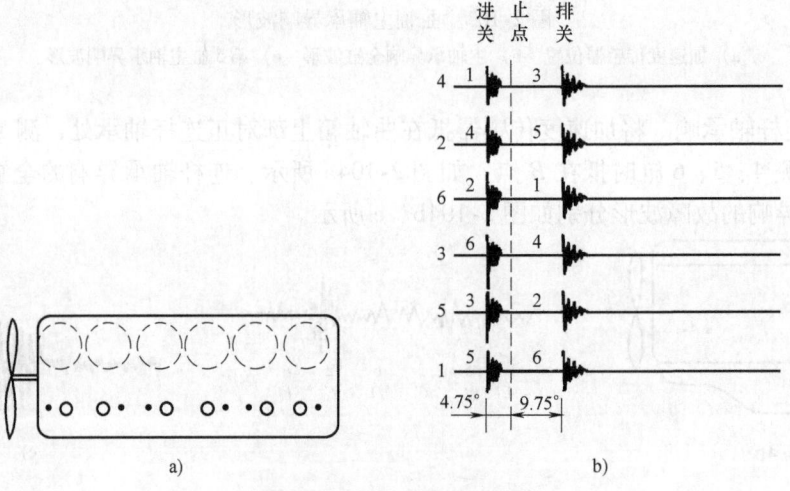

图 2-107 气门落座响波形

a) 加速度传感器位置 b) 气门落座波形及位置

练习与思考题

一、填空题

1. 4 线制节气门位置传感器，一根是计算机向传感器送出一个稳定的 5V 基准电压信号，另一根线是传感器到计算机的_____，第三根是这两个器件之间的_____，第四根接在_____上。

2. 根据不同测量原理与结构，空气流量计主要有_____、_____、_____、_____和_____。

3. 进气压力传感器都是 3 线的，一根_____线，一根_____线，一根_____线。

4. 检测磁感应式曲轴位置传感器是否良好，应检查磁感应线圈_____与_____。

5. 用万用表电阻档测量喷油器线圈的电阻值，喷油器按阻值可分为低阻和高阻两种，低阻_____Ω，高阻_____Ω。

6. 在部分车型上的叶片式空气流量计，装有_____控制开关，用来控制燃油泵电路。

7. 进气温度传感器随着进气温度的增高，其热敏电阻的阻值_____。
8. 在检测爆燃传感器中，用_____检测传感器端子与传感器壳体之间的电阻应_____，否则说明内部短路。
9. 采用普通方式调取丰田车系故障码时，是用专用跨接线短接故障诊断插座上的_____、_____端子。

二、问答题
1. 简述电喷发动机的综合故障诊断步骤。
2. 简述卡门涡旋式空气流量计及线路的在线检测方法。
3. 简述进气歧管压力传感器的检测方法。
4. 简述曲轴位置传感器的作用、故障现象及检测。
5. 简述对于燃油系统的检修注意事项。
6. 简述节气门位置传感器的检测方法步骤。
7. 简述怠速控制阀的检测方法。
8. 简述电喷发动机不能起动故障诊断程序。
9. 简述发动机加速不良故障诊断程序。
10. 简述有分电器电子点火系统的故障诊断与排除方法。
11. 简述机油压力过高的故障原因及诊断与排除方法。
12. 简述冷却系统温度过高的故障原因及诊断与排除方法。
13. 简述曲轴主轴承异响的故障原因及诊断与排除方法。
14. 如何检修汽油蒸发排放（EVAP）控制系统？
15. 如何检修喷油器及其控制电路？

第3章

汽车底盘故障诊断与检测

基本思路：

　　汽车底盘四大系统的检测方法各有不同，对传动系统、行驶系统和转向系统的检测主要是要把握力的传递路线，即力在传递过程中造成的故障；其次是电和液体的流动路线所出现的不正常现象。制动系统则根据其工作介质的不同而不同，气制动是检测气的流动过程所出现的情况，油制动是检测制动液的流动过程所出现的情况。另外，现代汽车底盘各系统升级都朝电控方向发展，对电控底盘的检测则以电的流动路线为基础来进行。所以对本章学习和研究的关键是要先根据各系统的工作特征采用适当的检测工具和设备进行检测，根据其参数对相关系统的故障进行分析和诊断。

▶▶▶ 3.1 传动系统故障诊断与排除

　　传动系统是汽车底盘的主要组成部分，一般由离合器、变速器、传动轴及转向节、驱动桥等组成。传动系统技术状况的不良将使发动机的动力性和燃料经济性变差并引起异响，而且对汽车操纵方便性也产生较大影响。因此，对汽车传动系统的故障应及时诊断与排除，确保传动系统有良好的技术状况。

☞ 3.1.1 离合器故障诊断与排除

　　离合器出现故障，汽车的表观现象主要有以下几种情况：
　　① 汽车不能起步或起步困难。
　　② 汽车加速性能差。
　　③ 汽车重载、爬坡或行驶阻力大时，会嗅到焦臭味。
　　④ 汽车起步时，将离合器踏到底仍感到挂档困难，即使强行挂入，但未抬离合器踏板，车就往前移或熄火。
　　⑤ 汽车在行驶时换档困难，且变速器齿轮有撞击声。
　　⑥ 汽车起步时，车身发生振抖。
　　⑦ 离合器在结合和分离或汽车起步时均发生不正常的响声。

离合器结构与组成如图 3-1 所示。汽车在路况复杂的道路上行驶时，需要不断地换档，不可避免需经常使离合器分离和结合，因此随着汽车行驶里程的增加离合器的技术状况会逐渐变差。离合器常见的故障有离合器打滑、分离不彻底、发抖和异响等。

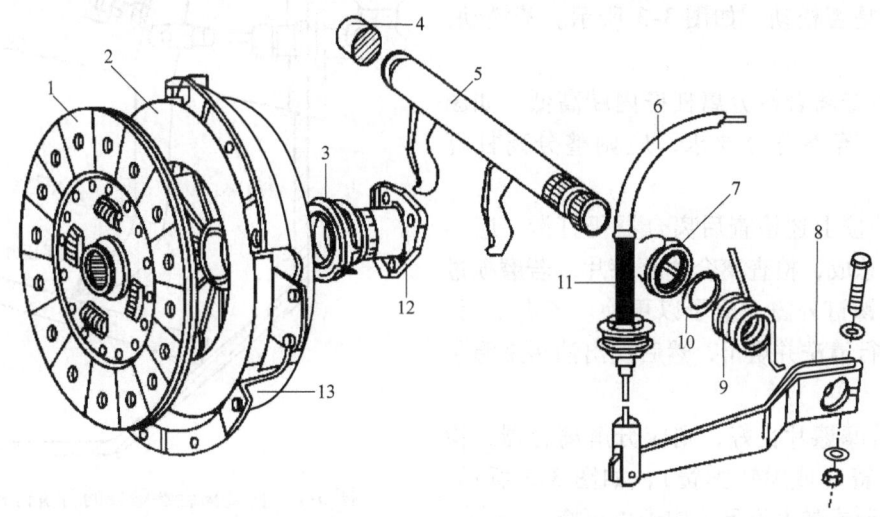

图 3-1　轿车离合器的组成

1—从动盘　2—膜片弹簧-压盘组　3—分离轴承　4—衬套　5—分离轴　6—离合器拉索
7—轴承套及密封件　8—分离轴传动杆　9—复位弹簧　10—卡簧
11—橡胶防尘套与轴承衬套　12—分离套筒　13—离合器盖

1. 离合器打滑

（1）故障现象　离合器打滑是指离合器结合时，从动盘摩擦片在压盘与飞轮之间滑转的现象。离合器打滑故障现象主要表现为以下几点：

1）汽车起步时，完全松开离合器踏板，汽车仍不能行走。

2）汽车加速时，车速不能随发动机转速的升高而升高，感到行驶无力。

3）汽车重载上坡行驶打滑明显，深感动力不足，严重时可闻到离合器摩擦片的焦臭味。

4）发动机过热，燃油消耗增加。

（2）故障原因　离合器打滑的根本原因是压盘不能牢固地压在从动盘摩擦片上或摩擦片与压盘与飞轮之间的摩擦因数过小，造成离合器摩擦转矩不足。其具体原因如下：

1）离合器踏板自由行程太小或没有。

2）摩擦片有油污、硬化、烧蚀、严重磨损和铆钉外露。

3）压紧弹簧或膜片弹簧过软或折断。

4）离合器压盘磨损过薄或变形。

5）离合器盖与飞轮的连接螺栓松动。

（3）故障诊断与排除

1）拉紧驻车制动器，挂上低速档，慢慢放松离合器踏板，徐徐踩下加速踏板，若汽车不动，发动机仍继续运转而不熄火，说明离合器打滑。

2）拉紧驻车制动器，挂上低速档，用手摇柄能摇转发动机，说明离合器打滑。

3)检查离合器踏板自由行程,如图 3-2 所示。若不符合要求,应予以调整。

4)若离合器踏板自由行程符合要求,拆下离合器壳底盖,检查离合器盖与飞轮之间的连接螺栓是否松动,如图 3-3 所示。若松动,予以紧固。

5)检查离合器分离杠杆内端高低,如图 3-4 所示。若不符合要求,应调整分离杠杆高度。

6)若按上述检查后离合器仍打滑,应拆下离合器总成,检查离合器摩擦片,若磨损过度变薄或铆钉外露,应予以更换。若有油污,用汽油进行清洗并烘干,然后找出油污来源予以排除。

7)若摩擦片良好,则应分解离合器,检查压紧弹簧(或膜片弹簧),如图 3-5 所示。若弹簧变形或弹力不足,应予以更换。

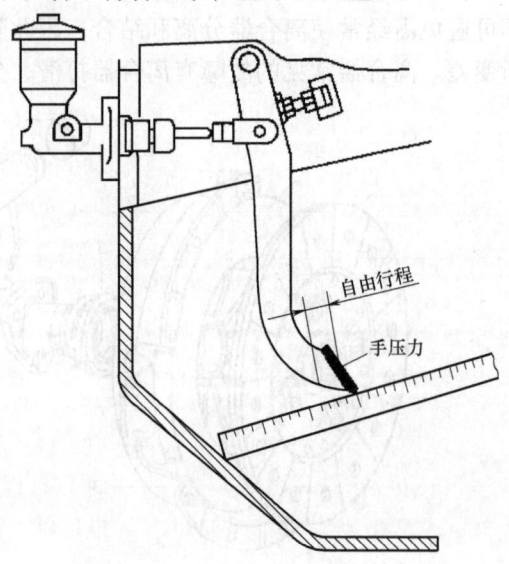

图 3-2 检查离合器踏板的自由行程

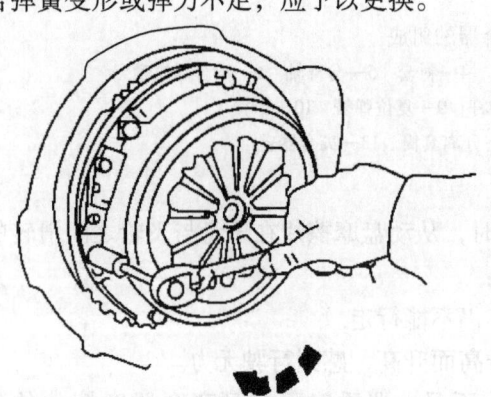

图 3-3 检查离合器盖与飞轮连接螺栓

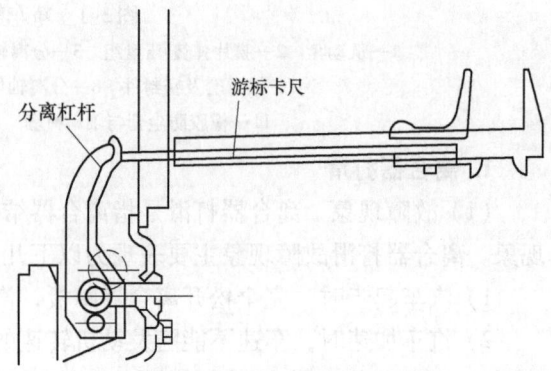

图 3-4 测量分离杠杆内端高度

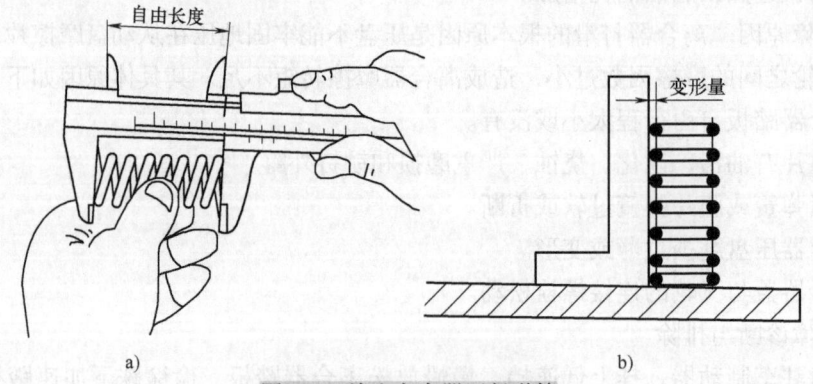

图 3-5 检查离合器压紧弹簧
a)测量弹簧自由长度 b)测量弹簧变形量

8）如图3-6所示，检查离合器压盘或发动机飞轮表面的变形和磨损情况。若变形量过大，应予以修理或更换。

2. 离合器分离不彻底

（1）故障现象　离合器分离不彻底是指离合器踏板踩到底时，离合器处于半结合状态，其从动盘没有完全与主动盘分离的现象。离合器分离不彻底故障现象主要表现为以下几点：

1）汽车起步时，将离合器踏板踏到底仍感挂档困难，强行挂入档后，但未抬起踏板，汽车就向前驶动或造成发动机熄灭。

2）变速时挂档困难或挂不进档位，同时变速器内发出齿轮撞击声。

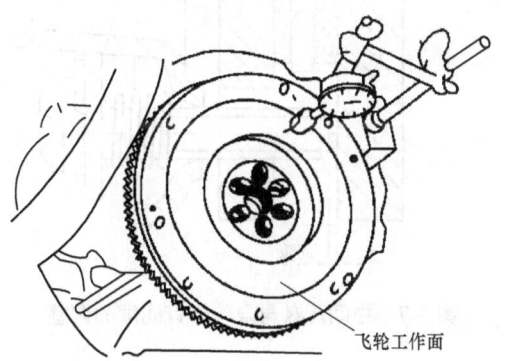

图3-6　检查飞轮表面的磨损情况

（2）故障原因　离合器分离不彻底的根本原因是离合器踏板踩到底时，其压盘离开从动盘的移动量过小，或离合器主、从动件变形导致压盘与从动盘摩擦片有所接触不能分离。其具体原因如下：

1）离合器踏板的自由行程太大。

2）从动盘翘曲，铆钉松脱或新换的摩擦片过厚。

3）分离杠杆（或膜片弹簧）内端面不在同一平面内。

4）压紧弹簧弹性不一、个别折断或膜片弹簧变形、裂损。

5）压盘或飞轮端面翘曲变形。

6）从动盘花键孔与变速器输入轴花键齿锈蚀或有油污，使从动盘移动困难。

7）液压操纵式离合器操纵系统液体漏油或混入空气。

8）从动盘方向装反。

9）双片离合器中间压盘调整不当。

（3）故障诊断与排除

1）将变速杆置于空档位，踏下离合器踏板，用螺钉旋具推动离合器从动盘，若推不动说明离合器分不开。

2）检查离合器踏板自由行程，若自由行程过大，应调整。

3）若自由行程符合要求，应拆下离合器壳底盖，检查分离杠杆内端高低是否一致，若不一致，应调整。

4）对于双片离合器，应检查限位螺钉与中间压盘的间隙，如图3-7所示。若不符合要求，予以调整。

5）对于膜片式离合器，检查膜片弹簧内端是否过软、磨损过甚或折断，如图3-8所示。若不符合要求，应更换。

6）若属于新换摩擦片过厚，可在离合器与飞轮间增加适当厚度的垫片予以调整，但各垫片厚度及内、外径应一致。

7）上述检查调整后仍无效，应将离合器拆下，检查从动盘是否装反。从动盘的安装方向如图3-9所示。若装反，应重新组装。

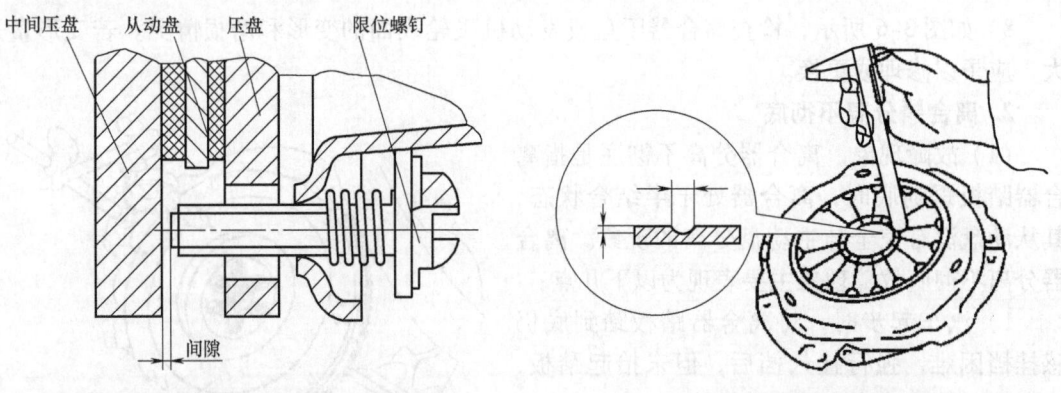

图 3-7 中间压盘与限位螺钉间隙的调整　　图 3-8 检查膜片弹簧内端

8）检查从动盘在变速器输入轴花键齿上移动是否灵活。若发涩，应清除油污和锈蚀。检查从动盘有无铆钉松脱和翘曲变形，若不符合要求，应予以更换。

9）若经上述检查调整后仍然无效，应分解离合器总成，分别检查离合器压紧弹簧（或膜片弹簧）、离合器压盘和发动机飞轮表面以及其他有关零件，视情况修理或更换。

10）对于液压操纵式离合器，离合器总成经检查调整后仍无效，应检查操纵系统有无漏油现象，并对液压操纵系统进行排空气，如图 3-10 所示。

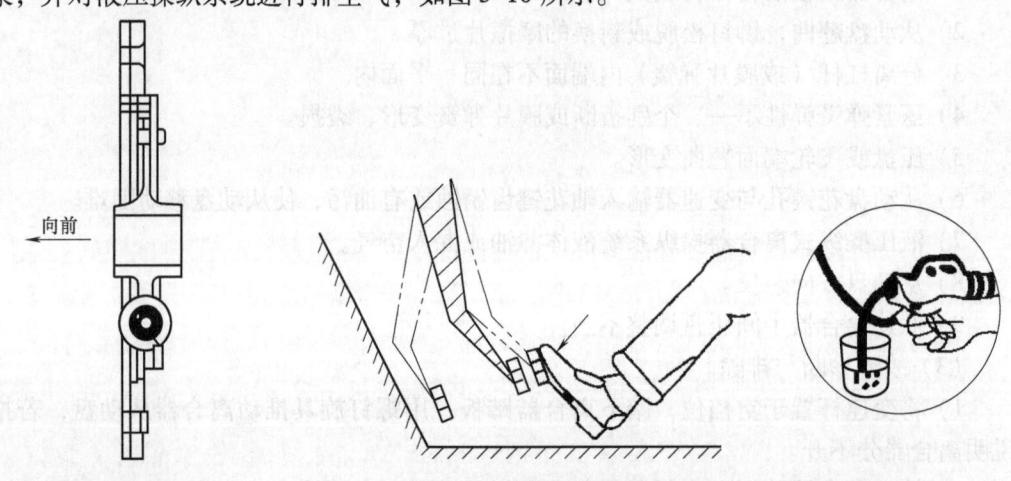

图 3-9 检查从动盘安装方向　　图 3-10 排出液压操纵式离合器操纵系统中的空气

3. 离合器起步发抖

（1）故障现象　离合器起步发抖是指汽车在起步过程中，缓抬离合器踏板，轻踩加速踏板，离合器结合时出现的振抖现象。其表现为按正常操作使汽车起步时，离合器不能平稳结合，伴有轻微冲撞，严重时车身明显抖动。

（2）故障原因　离合器起步发抖的根本原因是从动盘摩擦片表面与压盘表面、飞轮接触面之间正压力分布不均，在同一平面内接触时间不同，使主、从动盘接触不平顺引起发抖。其具体原因如下：

1）分离杠杆（或膜片弹簧）内端高度不在同一平面内。

2）从动盘或压盘翘曲变形，飞轮工作端面的圆跳动大。

3）从动盘破裂、变形、有油污或铆钉外露。

4）压紧弹簧弹力不均，个别弹簧疲劳或折断，膜片式离合器膜片弹簧疲劳或开裂。

5）从动盘花键孔与变速器输入轴花键齿之间磨损松旷，从动盘摇摆。

6）扭转减振器弹簧弹力不足或失效。

7）发动机支架、变速器、飞轮、飞轮壳等固定螺栓松动。

8）分离轴承套筒与导管油污或锈蚀，使分离轴承不能复位。

（3）故障诊断与排除

1）检查变速器、飞轮壳及发动机支架等固定螺栓是否松动。若有松动应予以紧固。

2）连续踏、抬离合器踏板，检查分离轴承移动是否灵活。若发涩，表明分离轴承套筒与导管间锈蚀或有油污，应进行清洁。

3）拆下离合器壳底盖，检查离合器盖与飞轮的连接螺栓是否松动，若松动，应予以紧固。

4）若故障仍未排除，应检查分离杠杆（或膜片弹簧）内端高度是否一致，若不一致应予调整或更换。

5）经上述检查后故障依在，应将离合器拆下，检查离合器从动盘摩擦片是否破裂、变形、油污和铆钉外露，以及从动盘花键孔与变速器输入轴花键齿的配合情况，如图3-11所示。视情况予以修理或更换。

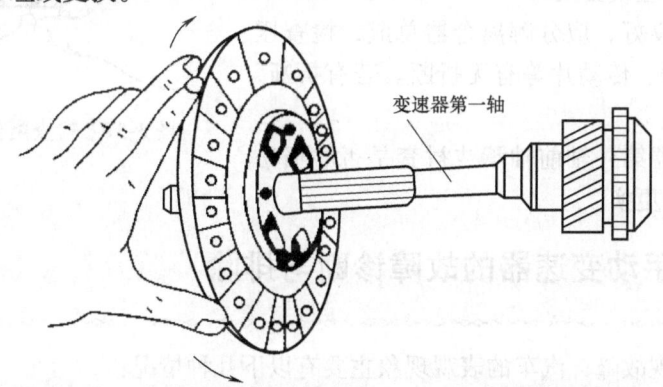

图3-11 检查变速器第一轴花键齿与从动盘花键毂的配合间隙

6）若离合器从动盘良好，则应分解离合器，检查压紧弹簧（或膜片弹簧）和扭转减振器弹簧弹力、飞轮表面和压盘表面是否翘曲变形。若不符合要求，应予以修理或更换。

4. 离合器异响

（1）故障现象　离合器异响是指离合器结合或分离时发出不正常的响声。其表现为离合器变工况时出现间断或连续的比较清晰的响声。

（2）故障原因　离合器异响的根本原因在于离合器部分零件严重磨损及主、从动件传力部件松旷，在离合器主、从动件结合或分离的瞬间，由于惯性冲击的作用，在松旷处造成金属零件间不正常摩擦或撞击而产生异响。其具体原因如下：

1）离合器操纵机构连接部位松动。

2）分离拨叉或传动部分有卡滞现象。

3）离合器踏板无自由行程。

4）离合器分离轴承套筒与导管之间油污严重，或分离轴承复位弹簧与踏板复位弹簧疲劳、折断、脱离，使分离轴承复位不佳。

5）从动盘摩擦衬片破裂、铆钉松动或从动盘花键齿磨损松旷、花键毂铆钉松动、钢片破裂。

6）从动盘扭转减振器弹簧疲劳或折断。

7）双片离合器传动销与中间压盘和压盘的销孔磨损松旷。

8）变速器第一轴前轴承或衬套磨损松旷。

（3）故障诊断与排除

1）检查离合器操纵机构各连接部位的紧固件是否松动，若松动，应予以紧固。

2）连续踏、抬离合器踏板，检查分离拨叉和传动部分有无卡滞现象。若有卡滞现象，应予以排除。

3）检查离合器踏板自由行程，若不符合要求，予以调整。

4）若离合器踏板自由行程符合要求，将离合器拆下，检查分离轴承的技术状况，如图 3-12 所示。若转动不灵活或磨损松旷，应更换。

5）若分离轴承良好，应检查离合器摩擦片的技术状况，并视情修理或更换。

6）若从动盘良好，应分解离合器总成，检查压紧弹簧、减振弹簧、传动片等有无折断。若有折断，应予以更换。

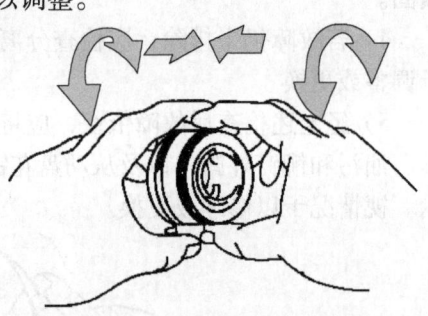

图 3-12　检查离合器分离轴承

7）检查变速器第一轴前轴承或衬套是否磨损松旷，若有，应予以更换。

3.1.2　手动变速器的故障诊断与排除

> 变速器出现故障，汽车的表观现象主要有以下几种情况：
> ① 变速器盖周边、壳体侧盖周边、加油口螺塞、放油口螺塞、第一轴回油螺纹、第二轴油封（或回油螺纹）或各轴承盖等处有明显漏油痕迹。
> ② 变速器齿轮的啮合声、轴承的运转等噪声很大。
> ③ 变速器发出干磨、撞击等不正常的响声。
> ④ 汽车在重载加速或爬越坡度时，变速器有时从某档位自动跳回到空档位置。
> ⑤ 在离合器彻底分离的情况下，挂不上档或摘不下档。
> ⑥ 有时要挂某档，结果却挂到别的档位上去了。

变速器在工作中由于负荷的作用，随着汽车行驶里程的增加，内部零件的磨损和变形也随之加大，导致相互配合关系变坏而引起一系列故障。变速器常见的故障有跳档、乱档、异响、漏油等。

1. 变速器跳档

（1）故障现象　汽车正常行驶中，变速杆自动跳至空档。此现象多发生在重载加速或爬坡时。

（2）故障原因　变速器跳档的根本原因是换档啮合副在传递动力时，产生的轴向推力大于自锁装置的锁止力与齿面摩擦力之和，导致啮合副脱离啮合位置；或变速器挂档时，啮合副未能全齿啮合，当汽车振动或变负荷行驶时，导致跳档。其具体原因如下：

1）变速器自锁装置失效，自锁钢球磨损严重，自锁凹槽磨损严重或沿轴向磨损成沟槽，自锁弹簧疲劳、折断。

2）换档拨叉及其叉轴变形或磨损严重。

3）锁销式惯性同步器的锁销松动、散架或定位弹簧弹力不足；锁环式同步器的锁环齿或锁环内锥面螺纹槽磨损过度。

4）相啮合的齿轮或齿套，在啮合部位沿齿长方向磨损成锥形。

5）滑动齿轮与轴的花键连接磨损严重，配合间隙过大。

6）变速器与离合器壳的固定螺栓松动或其接合面与曲轴轴线垂直度超过标准，使变速器第一、二轴、曲轴三者不在同一轴线上。

7）变速器各轴、常啮合齿轮的轴向间隙或径向间隙过大。

8）远距离操纵的变速器操纵机构调整不当。

（3）故障诊断与排除

1）检查远距离操纵的变速器操纵机构是否松动或失调。若有松动或失调，应予以修理或调整。

2）检查变速器与离合器壳的固定螺栓是否松动。若松动，予以调整。

3）若变速器与离合器壳固定螺栓不松动，应拆下变速器盖，检查齿轮轮齿、齿套是否磨损成锥形，并检查滑动齿轮与第二轴花键的配合情况，若磨损严重或配合松动，应更换损坏严重的零部件。

4）上述检查均正常，再检查变速杆、拨叉是否磨损、变形，拨叉紧固螺钉是否松动。应视情修复或更换。

5）若检查拨叉和变速杆均正常，则应检查拨叉轴自锁装置，其凹槽和自锁钢球是否磨损严重，弹簧有无变形、折断或疲劳变软。若凹槽和钢球磨损严重，弹簧不符合要求，应予以更换。

6）若上述检查均正常，应拆下变速器解体，检查轴承是否磨损严重、松旷，如图3-13所示。若轴承磨损严重、松旷，应予以更换。

7）检查齿轮与轴配合的轴向间隙和径向间隙，如图3-14所示。若超过规定值，应予以更换。

8）若齿轮与轴的配合正常，应检查同步器是否松动、散架，衬套和锥环是否磨损、破碎，如图3-15所示。若损坏，应更换同步器。

9）若仍未发现故障，则应检查变速器第一轴与发动机曲轴的同轴度是否超限。旋松变速器固定螺栓，挂上直接档，松开驻车制动器，用手摇柄摇转发动机，观察变速器与离合器壳的接触面是否一致。若接触面间隙一边大一边小，说明变速器第一轴与曲轴不同轴；若同轴度超限，应拆检飞轮壳承孔和变速器第一轴轴承盖、第一轴前轴承的磨损情况，若磨损过度，视情加以修复或更换。

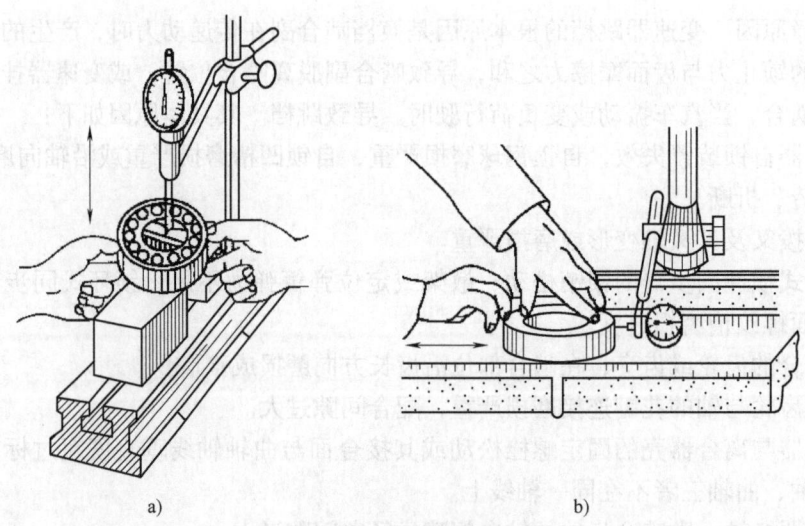

图 3-13 检查轴承
a）检查轴承轴向间隙　b）检查轴承径向间隙

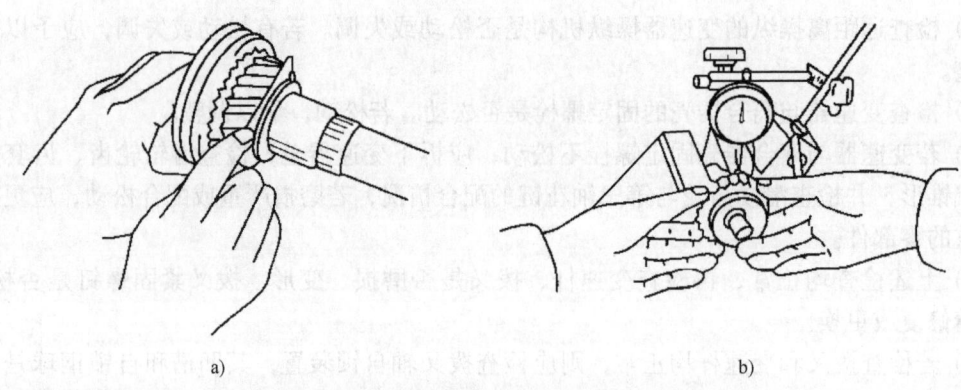

图 3-14 齿轮与轴配合的轴向间隙和径向间隙测量
a）检查轴向间隙　b）检查径向间隙

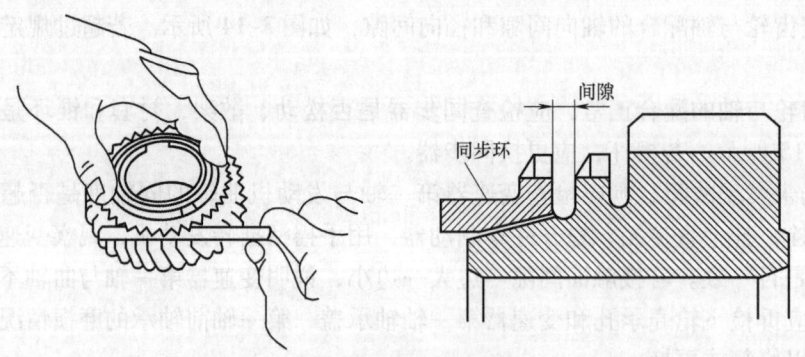

图 3-15 检查同步器

2. 变速器乱档

（1）故障现象

1）在离合器技术状况正常的情况下，汽车在起步挂档或行驶中换档时，挂不上所需档位；挂上档后不能退回空档档位。

2）挂入的档位与应该挂入的档位不相符。

3）一次同时挂入两个档位，无法传递发动机的动力。

（2）故障原因　变速器乱档的根本原因是由于变速器互锁装置磨损失效或操纵机构磨损而松旷。其具体原因如下：

1）互锁装置的凹槽、锁销、钢球磨损过度。

2）变速杆弯曲变形，变速杆球头磨损过大，限位销钉松旷或折断。

3）变速杆下端长度不足，下端工作面磨损过大或拨叉导块凹槽磨损过大。

4）第二轴前端滚针轴承烧结，使第一轴和第二轴连成一体。

5）变速器同步器损坏，同步器锁环卡在锥面上。

（3）故障诊断与排除

1）若变速杆能任意转动，表明其球头限位销磨短或脱落，或球面严重磨损，应予以修理或更换。

2）若变速器同时挂入两个档，第二轴卡住不转，应拆下变速器盖，检查变速器互锁装置。

3）若变速器不能挂入所需要的档位，挂档后不能退回空档，应拆下变速杆，检查变速杆下端弧形工作面和拨叉导块凹槽磨损是否过大，若磨损过大，应予以修理。

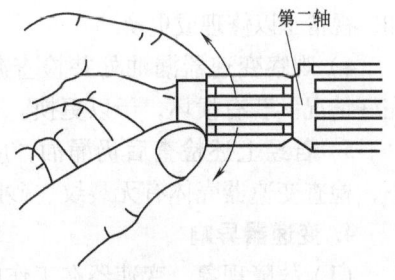

4）若只有直接档和空档能行驶，而其他档均不能行驶，则应拆下变速器检查第二轴前端滚针轴承是否烧结，如图3-16所示。若已烧结，应更换滚针轴承，并对支承的轴颈和轴孔做相应的修整。

图3-16　检查第二轴前端滚针轴承

5）若只有直接档能行驶，其他档均不能行驶，说明变速器中间轴前端常啮合齿轮的半圆键被切断，应更换新件。

6）拆检变速器同步器，如图3-17所示。视情更换同步器磨损严重的零部件。

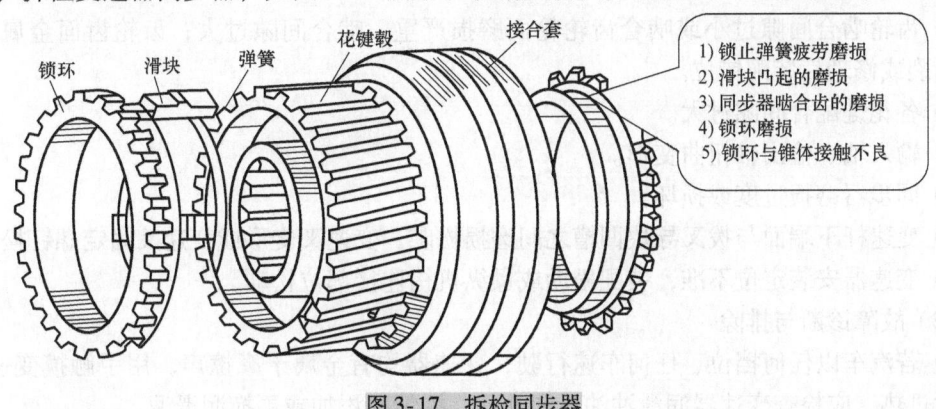

图3-17　拆检同步器

3. 变速器漏油

（1）故障现象　变速器盖、侧盖、轴承盖和一、二轴回油螺纹或油封处有明显漏油痕迹。

（2）故障原因

1）加注润滑油过多或通气孔堵塞使变速器内压力增加，造成各密封部位渗漏。

2）各结合面变形、加工粗糙或密封衬垫变形损坏。

3）变速器盖、轴承盖等处固定螺钉松动或拧紧顺序不符合要求。

4）加油、放油螺塞松动或螺纹损坏。

5）变速器壳体有铸造缺陷或裂纹。

6）油封装反或磨损、硬化，弹簧失效，油封轴颈与油封不同轴或轴颈磨出沟槽。

（3）故障诊断与排除

1）检查各紧固螺钉是否松动。若松动，加以紧固。

2）检查变速器润滑油量是否过多，若过多，应按规定放出多余的润滑油。检查通气孔是否堵塞，如图 3-18 所示。若堵塞，予以疏通。

3）检查加油螺塞、放油螺塞是否松动、滑扣，如图 3-18 所示。若松动，予以紧固；若滑扣，视情予以修理或更换。

4）观察变速器漏油处并检查漏油处油封的完好情况。若有损坏，予以更换。

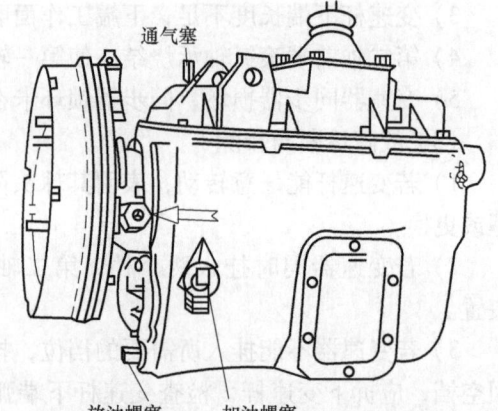

图 3-18　检查通气塞、加油螺塞及放油螺塞

5）若经上述检查后仍漏油，应将变速器拆下，检查变速器壳体有无裂纹、砂眼、气孔等。若有，予以修理或更换。

4. 变速器异响

（1）故障现象　变速器在工作中发出撞击、干磨等不正常的响声。

（2）故障原因　变速器异响的根本原因是由于轴承磨损松旷和齿轮啮合失常或润滑不良所致。其具体原因如下：

1）变速器润滑油不足或油质变坏。

2）轴承磨损过度或损坏。

3）齿轮啮合间隙过小或啮合齿轮轮面磨损严重，啮合间隙过大；齿轮齿面金属剥落、轮齿断裂或修理后装配错位。

4）各花键配合间隙过大。

5）输入轴、输出轴扭曲变形。

6）同步器磨损过度或损坏。

7）变速杆下端面与拨叉导块凹槽之间磨损松旷；变速叉变形或变速叉固定螺钉松动。

8）变速器安装定位不准，装配松动或操纵机构连接部位松动。

（3）故障诊断与排除

1）若汽车以任何档位、任何车速行驶，变速器均有金属干摩擦声，用手触摸变速器外壳感觉过热，应检查变速器润滑油油量和油质，视情况添加或更换润滑油。

2）发动机怠速运转时，若变速器空档有异响，而踩下离合器踏板后响声消失，则应拆下变速器，检查第一轴后轴承和常啮合齿轮，如图 3-19 所示。若零部件严重磨损或损坏，应予以更换。

3）汽车在起步或在换档过程踩离合器踏板的瞬间，变速器发出强烈的金属摩擦声，而在离合器完全结合后响声消失，应检查变速器第一轴前端轴承是否磨损松旷或损坏，如图 3-20 所示。若磨损松旷或损坏，应予以更换。

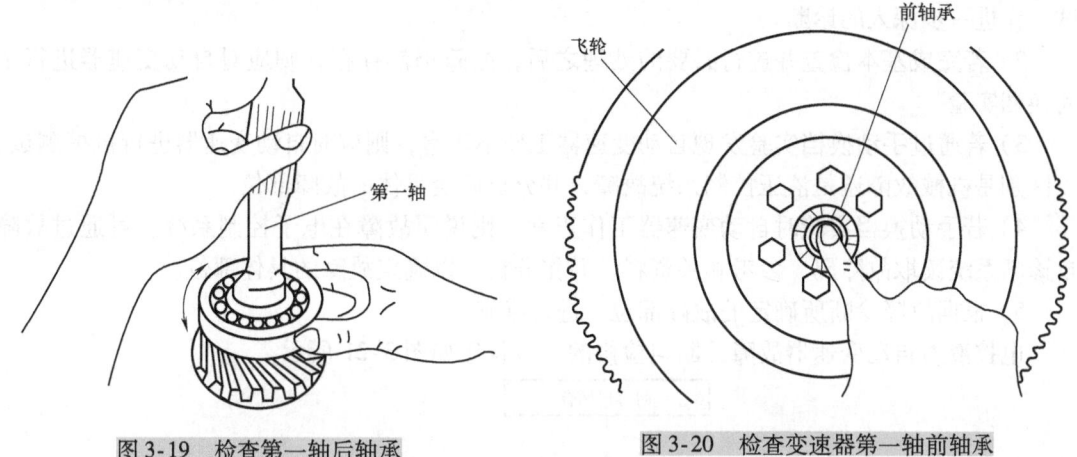

图 3-19　检查第一轴后轴承　　　　图 3-20　检查变速器第一轴前轴承

4）若空档滑行时无异响，变速杆置于某一档位起步，或在某一档位变速或匀速行驶时产生异响，应检查该档位齿轮或花键的啮合是否磨损松旷甚至损坏，或存在啮合间隙过小的情况。

5）若变速器在低速档行驶时有异响，而在高速度行驶时声响减弱或消失，空档滑行时可听到"哗哗"的异响声，应检查变速器第二轴后轴承的松旷程度。若过于松旷或损坏，应更换。

6）若变速器位于直接档行驶时无异响，而其他档行驶均有异响，应检查变速器中间轴轴承和第二轴前端轴承。若磨损松旷或损坏，应更换。

7）汽车在不平路面上行驶时，变速杆摆动且出现无节奏的响声，用手把住变速杆手柄时，响声消失。此时应检查变速叉有无变形或固定螺钉松动；变速叉、拨叉导块凹槽或变速杆下端工作面是否磨损过度。若有松动或磨损过大，应修复或更换。

8）若在挂档或换档时，发出"嘎嘎"声并伴有换档困难的现象，应检查同步器锥环是否磨损严重。若磨损过大，应更换。

9）变速器在各档行驶均有异响，且加速时响声更为明显，则应分解变速器，检查变速器壳体、轴、齿轮、花键和轴承等是否严重磨损或变形，必要时进行修理或更换。

3.1.3　电控液力自动变速器的故障诊断与排除

电控液力自动变速器通常由液力变矩器、齿轮变速系统、液压控制系统、电子控制系统及换档执行器组成。电控液力自动变速器故障的诊断与排除，是运用各种检测设备和故障诊断方法，按照规定的程序和步骤，对自动变速器各系统及机构进行测试，根据故障现象和测试情况，结合自动变速器的具体结构原理和相关技术资料，对故障进行分析，确定故障原因及部位，然后对故障部位进行相应的调整、修理或更换。

当自动变速器出现故障后，一般按如下程序和方法进行故障诊断：

1）对自动变速器进行基本检查，并加以必要的处理。

基本检查是对自动变速器油（Automatic Transmission Fluid，ATF）的油量和品质、发动机怠速、档位开关、变速杆位置、节气门拉索及其他控制开关等的检查。通过基本检查发现问题，然后加以调整和处理，使问题得以简化。若故障依然存在，则需进行相关的性能测试，作进一步深入的诊断。

2）若完成基本检查并进行必要的处理之后，故障仍然存在，则应对自动变速器进行手动换档实验。

3）若通过手动换档实验发现自动变速器工作不正常，则应对自动变速器进行机械测试，以区别是机械故障还是液压控制系统故障，并分析确定具体的故障部位。

4）若手动换档实验时自动变速器工作正常，则说明故障在电子控制系统。可通过故障自诊断系统读取故障码，参考相关资料，并作分析，以确定故障的具体部位。

5）根据故障诊断所确定的故障部位，进行维修。

电控液力自动变速器故障诊断与检修的一般程序如图3-21所示。

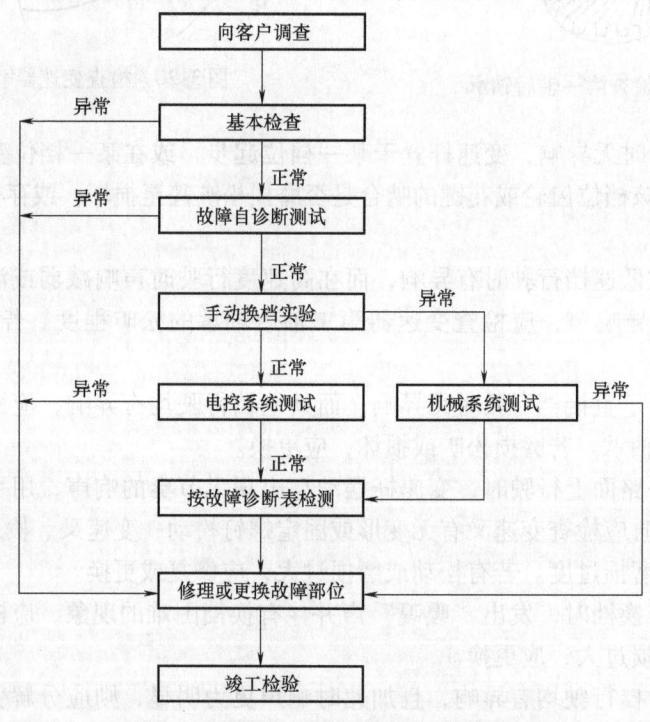

图3-21 自动变速器检修的一般程序框图

1. 自动变速器的基本检查与维护

自动变速器结构复杂，制造精度高，当出现故障和工作不正常时，盲目拆卸、分解往往找不出产生故障的真正原因，甚至造成自动变速器不应有的损坏。对于有故障的自动变速器，应先进行基本检查和性能测试，以缩小故障查找范围和确认故障部位，为进一步的分解修理提供依据。

自动变速器的基本检查与维护项目包括自动变速器油质及油面高度的检查、自动变速器油的更换、节气门拉索的检查与调整、发动机怠速的检查、变速杆位置的检查与调整、档位开关的检查、超速档开关及其他控制开关的检查等。

（1）ATF 的检查与更换

1）ATF 液面高度的检查。ATF 液面高度过高会导致主油压过高，从而出现换档冲击振动、换档提前等故障；ATF 液面高度过高还会导致空气进入 ATF。如果 ATF 液面高度过低则又会导致主油压过低，从而出现换档滞后、离合器和制动器打滑等故障。

> ATF 液面高度检查的具体方法与步骤如下：
> ① 将车辆停放在水平地面上，并拉紧驻车制动。
> ② 让发动机怠速运转 1min 以上。
> ③ 踩住制动踏板，将变速杆拨至各档位上并在每个档位上停留几秒，使液力变矩器和所有换档执行元件中都充满液压油。最后将变速杆拨至 P 位或 N 位（遵照厂家规定）。
> ④ 从加油管内拔出 ATF 油尺，擦净后重新插入加油管再拔出，查看油尺上的油位。

ATF 液面应位于油尺两刻度之间。低温时油液的黏度大，运转时有较多的油液附着在行星齿轮等零件上，所以油面高度较低；高温时油液黏度小，容易流回油底壳，因而油面较高。因此，自动变速器处于冷态（即冷车刚刚起动，油液的温度较低，或为室温低于 25℃时），油液油面高度应在油尺刻线的下限（COOL）附近；如果自动变速器处于热态（如低速行驶 5min 以上，油液温度已达 70~80℃），油面高度应在油尺刻线的上限（HOT）附近，如图 3-22 所示。若油面高度过低，应继续向加油管内加入 ATF，直至油面高度符合规定为止。油位低的原因可能是漏油，这时应检查自动变速器箱体、油底壳与冷却器管路是否有泄漏，对泄漏部位进行密封。

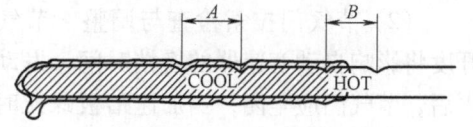

图 3-22　ATF 液面高度的检查

2）ATF 油质的检查。判断 ATF 品质可以从颜色、气味和是否含有杂质等方面考虑。

ATF 的正常颜色应为鲜亮、透明的红色，如果发黑则说明已经变质或有杂质，如果呈粉红色或白色则说明油冷却器进水。正常的 ATF 应该有类似新的机油的气味，若有烧焦味意味着执行元件打滑或自动变速器过热。如果 ATF 中有金属切屑，说明有元器件严重磨损或损伤。如果 ATF 中有胶质状油，说明 ATF 因油温过高或使用时间过长而变质。

检查 ATF 油质时，从油尺上闻一闻油液的气味，在手指上点少许油液，用手指互相摩擦看是否有颗粒，或将油尺上的油液滴在干净的白纸上，检查油液的颜色及气味。

3）ATF 的更换。定期地更换 ATF 和滤清器可在一定程度上减少自动变速器的故障。ATF 的更换频率取决于变速器的工作状态，一般轿车自动变速器每正常行驶 10 万~20 万 km（换油间隔里程各汽车公司有不同的规定）必须换一次油。换油时应采用车辆随车手册上推荐使用的 ATF。不适当的 ATF 会改变变速器的换档性能。注意，切勿用齿轮油或机油代替 ATF，否则将造成自动变速器的严重损坏。

> 更换 ATF 时可参照如下方法进行（具体应参照维修手册）：
> ① 车辆运行至自动变速器达到正常油温 70~80℃后停车熄火，升起车辆。
> ② 拆下自动变速器油底壳上的放油螺塞，使 ATF 全部流入油盆。对于无放油螺塞的自动变速器，应拧松所有油底壳螺栓，除 3 个外全都卸掉，先放出部分 ATF（注意防止烫伤），最后再拆下整个油底壳，放出全部 ATF。
> ③ 拆下油底壳，将油底壳清洗干净。有些自动变速器采用磁性放油螺塞或在油底壳内专门放置一块磁铁，以吸附铁屑，在清洗干净后应把其放回原位。
> ④ 拆下 ATF 散热器油管接头，用压缩空气将散热器的残余油液吹出，再装好油管接头。
> ⑤ 装好油底壳和放油螺塞。
> ⑥ 从自动变速器加油管中加入规定牌号的 ATF。
> ⑦ 放下汽车，起动发动机，拉上驻车制动器并踩住制动踏板，手动换档。
> ⑧ 检查并修正 ATF 油面高度。若不慎加油过多，可以打开放油螺塞修正；如无放油螺塞，可从加油管处往外吸。需注意的是油面如果高于规定的高度，切不可凑合使用。因为当油面过高时，行驶中油液被行星排剧烈地搅动，产生大量的泡沫。这些带有泡沫的 ATF 进入油泵和控制系统后，对自动变速器的工作极为不利。

一般自动变速器的总油量为 10L 左右，按上述方法换油时，变矩器内的 ATF 是无法放出的。若 ATF 严重变质，必须全部更换时，可先按上述方法换油，然后让汽车行驶约 5min 后再次换油。

（2）节气门拉索检查与调整　节气门的开度将影响自动变速器的换档时间，发动机熄火后，节气门应全闭，当加速踏板踩死时，节气门应全开。节气门拉索的索芯不应松弛，索套端和索芯上限位之间的距离应在 0~1mm 之间（图 3-23）。若节气门拉索调整不当，对于液力控制自动变速器来说，会导致换档时刻不正确，造成过早或过迟换档，使汽车加速性能

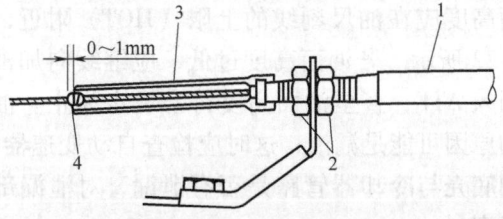

图 3-23　节气门拉索的调整
1—节气门拉索　2—固定螺母　3—防尘套　4—限位块

变差或产生换档冲击；对于电子控制自动变速器来说，会导致主油路压力异常，造成油压过低或过高，使换档执行元件打滑或产生换档冲击。

节气门拉索的调整步骤是：

1）推动加速踏板连杆，检查节气门是否全开，如节气门不全开，则应调整加速踏板连杆。

2）把加速踏板踩到底。

3）把调整螺母拧松。

4）调整节气门拉索。

5）拧动调整螺母，使橡皮套与拉索止动器间的距离为 0~1mm。

6）拧紧调整螺母。

7）重新检查调整情况。

（3）发动机怠速的检查　发动机怠速不正常，会使自动变速器工作不正常，如果怠速过高，会出现换档冲击等故障；如果怠速过低，则容易出现入档熄火现象。因此在对自动变速器做进一步的检查之前应先检查发动机的怠速是否正常。检查怠速时应将自动变速器变速杆置于 P 位或 N 位，具体数值应查看具体车型的维修手册，一般为 650~750r/min。

（4）变速杆位置的检查与调整　变速杆调整不当，会使变速杆的位置与自动变速器阀板中手动阀的实际位置不符，造成挂不进停车档或前进低档，或变速杆的位置与仪表板上档位指示灯的显示不符，甚至造成在空档或停车档时无法起动发动机。

变速杆位置的调整方法如下（图 3-24）：

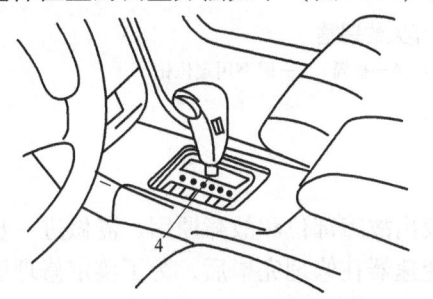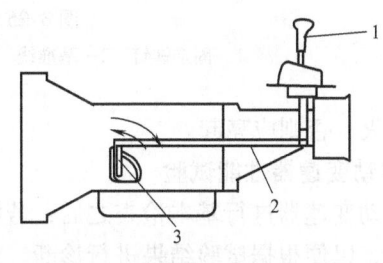

图 3-24　变速杆位置的调整

1—变速杆　2—连接杆　3—手动阀摇臂　4—空档位置

1）拆下变速杆与自动变速器手动阀摇臂之间的连接杆。

2）将变速杆拨至空档位置。

3）将手动阀摇臂向后拨至极限位置（停车档位置），然后再退回两格，使手动阀摇臂处于空档位置。

4）用力将变速杆靠向 R 位方向，然后连接并固定变速杆与手动阀摇臂之间的连接杆。

（5）档位开关的检查与调整　将变速杆拨至各个档位，检查档位指示灯与变速杆位置是否一致，P 位和 N 位时发动机能否起动，R 位时倒档灯是否亮起。若有异常，应调节空档起动开关螺栓和开关电路，具体方法如下：

1）松开档位开关的固定螺钉，将变速杆拨到 N 位。

2）将槽口对准空档基准线。有些自动变速器的档位开关外壳上刻有一条基准线，调整时应将基准线和手动阀摇臂轴上的槽口对齐，如图 3-25a 所示；也有一些自动变速器的档位开关上有一个定位孔，调整时应使摇臂上的定位孔和档位开关上的定位孔对准，如图 3-25b 所示。

（6）超速档（O/D 位）开关的检查　对部分车型而言，这项检验可确认自动变速器的超速档电控系统是否工作正常。检查时的自动变速器油温应处于正常状态（70~80℃），然后将发动机熄火，打开点火开关，按动超速档（O/D）控制开关，查听位于变速器内的相应电磁阀有无动作时发出的"咔嗒"声，如有"咔嗒"声，则说明被检自动变速器的超速档电控系统工作正常。当超速档开关置于 ON 位时，自动变速器应能升入超速档，这可通过道路试验来验证。当超速档开关置于 ON 位时，超速档指示灯（如丰田车系的 O/D OFF 指示

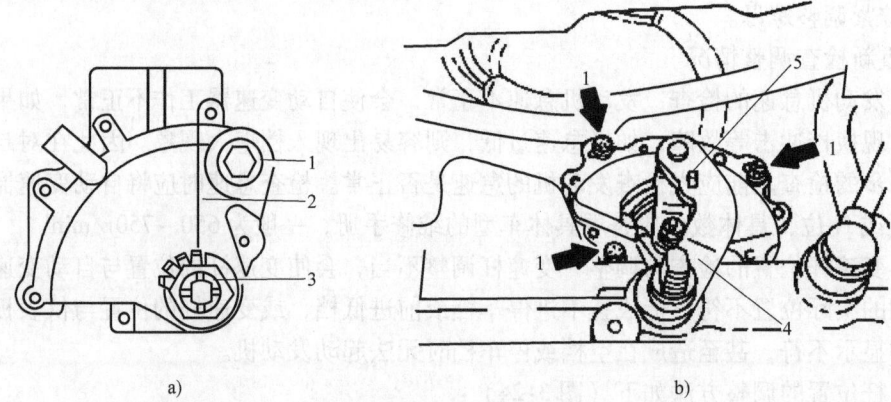

图 3-25 档位开关的调整

1—固定螺钉 2—基准线 3—槽口 4—摇臂 5—调整用定位销

灯）应熄灭，否则应亮起。

2. 自动变速器性能试验

对自动变速器进行基本检查之后，若没有找出故障部位和故障原因，需做进一步的性能测试试验，以便根据试验结果进行诊断。自动变速器在修理完毕后，为了鉴定修理质量，检验自动变速器的各项性能指标是否达到标准要求，也应进行全面的性能检查。自动变速器的性能测试项目主要包括失速试验、时滞试验、油压试验、道路试验和手动换档试验等。

（1）失速试验 自动变速器进行失速试验的目的是通过测试发动机在失速状态下能达到的最高转速，以检查发动机、变矩器和自动变速器执行元件的工作性能。

1）试验的准备工作。在进行失速试验之前，应做好以下准备工作：

① 使汽车行驶至发动机和自动变速器均达到正常工作温度。

② 检查汽车的行车制动和驻车制动，确认其性能良好。

③ 检查自动变速器液压油高度，应正常。

2）试验步骤（图 3-26）：

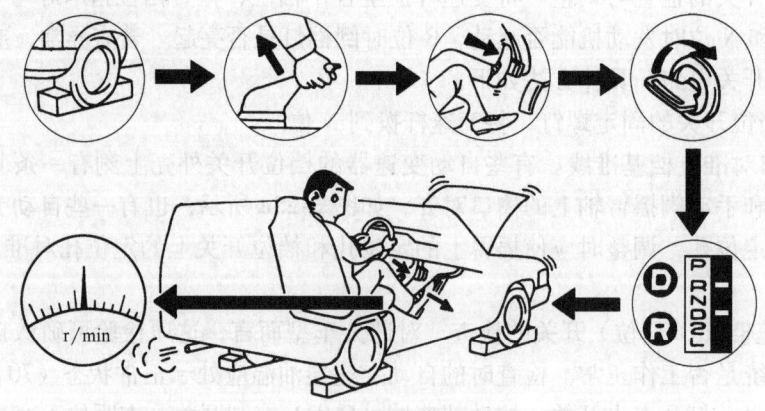

图 3-26 失速试验

① 将汽车停放在宽阔的水平地面上，前后车轮用三角木块塞住。

② 拉紧驻车制动器，左脚用力踩住制动踏板。
③ 起动发动机。
④ 将变速杆拨至 D 位。
⑤ 在左脚踩紧制动踏板的同时，用右脚将加速踏板踩到底，当发动机转速不再升高时，迅速读取此时的发动机转速。
⑥ 读取发动机转速后，立即松开加速踏板。
⑦ 将变速杆拨入 P 或 N 位，让发动机怠速运转 1min，以防止 ATF 因温度过高而变质。
⑧ 将变速杆拨入其他档位（R、S、L 或 2、1），做同样的试验。

在失速工况下，发动机的动力全部消耗在变矩器内自动变速器油的内部摩擦损失上，自动变速器油的温度急剧上升，因此在失速试验中，从加速踏板踩下到松开的整个过程的时间不得超过 5s，否则会使自动变速器油因温度过高而变质，甚至损坏密封圈零件。在一个档位的试验完成之后，不要立即进行下一个档位的试验，要等油温下降之后再进行。试验结束后不要立即熄火，应将变速杆拨入 N 位或 P 位，让发动机怠速运转几分钟，以便让自动变速器油温度降至正常。如果在试验中发现驱动轮因制动力不足而转动，应立即松开加速踏板，停止试验。

3）试验结果分析。不同车型的自动变速器都有其失速转速标准。大部分自动变速器的失速转速标准为 2300r/min 左右。若失速转速与标准值相符，说明自动变速器的油泵、主油路油压及各个换档执行元件的工作基本正常；若失速转速与标准值不相符，不同档位故障原因见表 3-1。

表 3-1　失速转速不正常原因

变速杆位置	失速转速	故障原因
所有位置	过高	主油路油压过低；前进档和倒档的换档执行元件打滑；低档及倒档制动器打滑
	过低	发动机动力不足；变矩器导轮的单向超越离合器
仅在 D 位	过高	前进档油路油压过低；前进档离合器打滑
仅在 R 位	过高	倒档油路油压过低；倒档及高档离合器打滑

（2）时滞试验　在发动机怠速运转时将变速杆从空档位（N）拨至前进档位（D）或倒车档位（R）后，需要有一段短暂时间的迟滞或延时才能使自动变速器完成档位的结合（此时汽车会产生一个轻微的振动），这一短暂的时间称为自动变速器换档的迟滞时间。时滞试验就是测出自动变速器换档的迟滞时间，根据迟滞时间的长短来判断主油路油压及换档执行元件的工作是否正常（图 3-27）。

1）试验的准备工作：
① 让汽车行驶，使发动机和自动变速器达到正常工作温度。
② 将汽车停放在水平地面上，拉紧驻车制动器。
③ 检查发动机怠速。如不正常，应按标准予以调整。

2）试验步骤：
① 将自动变速器变速杆从 N 位拨至 D 位，用秒表测量从拨动变速杆开始到感觉汽车振

动为止所需的时间,该时间称为 N-D 延时时间。

② 将变速杆拨至 N 位,让发动机怠速运转 1min 后,再做一次同样的试验。

③ 做 3 次试验,并取平均值。

④ 按上述方法,将操纵手柄由 N 位拨至 R 位,测量 N-R 延时时间。

3) 试验结果分析。一般自动变速器 N-D 延时时间小于 1.2s,N-R 延时时间小于 1.5s。若延时时间过长,说明自动变速器存在故障。其故障原因分析见表 3-2。

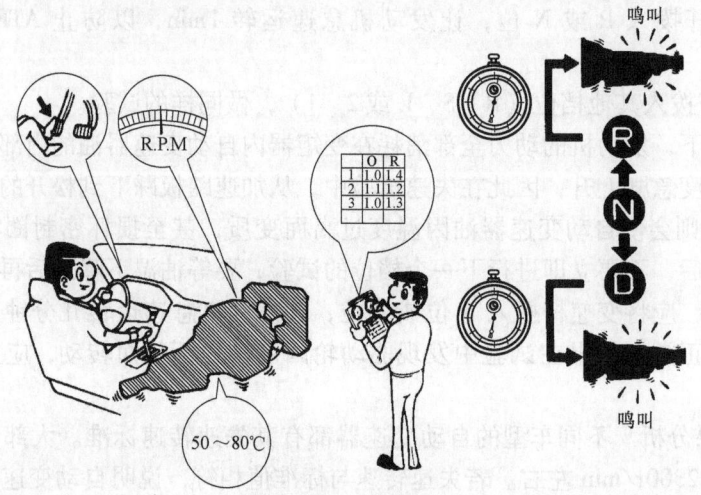

图 3-27 时滞试验

表 3-2 迟滞时间过长的原因分析

现　　象	故 障 原 因
变速杆从 N 位拨至 D 位滞后时间大于规定值	主油路油压过低;前进档离合器磨损过度;前进档单向离合器打滑
变速杆从 N 位拨至 R 位滞后时间大于规定值	主油路油压过低;倒档离合器磨损过度;低档及倒档制动器磨损过度;超速单向离合器打滑;超速离合器磨损

(3) 油压试验　油压试验是在自动变速器工作时,通过测量液压控制系统各油路的压力来判断液压控制系统及电子控制系统有关零部件的功能是否正常,为分析自动变速器的故障提供依据,以便有针对性地进行检修。控制系统的油压正常是自动变速器正常工作的先决条件,如果油压过高,会使自动变速器出现严重的换档冲击,甚至损坏控制系统;如果油压过低,会造成换档执行元件打滑,加剧其摩擦片的磨损,甚至使换档执行元件烧毁。

油压试验的内容取决于自动变速器的类型及测压孔的设置方式,图 3-28 所示为几种常见车型自动变速器测压孔位置。下面介绍一般车型自动变速器油压试验的主要内容和方法。

1) 主油路油压试验。

① 试验步骤如下:

a. 先预热发动机和自动变速器,使其达到正常的工作温度,然后熄火。

b. 在自动变速器主油压测试孔上连接油压表(量程 2MPa 左右,如图 3-29 所示)。

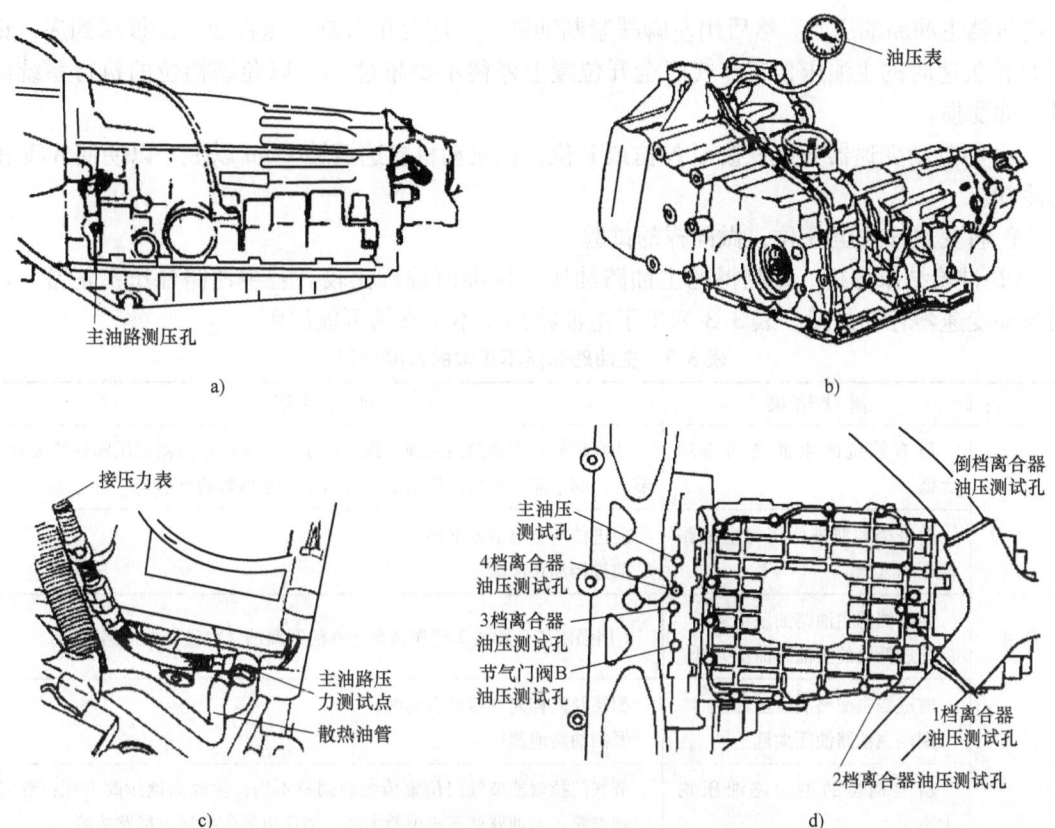

图 3-28 几种常见车型自动变速器测压孔位置
a) 丰田 A341、A342 测压孔位置 b) 通用 4T65E 测压孔位置
c) 奥迪 ZF4HP—18 测压孔位置 d) 本田 MPYA 测压孔位置

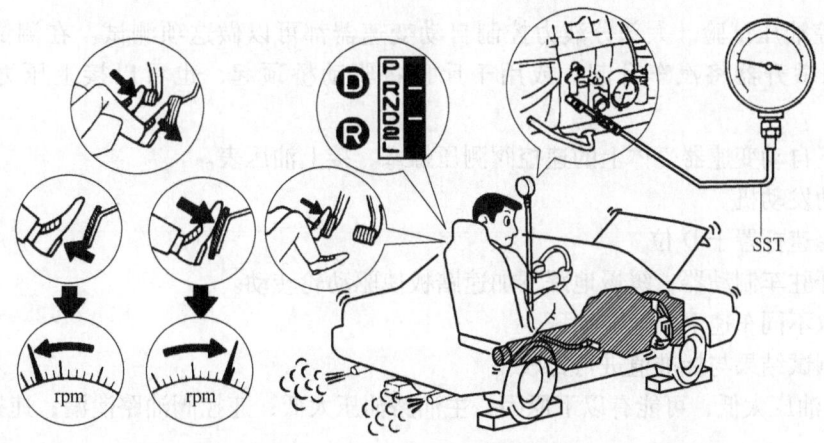

图 3-29 油压测试

c. 用三角木塞住全部车轮，拉紧驻车制动器，踩下制动踏板，然后起动发动机。

d. 在急速情况下，将自动变速器变速杆拨至 D 位，读取此时压力值（此为急速工况下的前进档主油路油压）。然后用左脚踩紧制动踏板，同时用右脚迅速将加速踏板踩到底，记下 D 位失速时的主油压，在节气门全开位置上停留不要超过 3s，以免该档位的执行系统因过载而受损。

e. 将自动变速器变速杆拨至 N 位或 P 位，让发动机急速运转 1min 以上，以便使 ATF 得到冷却。

f. 将变速杆拨至 R 位，做同样的试验。

② 试验结果分析。将测得的主油路油压与标准值进行比较。若主油路油压不正常，说明自动变速器存在故障。表 3-3 列出了主油路油压不正常的可能原因。

表 3-3 主油路油压不正常的可能原因

工况	测试结果	可能原因
急速	所有档位的主油路油压均太低	油泵故障；主油路调压阀卡死；主油路泄漏；主油路调压阀弹簧太软；节气门阀卡滞；节气门拉索或节气门位置传感器调整不当
	前进档和前进低档的主油路油压均太低	前进档离合器活塞漏油；前进档油路泄漏
	前进档的主油路油压正常；前进低档的主油路油压太低	1 档强制离合器或 2 档强制离合器活塞漏油；前进低档油路泄漏
	前进档主油路油压正常；倒档主油路油压太低	倒档及高档离合器活塞漏油；倒档油路泄漏
	所有档位的主油路油压均太高	节气门拉索或节气门位置传感器调整不当；主油路调压阀卡死；节气门阀卡滞；主油路调压阀弹簧太硬；油压电磁阀损坏或线路故障
失速	稍低于标准油压	节气门拉索或节气门位置传感器调整不当；油压电磁阀损坏或线路故障；主油路调压阀卡死或弹簧太软
	明显低于标准油压	油泵故障；主油路泄漏

2）速控油压试验。大部分液力控制自动变速器都可以做这项测试。在测试速控油压时，应当用举升器将汽车升起，或用千斤顶将驱动桥顶起，也可以接上压力表后进行路试。

① 拆下自动变速器壳体上的速控阀测压螺塞，接上油压表。

② 起动发动机。

③ 将变速杆置于 D 位。

④ 松开驻车制动器，缓慢地踩下加速踏板使驱动轮转动。

⑤ 读取不同车速下的速控油压。

⑥ 将测试结果与标准值进行比较。

若速控油压太低，可能有以下原因：主油路油压太低；速控阀油路泄漏；速控阀工作不正常。

3）油压电磁阀工作的测试。电子控制自动变速器常采用油压电磁阀控制主油路油压或减振器背压。这种自动变速器可以在油压试验中人为地向油压电磁阀施加电信号，同时，测量油路油压的变化，以检查油压电磁阀的工作是否正常。不同车型的电控自动变速器的油压电磁阀工作原理不完全相同，其检测方法也不一样。下面以雷克萨斯 LS400 轿车的 A341E 和 A342E 电控自动变速器为例，说明测试油压电磁阀工作的方法，其他车型可参考。

① 将油压表接至自动变速器减振器背压的测压孔。

② 对照电路图，找出自动变速器计算机插接器上油压电磁阀控制端的管脚，将一个 8W 灯泡的一脚与油压电磁阀控制端的管脚连接。

③ 将汽车停放在水平地面上，拉紧驻车制动器，并用三角木块将 4 个车轮塞住。

④ 起动发动机，检查并调整好发动机怠速。

⑤ 踩住制动踏板，将变速杆置于 D 位。

⑥ 读取此时的减振器背压，其值应大于 0。

⑦ 将连接油压电磁阀 8W 灯泡的另一脚搭铁，此时油压电磁阀将通电而开启。读出此时的减振器背压。

在油压电磁阀的管脚经 8W 灯泡搭铁时，油压电磁阀将通电开启，此时减振器背压应下降为 0。如有异常，说明油压电磁阀工作不良。

（4）道路试验　自动变速器的道路试验是分析、诊断自动变速器故障及检验修复后自动变速器工作性能和修理质量最有效的手段之一。道路试验是对汽车自动变速器性能的最终检验，检验内容侧重于换档点、换档冲击、振动、噪声和打滑等方面。

在道路试验之前，应确认汽车发动机以及底盘各个系统的技术状态完好，并且已经进行了基本检查。让汽车以中低速行驶 5~10min，使发动机和自动变速器都达到正常的工作温度（70~80℃）。

1）升档检查。将变速杆置于 D 位，踩下加速踏板，使节气门保持在 1/2 开度，使汽车加速行驶，检查自动变速器的升档情况。自动变速器在升档时发动机会有瞬时的转速下降，同时车身有轻微的闯动感。正常情况下，汽车起步后随着车速的升高，试车者应能感觉到自动变速器能顺利地由 1 档升入 2 档，随后再由 2 档升入 3 档，最后升入超速档。若自动变速器不能升入高档（3 档或超速档），说明控制系统或换档执行元件有故障。

2）升档车速的检查。将变速杆置于 D 位，踩下加速踏板，并使节气门保持在某一固定开度，让汽车起步并加速。当察觉到自动变速器升档时，记下升档车速。一般 4 档自动变速器在节气门开度保持在 1/2 时由 1 档升至 2 档的升档车速为 25~35km/h，由 2 档升至 3 档的升档车速为 55~70km/h，由 3 档升至 4 档（超速档）的升档车速为 90~120km/h。由于升档车速和节气门开度有很大的关系，即节气门开度不同时，升档车速也不同，而且不同车型的自动变速器各档位传动比的大小都不相同，其升档车速也不完全一样。因此，只要升档车速基本保持在上述范围内，而且汽车行驶中加速良好，无明显的换档冲击，都可认为其升档车速基本正常。若汽车行驶中加速无力，升档车速明显低于上述范围，说明升档车速过低（即过早升档）；若汽车行驶中有明显的换档冲击，升档车速明显示高于上述范围，说明升档车速过高（即太迟升档）。

一般汽车维修手册中都有自动变速器升档（或降档）车速标准表，但表中通常只列出了节气门全开或全关时的升档（或降档）车速。但在道路试验中，让汽车以节气门全开状态行驶，往往因道路条件的限制而无法实施，而且以节气门处于全开位置行驶也容易加剧自动变速器内摩擦零件的磨损，一般不宜采用。因此表中的数据只能作为参考。有些自动变速器维修手册中作出了该自动变速器的换档图,从换档图中可以得出不同节气门开度下自动变速器的升档车速。这可作为判断换档车速是否正确的标准。

由于降档时刻在行驶中不易察觉,因此在道路试验中一般无法检查自动变速器降档车速,只能通过检查升档车速来判断自动变速器有无故障。如有必要,还可检查在其他模式下或变速杆位于前进低档位置时的换档车速,并与标准值进行比较以作为判断故障的参考依据。

3) 换档质量的检查。换档质量的检查内容主要是检查有无换档冲击。正常的电控自动变速器的换档冲击应十分微弱。若换档冲击太大,说明自动变速器的控制系统或换档执行元件有故障,原因可能是油路油压高或换档执行元件打滑,应做进一步的检查。

4) 锁止离合器工作情况检查。自动变速器变矩器中的锁止离合器工作是否正常也可采用道路试验的方法进行检查。试验中,让汽车加速至超速档,以高于80km/h的车速行驶,并让节气门开度保持在低于1/2的位置,使变矩器进入锁止状态。此时,快速将加速踏板踩下至2/3开度,同时检查发动机转速的变化情况。若发动机转速没有太大的变化,说明锁止离合器处于结合状态;反之,若发动机转速升高很多,则表明锁止离合器没有结合(图3-30),其原因通常是锁止控制系统有故障。

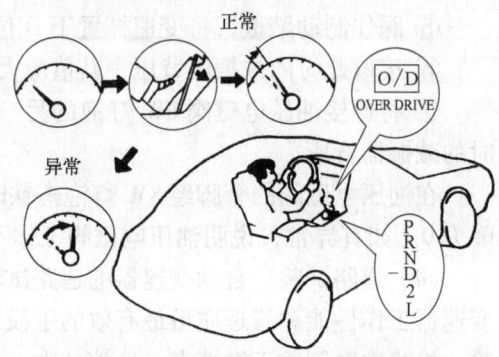

图 3-30 锁止离合器工作情况检查

5) 发动机制动作用的检查。检查自动变速器有无发动机制动作用时,应将变速杆拨至前进低档位(S、L或2、1)位置,在汽车以2档或1档行驶时,突然松开加速踏板,检查是否有发动机制动作用。若松开加速踏板后车速立即随之下降,说明有发动机制动作用;否则说明控制系统或前进强制离合器有故障。

6) 强制降档功能的检查。检查自动变速器强制降档功能时,应将变速杆拨至前进档(D位),保持节气门开度为1/3左右,在以2档、3档或超速档行驶时突然将加速踏板踩到底,检查自动变速器是否被强制降低一个档位。在强制降档时,发动机转速会突然上升至4000r/min左右,并随着加速升档,转速逐渐下降。若踩下加速踏板后没有出现强制降档,说明强制降档功能失效。若在强制降档时发动机转速升高反常,达5000~6000r/min,并在升档时出现换档冲击,则说明换档执行元件打滑,应拆修自动变速器。

7) P位制动效果的检查。将汽车停在坡度大于9%的斜坡上,变速杆置于P位,松开驻车制动,检查机械闭锁爪的锁止效果。

(5) 手动换档试验　所谓手动换档试验就是将电控自动变速器所有换档电磁阀的线束插头全部脱开,此时ECU不能通过换档电磁阀来控制换档,自动变速器的换档取决于变速杆的位置。不同车型的电控自动变速器在脱开换档电磁阀线束插头后档位和变速杆位置的关系不完全相同。表3-4所示为丰田轿车电控自动变速器A140E、A240E、A340E、A341E、A442DE等手动换档时档位和变速杆位置的关系。

表 3-4　手动换档时变速杆位置与档位的关系

变速杆位置	P	R	N	D	2	L
档位	停车档	倒档	空档	超速档	3档	1档

手动换档试验的目的是确定故障存在的部位,区分故障是由机械、液压系统还是由电子控制系统引起的。手动换档试验应在读取故障码和完成自动变速器基本检查后进行。

手动换档试验的步骤如下:

1)脱开电子控制自动变速器的所有换档电磁阀线束插头。

2)起动发动机,将变速杆拨至不同位置,然后做道路试验(也可以将驱动轮悬空,进行台架试验)。

3)观察发动机转速和车速的对应关系,以判断自动变速器所处的档位。不同档位时发动机转速与车速的关系可参考表3-5。由于变矩器的减速作用与传递的转矩有关,因此表中车速只能作为参考,实际车速将随着行驶中节气门开度的不同而产生一定的变化。

4)若变速杆位于不同位置时,自动变速器所处的档位与表3-5相同,说明电子控制自动变速器的阀板及换档执行元件基本上工作正常。否则,说明自动变速器的阀板或换档执行元件有故障。

5)试验结束后,接上电磁阀线束插头。

6)清除计算机中的故障码,防止因脱开电磁阀线束插头而产生的故障码保存在计算机中,影响自动变速器的故障自诊断工作。

表3-5　自动变速器不同档位时发动机转速和车速的关系

档 位	发动机转速/(r/min)	车速/(km/h)	档 位	发动机转速/(r/min)	车速/(km/h)
1档	2000	18~22	3档	2000	50~55
2档	2000	34~38	超速档	2000	70~75

3. 自动变速器的故障自诊断

电控自动变速器的电控单元内部设有故障自诊断系统,它能在汽车行驶过程中不断监测自动变速器电控系统的故障,并将故障以代码的形式记录在电控单元内。维修人员可按特定的方法将故障码从电控单元中读取,为检修自动变速器控制系统提供依据。

自动变速器电控系统出现故障,一般故障指示灯(MIL)会点亮,不同车系点亮的方式不同,具体情况见表3-6。

表3-6　自动变速器故障指示灯的点亮

车　　系	故障指示灯点亮方式
丰田(TOYOTA)	O/D OFF 指示灯点亮
本田(HONDA)	D4 指示灯点亮
日产(NISSAN)	POWER 指示灯点亮
通用(GM)	SERVICE ENGINE SOON 指示灯点亮
宝马(BMW)	在信息区出现 TRANS PROGRAM 且档位指示灯不亮
奥迪(AUDI)	P、R、N、D、3、2、1 指示灯全亮

自动变速器的自诊断系统指示有故障之后,维修人员一般采取读取故障码、按故障码的提示进行检查及修理、清除故障码的步骤进行维修。

自动变速器电控系统出现故障，既可利用汽车故障诊断仪读取故障码，也可进行人工读码（目前很少采用）。

（1）人工读取和清除故障码　人工读取故障码就是利用跨接线短接故障诊断座的相应端子，从而激发仪表板上的故障指示灯闪烁，再根据故障指示灯闪烁时间的长短和次数来读取故障码。不同的车型读码的方法不同，下面以丰田车系为例介绍自动变速器故障码的人工读取和清除方法。

1）读取故障码：

① 打开点火开关，但不起动发动机。

② 检查超速档开关，使之处于 ON 位置。

丰田轿车以仪表板上的 O/D OFF 指示灯作为自动变速器故障指示灯。若超速档开关置于 ON 位置时，打开点火开关或汽车行驶中 O/D OFF 指示灯常亮，说明自动变速器电控系统有故障。

③ 用导线跨接驾驶室内 TDCL 或发动机室内检查插接器的 TE1 和 E1 端子。

④ 根据自动变速器故障指示灯的闪烁读出故障码。

若自动变速器电控系统工作正常，ECU 内没有故障码，则故障指示灯以 2 次/s 的频率连续闪烁，如图 3-31a 所示。

若自动变速器电控单元存在故障码，则故障指示灯以 1 次/s 的频率闪亮，并将两位数的故障码的十位和个位先后用故障指示灯闪烁的次数表示出来。如故障码为 42 时，故障指示灯先以 1 次/s 的频率闪烁 4 次，表示故障码的十位数为 4，然后停顿 1.5s，再以 1 次/s 的频率闪烁 2 次，表示故障码的个位数为 2，如图 3-31b 所示。

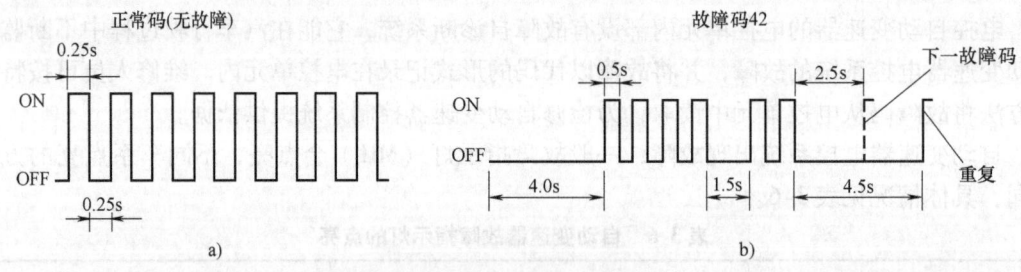

图 3-31　丰田故障码的显示

a) 无故障　b) 有故障

当电控单元内储存有多个代码时，控制单元则按故障码从小到大的顺序逐个闪示，相邻两个故障码之间间隔 2.5s。所有故障码显示完毕，停顿 4.5s 后再重新显示，如此反复，直到从故障诊断座拔下连接导线为止。表 3-7 为丰田 A341E、A342E 自动变速器故障码表。

⑤ 读取所有故障码后，从诊断座上拔下连接导线，关闭点火开关。

表 3-7　丰田 A341E、A342E 自动变速器故障码表

故障码	含义	故障部位
42	1 号车速传感器故障	1 号车速传感器；1 号车速传感器线束或插接器；ECU
46	4 号电磁阀短路或断路	4 号电磁阀；4 号电磁阀线束或插接器；ECU

(续)

故障码	含义	故障部位
61	2号车速传感器故障	2号车速传感器；2号车速传感器线束或插接器；ECU
62	1号电磁阀短路或断路	1号电磁阀；1号电磁阀线束或插接器；ECU
63	2号电磁阀短路或断路	2号电磁阀；2号电磁阀线束或插接器；ECU
64	3号电磁阀短路或断路	3号电磁阀；3号电磁阀线束或插接器；ECU
67	O/D档转速传感器故障	O/D档转速传感器；O/D档转速传感器线束或插接器；ECU
68	KD开关短路	KD开关；KD开关线束或插接器；ECU

2）清除故障码。故障排除之后，应清除ECU存储器中的故障码。方法是：在点火开关关闭的情况下，拔下EFI熔丝（15A）10s以上，如图3-32所示。具体的时间长短取决于环境温度，温度越低，取下熔丝的时间也要越长些。

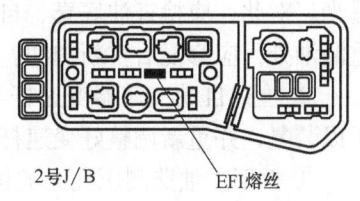

图3-32 丰田故障码清除

拆下蓄电池的搭铁线也可将故障码清除，但这会将ECU存储器中的其他信息也清除掉。将发动机与自动变速器ECU的线束插接器拔开，也可清除故障码。

消除故障码后，应进行路试，检查O/D OFF指示灯是否闪烁正常的代码。

(2) 仪器读取和清除故障码 目前很少采用人工方法读取故障码，各车系都有自己的专用故障诊断仪来读取和清除故障码，如图3-33所示大众/奥迪车系采用V.A.G1551/1552、V.A.S5051/5052，丰田车系采用INTELLIGENT高智能诊断仪，日产车系采用CONSULT Ⅱ诊断仪，通用车系采用TECH Ⅱ诊断仪，宝马车系采用GT1等。

4. 自动变速器常见故障的诊断与排除

自动变速器的常见故障主要为汽车不能行驶、自动变速器打滑、换档冲击过大、升档过迟、不能升档、无超速档、无前进档、无倒档、跳档、挂档后发动机易熄火、无发动机制动、不能强制降档、无锁止档、自动变速器油易变质、自动变速器异响等。导致自动变速器故障的原因很多，情况也比较复杂，可能是电子控制系统有故障或调整不当，也可能是油泵、液力变矩器、控制阀、换档执行元件等有故障。在诊断过程中，应先对电子控制系统进行检修，然后对相关部位进行相应调整，最后再进行分解检修，切忌盲目拆卸。

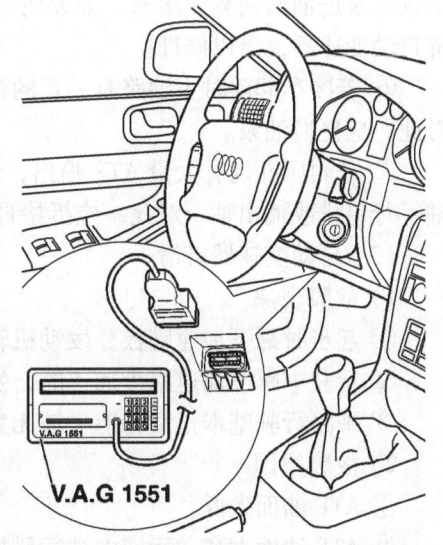

图3-33 故障诊断仪V.A.G1551的连接

(1) 汽车不能行驶

1) 故障现象

① 无论变速杆位于倒档位、前进档位或前进低档位，汽车都不能行驶。

② 冷车起动后汽车能行驶一小段路程，但热车状态下汽车不能行驶。

2) 故障原因

① 自动变速器油底壳渗漏，自动变速器油全部漏光。
② 变速杆和手动阀摇臂之间的连杆或拉索松脱，手动阀保持在空档或停车档位置。
③ 油泵进油滤网堵塞。
④ 主油路严重泄漏。
⑤ 油泵损坏。

3）故障诊断与排除

① 检查自动变速器内有无自动变速器油。其方法是：拔出自动变速器的油尺，观察油尺上有无自动变速器油。若油尺上没有自动变速器油，说明自动变速器内的自动变速器油已漏光。对此，应检查油底壳、自动变速器油散热器、油管等处有无破损而导致漏油。如有严重漏油处，应修复后重新加油。

② 检查自动变速器变速杆与手动阀摇臂之间的连杆或拉索有无松脱。如果有松脱，应予以装复，并重新调整好变速杆的位置。

③ 拆下主油路测压孔上的螺塞，起动发动机，将变速杆置于前进档位或倒档位，检查测压孔内有无液压油流出。

④ 若主油路侧压孔内没有 ATF 流出，应打开油底壳，检查手动阀摇臂轴与摇臂间有无松脱，手动阀阀芯有无折断或脱钩。若手动阀工作正常，则说明油泵损坏。对此，应拆卸分解自动变速器，更换油泵。

⑤ 若主油路测压孔内只有少量 ATF 流出，油压很低或基本上没有油压，应打开油底壳，检查油泵进油滤网有无堵塞。如无堵塞，说明油泵损坏或主油路严重泄漏，对此，应拆卸分解自动变速器，予以修理。

⑥ 若冷车起动时主油路有一定的油压，但热车后油压即明显下降，说明油泵磨损过甚。对此，应更换油泵。

⑦ 若测压孔内有大量 ATF 喷出，说明主油路油压正常，故障出在自动变速器中的输入轴、行星排或输出轴。对此，应拆检自动变速器。

(2) 自动变速器打滑

1）故障现象

① 起步时踩下加速踏板，发动机转速很快升高但车速升高缓慢。
② 行驶中踩下加速踏板加速时，发动机转速升高但车速没有很快提高。
③ 平路行驶基本正常，但上坡无力，且发动机转速很高。

2）故障原因

① ATF 油面太低。
② ATF 油面太高，运转中被行星排剧烈搅动后产生大量气泡。
③ 离合器或制动器摩擦片、制动带磨损过度或烧焦。
④ 油泵磨损过度或主油路泄漏，造成油路油压过低。
⑤ 单向离合器打滑。
⑥ 离合器或制动器活塞密封圈损坏，导致漏油。
⑦ 减振器活塞密封圈损坏，导致漏油。

3）故障诊断与排除

① 对于出现打滑现象的自动变速器，应先检查其 ATF 油面高度和品质。若油面过低或

过高，应先调整至正常后再做检查。若油面调整正常后自动变速器不再打滑，可不必拆修自动变速器。

② 检查 ATF 品质。若液压油呈棕黑色或有烧焦味，说明离合器或制动器的摩擦片或制动带有烧焦，应拆修自动变速器。

③ 做路试，以确定自动变速器是否打滑，并检查出现打滑的档位和打滑的程度。将变速杆拨入不同的位置，让汽车行驶。若自动变速器升至某一档位时发动机转速突然升高，但车速没有相应地提高，即说明该档位有打滑。打滑时发动机的转速愈容易升高，说明打滑愈严重。

> 根据出现打滑的规律，还可以判断产生打滑的是哪一个换档执行元件：
> a. 若自动变速器在所有前进档都有打滑现象，则为前进档离合器打滑。
> b. 若自动变速器在变速杆位于 D 位时的 1 档有打滑，而在变速杆位于 L 位或 1 位时的 1 档不打滑，则为前进单向离合器打滑。若不论变速杆位于 D 位或 L 位或 1 位时，1 档都有打滑现象，则为低档及倒档制动器打滑。
> c. 若自动变速器只在变速杆位于 D 位时的 2 档有打滑，而在变速杆位于 S 位或 2 位时的 2 档不打滑，则为 2 档单向离合器打滑。若不论变速杆位于 D 位或 S 位或 2 位时，2 档都有打滑现象，则为 2 档制动器打滑。
> d. 若自动变速器只在 3 档有打滑现象，则为倒档及高档离合器打滑。
> e. 若自动变速器只在超速档时有打滑现象，则为超速制动器打滑。
> f. 若自动变速器在倒档和高档时都有打滑现象，则为倒档及高档离合器打滑。
> g. 若自动变速器在倒档和 1 档时都有打滑现象，则为低档及倒档制动器打滑。

④ 对于有打滑故障的自动变速器，在拆卸分解之前，应先检查自动变速器的主油路油压，以找出造成自动变速器打滑的原因。自动变速器不论前进档或倒档均打滑，其原因往往是主油路油压过低。若主油路油压正常，则只要更换磨损或烧焦的摩擦元件即可。若主油路油压不正常，则在拆修自动变速器的过程中，应根据主油路油压，相应地对油泵或阀进行检修，并更换自动变速器的所有密封圈和密封环。

(3) 换档冲击大

1) 故障现象

① 在起步时，变速杆由停车档位或空档位换入倒档位或前进档位时，汽车振动较严重。

② 行驶中，在自动变速器升档的瞬间汽车有较明显的闯动。

2) 故障原因。导致自动变速器换档冲击大的故障原因很多，主要原因在于调整不当，机构零件性能下降或损坏，电子控制系统有故障，具体原因有：

① 发动机怠速过高。

② 节气门拉索或节气门位置传感器调整不当，使主油路油压过高。

③ 升档过迟。

④ 真空式节气门阀的真空软管破裂或松脱。

⑤ 主油路调压阀有故障，使主油路油压过高。
⑥ 减振器活塞卡住，不能起减振作用。
⑦ 单向阀钢球漏装，换档执行元件（离合器或制动器）结合过快。
⑧ 换档执行元件打滑。
⑨ 油压电磁阀不工作。
⑩ ECU 有故障。

3）故障诊断与排除。由于引起换档冲击的原因较多，因此，在诊断故障的过程中，必须循序渐进，对自动变速器的各个部分做认真的检查，一定要在全面检测的基础上，有针对性地进行分解修理，切不可盲目地拆修。总体而言，若是由于调整不当所造成的，只要稍作调整即可排除；若是自动变速器内部控制阀、减振器或换档执行元件有故障，应分解自动变速器，予以修理；若是电子控制系统有故障，应对电子控制系统进行检测，找出具体原因，加以排除。具体检查诊断与排除的步骤如下：

① 检查发动机怠速。装有自动变速器的汽车的发动机怠速一般为 750r/min 左右。若怠速过高，应按标准予以调整。

② 检查节气门拉索或节气门位置传感器的调整情况。如不符合标准，应重新予以调整。

③ 检查真空式节气门阀的真空软管。如有破裂，应更换；如有松脱，应重新连接。

④ 做道路试验。如果有升档过迟的现象，则说明换档冲击大的故障是升档过迟所致。如果在升档之前发动机转速异常升高，导致在升档的瞬间有较大的换档冲击，则说明离合器或制动器打滑，应分解自动变速器，予以修理。

⑤ 检测主油路油压。如果怠速时的主油路油压高，则说明主油路调压阀或节气门阀有故障，可能是调压弹簧的预紧力过大或阀芯卡滞所致；如果怠速时主油路油压正常，但起步挂档时有较大的冲击，则说明前进档离合器或倒档及高档离合器的进油单向阀阀球损坏或漏装。对此，应拆卸阀板，予以修理。

⑥ 检测换档时的主油路油压。在正常情况下，换档时的主油路油压会有瞬时的下降。如果换档时主油路油压没有下降，则说明减振器活塞卡滞。对此，应拆检阀板和减振器。

⑦ 电子控制自动变速器如果出现换档冲击过大的故障，应检查油压电磁阀的线路以及油压电磁阀工作是否正常、ECU 是否在换档的瞬间向油压电磁阀发出控制信号。如果线路有故障，应予以修复；如果电磁阀损坏，应更换电磁阀；如果 ECU 在换档的瞬间没有向油压电磁阀发出控制信号，说明 ECU 有故障，对此，应更换 ECU。

(4) 升档过迟

1）故障现象

① 在汽车行驶中，升档车速明显高于标准值，升档前发动机转速偏高。

② 必须采用松加速踏板提前升档的操作方法，才能使自动变速器升入高档或超速档。

2）故障原因

① 节气门拉索或节气门位置传感器调整不当。

② 节气门位置传感器损坏。

③ 调速器卡滞。

④ 调速器弹簧预紧力过大。

⑤ 调速器壳体螺栓松动或输出轴上的调速器进出油孔处的密封环磨损，导致调速器油

路泄漏。

⑥ 真空式节气门阀推杆调整不当。

⑦ 真空式节气门阀的真空软管破裂或真空膜片室漏气。

⑧ 主油路油压或节气门油压太高。

⑨ 强制降档开关短路。

⑩ ECU 或传感器有故障。

3) 故障诊断与排除

① 对于电子控制自动变速器，应先进行故障自诊断。如有故障码，则按所显示的故障码查找故障原因。

② 检查节气门拉索或节气门位置传感器的调整情况。如果不符合标准，应重新予以调整。

③ 测量节气门位置传感器的电阻。如果不符合标准，应予以更换。

④ 对于采用真空式节气门阀的自动变速器，应拔下真空式节气门阀上的真空软管，检查在发动机运转中真空软管内有无吸力。如果没有吸力，说明真空软管破裂、松脱或堵塞；对此，应予以修复。

⑤ 检查强制降档开关。如有短路，应予以修复或更换。

⑥ 测量怠速时的主油路油压，并与标准值进行比较。若油压太高，应通过节气门拉索或节气门位置传感器予以调整。采用真空式节气门阀的自动变速器，应采用缩短节气门阀推杆长度的方法，予以调整。若调整无效，应拆检主油路调压阀或节气门阀。

⑦ 用举升器将汽车升起，让驱动轮悬空，然后起动发动机，挂上前进档，让自动变速器运转，同时测量调速器油压。调速器油压应能随车速的升高而增大。将不同转速下测得的调速器油压与自动变速器维修手册上的标准进行比较。若油压值低于标准值，说明调速器有故障或调速器油路有泄漏，对此，应拆卸自动变速器。检查调速器固定螺栓有无松动、调速器油路上的各处密封圈或密封环有无磨损漏油、调整器阀芯有无卡滞或磨损过度、调速弹簧是否太硬。

⑧ 若调速器油压正常，则升档过迟的故障原因为换档阀工作不良。对此，应拆检或更换阀板。

(5) 不能升档

1) 故障现象

① 汽车行驶中自动变速器始终保持在 1 档，不能升入 2 档和高速档。

② 行驶中自动变速器可以升入 2 档，但不能升入 3 档和超速档。

2) 故障原因

① 节气门拉索或节气门位置传感器调整不当。

② 调速器有故障。

③ 调速器油路严重泄漏。

④ 车速传感器有故障。

⑤ 2 档制动器或高档离合器有故障。

⑥ 换档阀卡滞。

⑦ 档位开关有故障。

3）故障诊断与排除

① 对于电子控制自动变速器，应先进行故障自诊断。影响换档控制的传感器有：节气门位置传感器、车速传感器等。按所显示的故障码查找故障原因。

② 按标准重新调整节气门拉索或节气门位置传感器。

③ 检查车速传感器。如有损坏，应予以更换。

④ 检查档位开关的信号。如有异常，应予以调整或更换。

⑤ 测量调速器油压。若车速升高后调速器油压仍为 0 或很低，说明调速器有故障或调速器油路严重泄漏。对此，应拆检调速器。调速器阀芯如有卡滞，应分解清洗，并将阀芯和阀孔用金相砂纸抛光。若清洗抛光后仍有卡滞，应更换调速器。

⑥ 用压缩空气检查调速器油路有无泄漏。如有泄漏，应更换密封圈或密封环。

⑦ 若调速器油压正常，应拆卸阀板，检查各个换档阀。换档阀如有卡滞，可将阀芯取出，用金相砂纸抛光，再清洗后装入。如不能修复，应更换阀板。

⑧ 若控制系统无故障，应分解自动变速器，检查各个换档执行元件有无打滑现象，用压缩空气检查各个离合器、制动器油路或活塞有无泄漏。

（6）无超速档

1）故障现象

① 在汽车行驶中，车速已升高至超速档工作范围，但自动变速器不能从 3 档换入超速档。

② 在车速已达到超速档工作范围后，采用提前升档（即松开加速踏板几秒后再踩下）的方法也不能使自动变速器升入超速档。

2）故障原因

① 超速档开关有故障。

② 超速电磁阀故障。

③ 超速制动器打滑。

④ 超速行星排上的直接离合器或直接单向离合器卡死。

⑤ 档位开关有故障。

⑥ 自动变速器油温传感器有故障。

⑦ 节气门位置传感器有故障。

⑧ 3-4 换档阀卡滞。

3）故障诊断与排除

① 对于电子控制自动变速器。应先进行故障自诊断，检查有无故障码。自动变速器油温传感器、节气门位置传感器、超速电磁阀等部件的故障都会影响超速档的换档控制。按显示的故障码查找故障原因。

② 检查自动变速器油温传感器在不同温度下的电阻值，并与标准值进行比较。如有异常，应更换自动变速器油温传感器。

③ 检查档位开关和节气门位置传感器的信号。档位开关的信号应和变速杆的位置相符。节气门位置传感器的电阻或输出电压应能随节气门的开大而上升，并与标准相符。如有异常，应予以调整。若调整无效，应更换档位开关或节气门位置传感器。

④ 检查超速档开关。在 ON 位置时，超速档开关的触点应断开，超速指示灯不亮；在

OFF 位置时，超速档开关触点应闭合，超速指示灯亮起。如有异常，应检查电路或更换超速档开关。

⑤ 检查超速电磁阀的工作情况。打开点火开关，但不要起动发动机，在按下超速档开关时，检查超速电磁阀有无工作的声音。如果超速电磁阀不工作，应检查控制线路或更换超速电磁阀。

⑥ 用举升器将汽车升起，让驱动轮悬空。运转发动机，让自动变速器以前进档工作，检查在空载状态下自动变速器的升档情况。如果在空载状态下自动变速器能升入超速档，且升档车速正常，说明控制系统工作正常，不能升档的故障原因为超速制动器打滑，在有负荷的状态下不能实现超速档。如果能升入超速档，但升档后车速不能提高，发动机转速下降，说明超速行星排中的直接离合器或直接单向离合器卡死，使超速行星排在超速档状态下出现运动干涉，加大了发动机运转阻力。如果在无负荷状态下仍不能升入超速档，说明控制系统有故障。对此，应拆卸阀板，检查 3-4 换档阀。如有卡滞，可将阀芯拆下，予以清洗并抛光。如不能修复，应更换阀板总成。

（7）无前进档

1）故障现象

① 汽车倒档行驶正常，在前进档时不能行驶。

② 变速杆在 D 位时不能起步，在 S 位、L 位（或 2 位、1 位）时可以起步。

2）故障原因

① 前进离合器严重打滑。

② 前进单向离合器打滑或装反。

③ 前进离合器油路严重泄漏。

④ 变速杆调整不当。

3）故障诊断与排除

① 检查变速杆的调整情况。如果异常，应按规定程序重新调整。

② 测量前进档主油路油压。若油压过低，说明主油路严重泄漏，应拆检自动变速器，更换前进档油路上各处的密封圈和密封环。

③ 若前进档的主油路油压正常，应拆检前进离合器。如摩擦片表面粉末冶金有烧焦或磨损过度，就更换摩擦片。

④ 若主油路油压和前进离合器均正常，则应拆检前进单向离合器，按照维修手册所述方法检查前进单向离合器的安装方向是否正确以及有无打滑。如果装反，应重新安装；如有打滑，应更换新件。

（8）无倒档

1）故障现象：汽车在前进档能正常行驶，但在倒档时不能行驶。

2）故障原因

① 变速杆调整不当。

② 倒档油路泄漏。

③ 倒档及高档离合器或低档及倒档制动器打滑。

3）故障诊断与排除

① 检查变速杆的位置。如有异常，应按规定程序重新调整。

② 检查倒档油路油压。若油压过低，则说明倒档油路泄漏。对此，应拆检自动变速器，予以修复。

③ 若倒档油路油压正常，应拆检自动变速器，更换损坏的离合器片或制动器片（制动带）。

(9) 频繁跳档

1) 故障现象：汽车以前进档行驶时，即使加速踏板保持不动，自动变速器仍会经常出现突然降档现象；降档后发动机转速异常升高，并产生换档冲击。

2) 故障原因

① 节气门位置传感器有故障。

② 车速传感器有故障。

③ 控制系统电路搭铁不良。

④ 换档电磁阀接触不良。

⑤ ECU 有故障。

3) 故障诊断与排除

① 对于电子控制自动变速器，应先进行故障自诊断。如有故障码出现，按所显示的故障码查找故障原因。

② 测量节气门位置传感器。如有异常，应更换。

③ 测量车速传感器。如有异常，应更换。

④ 检查控制系统电路各条搭铁线的搭铁状态。如有搭铁不良现象，应予以修复。

⑤ 拆下自动变速器油底壳，检查各个换档电磁阀线束插头的连接情况。如有松动，应予以修复。

⑥ 检查控制系统 ECU 各接线脚的工作电压。如有异常，应予以修复或更换。

⑦ 换一个新的阀板或 ECU 试一下。如果故障消失，说明原阀板或 ECU 损坏，应更换。

⑧ 更换控制系统所有线束。

(10) 发动机怠速熄火

1) 故障现象

① 发动机怠速运转时将变速杆由 P 位或 N 位换入 R 位、D 位、S 位、L 位（或 2 位、1 位）时发动机熄火。

② 在前进档或倒档行驶中，踩下制动踏板停车时发动机熄火。

2) 故障原因

① 发动机怠速过低。

② 阀板中的锁止控制阀卡滞。

③ 档位开关有故障。

④ 输入轴转速传感器有故障。

3) 故障诊断与排除

① 变速杆在空档位或停车档位时，检查发动机怠速。正常的发动机怠速应为 750r/min，若怠速过低，应重新调整。

② 对于电子控制自动变速器的信号，应先进行故障自诊断，按所显示的故障码查找故障原因。

③ 检查档位开关的信号，应与变速杆的位置相一致，否则应予以调整或更换。

④ 检查输入轴转速传感器。如有损坏应更换。

⑤ 拆卸阀板，检查锁止控制阀。如有卡滞应清洗抛光后装复。如仍不能排除故障，应更换阀板。若油底壳内有大量的摩擦粉末，应彻底分解自动变速器，予以检修。

(11) 无发动机制动

1) 故障现象

① 在行驶中，当变速杆位于前进低档（S 位、L 位或 2 位、1 位）位置时，松开加速踏板，发动机转速降至怠速，但汽车没有明显减速。

② 下坡时，变速杆位于前进低档位，但不能产生发动机制动作用。

2) 故障原因

① 档位开关调整不当。

② 变速杆调整不当。

③ 2 档强制制动器打滑或低档及倒档制动器打滑。

④ 控制发动机制动的电磁阀有故障。

⑤ 阀板有故障。

⑥ 自动变速器打滑。

⑦ ECU 有故障。

3) 故障诊断与排除

① 对于电子控制自动变速器，应先进行故障自诊断，按所显示的故障码查找故障原因。

② 做道路试验，检查加速时自动变速器有无打滑现象。如有打滑，应拆修自动变速器。

③ 如果变速杆位于 S 位时没有发动机制动作用，但变速杆位于 L 位时有发动机制动作用，则说明 2 档强制制动器打滑，应拆修自动变速器。

④ 如果变速杆位于 L 位时没有发动机制动作用，但变速杆位于 S 位时有发动机制动作用，则说明低档及倒档制动器打滑，应拆修自动变速器。

⑤ 检查控制发动机制动的电磁阀线路有无短路或断路；电磁阀线圈电阻是否正常；通电后有无工作声音。如有异常，应修复或更换。

⑥ 拆卸阀板总成，清洗所有控制阀。阀芯如有卡滞可抛光后装复。如抛光后仍有卡滞，应更换阀板。

⑦ 检测 ECU 各管脚电压。要特别注意与节气位置传感器、档位开关连接的各管脚的电压。如有异常，应做进一步的检查。

⑧ 更换一个新的 ECU 试一下。如果故障消失，说明原 ECU 损坏，应更换。

(12) 不能强制降档

1) 故障现象。当汽车以 3 档或超速档行驶时，突然将加速踏板踩到底，自动变速器不能立即降低一个档位，致使汽车加速无力。

2) 故障原因

① 节气门拉索或节气门位置传感器调整不当。

② 强制降档开关损坏或安装不当。

③ 强制降档电磁阀损坏或线路短路、断路。

④ 阀板中的强制降档控制阀卡滞。

3）故障诊断与排除

① 检查节气门拉索或节气门位置传感器的安装情况。如有异常，应按标准重新调整。

② 检查强制降档开关。在加速踏板踩到底时，强制降档开关的触点应闭合；松开加速踏板时，强制降档开关的触点应断开。如果加速踏板踩到底时强制降档开关触点没有闭合，可用手直接按动强制降档开关。如果按下开关后触点闭合，说明开关安装不当，应重新调整；如果按下开关后触点仍不闭合，说明开关损坏，应予以更换。

③ 对照电路图，在自动变速器线束插头处测量强制降档电磁阀。如有异常，则故障原因是线路短路、断路或电磁阀损坏。对此，应检查线路或更换电磁阀。

④ 打开自动变速器油底壳，拆下强制降档电磁阀，检查电磁阀的工作情况。如有异常，应予以更换。

⑤ 拆卸阀板总成，分解、清洗、检查强制降档控制阀。阀芯如有卡滞，可进行抛光。若无法修复，则应更换阀板总成。

（13）无锁止

1）故障现象：汽车行驶中，车速、档位已满足锁止离合器起作用的条件，但锁止离合器仍没有产生锁止作用；汽车油耗较大。

2）故障原因

① 自动变速器油温传感器有故障。

② 节气门位置传感器有故障。

③ 锁止电磁阀有故障或线路短路、断路。

④ 锁止控制阀有故障。

⑤ 变矩器中的锁止离合器损坏。

3）故障诊断与排除

① 对于电子控制自动变速器，应先进行故障自诊断，检查有无故障码。如有故障码，则可按显示的故障码查找相应的故障原因。与锁止控制有关的部件包括自动变速器油温传感器、节气门位置传感器、锁止电磁阀等。

② 检查节气门位置传感器。如果在一定节气门开度下的节气门位置传感器输出电压过高或电位计电阻过大，应予以调整。若调整无效，应更换节气门位置传感器。

③ 打开油底壳，拆下自动变速器油温传感器。检测自动变速器油温传感器。如不符合标准，应更换自动变速器油温传感器。

④ 测量锁止电磁阀。如有短路或断路，应检查电路。如电路正常，则应更换电磁阀。

⑤ 拆下锁止电磁阀，进行检查。如有异常，应予以更换。

⑥ 拆下阀板，分解并清洗锁止控制阀。如有卡滞，应抛光装复。如不能修复，应更换阀板。

⑦ 若控制系统无故障，则应更换变矩器。

（14）自动变速器异响

1）故障现象

① 在汽车运转过程中，自动变速器内始终有一异常响声。

② 汽车行驶中自动变速器有异响，停车挂空档后异响消失。

2）故障原因

① 油泵因磨损过度或 ATF 油面高度过低、过高而产生异响。
② 变矩器因锁止离合器、导轮单向离合器等损坏而产生异响。
③ 行星齿轮机构异响。
④ 换档执行元件异响。
3) 故障诊断与排除
① 检查自动变速器 ATF 油面高度。若太高或太低，应调整至正常高度。
② 用举升器将汽车升起，起动发动机，在空档、前进档、倒档等状态下检查自动变速器产生异响的部位和时刻。
③ 若在任何档位下自动变速器中始终有一连续的异响，通常为油泵或变矩器异响。对此，应拆检自动变速器，检查油泵有无磨损、变矩器内有无大量摩擦粉末。如有异常，应更换油泵或变矩器。
④ 若自动变速器只在行驶中才有异响，空档时无异响，则为行星齿轮机构异响。对此，应分解自动变速器，检查行星排各个零件有无磨损痕迹，齿轮有无断裂，单向离合器有无磨损、卡滞，轴承或止推垫片有无损坏。如有异常，应予以更换。

(15) 自动变速器油易变质
1) 故障现象
① 更换后的新自动变速器油使用不久即变质。
② 自动变速器温度太高，从加油口处向外冒烟。
2) 故障原因
① 汽车使用不当，经常超负荷行驶，如经常用于拖车，或经常急速、超速行驶等。
② 自动变速器散热器管路堵塞。
③ 通往自动变速器散热器的限压阀卡滞。
④ 离合器或制动器自由间隙太小。
⑤ 主油路油压太低，离合器或制动器在工作中打滑。
3) 故障诊断与排除
① 让汽车以中低速行驶 5～10min，待自动变速器达到正常工作温度后，在发动机运转过程中检查自动变速器散热器的温度。在正常情况下，变速器散热器的温度可达 60℃ 左右。若散热器的温度低，说明油管堵塞，或通往散热器的限压阀卡滞。这样，自动变速器油未得到及时冷却，油温过高，导致变质。
② 若散热器的温度太高，说明离合器或制动器自由间隙太小。对此，应拆卸自动变速器，予以调整。
③ 若 ATF 温度正常，应测量主油路油压。若油压太低，应检查节气门拉索或节气门位置传感器的调整情况。若节气门拉索或节气门位置传感器安装正常，应拆卸自动变速器，检查油泵是否磨损过度、阀板内的主油路调压阀和节气门阀有无卡滞、主油路有无漏油处。
④ 若上述检查均正常，则故障可能是汽车经常超负荷行驶所致，或未按规定使用合适牌号的 ATF 所致。对此，可将 ATF 全部放出，加入规定牌号和数量的 ATF。

3.1.4 万向传动装置的故障诊断与排除

传动装置出现故障，汽车的表观现象主要有以下几种情况：

① 汽车起步时传动轴有撞击声，行驶中当车速变化或高速档低速行驶时也会出现撞击声，整个行驶过程响声不断。

② 汽车起步时虽无异响，但加速时异响出现，脱档滑行时异响仍然十分清晰。

③ 车速超过中速出现异响，车速越高响声越大，达到一定速度时车身振抖，车门、转向盘等强烈振响。若此时空档滑行，振动更加强烈，降到中速时振抖消失，但传动轴异响仍然存在。

万向传动装置的常见故障有传动轴或前驱动轴异响、传动轴发抖或前驱动轴振动等。

1. 传动轴或前驱动轴异响

（1）故障现象　汽车起步或行驶过程中，有撞击声出现，且车速变化时响声更明显，则为传动轴异响。汽车行驶中，在加、减速和转弯时前驱动桥出现不正常的响声，则为前驱动轴异响。

（2）故障原因

1）传动轴装配错误，两端的转向节叉不处在同一平面内。
2）转向节十字轴装配过紧。
3）万向传动装置各连接部位及中间支架固定螺栓松动。
4）中间轴承、十字轴滚针轴承润滑不良。
5）中间轴承与中间传动轴轴颈配合松旷。
6）传动轴花键齿与滑动叉花键槽磨损松旷，或变速器第二轴花键齿与凸缘花键槽磨损松旷。
7）前桥驱动的前驱动轴外侧等速转向节或内侧等速转向节磨损过度或损坏。

（3）故障诊断与排除

1）检查转向节叉是否在同一平面内，如图3-34所示。若安装错误，应重新装配。

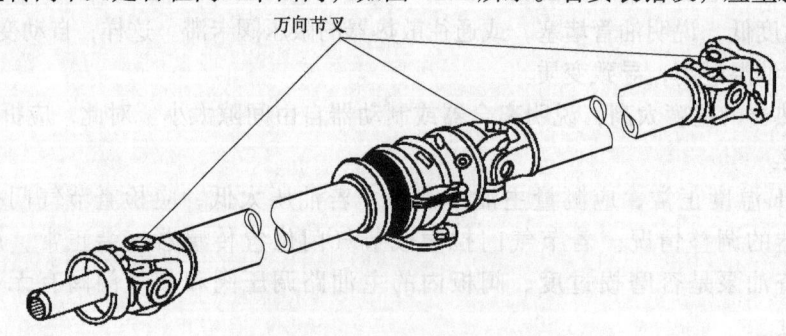

图3-34　传动轴转向节叉安装方向

2）检查万向传动装置各连接处的螺栓是否松动。若松动，应予以紧固。
3）若连接状况良好，则拉紧驻车制动器，用手握住传动轴管来回转动。若感到阻力较大，应检查十字轴是否装配过紧或缺油，必要时进行调整。若扭转传动轴感到松旷，应检查轴承是否缺油或磨损过度而损坏，伸缩节花键齿与槽是否磨损过大，必要时进行润滑、修理或更换。

4）检查中间轴承与中间传动轴轴颈的配合，如图3-35所示。若松旷，予以修理或更换。检查中间支架的安装是否欠妥，使中间轴承位置偏斜，或轴承盖螺栓松紧度不当。若有，应调整。

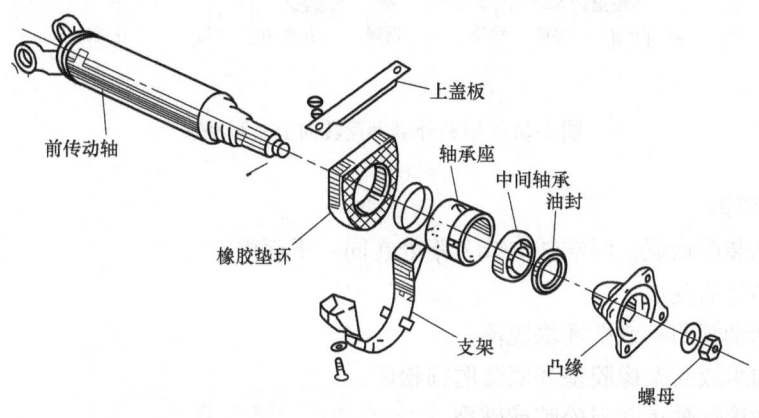

图3-35 检查中间轴承与中间传动轴轴颈配合

5）若上述检查后，仍存在异响，应拆下传动轴，检查传动轴是否弯曲变形，如图3-36所示。若有变形，应予以校正。

6）前桥驱动的汽车，若加、减速和转弯时前驱动轴出现异响，应分别拆检外侧等速转向节或内侧等速转向节是否磨损过度或损坏，如图3-37、图3-38所示。若磨损松旷或损坏，应更换。

2. 传动轴发抖或前驱动轴振动

（1）故障现象　若为传动轴发抖，则当汽车车速达到一定速度时，车身出现严重抖动，车门、转向盘等强烈振响。若为前驱动轴振动，则当汽车加速行驶或高速行驶时均会出现这种现象，严重时车身也出现振响。

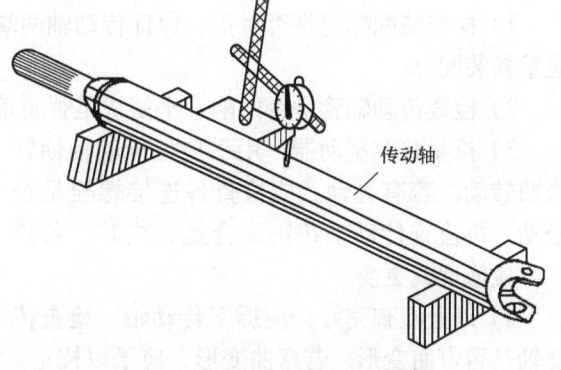

图3-36 检查传动轴变形量

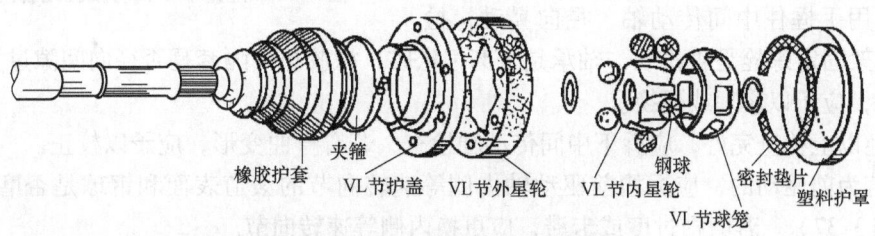

图3-37 检查内侧等速转向节是否磨损

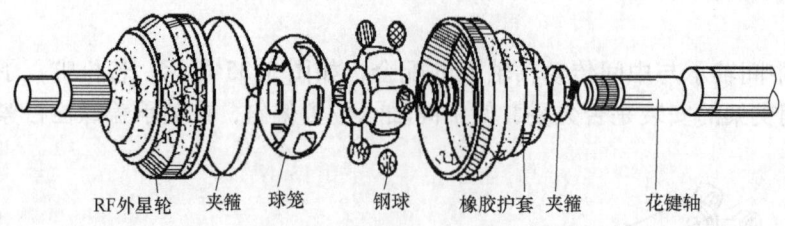

图 3-38　检查外侧等速转向节是否磨损

（2）故障原因
1）传动轴装配错误，两端转向节叉不处在同一平面内。
2）传动轴弯曲变形。
3）传动轴轴管凹陷或平衡块脱落。
4）中间轴承或支架橡胶垫环隔套磨损松旷。
5）十字轴滚针轴承磨损松旷或破裂。
6）伸缩节花键齿与花键槽磨损，配合松旷。
7）前驱动轴内侧等速转向节磨损松旷。

（3）故障诊断与排除
1）检查装配标记是否对正，保证传动轴两端转向节叉是否处在同一平面内。若不对正，应重新装配。
2）检查传动轴管是否凹陷，平衡块是否脱落。若凹陷或脱落，应予以修理。
3）拉紧驻车制动器，用手握住传动轴轴管来回转动。若有晃动，应检查各连接螺栓是否松动。再检查传动轴花键配合是否松旷。若松旷，应修理或更换。
4）以上检查完好，应拆下传动轴，检查传动轴是否弯曲变形。若弯曲变形，应予以校正。
5）检查十字轴轴颈与滚针轴承是否磨损松旷、滚针破裂，如图 3-39 所示。若不符合要求，应予以修理或更换。
6）若汽车行驶呈现连续振响，应在发动机

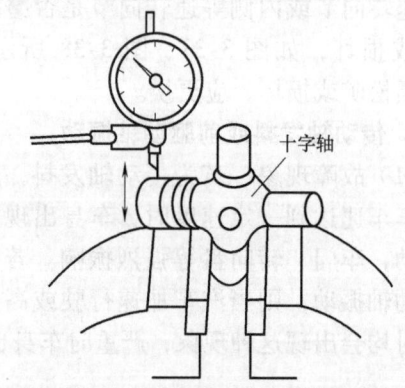

图 3-39　检查十字轴与轴孔配合间隙

熄火后，用手握住中间传动轴，径向晃动，检查中间支架固定螺栓是否松动，轴承是否磨损松旷，橡胶垫环隔套是否径向间隙过大。若不符合要求，应予以修理或更换。
7）经以上检查完好，应拆下中间传动轴检查，若有弯曲变形，应予以校正。
8）若为前驱动的，应拆检前驱动轴内侧等速转向节的滚道表面和钢球是否磨损严重、卡滞（图 3-37）。若磨损过度或卡滞，应更换内侧等速转向节。

3.1.5 驱动桥的故障诊断与排除

驱动桥出现故障，汽车的表观现象主要有以下几种情况：
① 汽车行驶一定里程后，用手触碰驱动桥壳中部，有无法忍受的烫手感觉。
② 汽车挂档行驶时驱动桥发出较大响声，而当滑行或低速行驶时响声减弱或消失。
③ 汽车行驶、滑行时驱动桥均发出较大响声。
④ 汽车转弯行驶时驱动桥发出较大响声，而直线行驶时响声减弱或消失。
⑤ 起步或突然改变车速时，驱动桥发出"吭"的一声。
⑥ 汽车缓车时驱动桥发出"格啦、格啦"的撞击声。
⑦ 后桥漏油。

驱动桥的功能是将万向传动装置输入的动力经降速增扭，改变传动方向后，分配给左右驱动轮，且允许左右驱动轮以不同转速旋转。一般汽车用驱动桥主要由主减速器、差速器、驱动半轴及桥壳等组成，结构布置如图3-40所示。驱动桥的常见故障为异响、过热和漏油等。

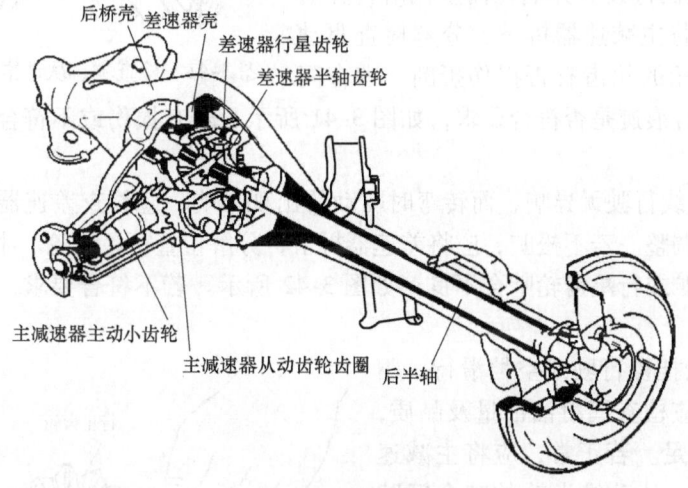

图 3-40 驱动桥的结构

1. 驱动桥的异响

（1）故障现象

1）汽车挂档行驶时驱动桥发出较大响声，而滑行或低速行驶时响声减小或消失。
2）汽车行驶、滑行时驱动桥均发出较大响声。
3）汽车转向行驶时驱动桥发出较大响声，而当直线行驶时响声减小或消失。
4）汽车起步或突然改变车速时，驱动桥发出"吭"的一声。
5）汽车缓车时，驱动桥发出"格拉、格拉"的响声。

（2）故障原因 驱动桥产生异响的根本原因是驱动桥的传动部件磨损松旷、调整不当或润滑不良。其具体原因如下：

1）主减速器轴承、差速器轴承磨损松旷。

2）主减速器的锥齿轮和圆柱齿轮、差速器行星齿轮和半轴齿轮等磨损过度，齿面损伤或轮齿折断。

3）主减速器主、从动锥齿轮啮合调整不当。

4）半轴齿轮花键槽与半轴花键配合磨损松旷。

5）差速器行星齿轮与半轴齿轮不匹配，啮合不良。

6）差速器行星齿轮轴轴颈磨损过度，行星齿轮支承垫圈磨损过薄，行星齿轮与差速器行星齿轮轴卡滞或装配不当。

7）主减速器从动锥齿轮与差速器壳紧固螺栓松动，差速器轴承盖紧固螺钉松动。

8）后轮轮毂轴承损坏。

9）车辆轮辋破裂，轮辋上轮胎螺栓孔磨损过大，使轮辋固定不牢。

10）齿轮油不足、油质不符合要求。

（3）故障诊断与排除

1）若汽车挂档行驶有异响，而空档滑行异响减弱或消失，应将主减速器拆下，分解检查驱动桥主、从动锥齿轮的轮齿有否损伤折断，啮合间隙是否过大，啮合痕迹是否符合要求，如图3-41所示。若有损伤或不符合要求，应更换或调整。

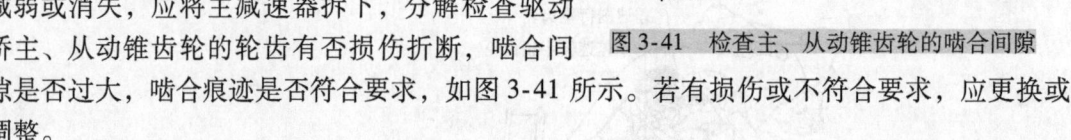

图3-41 检查主、从动锥齿轮的啮合间隙

2）若汽车直线行驶无异响，而转弯时驱动桥出现异响，应检查差速器两端轴承是否松旷，必要时加以调整。若不松旷，应将差速器拆下，分解检查行星齿轮、半轴齿轮、行星齿轮轴是否磨损松旷或行星齿轮啮合不良，如图3-42所示。若不符合要求，应修理、调整或更换。

3）汽车无论挂档行驶或空档滑行，驱动桥均有响声，应检查润滑油油量及品质，必要时按要求加足。若正常，应将主减速器拆下，检查主、从动锥齿轮的啮合间隙和差速器轴承。若不符合要求，应调整啮合间隙和轴承松紧度，必要时更换轴承。

2. 驱动桥过热

（1）故障现象 汽车行驶一定里程后，用手触摸主减速器壳，有无法忍受的烫手感觉。

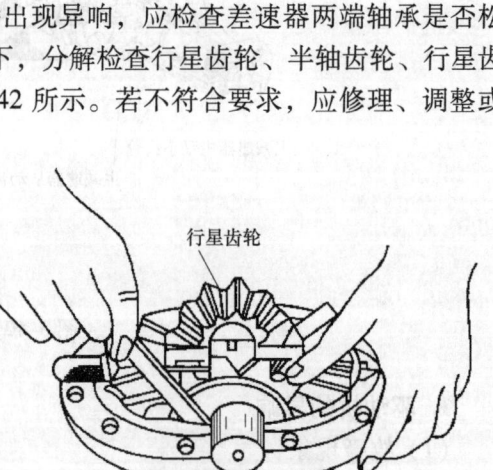

图3-42 检查差速器行星齿轮和半轴齿轮啮合情况

（2）故障原因

1）主减速器主、从动齿轮啮合间隙过小。

2）轴承装配过紧。

3）齿轮油不足、变质或规格不符合要求。

(3) 故障诊断与排除

1) 检查驱动桥壳内润滑油量是否符合规定。若不符合规定, 应加足或更换。

2) 若润滑油油量及品质符合规定, 应将主减速器拆下, 检查主、从动锥齿轮的啮合间隙是否正常（图3-41）, 若间隙过小, 予以调整。

3) 用手触摸驱动桥各轴承部位, 若有烫手感觉, 说明轴承装配太紧, 应重新调整, 如图3-43所示。

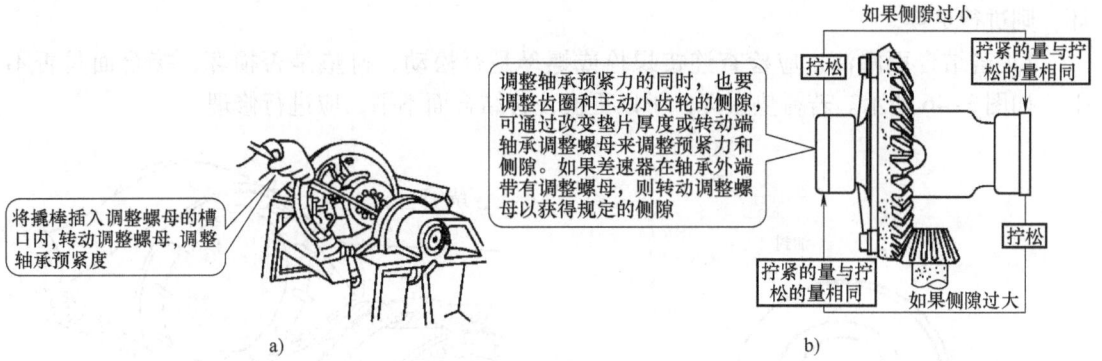

图 3-43　调整驱动桥各轴承预紧度

a) 主动锥齿轮轴承调整　b) 差速器轴承调整

3. 驱动桥漏油

(1) 故障现象　驱动桥加油口螺塞、放油口螺塞、油封处或各结合面处有明显的漏油痕迹。

(2) 故障原因

1) 润滑油过多, 运转中大量润滑油被齿轮搅动, 使壳体内压力增高, 导致润滑油从各密封垫处渗漏。

2) 加油口或放油口螺塞松动。

3) 油封损坏或油封与轴颈不同轴。

4) 油封轴颈因磨损而出现槽沟。

5) 各结合面的平面度误差太大或密封垫片损坏。

6) 通气孔堵塞, 壳体内外空气流通不畅造成内部油压升高, 润滑油从密封垫处渗漏。

7) 桥壳有铸造缺陷或裂纹。

(3) 故障诊断与排除

1) 清洁驱动桥与主减速器壳体外表, 检查是否有裂纹。若有裂纹, 予以更换。

2) 检查驱动桥桥壳通气孔是否堵塞, 如图3-44所示。若有堵塞, 予以

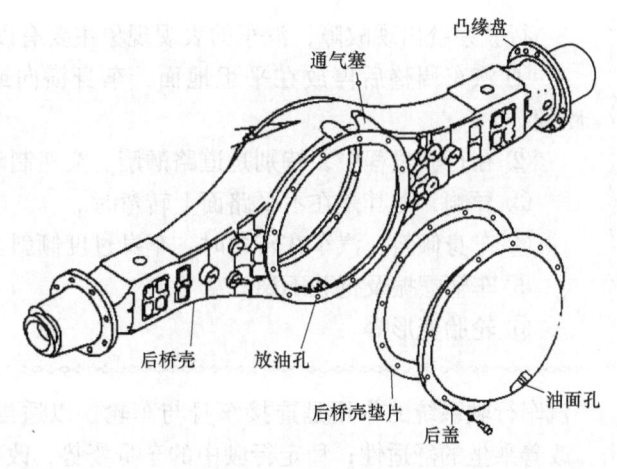

图 3-44　检查通气孔是否堵塞

清洁疏通。

3）检查放油螺塞是否松动或滑扣。若松动，加以紧固，滑扣则予以修复或更换。

4）检查驱动桥内润滑油油量。若油量过多，应按规定减少润滑油。

5）检查主减速器主动锥齿轮轴或驱动桥主动轴伸出部位是否漏油。若漏油，应拆检油封，如图3-45所示。若油封损坏，予以更换。

6）半轴油封处漏油，应检查油封是否安装歪斜或损坏。安装歪斜，应重新安装；若损坏，则进行更换。

7）若结合面漏油，应检查连接螺栓或螺母是否松动，衬垫是否损坏，接合面是否不平，如图3-46所示。若衬垫损坏，予以更换；若结合面不平，应进行修理。

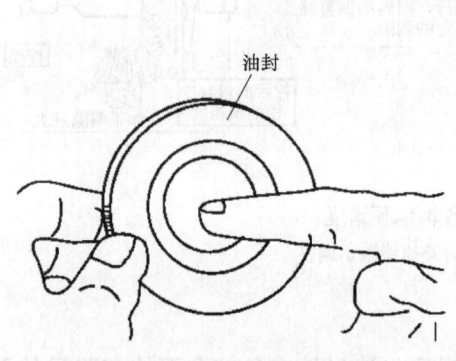

图3-45　检查主动锥齿轮轴油封

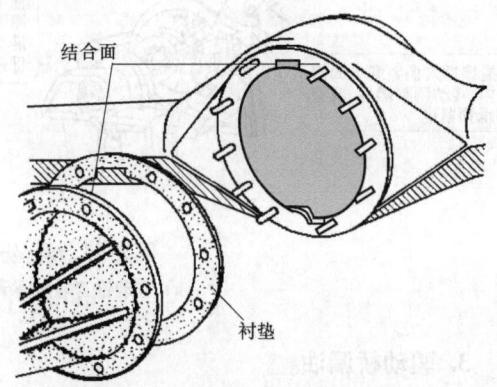

图3-46　检查驱动桥壳衬垫和结合面

▶▶▶ 3.2　行驶系统的故障诊断与排除

行驶系统出现故障，汽车的表观现象主要有以下几种情况：

① 汽车调整后停放在平坦地面，车身横向或纵向歪斜，汽车行驶中方向自动跑偏。

② 在行驶过程中，特别是道路颠簸、突然制动、转弯时，从悬架部位发出噪声。

③ 异响，尤其是在不平路面上转弯时。

④ 车身倾斜，汽车在转弯时，车身过度倾斜。

⑤ 车辆摆振及行驶不稳。

⑥ 轮胎变形等。

汽车行驶系统的作用是连接车身与车轮，以适当的刚度支撑车轮；吸收来自路面的冲击，改善乘坐的舒适性；稳定行驶中的车身姿势，改善操作性。汽车行驶系统一般分为非独立悬架和独立悬架两大类型。汽车行驶系统的布置及结构组成如图3-47所示。

行驶系统检测与故障诊断的主要内容为车轮不平衡的检测和行驶系统故障诊断与排除。

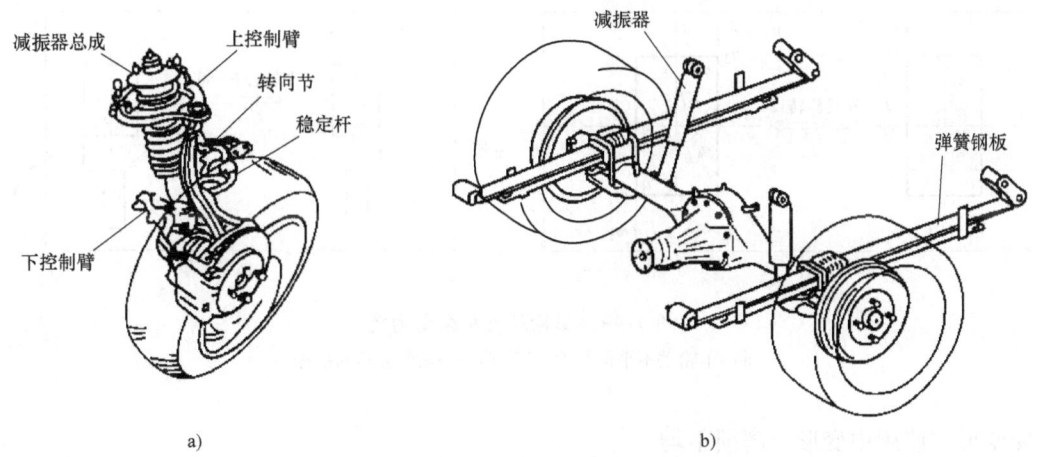

图 3-47 汽车行驶系统的布置和结构组成
a) 独立悬架 b) 非独立悬架

3.2.1 车轮不平衡的检测

高速行驶的汽车，若车轮不平衡，将引起车轮的跳动和摆振。这不仅影响汽车行驶平顺性、乘坐舒适性和操纵稳定性，还直接关系到汽车行驶的安全性。此外，也会加剧轮胎及有关部件的磨损和冲击，缩短汽车的使用寿命。因此，需对车轮的不平衡进行检测，并进行平衡工作。

1. 车轮不平衡的概念

（1）车轮的静不平衡 若车轮的质心与旋转中心不重合，则该车轮为静不平衡。静不平衡的车轮在旋转时，因存在不平衡质量，将产生离心力，如图 3-48 所示。该离心力 F 可分解为一个水平分力 F_x 和一个垂直分力 F_y。车轮每转一周，当不平衡质点通过车轮旋转中心垂直线的 a、b 两点时，则 F_y 达到最大值且方向相反，易引起车轮的上下跳动；而当不平衡质点通过旋转中心水平线的 c、d 两点时，F_x 达到最大值且方向相反，易引起车轮的前后窜动。对于转向轮，它将产生绕主销来回摆动的转矩，造成转向轮摆振。当左右转向轮的不平衡质量相互处于 180°位置时，前轮摆振将最为严重，从而影响汽车行驶的操纵稳定性。

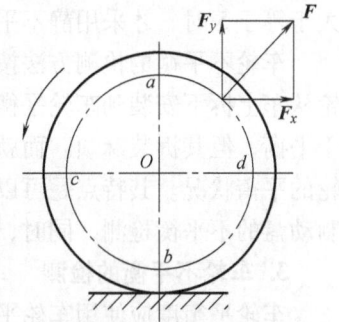

图 3-48 车轮的静不平衡

（2）车轮的动不平衡 静平衡的车轮，若车轮的质量分布相对于车轮纵向中心面不对称，则会造成车轮的动不平衡。如图 3-49 所示，假设 a 点和 b 点上分别具有两个质点 m_1 和 m_2，其质量相等方位相反，车轮质心与车轮旋转中心重合，即车轮处于静平衡状态。当车轮旋转时，m_1 和 m_2 将分别产生离心力，虽其离心力合力为零，但离心力作用于不同平面内，二力的合转矩却不为零。因此，在车轮旋转时，由于离心力作用而产生的方向反复变化的力偶 M，使车轮处于动不平衡中。动不平衡的前轮由于 M 的作用将绕主销摆振。

（3）车轮不平衡的原因

1）轮毂、制动鼓（盘）加工时轴心定位不准、加工误差大、非加工面铸造误差大、热

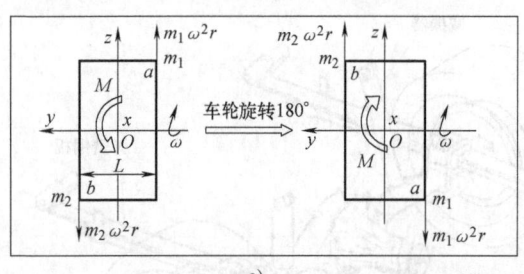 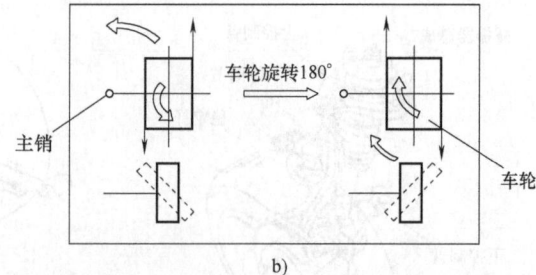

图 3-49 车轮动不平衡受力图
a) 车轮动不平衡受力 b) 动不平衡引起转向摆振

处理变形、使用中变形或磨损不均。

2) 轮胎螺栓质量不等、轮辋质量分布不均或径向圆、端面圆跳动太大。

3) 轮胎质量分布不均、尺寸或形状误差太大、使用中变形或磨损不均、使用翻新轮胎或垫、补胎。

4) 并装双胎的充气嘴未相隔 180° 安装,单胎的充气嘴未与不平衡点标记相隔 180° 安装。

5) 轮毂、制动鼓(盘)、轮胎螺栓、轮辋、内胎、衬带、轮胎等拆卸后重新组装成车轮时,累计的不平衡质量或形位偏差太大,破坏了原来的平衡。

2. 车轮不平衡的检测方法

车轮不平衡的检测方法按车轮不平衡的性质可分为静不平衡检测和动不平衡检测。由于动平衡的车轮肯定是静平衡的,而静平衡的车轮却不能保证动平衡,因此对于车轮平衡状况的检测,大多数是采用动不平衡检测方法。尤其是对于转向轮,只有当车轮外径和轮宽之比大于等于 5 时,才采用静不平衡检测方法。

车轮不平衡的检测方法按检测方式可分为离车式和就车式两种。离车式检测方法是将车轮从车上拆下安装到车轮平衡机上检测其平衡状况,其特点是影响因素少,检测精度高,易于平衡,但其拆装麻烦。而就车式检测方法是指在不拆卸车轮的情况下,直接在车上检测车轮的平衡状况。其特点是可以对车轮及其连接的旋转零件进行综合检测,它包括对制动鼓或制动盘的不平衡检测,同时,就车式检测方法不需拆装车轮,可提高检测效率。

3. 车轮不平衡的检测

车轮平衡度应使用车轮平衡机检测。车轮平衡机按功能分可分为车轮静平衡机和车轮动平衡机;按检测方式分可分为离车式车轮平衡机和就车式车轮平衡机两类;如果按车轮平衡机转轴的形式,又可分为软式车轮平衡机和硬式车轮平衡机两类;凡是可以测定车轮左右两侧的不平衡量及其相位的,则称为二面测定式车轮平衡机。

下面以离车式车轮平衡机为例,介绍车轮平衡度的检测。离车式车轮平衡机结构组成如图 3-50 所示,一般由车轮驱动系统、测量系统、车轮定位系统和控制显示系统组成。图 3-51 所示为车轮平衡机的控制面板,车轮平衡机使用方法如下。

(1) 轮胎的平衡

1) 安装车轮。选择与轮辋中心孔匹配的锥度盘,15″(15″表示 15in,1in = 2.54cm)以下小孔轮辋先放塔簧,再放锥度盘,小头朝外,装轮胎,上塑料碗,将快速螺母锁紧;装

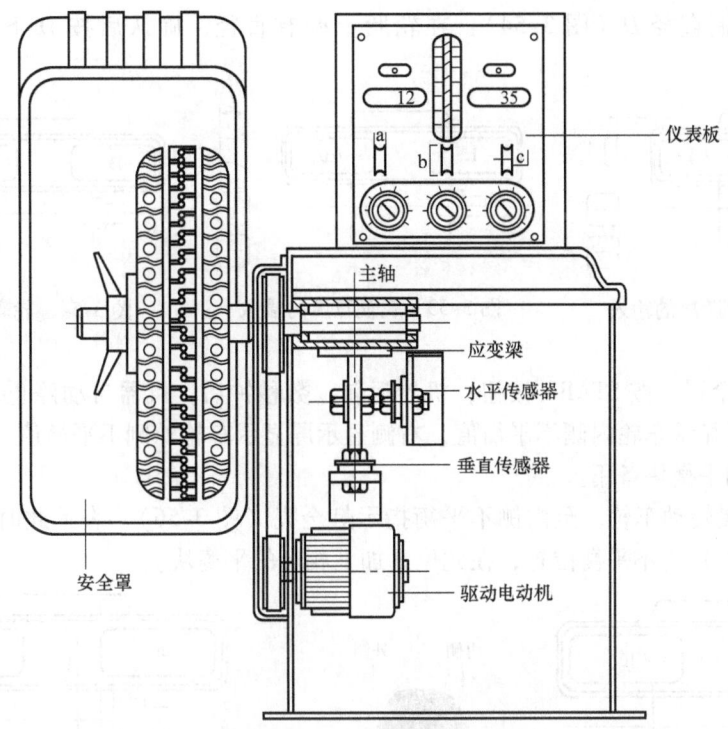

图 3-50 离车式车轮动平衡机

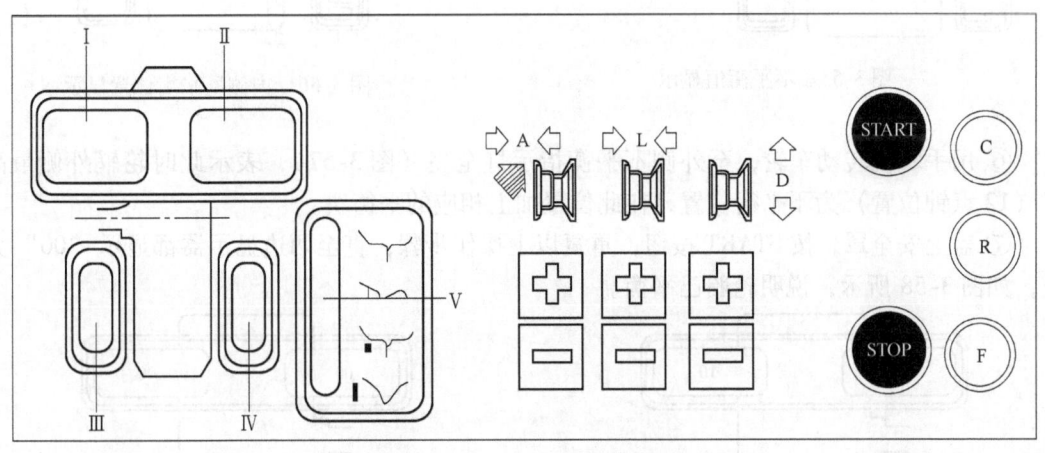

图 3-51 车轮平衡机控制面板

16″以上轮辋，锥度盘小头朝内，先装轮胎，再装锥度盘，然后用快速螺母锁紧。

2）选择平衡模式。按 F 按钮直到出现要选择的平衡模式的指示灯亮。

3）输入轮辋数据：

① 输入轮辋距离 A（图 3-52）：拉出机器侧边的测量尺，顶住轮辋边缘，读出距离值。按 A 下方的 +、- 键输入测出的距离值。

② 输入轮辋宽度 L（图 3-53）：用宽度尺量出轮辋对边宽度，按 L 下方的 +、- 键输入。

③ 输入轮辋直径 D（图 3-54）：在轮胎上标有直径，确认后按 D 下方的 +、- 键输入。

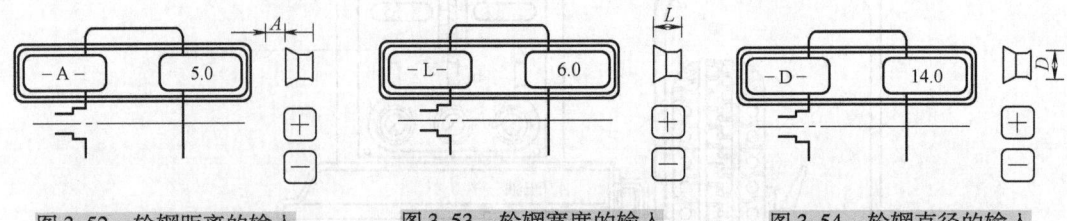

图 3-52　轮辋距离的输入　　　图 3-53　轮辋宽度的输入　　　图 3-54　轮辋直径的输入

④ 盖上安全罩，按 START 按钮，机器运转，数秒钟后，机器自动停止。如图 3-55 所示，左侧显示屏显示车轮内侧不平衡值，右侧显示屏显示车轮外侧不平衡值，根据内外侧不平衡值选相应的平衡块备用。

⑤ 用手缓慢转动车轮，至内侧不平衡指示灯全亮（图 3-56），表示此时轮辋内侧最高点（12 点钟位置）为不平衡位置，在此位置加上相应的平衡块。

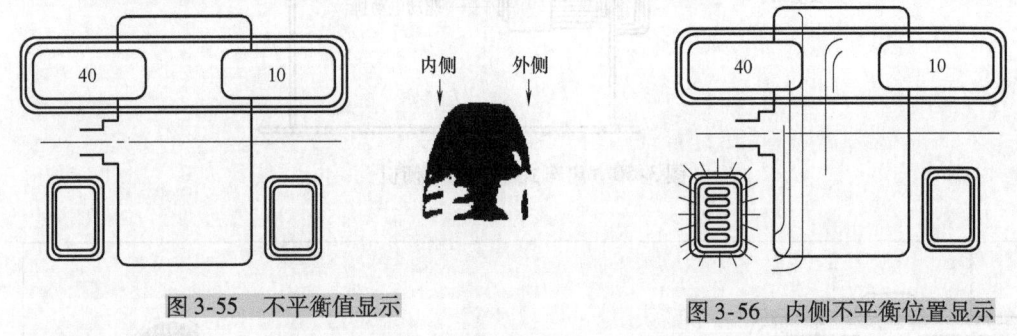

图 3-55　不平衡值显示　　　　　　　　图 3-56　内侧不平衡位置显示

⑥ 用手缓慢转动车轮，至外侧不平衡指示灯全亮（图 3-57），表示此时轮辋外侧最高点（12 点钟位置）为不平衡位置，在此位置加上相应的平衡块。

⑦ 盖上安全罩，按 START 按钮，重复以上操作步骤，直至两边显示器都显示"00"为止，如图 3-58 所示，说明轮胎已平衡。

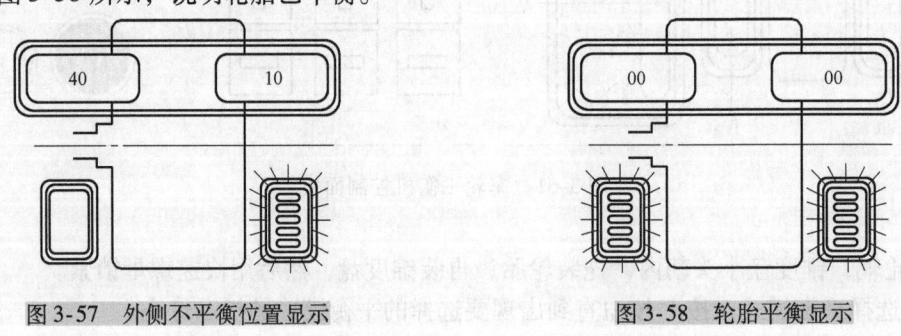

图 3-57　外侧不平衡位置显示　　　　　图 3-58　轮胎平衡显示

(2) 平衡机自校正功能　设备初始安装或使用过程中怀疑测量数据不准确时，使用此功能以保证测量准确。应用已平衡过的轮胎作自校，在操作使用过程中不得停机，否则会输入错误的数据。

第3章 汽车底盘故障诊断与检测

1）按R按钮，待半秒钟后同时按START按钮。如图3-59所示，显示器显示"CAL"-"CAL"指示灯全亮并闪动，指示灯熄灭后松手。

2）按START按钮，车轮旋转数秒后自动停止。如图3-60所示，显示器显示"Add"-"100"，在轮辋外边缘加100g平衡块。

3）按START按钮，车轮旋转数秒自动停车。如图3-61所示，显示板显示"End"-"CAL"表示自校结束。

4）按START按钮，8s后显示数据。若显示数值正确（显示"00"-"100"，允许±4g的误差），显示相位正确（即外侧指示灯全亮，100g铅块在轴正下方允许±4g误差），如图3-62所示，则说明自校成功。

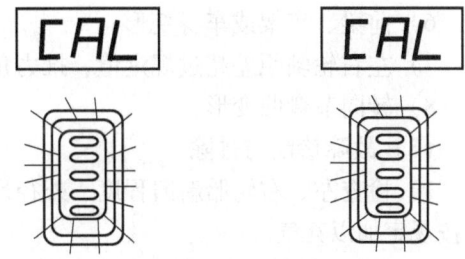

图3-59 自校显示

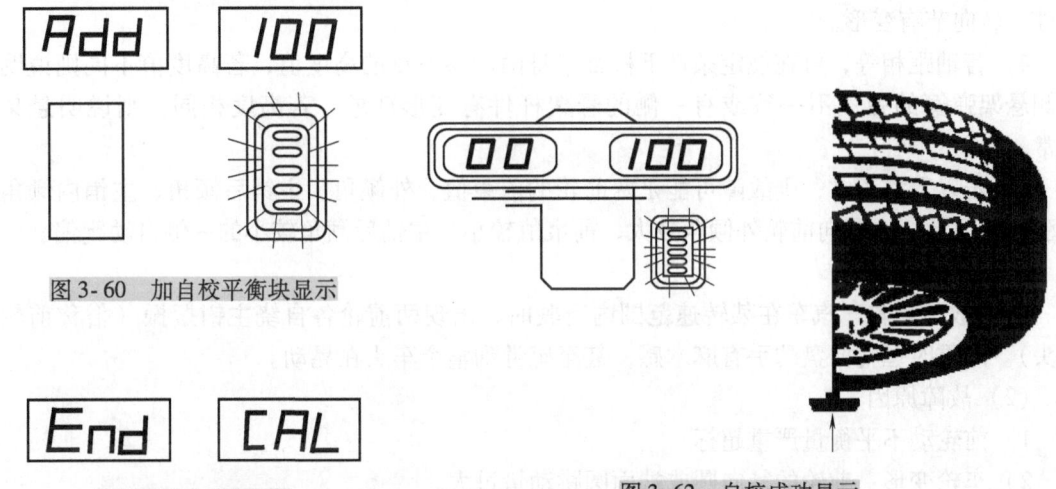

图3-60 加自校平衡块显示

图3-61 自校结束

图3-62 自校成功显示

3.2.2 汽车行驶系统的故障诊断与排除

汽车行驶系统工作条件恶劣，它既要传递驱动力、制动力及其转矩，又承受整车载荷及路面的冲击。行驶系统容易出现一些较复杂的故障，故障原因有时不仅在行驶系统本身，而且还与传动、转向、制动系统等有关。因此，在诊断行驶系统故障时，应考虑其相关部位的基本检查。汽车行驶系统的常见故障为汽车行驶跑偏、前轮摆振、前轮胎异常磨损和乘坐舒适性不良。

1. 汽车行驶跑偏

（1）故障现象 汽车行驶过程中，行驶方向自动偏向一侧，不易保持直线行驶，操纵困难。

（2）故障原因

1）两前轮轮胎气压不一致或磨损程度不同。

2）前轮左、右轮轴承松紧度不一致。

3）前后桥两侧的车轮有单边制动或单边拖滞现象。

4）车轮定位失准。

5）左、右悬架刚度不同。

6）前梁、车架或车身变形。

7）左右轮轴距差超过规定值，推力角过大。

8）转向节弯曲变形。

(3) 故障诊断与排除

1）检查左、右轮胎新旧程度、外径尺寸及气压是否一致。保证两转向轮外径尺寸相同并按规定加以充气。

2）若气压一致，左右轮直径相等，可用手触摸跑偏一侧的制动鼓和轮毂轴承是否过热。若过热，调整制动间隙或轮毂轴承。

3）若制动鼓和轮毂处的温度正常，则可检查车身两边车轮的轴距是否相等，推力角是否为零。若轴距不等，推力角过大，则说明前、后桥或车架在水平平面内有弯曲变形或悬架杆件、转向节有变形。

4）若轴距相等，可在规定条件下检查车身两侧参考点的高度值，若高度值不同则说明两侧悬架弹簧的弹性不一致或有一侧的悬架杆件有变形现象，若高度相同，则说明悬架正常。

5）若以上均正常，则故障可能是两前轮的前束值、外倾角、主销后倾角、主销内倾角等引起。通常，汽车向前轮外倾角较大、前束值较小、主销后倾角较小的一侧自动跑偏。

2. 前轮摆振

(1) 故障现象 汽车在某转速范围内行驶时，出现两前轮各自绕主销摆振（俗称前轮摆头）。严重时握转向盘的手有麻木感，甚至感觉到整个车头在晃动。

(2) 故障原因

1）前轮动不平衡量严重超标。

2）车轮变形，前轮的径向圆或端面圆跳动量过大。

3）转向轮定位失准。

4）前轮轮毂轴承松旷。

5）转向节球销及纵横拉杆球销等连接处松旷。

6）转向器主、从动部分啮合间隙过大。

7）前梁、车架或车身变形。

8）前悬架杆件及转向节变形。

(3) 故障诊断与排除

1）首先检查转向传动机构各连接部位是否松旷或转向器故障。在进行检查时，一人转动转向盘，另一人在车下观察转向器和传动机构。若转向盘转动了一定角度，而转向摇臂并不转动，则故障在转向器，应拆下转向器，检查是否主、从动部分啮合间隙太大，若过大，则调整。若转向摇臂转动了一定角度而前轮并不偏转，则故障在转向传动机构，则应逐一检查各球头销等连接部位是否松旷。

2）若上述检查正常，则检查轮毂轴承、转向节主销与衬套是否松旷。检查时，先支起汽车前部，使前轮处于卸载状态，然后在车轮的侧面用手上下摇动车轮。若有松旷感，则表明存在故障。

3）目测前轮轮胎花纹磨耗情况，并查看前轮是否装用了翻新胎。磨耗严重的轮胎及质量差的翻新胎其动不平衡量会过大，易引起前轮摆振。若正常，则检查前轮的变形情况，可通过检测轮辋的径向圆跳动量、端面圆跳动量来反映其变形情况。检测时将汽车前部支起，转动车轮，用百分表测量轮辋的端面圆跳动量、径向圆跳动量。

通常轿车钢制轮辋其径向圆跳动量标准值为0~1.0mm，维修极限为1.5mm；其端面圆跳动量标准值为0~1.0mm，维修极限为2.0mm。变形量超标的车轮容易发生摆振现象。

4）变形检查正常，则应对前轮进行动平衡检测。若前轮动不平衡量过大，则应对前轮进行配重平衡。难以动平衡的前轮应予以更换。前轮动不平衡量过大，是高速摆头的主要原因。

5）若上述情况均正常，则应检查前轮前束值。前束值过大或过小，易造成前轮摆头并使轮胎磨损异常。若前束值不符合要求，应予以调整。

6）若前束值正常其故障仍然存在，则进行前轮外倾角的检测。前轮外倾角过大或过小，均不可能与其前束值良好匹配，易造成前轮摆头并使轮胎磨损异常。前轮外倾角超标一般是因悬架杆件或转向节变形引起。

7）若前轮前束值与外倾角均正常，则故障可能是主销后倾角、主销内倾角不正常。主销后倾角过大或左右两前轮主销后倾角、主销内倾角不等都可能使前轮左右摆振。应使用车轮定位仪检测前轮的主销后倾角与主销内倾角，以确诊故障。

8）若上述检查都正常，则前轮摆振的原因可能是车身或车架变形，应对其进行检查。

3. 前轮轮胎异常磨损

（1）故障现象　前轮磨损速度加快，胎面形状出现异常，如图3-63所示。

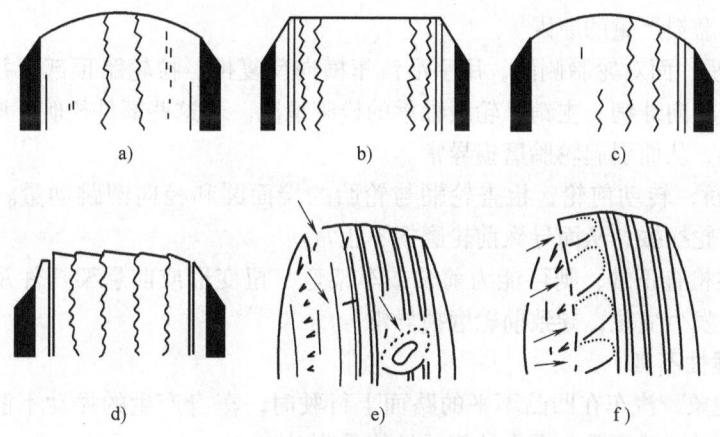

图3-63　轮胎异常磨损

a）胎肩磨损　b）中部磨损　c）一侧磨损
d）羽片状磨损　e）秃点磨损　f）扇形磨损

（2）故障原因
1）前轮轮胎气压不符合要求。
2）前轮轮胎长期未换位。

3）前轮定位不正确，尤其是前轮前束和前轮外倾角配合不正确。

4）前轮端面圆、径向圆跳动量过大及车轮动不平衡。

5）前轮轮毂轴承松旷或转向节与主销松旷。

6）前梁或车架弯、扭变形或前悬架杆件及转向节变形。

（3）故障诊断与排除

1）查看前轮轮胎的胎面，若发现胎冠中部快速磨损，则为轮胎气压过高所致。轮胎气压过高将增加单位接地面积的负荷，会加速胎冠中部的磨耗。

2）若发现胎冠两肩磨损过快，则为轮胎气压过低所致。轮胎气压不足会使胎冠接地印迹增宽，并且由于胎冠中部略向内弯曲，因此使胎冠两肩着地，引起两肩磨损过快。

3）若发现轮胎外侧或内侧磨损过快，则说明前轮的外倾角不正常。若胎冠外侧偏磨损，则车轮外倾角过大；若胎冠内侧偏磨损，说明车轮外倾角过小或负外倾。

4）若发现胎冠羽毛状磨损，则说明前轮的前束值不正常。若左右前轮胎冠上羽毛的尖部指向汽车纵向中心线，则说明前束值过大；若羽毛的尖部背离汽车纵向中心线，则说明前轮存在负前束。

5）若发现轮胎胎面局部出现磨光的斑点即秃点，则说明前轮动不平衡。当前轮不平衡时，前轮的振动会引起轮胎的定向磨损，最终导致斑点磨损。此时应重点检测前轮的不平衡情况。

6）若发现轮胎胎冠上一侧产生扇形磨损，则由于轮胎长期处于某一位置行驶而不换位或悬架位置不当所致。

7）若发现一侧轮胎磨损较小且正常，而另一侧轮胎磨损异常严重，则说明磨损异常车轮的悬架系统及转向节变形，造成单个车轮定位失准及车轮负荷过大，导致车轮磨损异常。此时应重点检查磨损异常轮胎的车轮定位、轮毂轴承间隙、车轮的平衡、轮辋及悬架的变形情况，找出车轮磨损严重的原因。

8）支起前桥，面对轮胎侧面，用手沿汽车横向反复推、拉胎顶部，并用撬棒上下撬动前轮，以检查转向球销、主销、轮毂轴承的松旷情况。若这些部件松旷，则会改变前轮前束和外倾角大小，从而引起轮胎磨损异常。

9）支起前桥，转动前轮，检查轮辋与轮胎的端面圆和径向圆跳动量。若其跳动量过大，则会造成前轮摆振，从而导致前轮磨损不正常。

10）若上述检查正常，则可能为前梁或车架弯、扭变形或前悬架杆件及转向节变形引起前轮定位参数发生变化，导致前轮磨损异常。

4. 乘坐舒适性不良

（1）故障现象　汽车在凹凸不平的路面上行驶时，车身产生的振动不能迅速衰减，或汽车在高速行车时振动严重，乘坐的舒适性能受到破坏。

（2）故障原因

1）轮胎气压不符合要求。

2）车轮动不平衡现象严重。

3）轮胎磨损过度或磨损不均。

4）减振器不良或损坏。

5）悬架系统弹性零件损坏。

6）传动轴动不平衡。

(3) 故障诊断与排除

1）检查轮胎的充气及磨损情况，若轮胎磨损严重且气压不符合要求，则轮胎会失去其应有的缓冲和减振性能而导致乘坐舒适性不良；若轮胎磨损不均，则可导致轮胎高速失去动平衡而引起振动。

2）检查减振器。悬架的减振器多为不可拆卸式一次性部件。目视检查时，若减振器存在弯曲或严重的凹陷或刺孔，说明减振器损坏。正常情况下，只有在减振器泄漏严重并在外套能看到减振器油滴，车辆遇到路面冲击而车轮回调过度时，才可确诊减振器损坏。就车检查时，可让汽车运行一段时后停车，迅速用手触摸减振器筒体。若感到筒体发热、烫手，说明减振器工作正常，不缺油；若感觉筒体不发热或温度变化不大，则说明减振器失效或缺油。

3）检查悬架弹簧。目视检查弹簧是否有折断或损伤缺陷。

4）检查悬架杆件连接处橡胶衬套是否老化或损坏，其连接部位是否间隙过大。

5）检查车轮是否有明显变形，然后检测轮辋的径向圆和端面圆跳动量，以确诊轮辋变形是否超标，必要时对车轮进行动平衡检测以确诊故障所在。

6）检查传动轴是否弯曲变形、平衡块有无脱落，必要时进行动平衡检验。

3.2.3 电控悬架的检测与故障诊断

汽车电控悬架能根据行驶的需要对悬架刚度、阻尼和车身高度进行自动调节，提高车辆的行驶平顺性和操纵稳定性。下面以雷克萨斯 LS400 型电子控制空气悬架为例介绍电控悬架的检测与故障诊断。雷克萨斯 LS400 轿车电控空气悬架电路图如图 3-64 所示。

1. 功能检查

（1）汽车高度调整功能的检查

1）检查轮胎气压是否正常。

2）检查汽车高度（下横臂安装螺栓中心到地面的距离）。

3）如图 3-65 所示，将高度控制开关由 NORM 转换到 HIGH，车身高度应升高 10~30mm，所需时间为 20~40s。

（2）溢流阀的检查

1）点火开关置于 ON，将高度控制插接器的 1、7 端子短接，如图 3-66 所示，使压缩机工作。

2）压缩机工作一会儿后，检查溢流阀是否放气，如图 3-67 所示。如果不放气说明溢流阀堵塞、压缩机故障或有漏气的部位。

3）检查结束后。将点火开关置于 OFF，清除故障码。

（3）漏气检查

1）将高度控制开关置于 HIGH 位置。

2）使发动机熄火。

3）在管子的接头处涂抹肥皂水，如图 3-68 所示。

2. 故障自诊断

（1）指示灯检查

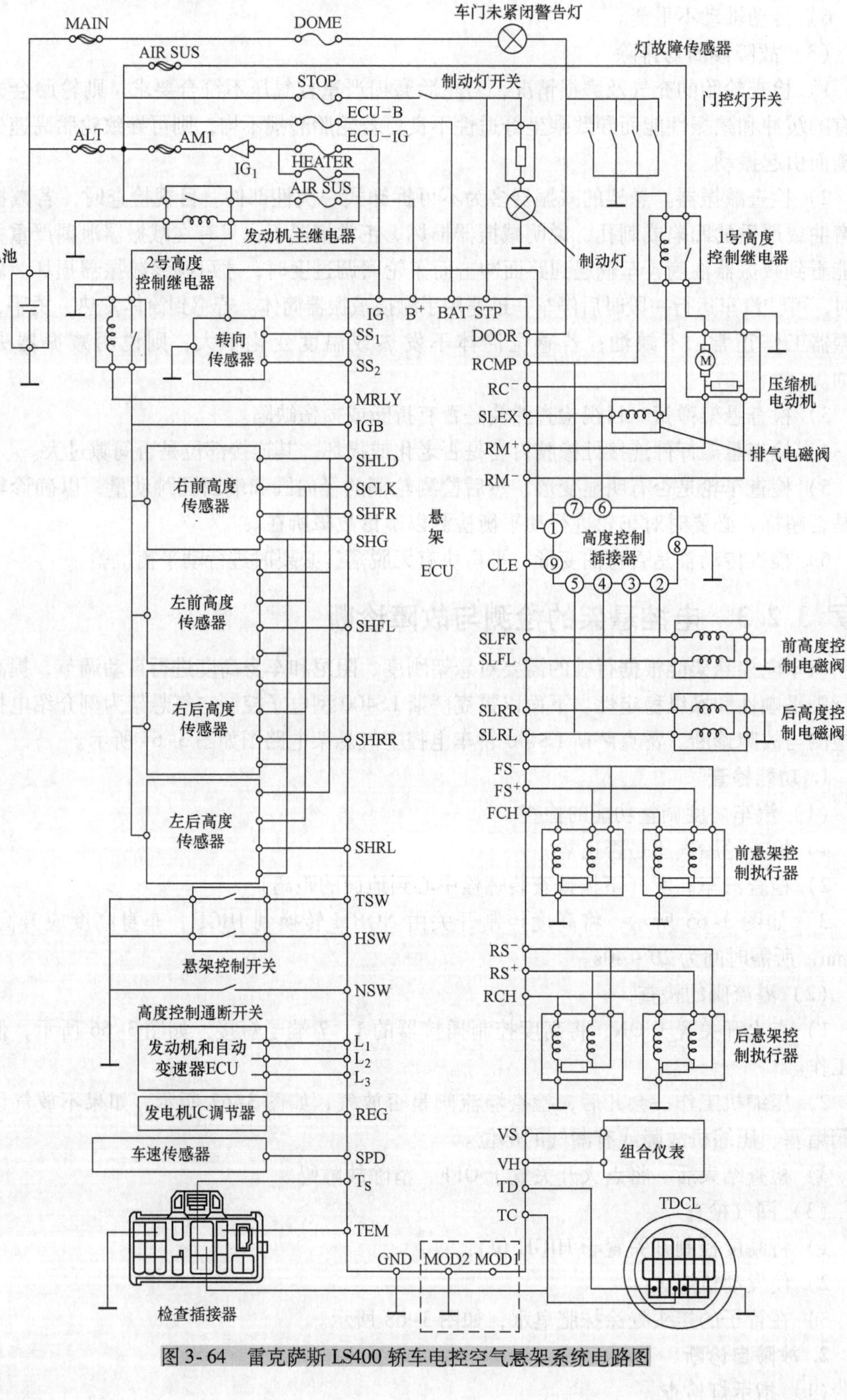

图 3-64 雷克萨斯 LS400 轿车电控空气悬架系统电路图

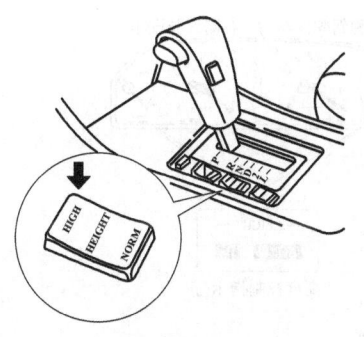

图 3-65 高度控制开关

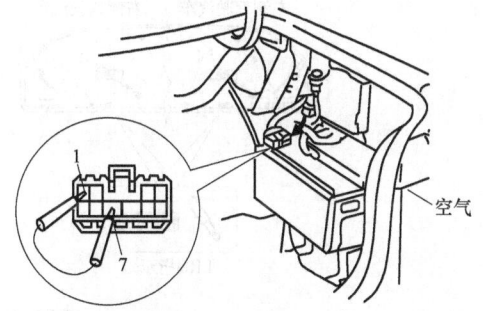

图 3-66 短接高度控制插接器的 1、7 端子

1）点火开关置于 ON。

2）LRC 指示灯（SPORT 指示灯）和 HEIGHT 指示灯（NORM 和 HI 指示灯）应点亮 2s，指示灯的位置如图 3-69 所示。

3）如果 NORM 指示灯以每 1s 的间隔闪烁时，表明 ECU 中存有故障码，如果出现故障，应检查相应电路。

（2）读取故障码

1）点火开关置于 ON。

2）跨接 TDCL 或检查插接器的 TC 与 E1 端子。

3）从 NORM 指示灯的闪烁读取故障码，NORM 指示灯的位置如图 3-69 所示。

如果高度控制开关置于 OFF 位置，会输出代码 71，这是正常的。雷克萨斯 LS400 轿车电子控制空气悬架系统的故障码见表 3-8。

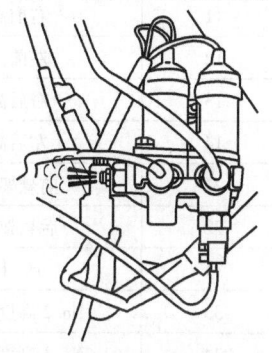

图 3-67 检查溢流阀

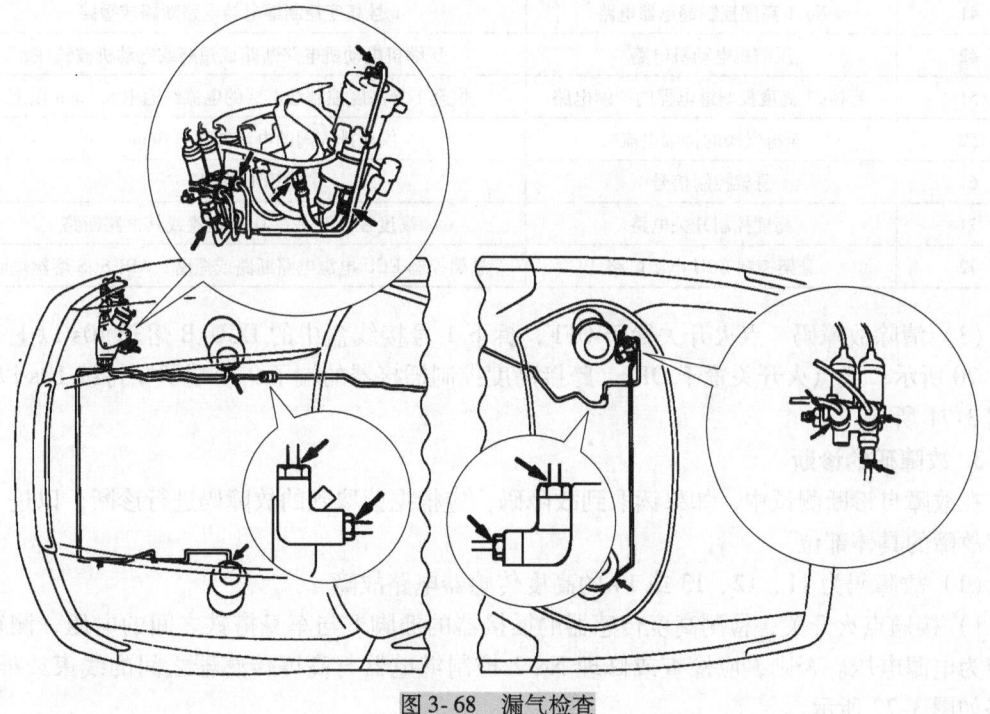

图 3-68 漏气检查

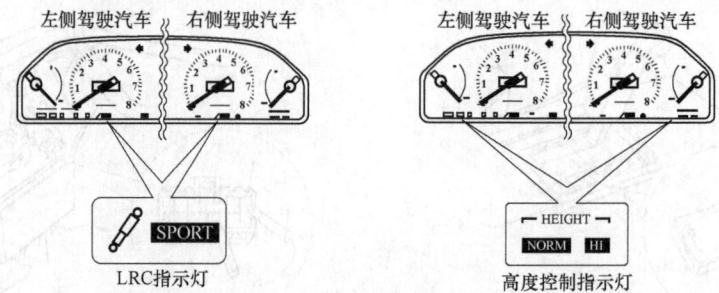

图 3-69 指示灯位置

表 3-8 雷克萨斯 LS400 型轿车电子控制空气悬架系统的故障码

故障码	故障部位	故障原因
11	右前高度传感器电路	高度传感器电路短路或断路
12	左前高度传感器电路	
13	右后高度传感器电路	
14	左后高度传感器电路	
21	前悬架控制执行器电路	悬架控制执行器电路短路或断路
22	后悬架控制执行器电路	
31	No.1 高度控制电路	高度控制阀电路断路或短路
33	No.2 高度控制电路（右悬架）	
34	No.3 高度控制电路（左悬架）	
35	排气阀电路	排气阀电路断路或短路
41	No.1 高度控制继电器电路	1 号高度控制继电器电路断路或短路
42	压缩机电动机电路	压缩机电动机电路断路或短路或电动机被锁住
51	至 No.1 高度控制继电器的持续电路	供至 1 号高度控制继电器的电流约通电 8.5min 以上
52	至排气阀的持续电流	供至排气阀的电流约通电 6min 以上
61	悬架控制信号	ECU 失灵
71	高度控制开关电路	高度控制开关在 OFF 位置或其电路断路
72	悬架控制 ECU 电源电路	悬架控制 ECU 电源电路断路或短路；AIR SUS 熔丝烧断

（3）清除故障码 点火开关置于 OFF，拆下 1 号接线盒中的 ECU-B 熔丝 10s 以上，如图 3-70 所示；或点火开关置于 OFF，跨接高度控制插接器的端子 9 与端子 8 持续 10s 以上，如图 3-71 所示。

3. 故障码的诊断

在故障自诊断测试中，如果读取到故障码，应根据读取到的故障码进行诊断，以进一步确定故障的具体部位。

（1）故障码为 11、12、13 或 14 的高度传感器电路故障

1）接通点火开关，检测高度传感器的插接器的插脚 1 与车身搭铁之间的电压，测得结果应为电源电压。否则，应检查或修理 No.2 控制继电器与高度传感器之间的线束或插头，电路如图 3-72 所示。

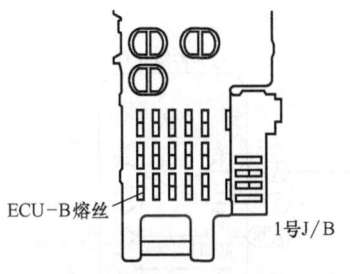

图 3-70 拆下 1 号接线盒中的 ECU-B 熔丝

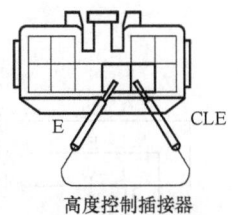

图 3-71 跨接高度控制插接器的端子 9 与端子 8

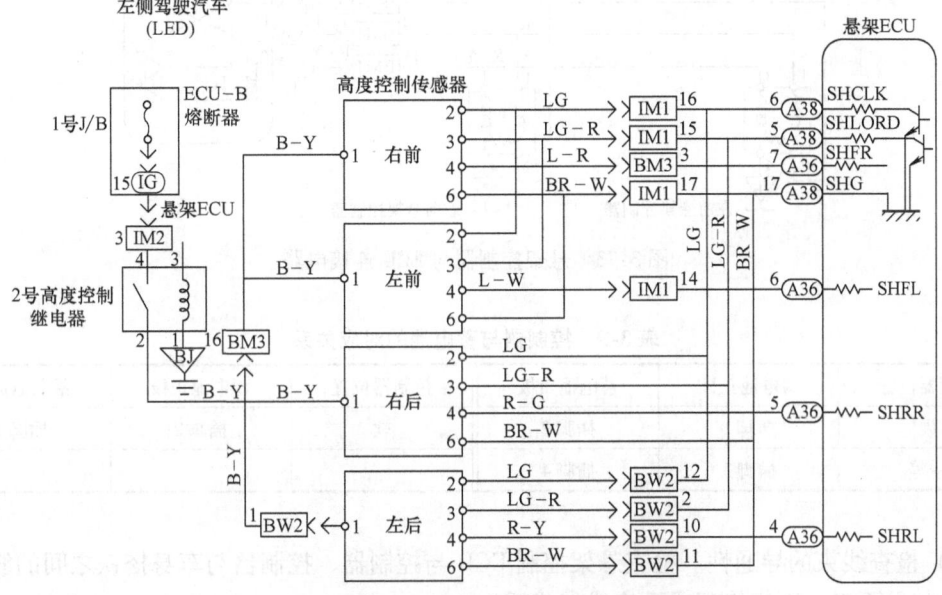

图 3-72 高度传感器与悬架控制 ECU 连接电路

2) 检查线束的导通性。检查悬架控制 ECU 与高度传感器之间的线束和插头。若不良，应修理或更换线束或插头。

3) 换件比较。装用一个好的高度传感器，如果故障消失，则是传感器不良，应予更换。如果故障仍然存在，可以更换悬架控制 ECU 再试。

(2) 故障码 21 或 22 的悬架控制器电路故障

1) 检查悬架控制器的操作情况。接通点火开关，将 LRC 开关分别拨至运动侧和正常侧，检查悬架控制器的操作。

2) 如果悬架控制器操作不良，检测悬架控制器的电阻值，电路如图 3-73 所示。

① 拆开控制器插头。

② 测量悬架控制器插接器插脚之间的电阻，插脚 1、2 之间以及插脚 3、4 之间的电阻为 3~6Ω；插脚 2、4 之间的电阻为 2.3~4.3Ω。

③ 在悬架控制器插头和插脚之间接入蓄电池，检查悬架控制器的操作，这种检查应在短时间内（1s 之内）完成。如果不良，则更换控制器。控制器与蓄电池的对应关系见表 3-9。

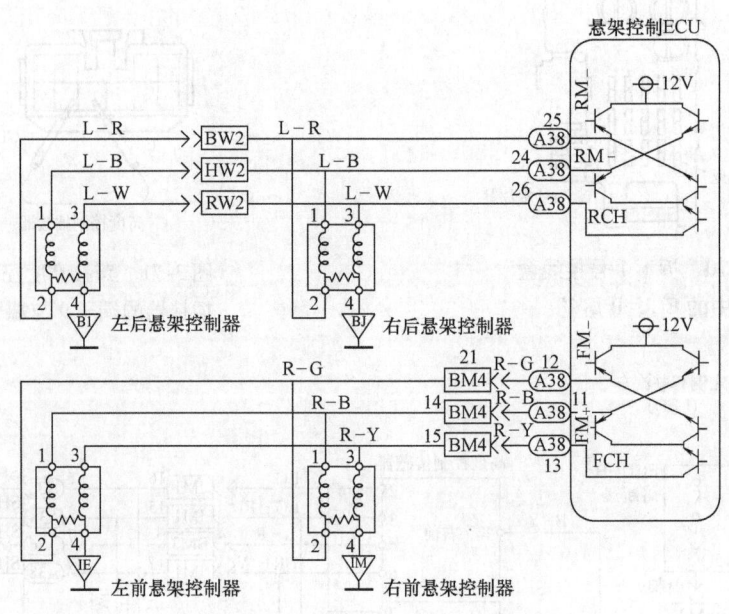

图 3-73 悬架控制器与 ECU 连接电路

表 3-9 控制器与蓄电池的对应关系

控制器位置	蓄电池正极	蓄电池负极	控制器位置	蓄电池正极	蓄电池负极
硬	插脚1	插脚2	软	插脚2	插脚1
中等	插脚3	插脚4			

3）检查线束的导通性。检查悬架控制 ECU 与控制器、控制器与车身搭铁之间的线束和插头。如果不良，则应修理或更换线束或插头。

(3) 故障码为 31、33、34 或 35 的高度控制阀或排气阀电路故障

1）检查车身高度的变化情况：

① 拆下行李箱右侧盖。

② 用电阻表测量高度控制插接器各端子间的电阻值，其标准见表 3-10。

表 3-10 高度控制插接器各端子电阻值

	端子	电阻/Ω		端子	电阻/Ω
检测高度控制插接器	2-8	9~15	检测高度控制插接器	5-8	9~15
	3-8	9~15		6-8	9~15
	4-8	9~15			

③ 接通点火开关，用跨接线将高度控制插接器中 1、2、7 端子相互短接，右前汽车高度应上升。电路如图 3-74 所示。

④ 用跨接线将高度控制插接器中 1、3、7 端子相互短接，左前汽车高度应上升。

⑤ 用跨接线将高度控制插接器中 1、4、7 端子相互短接，右后汽车高度应上升。

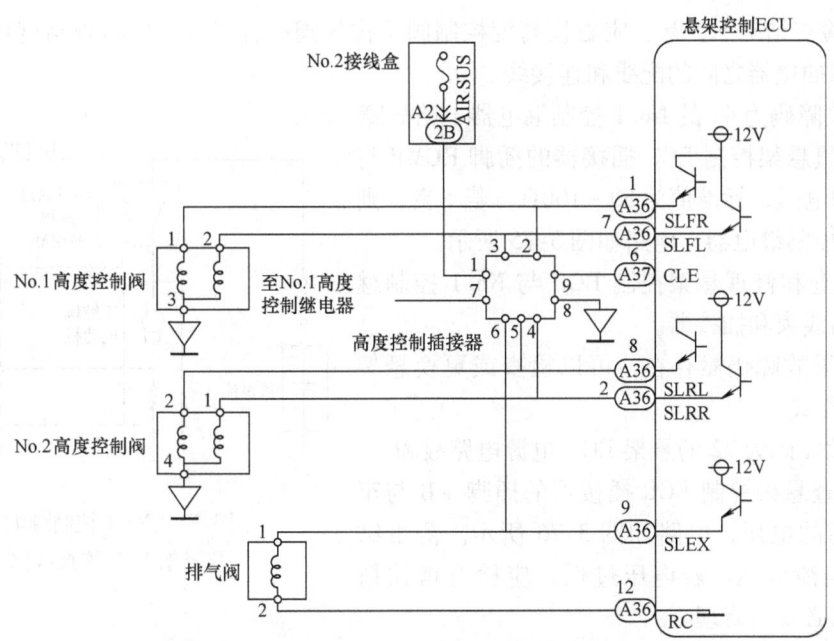

图 3-74 高度控制阀、排气阀与悬架 ECU 的连接电路

⑥ 用跨接线将高度控制插接器中 1、5、7 端子相互短接，左后汽车高度应上升。
⑦ 用跨接线将高度控制插接器中 1、2、6 端子相互短接，右前汽车高度应降低。
⑧ 用跨接线将高度控制插接器中 1、3、6 端子相互短接，左前汽车高度应降低。
⑨ 用跨接线将高度控制插接器中 1、4、6 端子相互短接，右后汽车高度应降低。
⑩ 用跨接线将高度控制插接器中 1、5、6 端子相互短接，左后汽车高度应降低。

2）如果上述检查正常，则检查悬架控制 ECU 与控制插接器之间的线束和插头是否有开路处。若有开路处，应修理或更换。

3）如果正常，则检查控制阀和排气阀。

① 用万用表测量 No.1 高度控制阀插脚 1 与插脚 3、插脚 2 与插脚 3 之间的电阻，应为 9~15Ω。

② 用万用表测量 No.2 高度控制阀插脚 1 与插脚 4、插脚 2 与插脚 4 之间的电阻，应为 9~15Ω。

③ 测量排气阀插脚 1 与插脚 2 之间的电阻应为 9~15Ω。

④ 直接给各控制阀、排气阀加上 12V 蓄电池电压，各电磁阀应有"咔哒"的工作声。蓄电池与控制阀、排气阀各端子之间的正确连接方法见表 3-11。

表 3-11 高度控制阀、排气阀各端子与蓄电池之间的对应关系

阀	蓄电池 +	蓄电池 -	阀	蓄电池 +	蓄电池 -
1 号高度控制阀	1	3	排气阀	1	2
	2	3			
2 号高度控制阀	1	4			
	2	4			

⑤ 若检查结果不正常，应更换高度控制阀及排气阀；若正常，应检查高度控制器或排气阀至检测插接器之间的配线和连接线。

(4) 故障码为 41 的 No.1 控制继电器电路故障

1) 测量悬架控制 ECU 插接器的插脚 RCMP 与 RC⁻ 之间的电阻，标准值为 50~100Ω。若不良，则更换 No.1 控制继电器。电路如图 3-75 所示。

2) 检查和修理悬架控制 ECU 与 No.1 控制继电器之间的线束和插接器。

3) 如果故障仍然存在，可以检查或更换悬架控制 ECU 再试。

(5) 故障码为 72 的悬架 ECU 电源电路故障

1) 检查悬架控制 ECU 插接器的插脚 +B 与车身搭铁之间的电压，电路如图 3-76 所示。测量结果应为蓄电池电压。若电压过低，应检查搭铁情况，并加以必要的修理。

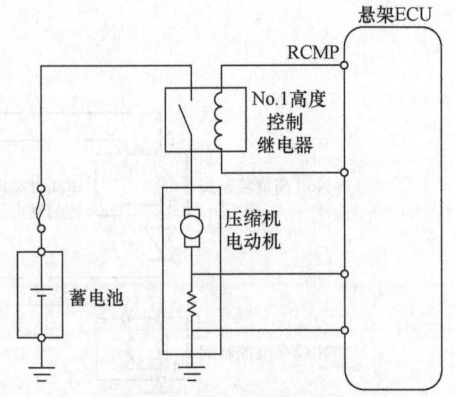

图 3-75 No.1 控制继电器与悬架 ECU 连接线路

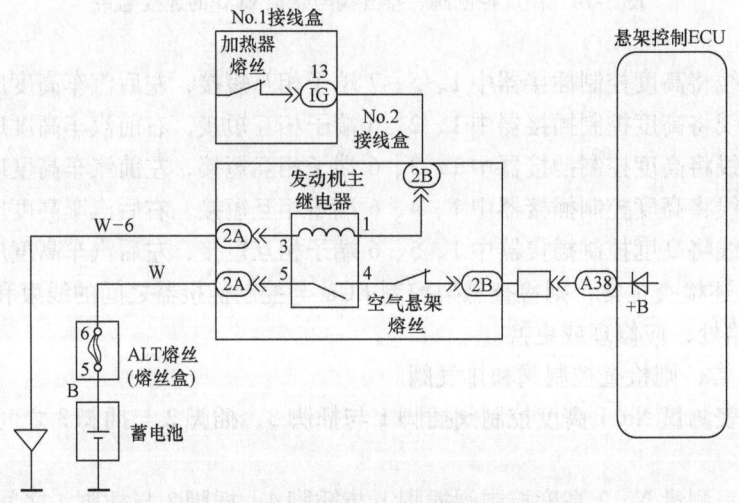

图 3-76 悬架 ECU 电源电路

2) 检查加热熔丝的导通情况，正常应为导通。若不导通，应检查与加热器熔丝连接的所有线束和零部件是否有短路处。若有，应加以排除。

3) 检查空气悬架熔丝的导通情况，正常应为导通。若不导通，应检查与空气悬架熔丝连接的所有线束和零部件是否有短路处。若有，应加以排除。

4) 检查发动机主继电器每对插脚之间的导通情况。插脚 4 与插脚 5 之间应开路；插脚 1 与插脚 3 之间应导通。在插脚 1 与插脚 3 之间施加蓄电池电压，再检查导通情况，此时插脚 4 与插脚 5 应导通。若正常，应检查和修理继电器与车身搭铁、继电器与蓄电池之间的线束和插接器。若不正常，则更换发动机主继电器。

5) 如果故障仍然存在，可以检查或更换悬架控制 ECU 再试。

3.2.4 汽车巡航控制系统的故障诊断与排除

汽车巡航控制系统是利用电子技术对汽车行驶速度进行调节，实现以预先设定车速行驶的电子控制装置。下面以雷克萨斯 LS400 型轿车为例，介绍巡航控制系统的故障诊断与检修方法。雷克萨斯 LS400 型汽车巡航控制系统为微机控制型，巡航控制开关为手柄型，执行器为电动机驱动型。其控制系统部件位置如图 3-77 所示，电路图如图 3-78 所示。

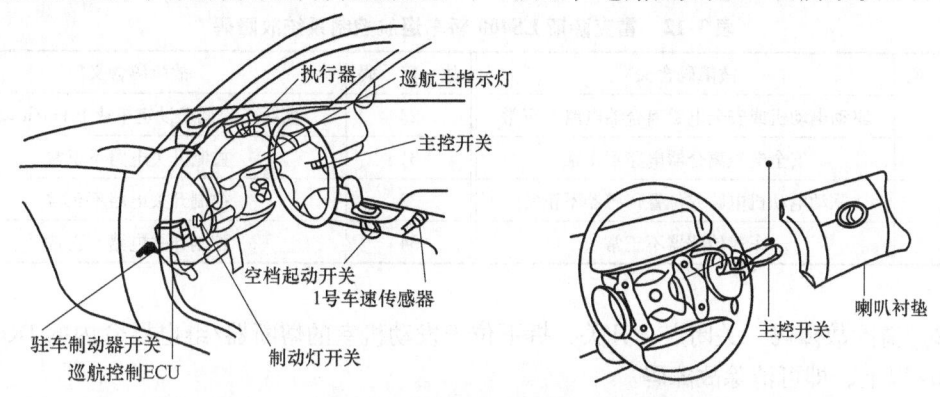

图 3-77　巡航控制系统部件位置

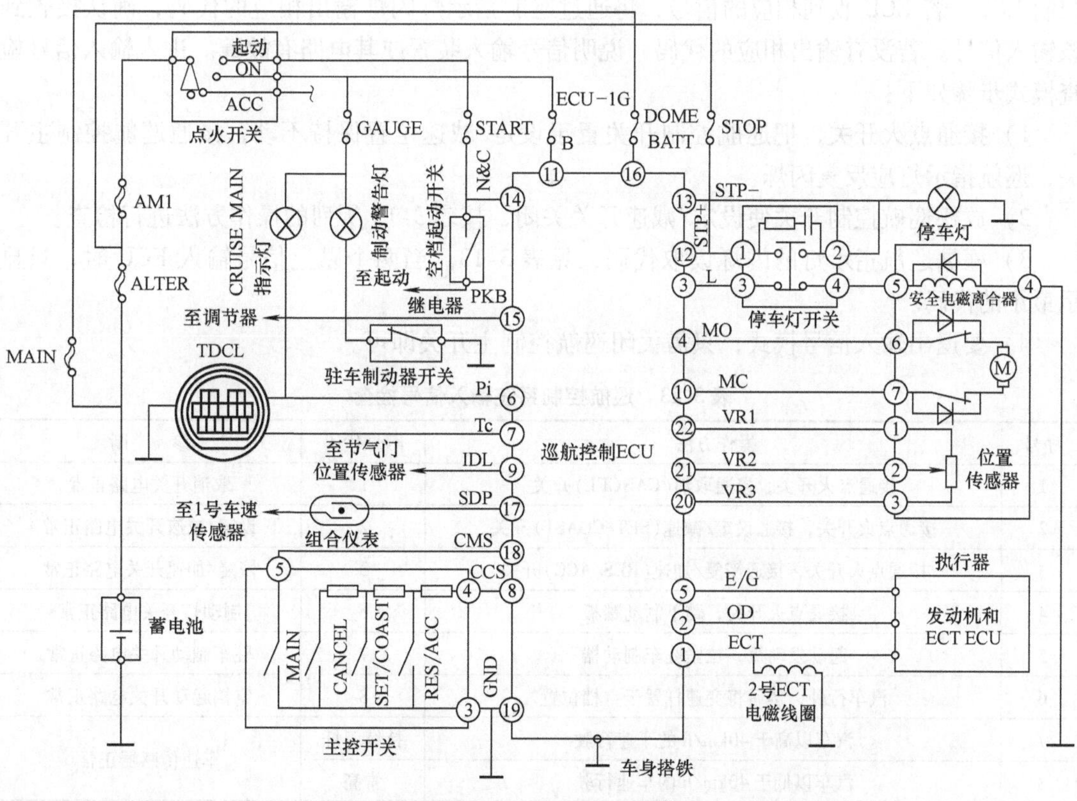

图 3-78　巡航控制系统电路

1. 故障自诊断

（1）故障码读取

1）接通点火开关。

2）用跨接线跨接诊断座 TDCL 的端子 TC 与 E1。

3）根据仪表板上的 CRUISE 指示灯的闪烁情况读取故障码。雷克萨斯 LS400 轿车巡航控制系统故障码见表 3-12。

表 3-12 雷克萨斯 LS400 轿车巡航控制系统故障码

故障码	故障码含义	故障码	故障码含义
11	驱动电动机或安全电磁离合器电路不正常	23	实际车速低于设定车速 16km/h 以上
12	安全电磁离合器电路不正常	31	控制开关电路不正常
13	驱动电动机电路或位置传感器不正常	32	控制开关电路不正常
21	车速传感器不正常	34	控制开关电路不正常

（2）清除故障码　关闭点火开关，拆下位于发动机室的熔断器/继电器盒内的 DOME 熔断器 10s 以上，即可清除故障码。

（3）输入信号检查　输入信号包括巡航控制开关、制动灯信号、空档起动开关信号等。输入信号检查的目的是确认各输入信号是否正常输入巡航 ECU。其方法是在巡航控制系统进入输入信号检查模式后，通过操作输入信号开关或在汽车行驶时相应的输入信号进入巡航控制 ECU。若 ECU 收到相应的信号，将通过巡航指示灯闪烁输出相应的代码，确认接收到该输入信号。若没有输出相应的代码，说明信号输入装置或其电路有故障。进入输入信号检查模式步骤如下：

1）接通点火开关，把巡航控制开关置于设定/减速位置保持不动，接通巡航控制主开关，巡航指示灯应反复闪烁。

2）放松巡航控制开关使设定/减速开关关闭，按表 3-13 所列的操作方法进行检查。

3）根据巡航指示灯的闪烁读取代码，见表 3-13。当两个以上信号输入 ECU 时，只显示最小的代码。

4）要退出输入信号模式，只需关闭巡航控制主开关即可。

表 3-13 巡航控制系统输入信号检查

序号	操作方法	闪烁代码	诊断
1	接通点火开关，接通取消（CANCEL）开关	1	取消开关电路正常
2	接通点火开关，接通设定/减速（SET/COAST）开关	2	设定/减速开关电路正常
3	接通点火开关，接通恢复/加速（RES/ACC）开关	3	恢复/加速开关电路正常
4	接通点火开关，踏下制动踏板	6	制动灯开关电路正常
5	起动发动机，拉紧驻车制动器	7	驻车制动开关电路正常
6	汽车行驶，然后将变速杆置于空档位置	8	空档起动开关电路正常
7	汽车以高于 40km/h 的车速行驶	持续闪烁	车速传感器正常
8	汽车以低于 40km/h 的车速行驶	常亮	

第3章 汽车底盘故障诊断与检测

(4) 取消信号的检查　如果正在进行巡航行驶的汽车其巡航行驶被不正常地自动取消,可能是某个取消开关或电路出现了故障。通过取消信号检查,可确定发生故障的开关及其电路。巡航控制系统 ECU 进入取消信号检查模式的方法如下:

1) 接通点火开关,把巡航控制开关置于取消位置保持不动,接通巡航控制开关,巡航控制 ECU 即进入取消信号检查模式。

2) 读取仪表板上的巡航指示灯闪烁的诊断码,见表3-14。

3) 要退出取消信号检查诊断模式,关闭巡航主开关即可。

表 3-14　巡航控制系统取消信号的检查

代　码	诊　　断	代　码	诊　　断
1	除故障码23以外的故障	5	接收到空档起动开关信号
2	故障码为23的故障	6	接收到驻车制动灯开关信号
3	接收到 CANCEL 的开关信号	7	车速传感器输出信号降到40km/h 以下
4	接收到制动灯开关信号	常亮	除上述以外的故障(如电源中断)

需要注意的是,当驾驶人通过操纵某一取消开关停止巡航控制系统的工作时,代表相应取消信号的代码同样会存储在巡航控制 ECU 内,因此表3-14中的代码不能理解为故障码。

(5) 巡航控制系统故障诊断与排除顺序　当对巡航控制系统进行自诊断测试后,若读取到故障码,应进一步进行故障码诊断,以确定故障的具体部位和原因。由于同一个故障码产生的原因可能有几个,因此在进行故障码诊断时,应按一定的顺序进行检查,见表3-15。

表 3-15　巡航控制系统故障诊断与排除顺序表

故障码 \ 故障部位	驱动电动机	安全电磁离合器	位置传感器电路	车速传感器	控制开关电路	执行器控制拉索	巡航控制 ECU
11	1	2					3
12		1					2
13	2		1				3
21				1			2
23	3			2		1	4
31					1		2
32					1		2
34					1		2

2. 故障码诊断

在故障自诊断中,若读取到故障码,应根据读取到的故障码进行诊断,以进一步确定故障的具体部位及原因。

(1) 故障码为11或13的执行器电动机电路故障

1) 拔下巡航控制执行器电动机插接器,将蓄电池正极与执行器端子5连接,负极与执行器端子4连接,如图3-79所示,则电磁离合器应结合。

2) 将蓄电池正极与执行器端子6连接,负极与执行器端子7连接,如图3-79所示,控制臂应平滑地转向节气门打开方向。

3）将蓄电池正极与执行器端子 7 连接，负极与执行器端子 6 连接，控制臂应平滑地转向节气门关闭方向。

4）当控制臂转至节气门全开或全关的极限位置时，限位开关应使控制臂停止转动。若检查结果不是如上所述，则应更换巡航控制执行器。

5）检查巡航控制 ECU 与执行器之间的导线，若导线有故障，应进行修理。

（2）故障码为 11 或 12 的电磁离合器电路故障

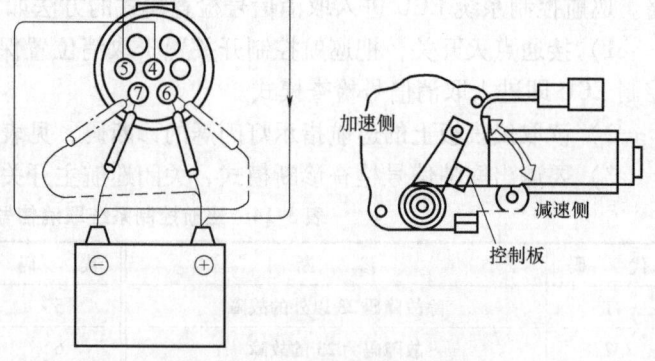

图 3-79 执行器电动机电路检查

1）检查巡航控制 ECU 配线侧插接器端子 3 与车身搭铁之间的导通情况，电路如图 3-80 所示。测量值应约为 38Ω，不正常则检查电磁离合器。

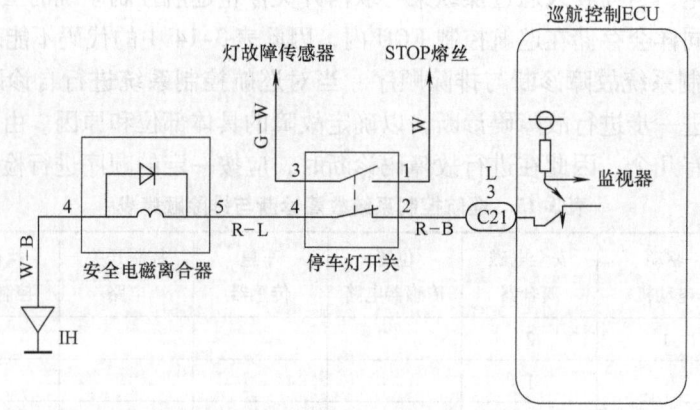

图 3-80 安全电磁离合器与巡航控制 ECU 连接电路

2）检查电磁离合器。如图 3-81 所示，用万用表检测电磁离合器端子 4 与 5 之间的电阻，正常值约为 38Ω。或者进行动态检查，其正常情况是：没有通电前，扳动离合器控制臂

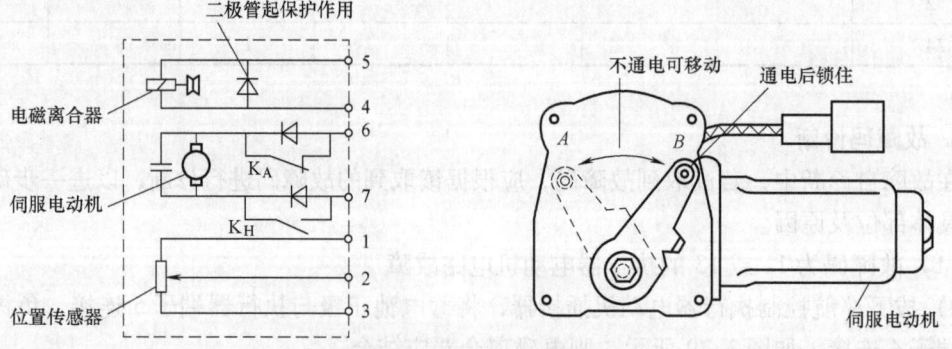

图 3-81 安全电磁离合器的检查

应能转动；当电源正极接端子 5，负极接端子 4，离合器控制臂应能锁住。若正常则检查停车灯开关，否则更换电磁离合器。

3）检查停车灯开关（图 3-80）。踩下制动踏板时，插接器端子 1 与 3 之间应能导通，而放松制动踏板时，端子 2 与 4 之间应能导通。若正常，则检查和修理巡航控制 ECU 与停车灯开关、停车灯开关与电磁离合器、电磁离合器与车身搭铁之间的配线和插接器。否则，更换停车灯开关。

（3）故障码为 13 的位置传感器电路故障

1）接通点火开关，缓慢将控制臂从加速侧转向减速侧时，检测巡航控制 ECU 线束侧插接器端子 VR2 与端子 VR3 之间的电压，电路如图 3-82 所示。控制臂在节气门全关位置，电压约为 1.1V；在节气门全开位置时，电压应为 4.2V；控制臂转动时，电压变化应连续平稳。若不正常，应检查位置传感器。

2）拔下执行器插接器，用万用表测量端子 1 与 3 之间的电阻应为 2kΩ。用手缓慢将控制臂从加速侧转向减速侧时，检测执行器端子 2 与 3 之间的电阻值，应平缓地由 0.5kΩ 到 1.8kΩ。若不正常，则更换位置传感器。

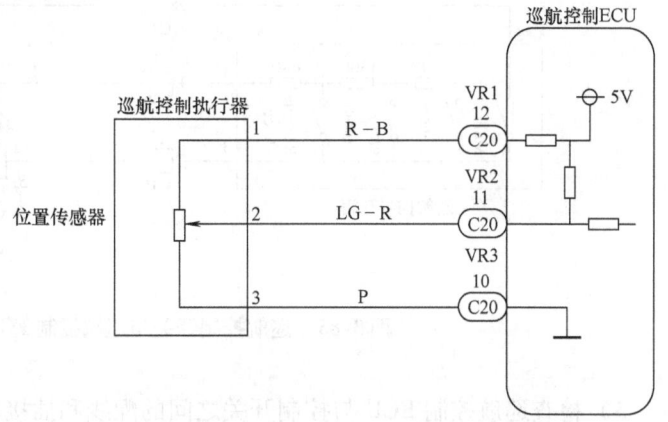

图 3-82　位置传感器与巡航控制 ECU 连接电路

3）检查巡航控制 ECU 与执行器之间的配线和插接器是否开路或短路。若不正常，修理或更换配线或插接器。

（4）故障码为 21 的车速传感器电路故障

1）进入输入信号检查模式，驾驶车辆行驶，检查车速在低于和高于 40km/h 时巡航控制指示灯的工作情况。

2）当车速低于 40km/h 时，巡航指示灯应常亮；车速高于 40km/h 时，巡航指示灯应闪烁。

3）驾驶车辆行驶，检查车速表的工作情况。若车速表不工作，排除车速表故障，若车速表工作良好，拆下组合仪表，保持组合仪表线束的连接。

4）接通点火开关，顶起汽车驱动桥，用手转动传动轴，检测组合仪表 A 插接器端子 10 与搭铁之间的电压。传动轴每转一转，电压应在 0~5V 之间变换，若没有电压或电压没有按上述要求变化，检查组合仪表电源。若电压正常，检查组合仪表与巡航控制 ECU 之间的导线。

5）若车速信号及导线良好，检查并更换巡航控制 ECU。否则修理组合仪表和导线。

（5）故障码为 31、32 或 34 的巡航控制开关电路

1）进行输入信号检查模式，接通设定/减速开关、恢复/加速开关和取消开关，读取巡航指示灯闪烁的代码，正常闪烁代码应符合表 3-15 所列。

2）拆下转向盘衬垫，脱开控制开关插接器，检测端子 3 与 4 之间的电阻，电路如图

3-83所示。各开关均断开时，检测的电阻值应为∞；开关在恢复/加速位置时，电阻值应为700Ω；开关在设定/减速位置时，电阻值应为200Ω；开关在取消位置时，电阻值应为420Ω。若不正常，更换控制开关。

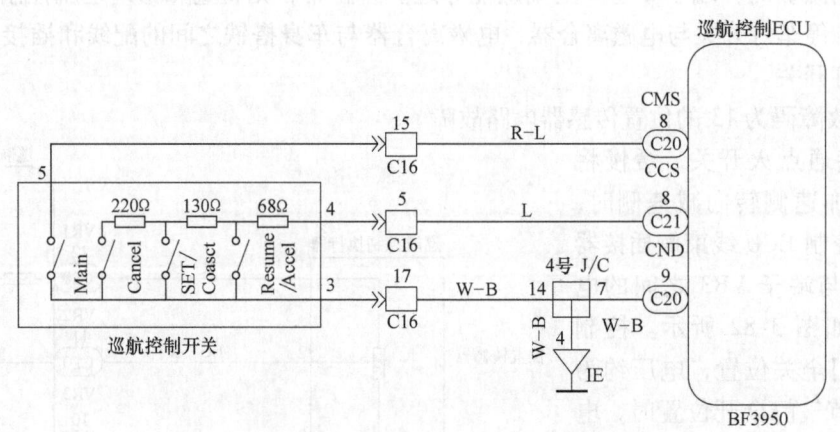

图 3-83　巡航控制开关与巡航控制 ECU 连接电路

3）检查巡航控制 ECU 与控制开关之间的配线和插接器是否开路或短路。若有短路或开路，应修理或更换配线或插接器。

3.3　转向系统的故障诊断与排除

转向系统出现故障，汽车的表观现象主要有以下几种情况：
① 轮胎磨损速度加快，胎面形状出现异常。
② 汽车保持直线行驶或静止不动时，轻轻来回晃动转向盘，感到游动角度很大。
③ 汽车在左右转动转向盘时，感到沉重费力，无回正感，甚至打不动。
④ 装有液压助力式转向器的车辆，在转向时，转向盘转动沉重或忽重忽轻。
⑤ 汽车在行驶中自动跑向一边。
⑥ 汽车在某低速范围内或某高速范围内，出现角振动现象，严重时，握转向盘的手有麻木感，甚至在驾驶室内可看到整个车头晃动。
⑦ 发动机起动后或在车辆行驶过程中，液压助力装置发出不正常的响声。

转向系统是汽车底盘的主要组成部分，其功用是改变或保持汽车的行驶方向，转向系统常见的结构形式如图 3-84 所示。转向系统性能的好坏直接影响到汽车行驶的稳定性和安全性，因此，在汽车使用过程中应加强对转向系统的检测与诊断。对转向系统的检测与诊断主要是车轮定位的检测和转向系统的故障诊断与排除。

3.3.1　汽车车轮定位检测

汽车车轮定位主要是前轮定位（即转向轮定位）。但是，也有一些轿车和货车后轮也有

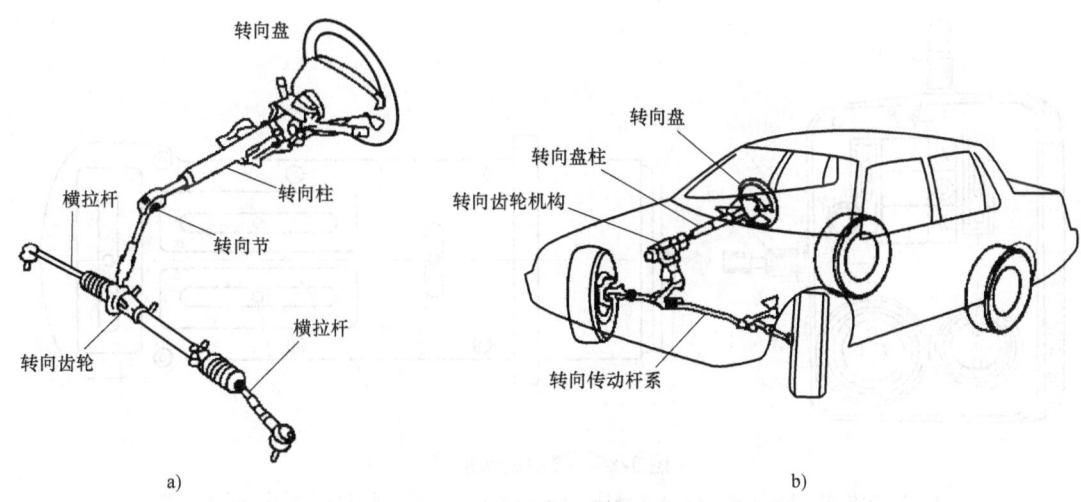

图 3-84 转向系统的结构与布置
a）齿轮齿条式转向装置 b）循环球螺母式转向装置

定位,即四轮定位。汽车车轮定位的检测方法,有静态检测法和动态检测法两种类型。静态检测法是在汽车停止的状态下,使用测量仪器对车轮定位进行几何角度的测量,使用的检测设备有气泡水准式、光学式、激光式、电子式和微机式等车轮定位仪。动态检测法是在汽车以一定车速行驶的状态下,用测量仪器或设备检测车轮定位产生的侧向力或由此引起的车轮侧滑量。动态检测使用的检测设备主要有滑动板式侧滑试验台和滚筒式车轮定位试验台两种。目前,国内几乎全部采用滑板式侧滑试验台进行动态检测。

1. 转向轮定位的静态检测

汽车转向轮的定位值（包括转向轮外倾角、转向轮前束值、主销后倾角、主销内倾角 4 个参数）,是评价汽车的操纵性和直线行驶稳定性的重要参数。转向轮定位参数的静态检测设备有气泡式水准仪、光学式或激光式或电子或计算机式车轮定位仪,这些设备一般是利用前轮旋转平面与各定位角间存在的直接或间接关系进行测量的,其中气泡式水准仪的应用最为广泛。

气泡式水准仪主要由水准仪、支架和转盘组成,如图 3-85 所示,可测得前轮外倾角、主销后倾角和主销内倾角。

（1）检测前的准备

1）汽车载荷应符合该车原设计值。

2）轮胎气压符合规定,轮胎花纹磨损均匀。

3）车轮轮毂轴承、转向节主销不允许松动。

（2）前束的检测 测量前束值用前束尺。前束尺由一根带套筒的可调尺杆、指针和支架等组成,测量方法如下:

1）将车桥支起,使转向轮能自由转动,把划针调到轮胎轴心高度,对准胎冠中心,转动车轮,划出胎冠中线,如图 3-86 所示。

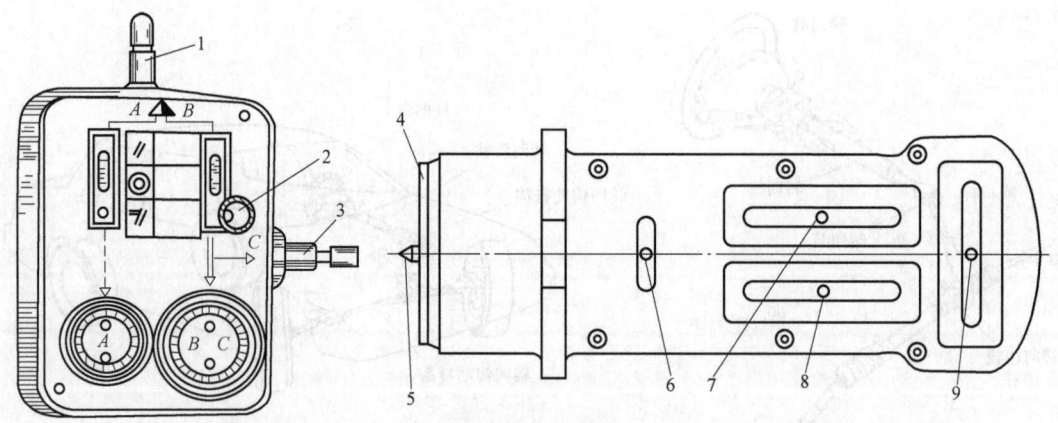

图 3-85 气泡式水准仪

1、3—定位销 2—旋钮 4—永久磁铁 5—定位针 6—校正水准仪水平状态的水泡管
7—测量主销后倾角的水泡管 8—测量前轮外倾角的水泡管 9—测量主销内倾角的水泡管

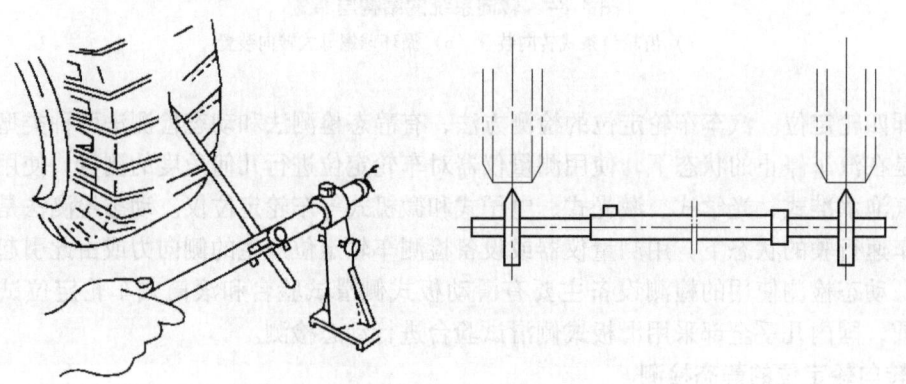

图 3-86 前束尺测量前束

2) 车轮落地, 在轮胎轴心高度, 调整前束尺两指针, 使之分别指向左右车轮后方的胎冠中心线, 调整前束尺的刻度标尺使之对0。

3) 将前束尺移至被测车轮前方, 调整前束尺长度, 使两指针分别指向左右车轮前方的胎冠中心线, 此时前束刻度标尺的指示值即为被测车轮的前束值。

(3) 车轮外倾角的检测 测量车轮外倾角用水准仪, 如图3-87所示。测量方法如下:

1) 被测车轮呈直线行驶位置。

2) 将水准仪吸附在被测车轮的轮毂端面上。

3) 调整水准泡处于中间位置。

4) 水准仪上外倾角水准气泡指示值即为被测车轮外倾角读数。

(4) 主销后倾角、主销内倾角的检测 主销后倾角、主销内倾角的检测需要车轮转动一

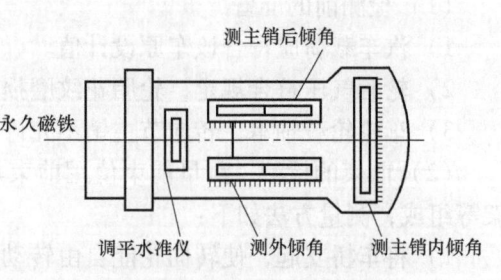

图 3-87 气泡式水准定位仪

定角度才能测量，故测量时需要配备车轮转角仪。测量方法如下：

1）安装转角仪，使前后轮调整至处于同一水平面。
2）安装水准仪。
3）将车轮向内转20°，调整好水准泡。
4）将车轮向反方向转40°，此时定位仪上后倾角水准器和内倾角水准器气泡所示值即为被测车轮的主销后倾角、主销内倾角度值。

2. 四轮定位的检测

为适应汽车高速运行状态下的稳定性和舒适性要求，现代汽车广泛采用四轮独立悬梁。为使汽车具有良好转向特性，除对转向轮定位外，部分轿车还具有后轮前束和外倾角等参数，称为四轮定位。

四轮定位的前、后轮定位参数依赖于悬架机构有关部件的相互位置在一个统一基准（线或面）上的合理匹配，以实现转向行驶系统的稳定效应，使汽车具有良好的行驶平顺性和操纵稳定性。只有当前、后轮定位参数均按标准值调整得当时，才能保证汽车转向精确、运行平稳、行驶安全、降低油耗并减轻轮胎磨损。

> 在汽车行驶中如出现下列情况时，需进行四轮定位的检测和调整：
> ① 直线行驶困难。
> ② 前轮摇摆不定，行驶方向漂移。
> ③ 轮胎出现异常磨损。
> ④ 汽车更换悬架系统、转向系统有关部件或前部经碰撞事故维修后。

（1）四轮定位检测项目　四轮定位的检测项目包括转向轮前束值/角及前张角、转向轮外倾角、主销后倾角、主销内倾角、后轮前束值/角及前张角、后轮外倾角、轮距、轴距、转向20°时的前张角、推力角和左右轴距差等，如图3-88所示。

（2）检测原理　不同类型的四轮定位仪所采用的检测方法、数据记录与传输的方式不同，但基本检测原理一致。

1）前束和左、右轴距差的检测。检测时，将车体摆正并把转向盘置于中间位置。为提高检测精度，四轮定位仪通常通过拉线、光线照射及反射或蓝牙传输等方式形成一封闭的直角四边形，并将被测车辆置于该四边形中，如图3-89所示。通过安装在车轮上的光学面或传感器，不仅可检测前轮的前束值，还可检测同一轴上左、右车轮的同轴度及推力角。

安装在车轮上的传感器有不同类型，以光敏晶体管式传感器为例介绍其检测原理。安装在两转向轮和两后轮上的传感器均有接收光线和发射光线功能，光线发射与接收刚好能形成图3-89所示的四边形。传感器的受光平面上等距离地排列有一排光敏晶体管，当不同位置上的光敏晶体管受到光线照射时，所发出的电信号即可代表前束值/角或左、右轮轴距差。

当前束为零时，同一轴左、右车轮上的传感器发射（或反射）出的光束应重合，当检测出上述两条光束相互平行但不重合时，说明车轮发生了错位，使得左、右车轮上不同轴，依照光敏晶体管发出的信息可测量出左、右轮的轴距差。

当左、右车轮存在前束时，左轮传感器上接收到光束位置相对于原来的零点有一偏差值，该偏差值表示右侧车轮的前束值/角；同理在右侧传感器上接收到的光束位置相对于原来零点的偏差值，则表示左侧车轮的前束值/角。车轮前束值/角的检测原理如图3-90所示。

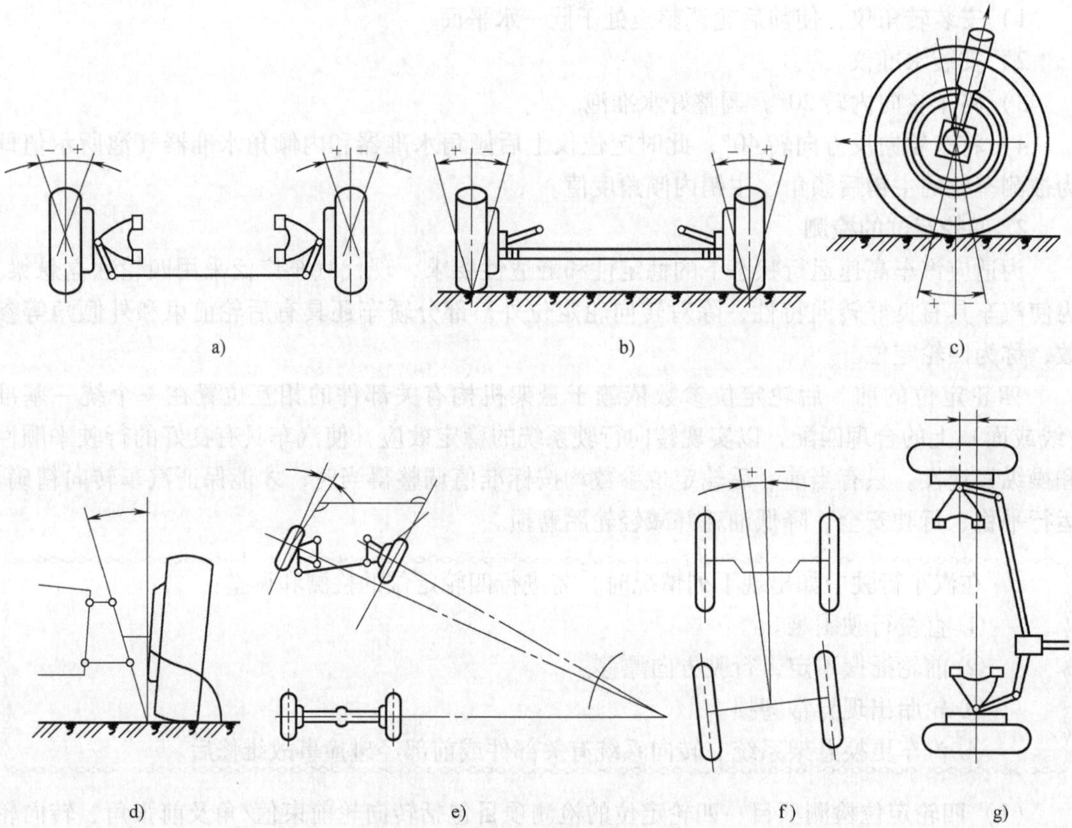

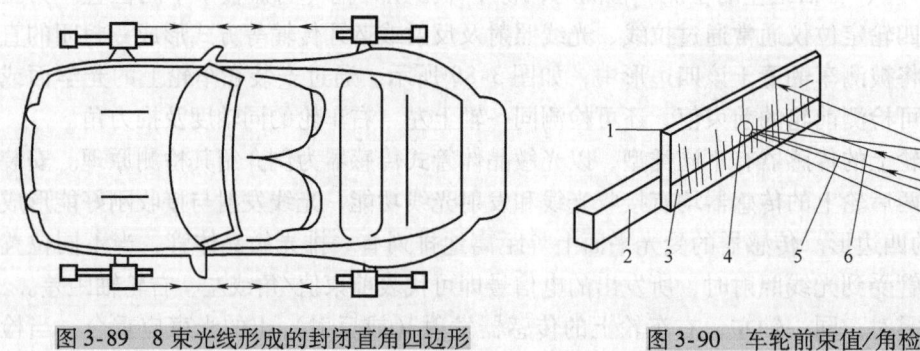

图 3-88 四轮定位的检测项目

a) 车轮前束值和前张角　b) 四轮外倾角　c) 主销后倾角
d) 主销内倾角　e) 转向20°时的前张角　f) 推力角　g) 左右轴距差

图 3-89　8束光线形成的封闭直角四边形

图 3-90　车轮前束值/角检测原理
1—刻度板　2—投射器支臂　3—光敏晶体管
4—激光器　5—投射激光束　6—接收激光束

2) 推力角检测。后轮行进方向（即推力线）与汽车的纵向几何中心线之间形成的夹角，称为推力角，如图3-91所示。推力角并非设计参数，而是一种故障状态参数。汽车行驶时，后轮沿推力线给汽车一纵向的偏转转矩，导致轮胎磨损异常磨损、汽车容易偏离其直线行驶方向，严重时将发生后轴侧滑、甩尾等危险状况。推力角通常接近0，可以通过调整后轮的个别前束来调整推力角。

一般规定推力线朝右为正，朝左为负。推力角的检测原理如图3-92所示。当推力角为零时，前后轴同侧车轮上的传感器发射或接受的光束应重合，当两条光束出现夹角而不重合时，则说明推力角不为零。为此，可以用安装在汽车前轮上的传感器接收到的后轮传感器发射光束相对于零点位置的偏差值来检测推力角的大小。

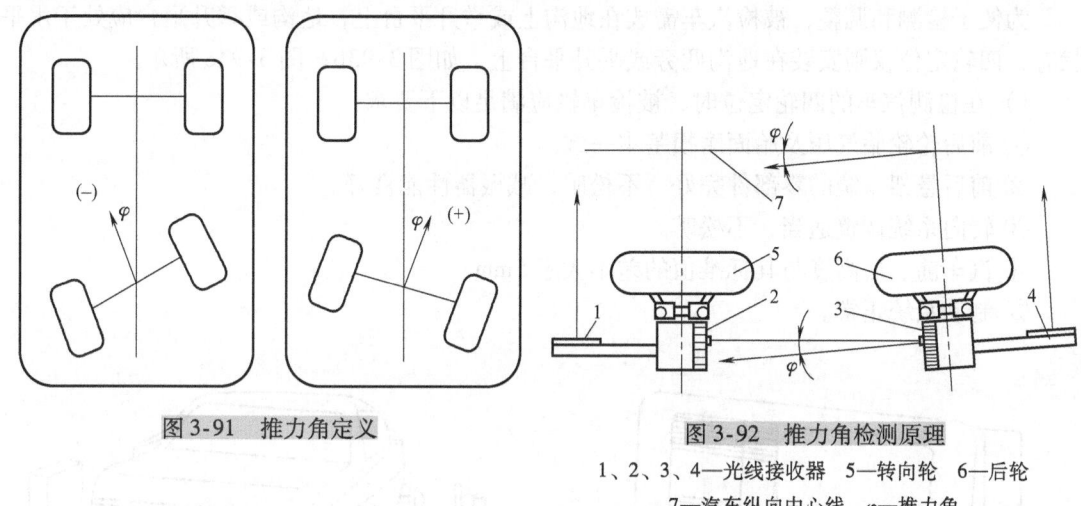

图3-91 推力角定义　　　　　图3-92 推力角检测原理
1、2、3、4—光线接收器　5—转向轮　6—后轮
7—汽车纵向中心线　φ—推力角

3）车轮外倾角检测。车轮外倾角可在车轮处于直线行驶位置时直接测得。在四轮定位仪的传感器（定位校正头）内装有角度测量仪（如电子倾斜仪），把传感器装在车轮上，可直接测出车轮外倾角。

4）主销后倾角与主销内倾角。主销后倾角和主销内倾角不能直接测出，只能采用建立在几何关系上的间接测量。若存在主销后倾角时，则在车轮向右转20°和车轮向左转20°两个位置时，车轮平面会发生倾角变化，该倾角变化可由传感器的角度测量仪测出。同理，若存在主销内倾角，则在车轮向右转20°和车轮向左转20°两个位置时，垂直于车轮旋转平面内将发生倾角变化，该倾角变化也可由传感器内的角度测量仪测出。

5）转向20°时前张角检测原理。汽车使用中，因转向轮长期在凹凸不平的路面上行驶和经常使用紧急制动等，使转向轮经常受到碰撞和冲击而引起汽车转向梯形臂变形，造成汽车在转向行驶过程中转向轮的轮胎异常磨损、操纵性变差，影响汽车的安全性。为了检测汽车的转向梯形臂与各连杆是否发生变形，在四轮定位检测中设置了转向20°时前张角的检测项目。

检测前张角时，使被检车辆转向轮停在转盘中心，转动转向盘使右转向轮右转20°后，读取左转向轮下转盘上的刻度值θ_1，20°-θ_1即为向右转转向20°时的前张角；使左转向轮沿直线行驶方向向左转20°后，读取右转向轮下转盘上的刻度值θ_2，20°-θ_2即为向左转向20°时的前张角。

（3）四轮定位仪及其使用方法　目前使用的四轮定位仪有拉线式、光学式、微机拉线式、微机激光式和微机蓝牙式等多种，它们的测量原理基本是一致的，但不同类型的四轮定位仪的使用方法有一定的差异，因此应严格按使用说明书的要求和方法进行操作。下面以微机式四轮定位仪为例，说明四轮定位仪的使用方法。

微机式四轮定位仪由主机、显示器、打印机、前后车轮检测传感器、传感器支架、转盘、制动锁、转向盘锁及导线等零件构成。配有专用软件和数据光盘，可读取近10年来世界各地汽车四轮定位参数，且可更新。还配有数码视频图像数据库，显示检查和调整位置等。图3-93a所示为微机式四轮定位仪主机外形图。

为便于检测和调整，被检汽车需放在地沟上或举升平台上，地沟或举升平台应处于水平状态，四轮定位仪则安装在地沟两旁或举升平台上，如图3-93b、图3-93c所示。

1) 在检测汽车的四轮定位时，被检车辆应满足以下要求：
① 前后轮轮胎气压及胎面磨损基本一致。
② 前后悬架系统的零部件完好、不松旷，减振器性能良好。
③ 转向系统调整适当，不松旷。
④ 汽车前、后高度与其标准值的差不大于5mm。
⑤ 制动系统正常。

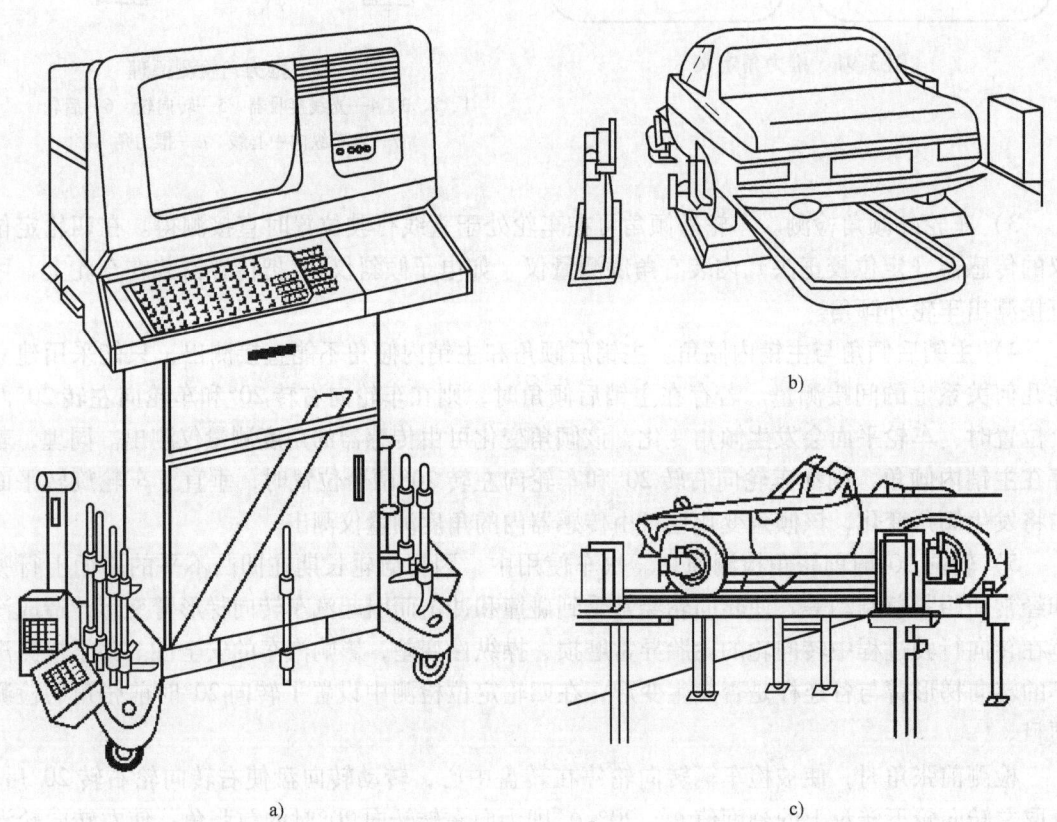

图 3-93　四轮定位仪外形及安装图
a) 四轮定位仪外形　b) 四轮定位仪安装在地沟旁　c) 四轮定位仪安装在举升平台上

2）检测前准备：

① 把汽车开上举升平台，托住车轮，把汽车举升0.5m（第一次举升）。

② 托住车身，把汽车举升至车轮能自由转动（第二次举升）。

③ 拆下各车轮，检查轮胎磨损情况，要求各轮胎磨损基本一致。

④ 检查轮胎气压，使其符合标准值。

⑤ 做车轮动平衡试验，动平衡完成后，将车轮装回车上。

⑥ 检查车身高度，检查车身4个角的高度和减振器技术状况，如车身不平应先调平，同时检查转向系统和悬架是否松旷，如松旷则应先紧固或更换零件。

3）检测步骤：

① 把传感器支架安装在轮辋上，再把传感器（定位校正头）安装到支架上，并按使用说明书的规定调整。

② 开机进入测试程序，输入被测汽车的车型和生产年份。

③ 进行轮辋变形补偿，转向盘位于直驶位置，使每个车轮旋转一周，即可把轮辋变形误差输入计算机。

④ 降下第二次举升量，使车轮落到平台上，把汽车前部和后部向下压动4~5次，使各部位落到实处。

⑤ 用制动锁压下制动踏板，使汽车处于制动状态。

⑥ 将转向盘左转至计算机显示"OK"，输入左转角度数；然后将转向盘右转至计算机显示"OK"，输入右转角度数。

⑦ 将转向盘回正，计算机显示出后轮的前束及外倾角数值。

⑧ 向下调整转向盘，并用转向盘锁锁止转向盘，使之不能转动。

⑨ 将安装在4个车轮上的定位校正头的水平仪调到水平线上，此时计算机显示出转向轮的主销后倾角、主销内倾角、转向轮外倾角和前束的数值。计算机将比较各测量数值，得出无偏差、在允许范围内或超出允许范围的结论。

⑩ 若超出允许范围，按计算机提示的调整方法进行针对性调整。调整后仍不能解决问题，则应更换有关零部件。

⑪ 再次压试汽车，将转向轮左右转动，观察屏幕上数值有无变化，若有变化应重新调整。

⑫ 拆下定位校正头和支架，进行路试，检查四轮定位调整的效果。

3.3.2 转向系统常见故障诊断与排除

转向系统的常见故障主要有转向沉重和转向不灵敏、动力转向系统故障。下面以轿车广泛采用的齿轮齿条式转向系统为例介绍其常见故障检测与诊断方法。

1. 转向沉重

（1）故障现象　汽车行驶中向左、右转动转向盘时，感到沉重费力，且无回正感；当汽车低速转弯行驶和掉头时，转动转向盘感到超乎正常的沉重，甚至打不动。

（2）故障原因

1）轮胎气压不足。

2）转向器齿轮齿条啮合间隙过小或齿轮、齿条损坏。

3）转向器齿条弯曲严重。
4）转向器齿轮轴承发卡或损坏。
5）转向器壳体严重变形。
6）转向器、转向轴、转向节、转向拉杆球头润滑不良或调节过紧。
7）转向轴或转向柱管弯曲变形严重。
8）转向节推力轴承缺油或损坏。
9）主销后倾、内倾角变大或前束不符合要求。
10）车架、前梁或前悬架变形导致前轮定位参数失准。

（3）故障诊断与排除

1）支起前桥，使两前轮悬空，若感到转向轻便，则故障可能在前轮、前桥或前悬架。此时应检查前轮气压是否过低，前轴有无变形，前悬架杆件是否变形，必要时检查前轮定位中的主销后倾角、主销内倾角与前轮前束。

2）支起前桥后转动转向盘仍然感到沉重，则说明故障在转向器和转向传动机构。此时，从转向节臂上拆下转向横拉杆，转动转向盘。若感到轻便灵活，则故障在横拉杆至前轮的连接及支撑部位，应检查每个球头销是否装配过紧或推力轴承是否缺油损坏。

3）拆下横拉杆后，若转向仍沉重，则故障在转向器或转向柱管。此时，可检查转向器是否缺油，并转动转向盘倾听有无转向轴与柱管的摩擦声以确定转向柱管是否弯曲；调整转向器齿条顶块，使转向齿条与转向齿具有合适的间隙。再转动转向盘，若轻便灵活，则说明转向器调整不当；若转向仍沉重，则应拆下转向器进行检查。重点查看转向器齿轮与齿条是否损坏，转向器齿条是否弯曲变形，转向器齿轮轴轴承是否卡滞或损坏，转向器壳体是否严重变形。

2. 转向不灵敏

（1）故障现象 转向时感觉转向盘自由转动量大，需要较大幅度转动转向盘，方能控制汽车的行驶方向，汽车在直线行驶时感到行驶不稳。

（2）故障原因

1）转向器内齿轮与齿条的啮合间隙过大。
2）转向盘与转向轴连接部位松旷。
3）转向机构各连接部件间隙过大或连接松旷。
4）转向节与主销配合间隙过大。
5）前轮轮毂轴承松旷。
6）转向器固定部位松动。

（3）故障诊断与排除

1）首先检查转向盘自由转动量，若转向盘自由转动量正常，则故障可能是前轮轮毂轴承间隙过大、主销与转向节配合间隙过大。此时应支起前桥，用手扳动检查轮毂轴承间隙、转向节与主销配合间隙，以确诊故障部位。若转向盘自由转动的角度大，则故障在转向器内部或转向传动机构，此时可采取分段检查以确定故障的具体部位。

2）分段检查时先检查转向盘至转向器之间的连接是否松旷，若正常，拆下横拉杆，转动转向盘。若感到自由转动量过大，则故障在转向器，说明转向器内部间隙过大；若正常，则故障在转向传动机构连接部件间隙过大或连接松旷。

3）当汽车行驶不稳时并伴有前轮异常磨损，还应检查前轮定位。

3. 动力转向系统工作不良

动力转向系统除由传统转向系统机械机构所产生的常见故障外，常见的故障形式还有转向盘沉重、漏油和异响等。动力转向系统故障部位如图 3-94 所示。

（1）故障现象

1）车辆行驶中，发动机在各种转速下均无转向助力作用，转动转向盘感到费力。

2）转向盘突然沉重。

3）左、右转向力不等。

4）转向时有噪声。

（2）故障原因

1）储油罐内液面过低或油液脏污。

2）动力转向泵传动带松弛，传动带打滑。

3）液压系统内混入空气。

4）动力转向泵有故障。

5）滤清器堵塞、供油管接头松动，溢流阀漏油、弹簧过软或调整不当。

（3）故障诊断与排除　液压式动力转向系统的故障诊断过程中，在排除了机械机构的故障原因后，应主要对液压系统进行检查，查明动力转向系统工作不良的原因。其主要步骤如下。

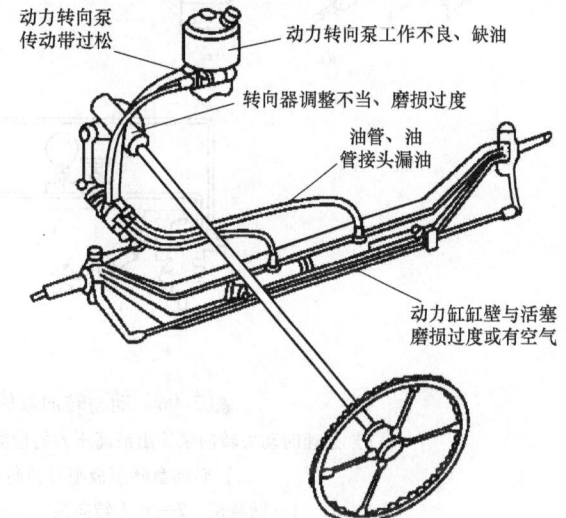

图 3-94　动力转向系统常见故障部位示意图

1）检查储油罐内的油液。合理的液面高度和良好的油质是保证液压动力转向系统正常工作的前提，检查步骤如下：

① 在发动机怠速时，转动转向盘至左右极限位置数次，使转向液温度达到 80℃ 左右。

② 检查转向液是否有气泡或乳化，如果转向液有气泡或乳化，则表示转向液内渗入空气，此时应进行排气操作。

③ 检查转向液油质，视情更换转向液。

④ 检查储液罐液位高度。若过低，应按要求添加油液。

2）检查动力转向泵传动带是否松弛，如图 3-95 所示。若过松，应予以调整。

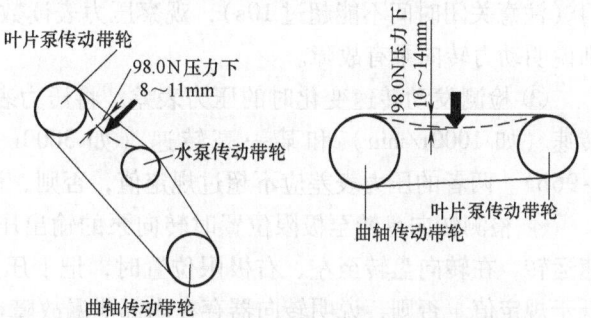

图 3-95　检查动力转向泵传动带的张紧度

3）检查动力转向泵输出压力。检测动力转向泵输出油压，主要是为了确定动力转向泵或转向器是否有故障。为准确地测出动力转向泵的输出油压，检测前储液罐液位应正常且动力转向泵传动带的张紧力符合要求。由于各车型动力转向系统的结构形式不同，检测动力转向泵输出压力时应采用厂家推荐的检测步骤，动力转向泵输出压力的一般检测方法如图3-96 所示。

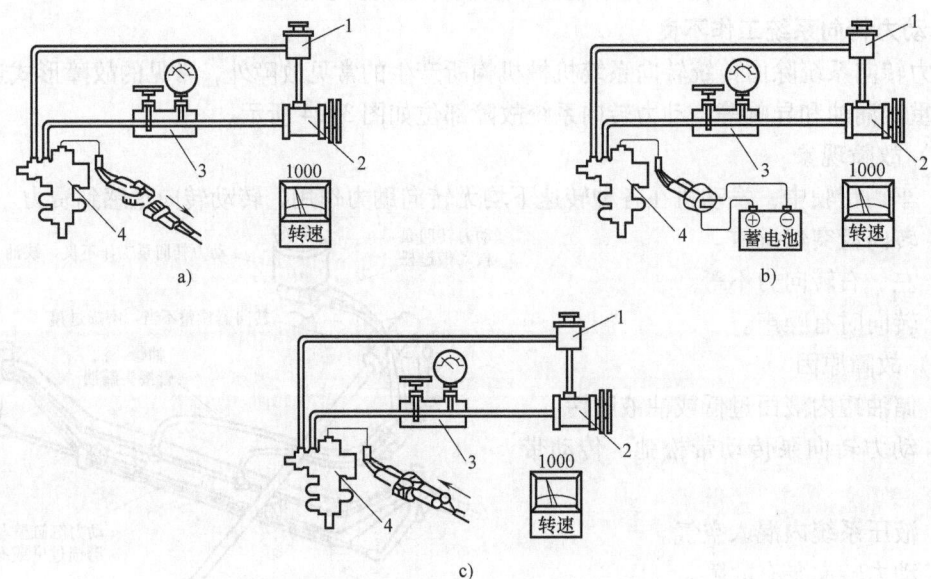

图 3-96 动力转向泵输出压力的检测

a) 急速时动力转向泵输出最高压力的检测 b) 转速变化时压力差的检测
c) 转向盘转至极限时转向泵输出压力的检测
1—储液罐 2—动力转向泵 3—压力表 4—转向控制阀

① 测压前的准备：将压力表连接在动力转向泵与转向控制阀的压力管道之间，完全开启压力表阀门。起动发动机并急速运转，将转向盘从左、右转动的极限位置之间连续转动 3~4 次，以提高转向液温度并排出系统内的空气，确保转向液温度升至 80℃ 以上。

② 检测发动机怠速时动力转向泵输出的最高压力。使发动机急速运转，关闭压力表阀门（注意关闭时间不能超过 10s），观察压力表读数（图 3-96a），压力值不低于标准值。否则说明动力转向泵有故障。

③ 检测发动转速变化时的压力表差。将压力表阀门全开，分别检测发动机在规定的低转速（如 1000r/min）和某一高转速（如 3000r/min）时动力转向泵的输出压力（图 3-96b）。两者的压力表差应不超过规定值，否则，说明动力转向泵的流量控制阀有故障。

④ 检测转向盘转至极限位置时转向泵的输出压力。使压力表阀门全开且发动机急速运转，在转向盘转至左、右极限位置时，记下压力表的读数（图 3-96c），其压力值应不低于规定值。否则，说明转向器存在内部泄漏故障。

3.3.3 电子控制动力转向系统的检测与故障诊断

电子控制动力转向系统，是在普通动力转向系统的基础上，以车载计算机的应用为条件发展起来的。电子控制动力转向系统能随转向条件的不同来控制转向助力。根据动力源的不同，电子控制动力转向系统可分为液压式和电动式两种。液压式电子控制动力转向系统通常由液压动力转向系统、电磁阀、车速传感器和电子控制单元（ECU）组成，其 ECU 根据车速信号，控制电磁阀以调节系统压力，使转向助力放大倍率连续可调，从而满足高、低速时的转向助力要求。而电动式电子控制动力转向系统通常由转矩传感器、车速传感器、ECU、电动机和电磁离合器等组成,它利用直流电动机作为转向助力源,ECU 根据转向参数和转向力矩传感器、车速等信号,控制电动机转矩的大小和方向,实现转向助力的调节。

电子控制动力转向系统机械及油路的故障诊断与排除,可参考普通动力转向部分进行,此处不再重复,本节主要介绍电路部分的故障诊断与检测。

1. 液压式电子控制动力转向系统的检测与故障诊断

下面以丰田皇冠轿车电子控制动力转向系统为例介绍液压式电子控制动力转向系统的故障检测与诊断方法。图 3-97 所示为该车的结构布置和控制电路图。

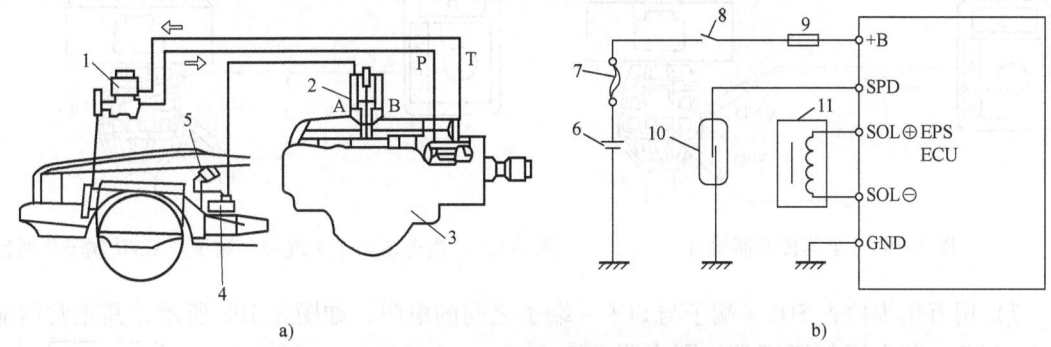

图 3-97 液压式电子控制动力转向系统结构布置及控制电路
a) 液压动力转向系统 b) 控制电路图
1—动力转向泵 2、11—电磁阀 3—整体式动力转向控制阀 4—EPS ECU
5、10—车速传感器 6—蓄电池 7—易熔丝 8—点火开关 9—熔丝(ECU-IG)

(1) 电控系统的故障诊断

1) 打开点火开关。

2) 检查 ECU-IG 熔丝是否完好。若熔丝损坏则更换新熔丝后重新检查;若熔丝又烧毁,则表明此熔丝与动力转向 ECU 的 +B 端子之间的电路有搭铁故障;若熔丝完好,则进行下一步检查。

3) 拔下 ECU 插接器,检查 ECU +B 端子与车身搭铁之间应有蓄电池电压(10~14V),如图 3-98 所示。否则,表明熔丝与 ECU +B 端子之间线束开路。若电压正常,则进一步检查。

4) 检查 ECU GND 端子与车身搭铁之间应导通,如图 3-99 所示,否则即为 ECU GND 端子与车身搭铁之间线束开路或车身搭铁故障。若电阻为 0,则进行下一步检查。

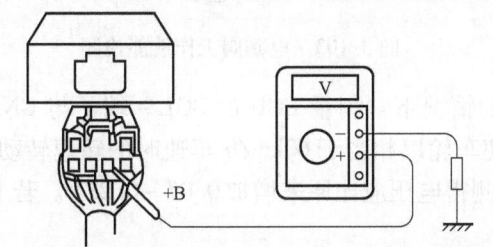 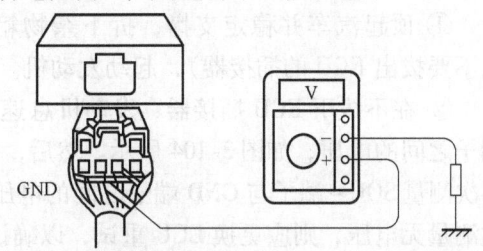

图 3-98 检查 ECU +B 端子与车身搭铁之间电压　　图 3-99 检查 ECU GND 端子与车身搭铁是否导通

5）将一侧前轮顶起并使之转动，用万用表测量 ECU 插接器的 SPD 端子和 GND 端子之间的电阻，如图 3-100 所示。在车轮转动时，其正常的电阻值应在 0→∞ 之间交替变化，否则说明 ECU 的 SPD 端子与车速传感器之间的线束有开路或短路故障，或车速传感器有故障。若电阻变化正常，则进行下一步检查。

6）分别检查 ECU 插接器的 SOL+端子、SOL-端子与 GND 端子之间是否导通，如图 3-101 所示。若导通，则表明 SOL+端子或 SOL-端子与 GND 端子之间的线路有短路或电磁阀有故障。若不导通，则进行下一步检查。

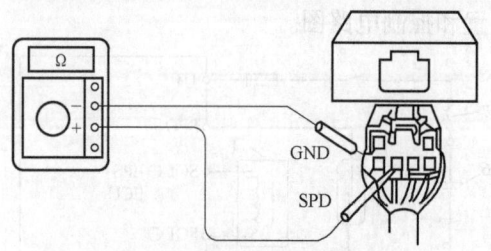

图 3-100　车速传感器检查

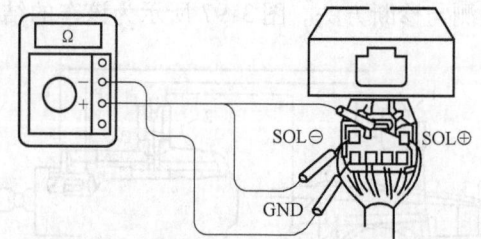

图 3-101　检查 SOL（+或-）端子与 GND 端子导通性

7）用万用表检查 SOL+端子与 SOL-端子之间的电阻，如图 3-102 所示，其正常值应为 6~11Ω。若电阻值不正常，则表明 SOL+端子与 SOL-端子线路有断路或电磁阀有故障；若电阻正常，则可能是动力转向 ECU 故障，必要时对 ECU 进行换件检查。

（2）电控部件的检查

1）电磁阀的检查：

① 脱开线束插接器，用万用表检测 SOL+端子与 SOL-端子之间的电阻（图 3-102），其正常值应为 6~11Ω。否则电磁阀存在故障，应予以更换。

② 拆下电磁阀，将蓄电池正极接电磁阀 SOL+端子，负极接 SOL-端子，如图 3-103 所示，确认针阀是否缩进大约 2mm，否则，应更换电磁阀。

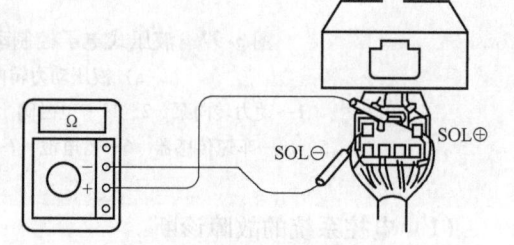

图 3-102　测量电阻

2）ECU 的检查：

① 顶起汽车并稳定支撑，拆下杂物箱（注意不要拔出 ECU 的插接器），起动发动机。

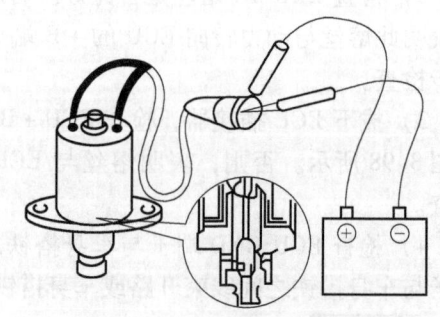

图 3-103　电磁阀工作性能检测

② 在不拔下 ECU 插接器、发动机怠速运转的情况下，测量 ECU 的 SOL-端子与 GND 端子之间的电压，如图 3-104 所示。然后，挂档使车轮以相当于 60km/h 车速时的转速转动，再次测量 SOL-端子与 GND 端子之间的电压，所测得电压应比原来增加 0.07~0.22V。若上述测量无电压，则应更换 ECU 重试，以确诊。

2. 电动式电子控制动力转向系统的故障检测与诊断

以三菱米尼卡微型汽车的电动式电子控制动力转向系统为例进行说明。三菱米尼卡车的电动式电子控制动力转向系统如图3-105所示，控制系统简图如图3-106所示。

（1）电控部件的检测

1）转矩传感器的检查：

① 检测转矩传感器线圈电阻。从转向器总成上拔下转矩传感器插接器，其端子排列如图3-107b所示。测量转矩传感器3号与5号端子之间、8号与10号端子之间的电阻，其标准值应为（2.18±0.66）kΩ。若不符合要求，则应更换转矩传感器。

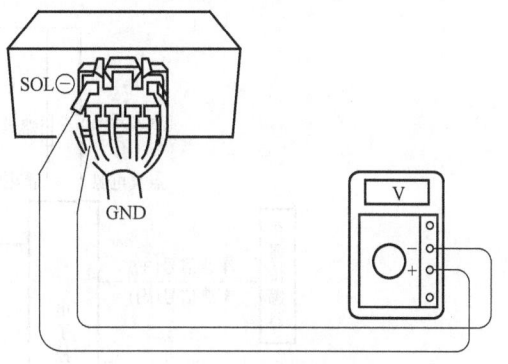

图3-104 ECU的检查

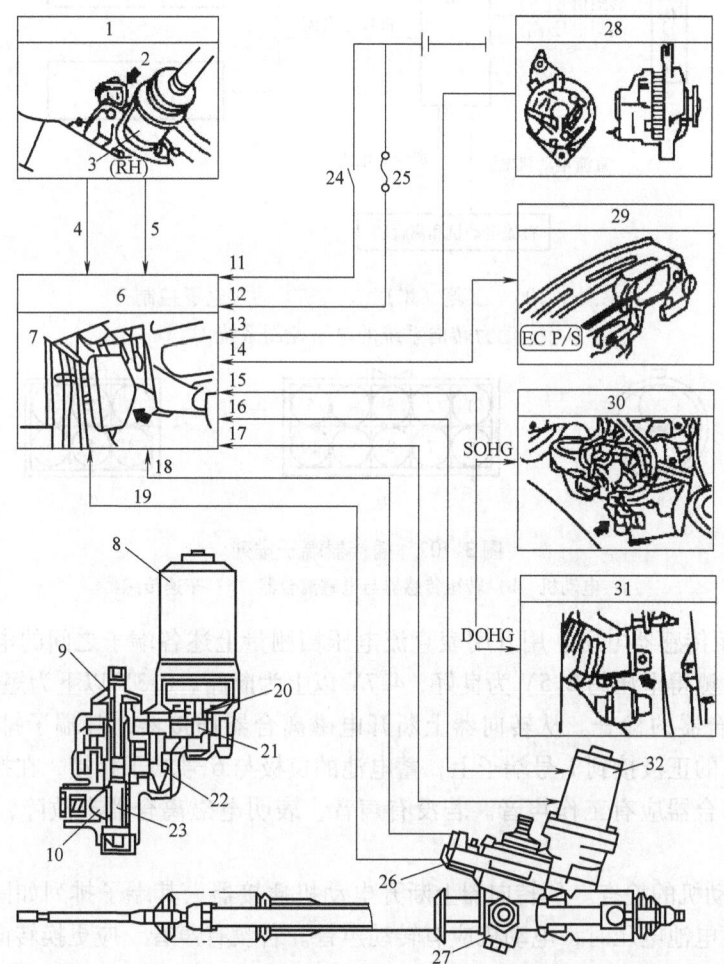

图3-105 三菱米尼卡车电动式电子控制动力转向系的电子控制系统

1—车速传感器 2—速度表引出电缆的部位 3—传动轴 4—车速信号（主） 5—车速信号（副）
6—电子控制单元 7—副驾驶人脚下部位 8—电动机 9—扭杆 10—齿条 11—点火电源信号
12—蓄电池信号 13—发电机信号 14—指示灯电流 15—高怠速电流 16—电动机电流
17—离合器电流 18—转矩信号（主） 19—转矩信号（副） 20—离合器 21—电动机齿轮
22—传动齿轮 23—小齿轮 24—点火开关 25—熔丝 26—转矩传感器
27—转向器齿轮总成 28—交流发电机（L端子） 29—指示灯
30—怠速提高电磁阀 31—发动机电子控制单元 32—电动机与离合器

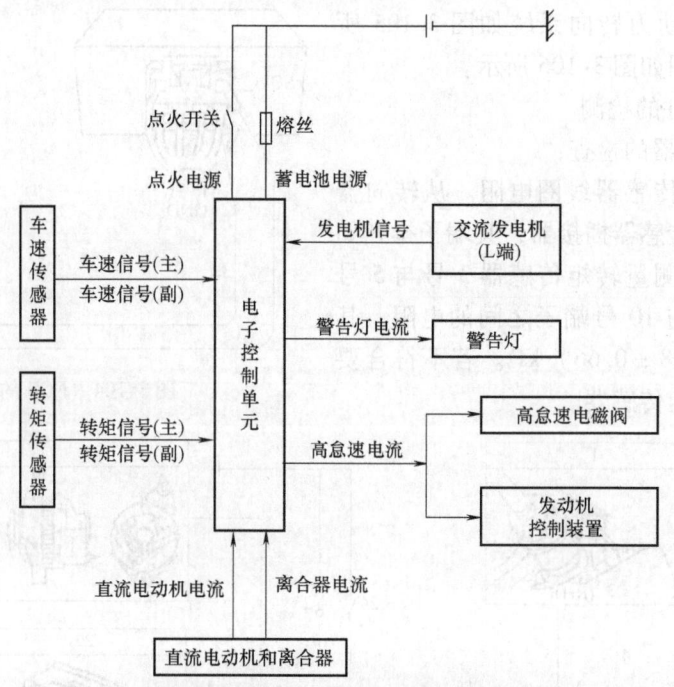

图 3-106 三菱"米尼卡"车电动式电子控制
动力转向系统的电子控制系统

 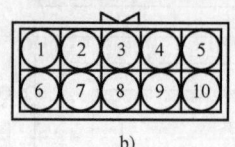 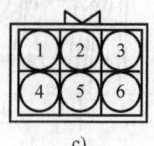

　　a)　　　　　　　　b)　　　　　　　　c)

图 3-107 插接器端子排列

a）电动机　b）转矩传感器与电磁离合器　c）车速传感器

②检测转矩传感器电压。用万用表直流电压档测量上述各端子之间的电压，将转向盘置于中间位置，测得电压约 2.5V 为良好，4.7V 以上为断路，0.3V 以下为短路。

2）电磁离合器的检查。从转向器上断开电磁离合器插接器，其端子排列如图 3-107b 所示。将蓄电池的正极接到 1 号端子上，蓄电池的负极与 6 号端子相接，在接通与断开 6 号端子的瞬间，离合器应有工作声音。若没有声音，表明电磁离合器有故障，应更换转向器总成。

3）直流电动机的检查。从转向器上断开电动机插接器，其端子排列如图 3-107a 所示。给电动机加上蓄电池电压时，电动机应有转动声音。若没有声音，应更换转向器总成。

4）车速传感器的检查：

①检查车速传感器转动情况。从变速器拆下车速传感器，用手转动车速传感器的转子检查其能否顺利转动，若有卡滞应予更换。

②检测车速传感器电阻。拔下车速传感器插接器，其端子排列如图 3-107c 所示。测量车速传感器插接器 1 号与 2 号端子之间、4 号与 5 号端子之间的电阻值，其值等于（165±20）Ω 为良好。若与上述不符则必须更换车速传感器。

(2) 故障诊断

1) 故障警告灯的检查。当点火开关处于 ON 位置时，故障警告灯应点亮，发动机起动后警告灯熄灭为正常。警告灯不亮时，应检查灯泡是否损坏，熔丝和导线是否断路。若发动机起动后，警告灯仍亮时，首先应考虑系统是否处于保险状态（只有常规转向工作，无电动助力），然后进行自诊断操作。

2) 自诊断操作。将指针式万用表直流电压档的正表笔接在诊断插座的 2 号端子上，负表笔接铁，如图 3-108a 所示。接通点火开关，通过表针的摆动显示故障码。如果有多个故障码，将以由小到大的顺序显示出来。故障码波形如图 3-108b 所示，故障码的含义见表 3-16。

3) 故障检查与排除。确知故障码后，首先把蓄电池负极电缆拆下 30s 以上，即清除故障码后，再进行一次自诊断操作。若故障码又重复显示，即证明故障确实存在（永久性故障），需进一步检查。下面以故障码 41、42、43、44 为例说明如何检查、排除故障。

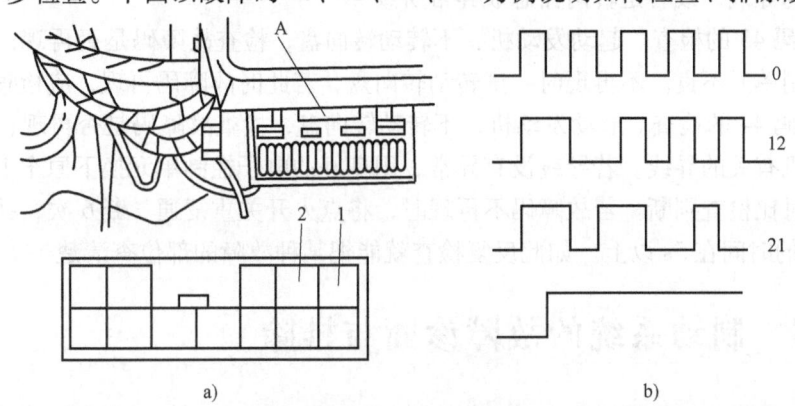

图 3-108　自诊断操作

a) 自诊断插接器　b) 故障码输出波形

1—多点燃油喷射　2—电动动力转向　A—连接片

表 3-16　故障码的含义

故　障　码	故障码含义	故　障　码	故障码含义
0	正常	41	直流电动机
11	转矩传感器（主）	42	直流电动机电路
12	转矩传感器（副）	43	直流电动机过电流
13	转矩传感器主副侧电压差过大	44	直流电动机锁止
21	车速传感器（主）	51	电磁离合器
22	车速传感器主副侧电压差过大	54	电子控制单元
23	车速传感器（主）电压骤减	55	转矩传感器 E/F 回路不良
31	交流发电机 L 端子		

① 故障码 41 的检查：

a. 起动发动机，不转动转向盘，观察故障码是否再次出现。再现时，按照故障码含义检查有关部件。不再现时，直接进入步骤 d 检查。

b. 拆下电动机插接器，检查电动机的两接线端子之间和端子与搭铁（外壳）之间的导通状态。用万用表电阻档测试电动机两接线端子之间的电阻。正常时，应有一定电阻，若不通,则表明内部断路;电动机接线端子与搭铁之间应不通,否则,表明两接线端子与外壳之间有短路故障。

c. 若电动机及其接线端子均正常,应检查转向器总成到电子控制单元之间的导线是否良好,若导线正常,则表明电子控制单元不良。

d. 检查导线无异常时,再进行行驶试验,若故障码不再出现时,转动转向盘,检查电动机是否工作。

② 故障码42 的检查:

a. 起动发动机,用1rad/s(弧度/秒)以下的速度转动转向盘观察故障码是否再现,不再现时,按①中所述检查导线,无异常时,通过行驶,进行再次试验。

b. 通过诊断,若故障码42再现,而且又发生11号、13号故障码时,可考虑是由转矩传感器系统的导线,或者是转向器总成异常所致。

③ 故障码43 的检查。起动发动机,不转动转向盘,检查故障码是否再现;若再现,则表示电子控制单元不良。不再现时,试转动转向盘,若此时故障码再现,应检查导线。

④ 故障码44 的检查。起动发动机,不转动转向盘,检查故障码是否再现;再现时,应检查与电动机有关的导线。若导线没有异常,用良好的电子控制单元换下原车上的电子控制单元,进行对比检查判断。若故障码不再现时,将点火开关重复通、断6次,并使点火开关在OFF 位时的时间在5s 以上。如此反复检查就能把某种故障的部位查清楚。

▶▶▶ 3.4 制动系统的故障诊断与排除

汽车制动系统的功能是使汽车减速或在最短的距离内停车,保证汽车的行驶安全,并能使汽车可靠停在坡道上。汽车制动系统一般可分为液压制动系统和气压制动系统两种,图3-109 所示为液压制动系统的组成。汽车制动系统技术状况的变化直接影响汽车行驶、停车的安全性,因此制动系统的检测与故障诊断尤为重要。

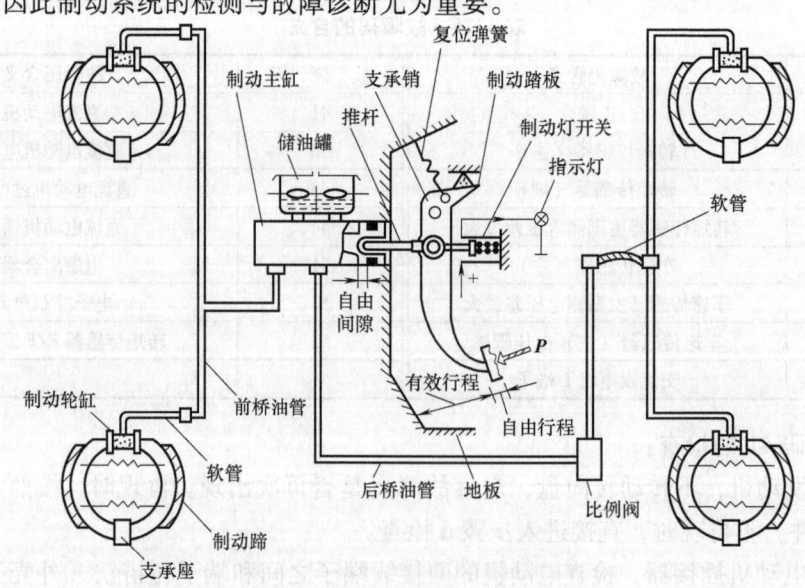

图3-109 液压制动系统的组成与布置

3.4.1 汽车制动系统常见的故障诊断与排除

1. 液压制动系统常见故障诊断与排除

液压制动系统常见故障有制动失效、制动不灵、制动跑偏及制动拖滞等。

（1）制动失效

1）故障现象：汽车行驶时，踩下制动踏板，汽车不能减速和停车。

2）故障原因：

① 制动液严重不足。

② 制动主缸皮碗或制动轮缸皮碗损坏，或紧急制动时将制动皮碗踏翻。

③ 主缸活塞与缸壁或轮缸活塞与缸壁磨损过度，松旷漏油，活塞复位弹簧过软或折断。

④ 制动管路破裂或接头严重泄漏。

⑤ 制动踏板至主缸的连接部位脱落。

3）故障诊断与排除：

① 踩下制动踏板，若无连接感，说明制动踏板至制动主缸的连接松脱，应检查修复。

② 踩下制动踏板时，若感到很轻，稍有阻力感，则应检查主缸储液室内制动液是否充足。若主缸储液室内无液或严重缺液，应添加制动液至规定位置。再次踩下制动踏板时，若仍没有阻力感，则应检查制动主缸至制动轮缸的制动管路有无断裂漏油。

③ 踩下制动踏板时，虽然感到有一定的阻力，但踏板位置保持不住，明显下沉，则应检查制动主缸的推杆防尘套处是否有制动液泄漏。若有制动液泄漏，说明制动主缸皮碗破裂；若车轮制动鼓边缘有大量制动液，则应检查制动轮缸皮碗是否压翻、磨损是否严重。

（2）制动不灵

1）故障现象：汽车行驶时，将制动踏板踩到底，汽车不能立即减速和停车，制动距离过长。

2）故障原因：

① 制动踏板自由行程太大。

② 制动管路和轮缸内有空气。

③ 制动管路堵塞或制动管路渗漏。

④ 制动主缸、制动轮缸皮碗变形磨损，活塞与缸壁磨损过度。

⑤ 制动主缸出油阀损坏，补偿孔、通气孔堵塞。

⑥ 车轮制动器磨损严重，制动间隙过大或摩擦片有油污，铆钉外露。

⑦ 制动鼓（制动盘）磨损过度或制动时变形严重。

⑧ 增压器、助力器效能不佳或失效。

3）故障诊断与排除：

① 踏几次制动踏板，若制动踏板能踩到底且无反力，则检查制动主缸是否缺少制动液。若缺少，应按规定添加。

② 若不缺，检查管路和接头有无破漏或堵塞。若有，应进行修理或更换。

③ 检查制动系统是否有空气，若踩制动踏板有弹性感，表明液压制动系统有空气或制动液汽化，应将混入的空气排出。

④ 一下制动不灵，连续踩几下制动踏板，踏板位置逐渐升高且效果良好，说明踏板自

由行程过大或制动摩擦片与制动鼓（盘）的间隙过大。

⑤ 连续踩几下制动踏板，踏板位置逐渐升高，但升高后不抬脚连续踩，踏板无弹力感且下沉至很低位置，说明液压系统漏油，可能是制动主缸、轮缸、管路、管路接头漏油，或制动主缸、轮缸磨损严重，皮碗破裂损坏或密封不良。

⑥ 当踩下制动踏板时，踏板高度合乎要求，也感到有力且不下沉，但制动效果不良，则为制动器故障。可能为摩擦片硬化、铆钉头外露、摩擦片油污、制动鼓（盘）磨损及变形所致。若踏板高度合适，但踩踏板时感到很硬，则故障可能是制动液太稠、管路内壁积垢太厚、油管凹瘪、软管内孔不通畅或增压器、助力器效能不佳所致。

(3) 制动跑偏

1) 故障现象：汽车行驶制动时，行驶方向发生偏斜；紧急制动时，方向急转或车辆甩尾。

2) 故障原因：

① 左右车轮轮胎气压、花纹或磨损程度不一致。

② 左右车轮轮毂轴承松紧不一、个别轴承破损。

③ 左右车轮的制动摩擦片材料各异或新旧程度不一样。

④ 左右车轮制动摩擦片与制动鼓（盘）的接触面积、位置不一样或制动间隙不等。

⑤ 左右车轮轮缸的技术状况不一，造成起作用时间或张力大小不相等。

⑥ 左右车轮制动鼓的厚度、直径、工作中的变形程度和工作面的粗糙度不一。

⑦ 左、右悬架或车轴变形。

⑧ 前轮定位失准或转向传动机构松旷。

3) 故障诊断与排除：

① 若车辆正常行驶时亦有跑偏现象，则首先做以下外观检查：检查左右车轮轮胎气压、花纹和磨损程度是否一致；检查各减振器是否漏油或失效；检查悬架弹簧是否折断或弹力是否一致。

② 支起车轮，用手转动和轴向推拉车轮轮胎。若一侧车轮有松旷或过紧感觉，应重新调整轴承的预紧度；若转动车轮有发卡或异响，应检查该轮轮毂轴承是否破损或毁坏。

③ 对汽车进行路试。制动后，若汽车向一侧跑偏，则为另一侧的车轮制动不良。首先对该车轮制动器进行放气，若无制动液喷出，说明该轮制动管路堵塞，应予以更换。若放出的制动液中有空气，说明该轮制动管路中混入空气，应予以排放。观察该轮制动器间隙，若制动器间隙过大，说明制动摩擦片磨损严重或制动自调装置失效，应更换。

上述检查正常，应拆检该轮制动器。检查制动盘或制动鼓是否磨损过度或有沟槽，若磨损过度，应更换；若有严重沟槽，应车削或镗削。检查制动摩擦片（摩擦衬块）是否有油污或水湿及磨损过度，若摩擦片（衬片）有油污或水湿，应查明原因并清理；若摩擦片磨损过度，应更换。检查制动轮缸或制动钳活塞，若有漏油或发卡现象，应更换。

④ 若制动时，出现忽左忽右跑偏现象，则应检查前轮定位是否符合要求，若前轮定位不正确，应调整；检查转向传动机构是否松旷，若松旷，应紧固、调整或更换。

(4) 制动拖滞

1) 故障现象：

① 踏下制动踏板感到高而硬，踏不下去。汽车起步困难，行驶费力。当松抬加速踏板踏下离合器踏板时，车速明显降低。

② 汽车行驶一定里程后，用手触摸制动鼓感觉发热。

2) 故障原因：

① 制动踏板无自由行程，制动踏板拉杆系统不能回位。

② 制动主缸、轮缸皮碗发胀、发黏或活塞移动不灵活。

③ 制动活塞回位弹簧折断、预紧力太小。

④ 制动鼓严重变形、制动摩擦片与制动鼓间隙太小，制动蹄复位弹簧过软。

⑤ 制动油管凹瘪、堵塞或制动液过脏或变质。

3) 故障诊断与排除：

① 将汽车支起，在未踩制动踏板的情况下，用手转动车轮。若某一车轮转不动，说明该轮制动器拖滞；若全部车轮转不动，说明全部车轮制动器拖滞。

② 若为个别车轮制动器拖滞，首先旋松该轮制动轮缸的放气螺钉，若制动液急速喷出，随即车轮能旋转自如，说明该轮制动管路堵塞，轮缸未能回油，应更换。若车轮仍转不动，则拆下车轮，解体检查制动器。

③ 若全部车轮制动器拖滞，则首先检查制动踏板自由行程是否符合要求，若自由行程过小，应调整。然后检查制动踏板的回位情况，用力将制动踏板踩到底并迅速抬起，若踏板回位缓慢，说明制动踏板回位弹簧失效或踏板轴发卡，应更换或修复。再检查制动主缸的工作情况，打开制动液储液室盖，由一人连续踩制动踏板，另一人观察制动主缸的回油情况。若不回油，说明制动主缸回油孔堵塞，应清洗、疏通；若回油缓慢，说明制动液过脏或变质，应更换。

2. 气压制动系统常见故障诊断与排除

(1) 制动失效

1) 故障现象：汽车行驶时，踩下制动踏板，汽车不能减速和停车。

2) 故障原因：

① 储气筒内无压缩空气或气压不足。

② 空气压缩机失效。

③ 制动踏板与制动拉臂脱落或自由行程过大。

④ 制动阀进排气间隙调整不当，导致进气阀打不开或排气阀关闭不严。

⑤ 制动阀或制动气室膜片破裂、老化或平衡弹簧弹性不足。

⑥ 制动气管漏气或堵塞。

3) 故障诊断与排除：

① 发动机运转一段时间后，查看气压表。若气压表指示为 0 或上升很慢，应检查空气压缩机传动带是否过松，压缩机到储气筒之间是否有漏气。若有，应予以修复。若以上检查良好，应拆下空气压缩机进行检修。

② 若发动机运转一定时间后，储气筒内压力较充足，且打开储气筒放水开关时，有压缩空气喷出，则应拆检储气筒至制动阀进气阀之间的气管是否阻塞或制动阀的进气阀是否不能打开，若是，予以疏通或修理。

③ 当踩下制动踏板时听到有漏气声，经检查是气管或制动气室漏气的应进行检修。若为制动阀漏气，应调整排气间隙或检修制动阀。

④ 当踩下制动踏板,制动气室推杆移动正常良好,且无漏气声,但仍无制动效果,应检修车轮制动器。

(2) 制动不灵

1) 故障现象:行车踩下制动踏板,汽车不能立即减速和停车,制动距离过长。

2) 故障原因:

① 储气筒内压缩空气压力不足或空气压缩机工作不良。

② 制动踏板自由行程太大。

③ 制动阀调整不当。

④ 制动阀、制动气室膜片破裂、老化引起漏气。

⑤ 制动气管漏气、堵塞或凹瘪,或制动软管老化发胀通气不畅。

⑥ 制动器摩擦片与制动鼓之间间隙过大。

⑦ 制动器摩擦片表面有脏污、硬化或磨损严重,铆钉外露。

⑧ 制动鼓磨损失圆、起沟槽或鼓壁过薄。

⑨ 制动凸轮轴或制动蹄轴润滑不良、锈蚀、卡滞。

3) 故障诊断与排除:

① 起动发动机运转一定时间后,查看压力表。若气压不足,停机后,气压也不明显下降,表明无漏气现象,应检查空气压缩机传动带是否过松或检修空气压缩机。

② 若储气筒气压上升正常,但发动机熄火后,气压直线下降,则为空气压缩机至进气阀之间的管路漏气,应进行检修。

③ 若储气筒气压符合要求,发动机熄火后气压也不下降,但踩下制动踏板有漏气声,则为制动阀到制动气室之间漏气或膜片破裂,应检修制动阀、制动气室或气管。

④ 若以上各项检查无漏气,但制动仍不灵,则应先检查制动踏板自由行程和制动阀最大输出气压。若不符合要求,应进行调整;若符合规定,再对车轮制动器进行检修。

3. 驻车制动不良故障诊断与排除

(1) 故障现象

1) 拉紧驻车制动器,汽车很容易起步。

2) 在坡道上停车时,拉紧驻车制动器,汽车不能停止而发生溜车现象。

(2) 故障原因

1) 驻车操纵杆的自由行程过大。

2) 驻车操纵杆或拉索断裂或松脱、发卡等。

3) 驻车制动器间隙过大。

4) 驻车制动器摩擦片磨损过度或有油污。

5) 驻车制动鼓磨损过度、失圆或有沟槽。

6) 驻车制动蹄运动发卡。

7) 驻车制动蹄摩擦片与制动鼓的接触面积太小。

(3) 诊断与排除

1) 将汽车停放在平坦的地面上,拉紧驻车制动器操纵杆,挂入低速档起步,若汽车很容易起步而发动机不熄火,说明驻车制动不良。

2) 从驻车制动器操纵杆放松位置往上拉,直至拉不动为止。检查操纵杆的行程,若行程过大,说明操纵杆的自由行程过大,应调整。检查拉动操纵杆的阻力,若感觉没有阻力或阻力很小,说明操纵杆或拉索断裂或松脱,应更换或修复;若感觉很沉,说明操纵杆或拉索及制动器发卡,应拆检修复。

3)从检视孔检查中央驻车制动器或后轮制动器的间隙是否符合要求,若制动器间隙过大,应调整。

4)经上述检查均正常,应拆检驻车制动器。检查制动摩擦片是否磨损过度或有无油污;检查制动鼓是否磨损过度、失圆或有沟槽;检查制动蹄运动是否发卡,若有发卡现象,应修复或润滑;检查制动摩擦片与制动鼓的接触面积是否符合要求,若接触面积过小,应更换或修整。

3.4.2 防抱死制动系统的检测与故障诊断

汽车防抱死制动系统(Anti-lock Brake System,ABS)的作用是在汽车制动过程中,通过控制车轮滑移率,防止车轮抱死滑移来提高汽车的制动效能及制动时的方向稳定性。它能使汽车紧急制动时,在大多数道路条件下,防止车轮抱死以获得最大制动力,并保持行驶方向的稳定性和转向时良好的操纵性。大多数ABS都具有较高的工作可靠性,但在使用过程中仍免不了出现工作不良的状况,对此应及时进行检修,以确保制动系统的正常工作。

1. ABS检修注意事项

ABS与常规制动系统相比,有其自身的特点,在检修过程中应注意以下几个方面:

1)首先应对ABS的外观进行检查,如导线的插头和插接器有无松脱、制动油路和泵及阀有无漏损、蓄电池是否亏电等。对这些容易出现的故障且检查方法简单的部位先行检查,确定无异常时,再做系统检查,这样对迅速排除故障有利。

2)遇制动不良故障时,应先区分是ABS机械部分(制动器、制动主缸、制动管路等)不良还是ABS电子控制系统的故障。方法是:拆下ABS继电器线束插接器或ABS制动压力调节电磁阀线束插接器,使ABS制动压力调节器电磁阀不能通电工作,让汽车以普通制动器工作方式制动,如果制动不良故障消失,则说明是ABS电子控制系统有故障,否则,为ABS机械部分的故障。

3)ABS电子控制系统故障多出现于线束插接器或导线头松脱、车速传感器不良等。应先对这些部件和部位进行检查,而制动压力调节器等故障相对较少,ABS的控制器(ECU)故障更少,所以一般情况下,不要轻易去拆检ABS ECU和制动压力调节器。此外,在检查线路故障时,不应漏检熔断器。

4)在需拆检ABS液压控制器件时,应先进行泄压,以避免高压油喷出伤人,尤其是有蓄压器的ABS。比如,一些制动压力调节器与制动主缸一体的整体式ABS,蓄压器中的压力高达180MPa。

卸压的方法是:关掉点火开关,然后反复踩制动踏板20次以上,直到感觉踩制动踏板力明显增加(无液压助力)时为止。

通常在检修如下部件时需进行泄压:制动压力调节器的各部件、制动轮缸、蓄压器、后轮分配比例阀、电动油泵、制动液管路、压力警告和控制开关。

2. 常规检查

做好常规检查,发现比较明显的故障,可以节省时间,提高效率。常规检查主要包括以下几个方面：

1) 检查制动液面是否在规定范围内。
2) 检查所有继电器、熔丝是否完好，插接是否牢固。
3) 检查电子控制装置导线插头、插座是否连接良好，有无损坏，搭铁是否良好。
4) 检查下列各部件导线插头、插座和导线的连接是否良好：电动油泵、液压单元、4个轮速传感器、制动液面指示灯开关。
5) 检查传感器头与齿圈间隙是否符合规定，传感头有无脏污。
6) 检查蓄电池电压是否在规定范围内。
7) 检查驻车制动器是否完全释放。
8) 检查轮胎花纹高度是否符合要求。

(1) 制动液的更换与补充　制动液具有较强的吸湿性，当制动液中含有水分后，其沸点降低，制动时容易产生气阻，使制动性能下降。因此，一般要求每2年或1年更换制动液。

更换或补充制动液的程序如下：

1) 先将新制动液加至储液罐的最高液位标记处，即图3-110所示中的↑标记处。
2) 如果需要对制动系统中的空气进行排放，应按规定的程序进行空气排放。
3) 将点火开关置于ON位置，反复踩下和放松制动踏板，直到电动泵开始运转为止。
4) 待电动泵停止运转后，再对储液罐中的液位进行检查。

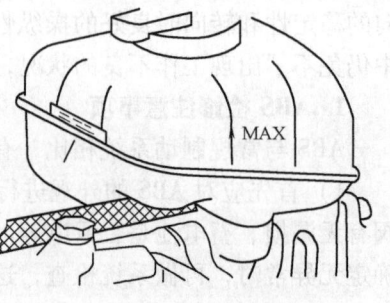

图3-110　储液罐最高液位标记

5) 如果储液罐中的制动液液位在最高液位标记以上，先不要泄放过多的制动液，而应重复以上的3)和4)过程。
6) 如果储液罐中的制动液液位在最高液位标记以下，应向储液罐再次补充新的制动液，使储液罐中的制动液液位达到最高标记处。但切不可将制动液加注到超过储液罐的最高标记，否则，当蓄压器中的制动液排出时，制动液可能会溢出储液罐。

(2) 制动系统的排气　液压制动系统有空气渗入时，会感到制动踏板无力，制动踏板行程过长，致使制动力不足，甚至制动失灵。当ABS的液压回路内混入空气后，同样会引起制动效能不良。因此，在空气渗入液压系统中后，必须对制动液压系统进行空气的排放。

在进行空气排放之前，应检查液压制动系统中的管路及其接头是否破裂或松动；检查储液罐的液位是否符合要求。ABS系统的排气方法有仪器排气和手动排气，应根据不同的车型和条件进行选择。

1) 仪器排气：

① 将车辆停放在水平地面上，抵住车轮前后，将自动变速器的变速杆置于P位。
② 松开驻车制动器。
③ 安装ABS检测仪（具有排气的控制功能）或专用排气试验器的接线端子。
④ 向用于制动主缸和液压组件的储液罐加注制动液到最大液面高度。
⑤ 起动发动机并以怠速运转几分钟。

⑥ 稳稳地踩下制动踏板，使检测仪器进入排气程序，并且感到制动踏板有反冲力。

⑦ 按规定顺序打开放气螺钉。

2）手动排气：

① 将排气软管装到后排气阀上，将软管的另一端放在装有一些制动液的清洁容器中。踩下制动踏板并保持一定的踏板力，缓慢拧开后排气阀1/2～3/4圈，直到制动液开始流出。关闭该阀后松开制动踏板。重复进行以上步骤，直到流出的制动液内没有气泡为止。

② 拆下储液罐盖，检查储液罐中的液面高度，必要时，加注到正确液面高度。

③ 按规定的排气顺序，在其他车轮上进行排气操作。

3. ABS 的故障自诊断

(1) ABS 的自检

1）当点火开关一接通，ABS 电控单元就立即对其外部电路进行自检。这时，制动警告灯亮起，一般 3s 后熄灭。如果灯不亮或一直亮均说明 ABS 电路有故障，应对其进行检查。

2）ABS 的 ECU 对制动压力调节器电磁阀的检查是通过控制阀的开闭循环实现的。

3）发动机发动后，车速第一次达到 60km/h，ABS 系统完成自检。

如果上述自检过程中，ECU 发现异常，或在工作中 ABS 工作失常，ECU 就停止使用ABS，此时，制动警告灯亮起，并储存故障码。

现在的汽车仪表板上有两个制动警告灯，其中一个是黄色灯，称为 ABS 灯（标 ABS 或 ANTILOCK）；另外一个为红色，标 BREAK，BREAK 灯由制动液压力开关和液面开关及驻车制动灯开关控制。当红色制动警告灯亮起时，可能是制动液不足、蓄压器的制动液压力过低或是驻车制动器开关有问题等。这时，ABS 防抱死控制和普通制动系统均不能正常工作，应停车检查系统是否有故障，并且汽车制动时无防抱死功能，因此，要及时检修。

(2) 故障码的读取与清除 大多 ABS 具有自诊断和失效保护功能，当 ABS 出现故障，都可利用其自诊断功能，采用一定的方法进入系统中的自诊断模式，读取故障码。故障码的读取方法有人工和仪器两种，具体方法应根据车载电子控制单元的功能及维修设备条件选择。下面以雷克萨斯 LS400 轿车的 ABS 为例说明故障码的读取及清除方法。

1）故障码的读取：

① 点火开关置于 ON，脱开维修插线器插头或将 WA 与 WB 之间的短接销拔出，如图3-111 所示。

② 将发动机室内的故障诊断座或驾驶室内的 TDCL 插接器的 TC 与 E1 端子用跨接线连接。

③ 由仪表板上的 ABS 警告灯即可读出故障码。

④ 故障码读取完毕，取下跨接 TC 与 E1 端子的跨接线，关闭点火开关。

2）故障码的清除。ABS 故障排除后，应将电子控制单元所存储的故障码清除。清除故障码的方法是在满足下列条件的情况下，在 3s 内连续踩制动踏板 8 次，即可清除故障码。

故障码清除方法如下：

① 汽车停稳。

② 跨接诊断座 TC 与 E1 端子。

③ 维修插接器插头分开或将 WA 与 WB 之间的短接插销拔出。

④ 点火开关接通。

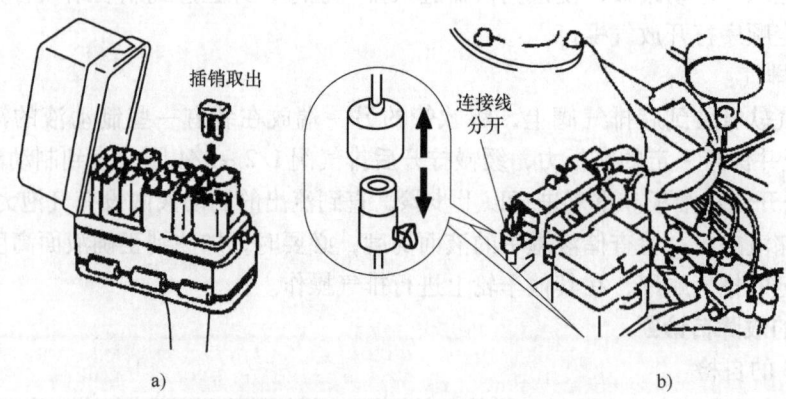

图 3-111 维修插接器插头和 WA、WB 插头
a) 拔出短接销 b) 断开插接器插头

清除故障码后,再将 TC 与 E1 跨接线拆去,将维修插接器插头插好或将 WA 与 WB 短接销插好。

4. ABS 主要部件的检测与故障诊断

下面以雷克萨斯 LS400 为例说明 ABS 主要部件的检测与故障诊断。雷克萨斯 LS400 的 ABS 采用四传感器三通道/前轮独立控制-后轮选择控制方式,控制电路如图 3-112 所示。

(1) 轮速传感器的故障检测

1) 测量传感器线圈的电阻。拆下轮速传感器的插头,用万用表测量传感器两端子之间的电阻,其电阻值应符合规定。若电阻太小,说明传感器线圈有短路故障,若电阻值为∞,则说明传感器线圈有断路故障。

2) 检查传感器转子齿圈。检查传感器与转子齿圈的技术情况和安装情况,转子齿圈不应有缺齿、裂纹现象,齿数应符合规定要求;传感器与转子的安装位置应正确、牢靠;传感器与齿顶应有合适的间隙,其标准间隙约为 1mm;齿圈齿与齿之间、齿顶与传感器之间不能被脏物或铁屑堵塞。

3) 检查传感器输出信号。检查时,将示波器连接在轮速传感器端子上,用举升器将汽车顶起,起动发动机并带动车轮旋转或转动车轮,使传感器转子以一定的速度旋转,检查轮速传感器的输出波形。若传感器波形的波幅大于规定值,说明轮速传感器无故障;若无输出信号或输出波幅太小,则说明传感器存在着永久磁铁退磁或传感器安装不当故障。

若上述检查均正常,而当传感器工作时仍然不正常或无信号输出,则故障在 ABS ECU 与各轮速传感器之间的配线和插接器上。此时可用万用表检查其配线是否短路、断路或插接器松动、接触不良等故障。

(2) 继电器的故障检测

1) 制动泵电动机继电器故障检测:

① 从 ABS 执行器上拆下制动泵电动机继电器,继电器端子编号如图 3-112 所示。

② 使用万用表电阻档检查各对端子之间是否导通。正常时,端子 6 与 9 应导通,而触点端子 8 与 7 应不导通。

③ 在电磁线圈端子 6、9 之间加蓄电池电压时,测量端子 8 与 7 的导通状况。正常时,

端子 8 与 7 应导通；若不导通，则说明继电器存在故障，应予以更换。

2）电磁阀继电器故障检测：

① 从 ABS 执行器上拆下电磁阀继电器，继电器端子编号如图 3-112 所示。

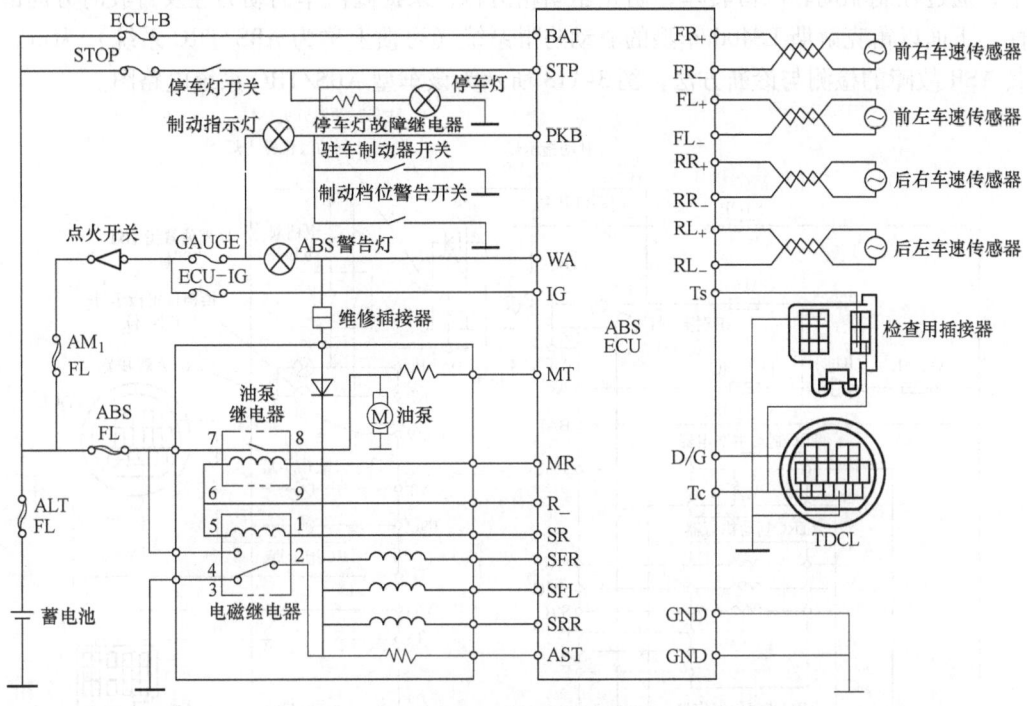

图 3-112 ABS 控制电路

② 使用万用表电阻档检查各端子间导通情况。正常时，电磁阀线圈端子 1、5 应导通，端子 2、3 导通，端子 2、4 不导通。

③ 在电磁阀线圈端子 1、5 之间加蓄电池电压，再测量端子 2 与 4、端子 2 与 3 之间的导通状况。若端子 2 与 3 不导通且端子 2 与 4 导通，则表示继电器工作正常，否则继电器存在故障，应予以更换。

(3) ABS 压力调节器的故障检测

1）用万用表检测电磁阀线圈的电阻，若电阻无穷大或过小，均说明其电磁阀有故障。

2）将制动压力调节器电磁阀加上其工作电压，电磁阀应能正常动作，若不能正常动作，则应更换制动压力调节器。

3）若怀疑是制动压力调节器有问题，则应在制动压力调节器内无高压制动液时，小心拆开调节器进行检查。

(4) ABS ECU 的故障检测

1）利用 ABS ECU 本身的故障自诊断功能进行诊断。

2）利用高阻抗万用表测量其插接器上相关端子的电位参数并与标准值比较进行诊断。

3）利用代替法进行诊断。即拆下原 ABS ECU，换上工作正常的同型号的 ABS ECU 进行检查，此时若 ABS 工作恢复正常，则表明原 ABS ECU 有故障。

3.4.3 驱动防滑/牵引力控制系统的检测与故障诊断

ASR 是驱动防滑控制系统的简称，有时也称牵引力控制系统（TRC），是在汽车驱动过程中，通过控制驱动轮的滑转率，防止驱动轮滑转，来提高汽车的动力性及行驶时方向的稳定性。下面以雷克萨斯 LS400 车型的驱动防滑系统（习惯上称为 ABS/TRC 系统）为例，说明其 ASR 故障的检测与诊断方法。图 3-113 所示为该车型 ABS/TRC 系统电路图。

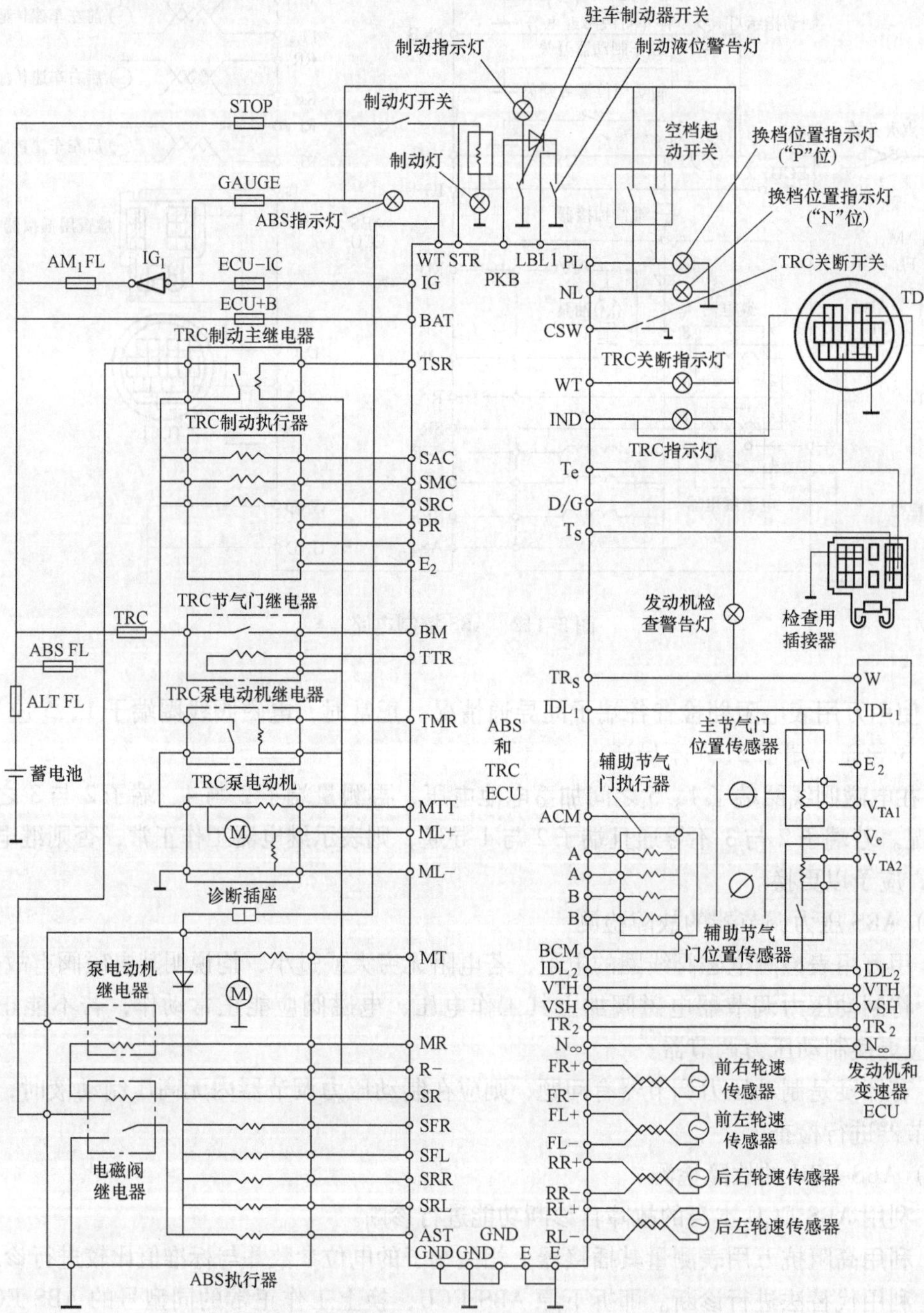

图 3-113 雷克萨斯 LS400 轿车 ABS/TRC 系统电路图

1. 故障自诊断

在 TRC 电控单元中，设有故障自诊断功能。出现故障时，自诊断系统对故障进行记忆，并点亮仪表板上的 TRC 故障指示灯，并可通过跨接线的方法，使系统进入故障自诊断模式。

（1）故障码的读取

1）接通点火开关，用跨接线或普通导线（应确保连接可靠）将 TDCL 或检查插接器的 TC 和 E1 端子短接。

2）此时仪表板上的 TRC 警告灯将显示故障码。当 TRC 系统同时出现两个或两个以上故障时，故障码将会由低到高的顺序显示出来。

3）故障码读取完毕后，将跨接线从 TC 和 E1 端子上取下，开始检查与排除故障。

（2）清除故障码

1）同读取故障码步骤 1）。

2）在 3s 内踏下制动踏板 8 次以上，即可清除存储在电子控制单元中的故障码。

3）查看 TRC 警告灯是否显示正常码。若仍显示故障码，则表明故障没有排除掉，应继续排除故障。

4）故障码清除完毕后，将跨接线从 TC 和 E1 端子上取下。

2. 电控系统主要部件的检测

检测时应取下被检部件的线束插接器（又称维修接口），使用阻抗大于 $10k\Omega/V$ 的万用表或电阻表、电压表，测量线束插接器传感器或继电器端子的电阻值或电压值并与标准值比较，从而判断部件的技术状况。

（1）辅助节气门位置传感器的检测 辅助节气门位置传感器，安装在节气门轴上，作用是将辅助节气门开启角度转换为电压信号并将信号输送给 TRC 电子控制单元。其检测方法如下：

1）取下辅助节气门位置传感器线束插接器。接线端子如图 3-114 所示。

2）用电阻表测量 E2 端子与 Vc、VTA、IDL 端子的电阻值，应符合规定值。

（2）TRC 关断开关的检测

1）取下 TRC 关断开关线束插接器。

2）用电阻表测量 3、4 端子的导通性，如图 3-115 所示。

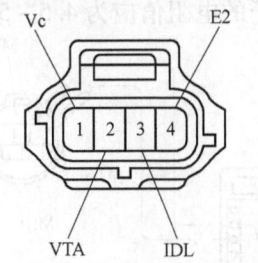

图 3-114　辅助节气门位置传感器线束插接器

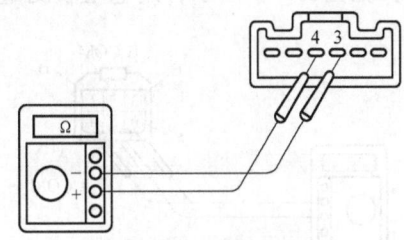

图 3-115　电阻表测量

3）当 TRC 关断开关接通时，应导通；TRC 关断开关断开时应不通。

（3）TRC 制动主继电器的检测

1）取下 TRC 制动主继电器的插接器。

2) 如图3-116所示，用电阻表测量1、2两端子应不导通，3、4端子应导通。

3) 在端子3、4之间施加12V电压，测1、2两端子时应导通。

(4) TRC节气门继电器的检测

1) 取下TRC节气门继电器线束插接器。

2) 如图3-117所示，用电阻表测量1、2端子应不导通，3、4端子应导通。

3) 在3、4端子之间施加12V电压，测1、2两端子时应导通。

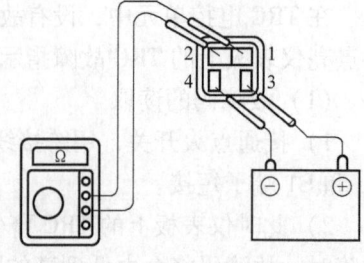

图3-116 制动主继电器的检测

(5) TRC制动执行器的检测

1) 取下TRC制动执行器线束插接器。

2) 如图3-118所示，用电阻表检测BSR、SRC两端子应导通，BSM、SMC两端子应导通，BSA、SAC两端子也应导通。

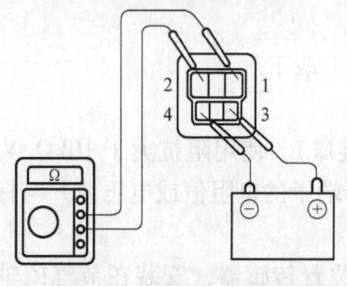

图3-117 节气门继电器的检测

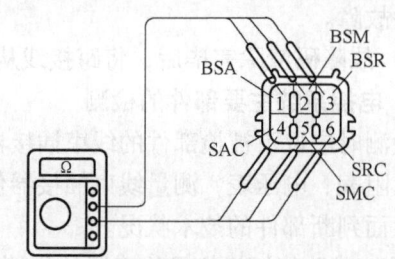

图3-118 制动执行器的检测

(6) 辅助节气门执行器的检测

1) 取下辅助节气门执行器线束插接器。

2) 如图3-119所示，用电阻表测量端子1、2、3间应导通，端子4、5、6间也应导通。

(7) TRC泵电动机的检测

1) 取下TRC泵电动机线束插接器。

2) 如图3-120所示，用电阻表测量BTM、MTT两端子的电阻值应为4.5~5.5Ω。

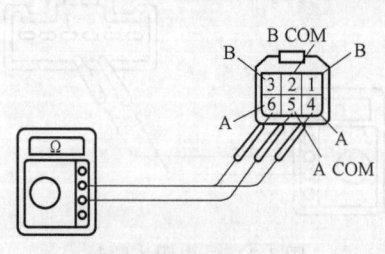

图3-119 辅助节气门执行器的检测

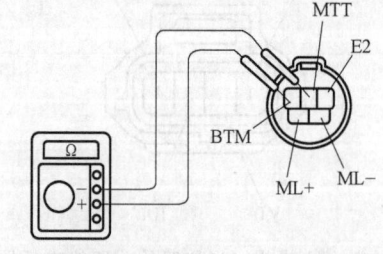

图3-120 TRC泵电动机电阻检测

3) 如图3-121所示，在端子BTM-E2间施加12V电压（通电不超过3s）进行运转试验，TRC泵电动机应运转。

(8) 压力开关的检测

1) 取下压力开关线束插接器。

2) 如图 3-122 所示用电阻表测量 PR、E2 端子应导通。

3) 起动发动机并怠速工作 30s（提高 TRC 执行器的液压）。

4) 将发动机熄火，接通点火开关。

5) 测量 PR、E2 端子的电阻值应为 1.5kΩ 左右。

(9) 压力传感器的检测

1) 取下压力传感器线束插接器并严格按图 3-123 所示的方法连接线路。

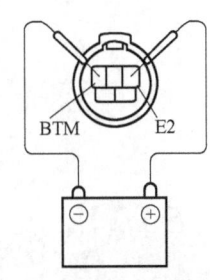

图 3-121　TRC 泵电动机性能测试

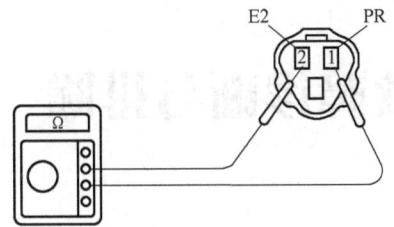

图 3-122　压力开关的检测

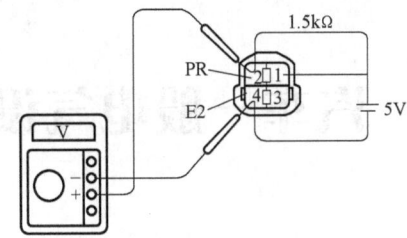

图 3-123　压力传感器的检测

2) 用电压表测量 PR、E2 端子间的电压应为 5V 左右。

3) 按"压力开关检测"的 3)、4) 两项进行操作。

4) 测量 PR、E2 端子的电压值应约为 2.5V。

进行上述检查时，应首先对线束插接器的线路导通状况做仔细查看，若有氧化、锈蚀等应予清除。检测中若实测值与标准值不符，应在确保线路完好无损的情况下，方可确认为元器件（开关、传感器或继电器）损坏。TRC 系统元器件损坏，通常应予更换。

练习与思考题

1. 车轮定位的检测方法有哪几种？各自的含义是什么？
2. 简述离车式车轮平衡机的基本结构、工作原理和使用方法。
3. 汽车高度如何调整？
4. 简述压力调节器的故障检查方法。
5. 汽车在前进档能正常行驶，但在倒档时不能行驶，分析其故障原因。
6. 自动变速器的基本检查都包括哪些项目？
7. 何为失速转速？失速实验的目的是什么？并详述做失速实验的准备及步骤。
8. 转向沉重的原因有哪些？
9. 汽车自动跑偏的原因有哪些？
10. ABS 系统的常见故障有哪些？如何诊断？
11. 简述 TRC 系统主要部件的检测内容及方法。
12. 简述离合器分离不彻底的故障原因及故障诊断排除方法。
13. 简述变速器乱档的故障原因及诊断排除方法。
14. 简述前轮轮胎磨损异常的故障原因及诊断方法。
15. 简述驱动桥漏油的故障原因及诊断方法。

第4章
汽车一般电气设备的故障诊断与排除

> **基本思路：**
>
> 汽车电气设备的故障诊断是根据汽车电气三大要点来进行的：一个原则、三种状态、五大要素。一个原则就是回路原则，即根据电的流动路线找出回路；三种状态即电流动的路线是通路、开路(断路)还是短路；五大要素是形成汽车电路的关键，即电源、保护装置、控制装置、用电设备及导线与导线插接器。五大要素组成回路，回路有两种故障即断路和短路。电气故障诊断是找出回路中是否有断路或短路，故障排除是处理断路或短路所在的零部件(积木)。

▶▶▶ 4.1 充电系统的故障诊断与排除

通常在装有充电指示灯的汽车上，可利用充电指示灯来诊断充电系统的故障。另外，往往当发动机因蓄电池微弱不能起动或因传动带张力不够造成传动带打滑时，也会使充电系统工作不正常。然而，有些故障则是由汽车使用不当引起的，而非蓄电池或充电系统的问题。如汽车仅作短程行驶就会引起蓄电池微弱这样的故障，其原因是发动机频繁起动将蓄电池能量消耗，而因行驶距离太短，蓄电池来不及再充分充电。特别在夜晚以这种方式使用汽车时，交流发电机产生的所有电能都供给前照灯，造成蓄电池再充电不足，导致故障的发生。

对充电系统进行故障诊断与排除分析，重要的是对故障进行全面了解和确定症状。

4.1.1 充电系统的故障分类

有充电指示灯的充电系统，主要有以下四类故障。

1. 充电指示灯工作不正常

1) 点火开关拧至 ON 时，灯不亮。
2) 发动机起动后，灯不熄灭。

2. 蓄电池微弱（放电）

1）不能用起动机起动发动机。

2）前照灯暗淡。

3. 蓄电池过量充电

蓄电池电解液被迅速用完。

4. 异响

1）发电机发出异常噪声。

2）无线电静电干扰。

4.1.2 充电系统故障诊断与排除的一般程序

在任何情况下，只要怀疑充电系统有故障，就必须对故障进行全面的了解。一旦确定了故障的症状，就必须确定故障的原因，并按正确顺序检查相关部位。充电系统故障分析一般程序如下。

1. 故障诊断前的充电系统分析

桑塔纳轿车充电系统的接线图如图4-1所示。当点火开关接通时，电流经黑色导线从点火开关15接点进入仪表板14插孔黑色插接器，经过仪表板印制电路板，来到R_2和充电指示灯串联与R_1的并联电路，经过一只二极管再接到仪表板14孔位置的黑色插接器，由蓝色导线与中央电路板上A_{16}连接。中央电路板D_4接点，经T_1插接器，用蓝色导线接到发动机D+接线柱。发电机输出B+接线柱，经由红色导线接到起动机30接线柱，在此再用黑色导线连接到蓄电池正极。明白这样的电路连接关系对分析故障是有帮助的。

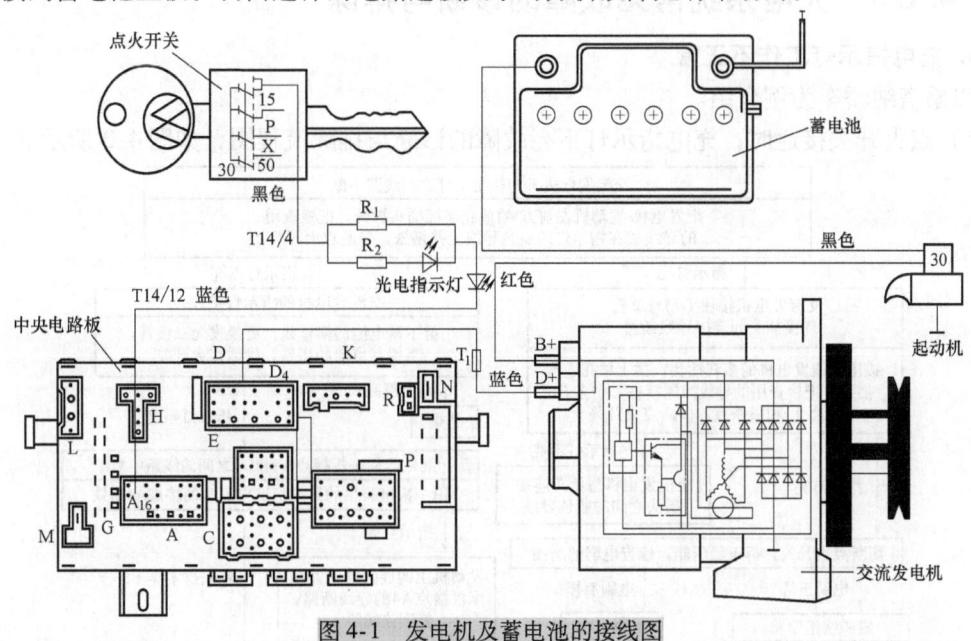

图4-1 发电机及蓄电池的接线图

2. 基本检查

(1) 发电机V带的张力检查 检查发电机V带的张紧程度和损坏程度，若不符合要求应进行调整。检查V带张紧度的方法有两种：一种是用张紧力规检测，如图4-2a所示，其挠度应在2~5mm；第二种是用手进行检查，如图4-2b所示。

(2) 蓄电池电量检测 用蓄电池测试仪进行蓄电池负荷试验。保持测试5s，如果蓄电池有故障或者充电不足，蓄电池电压会很快下降，即电压崩溃，电压值在 9.0V 以下。

（3）检测发电机的搭铁线路接触是否良好　用万用表电压档进行测试，正表笔接在发电机壳体上，负表笔搭在蓄电池负极上，若电压显示为正则表示搭铁良好，否则搭铁不良。

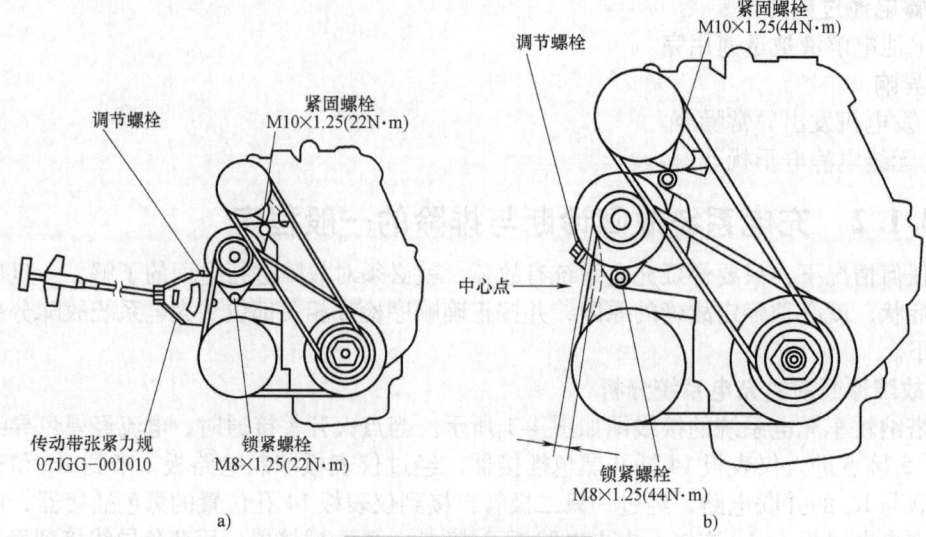

图 4-2　V 带张力的检查

a) 用张紧力规检查　b) 用手检查

4.1.3　充电系统常见故障的诊断与排除

1. 充电指示灯工作不正常

以桑塔纳轿车为例介绍。

1）点火开关接通时，充电指示灯不亮故障的诊断与排除流程图，如图 4-3 所示。

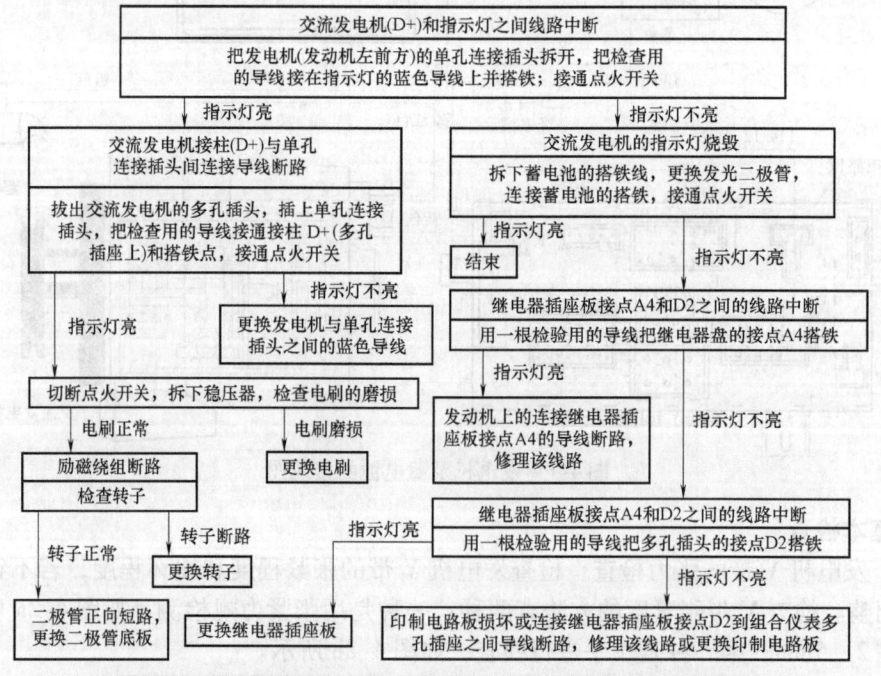

图 4-3　点火开关接通充电指示灯不亮故障的诊断与排除流程图

2) 发动机运转，充电指示灯一直不熄灭的故障诊断与排除流程图，如图 4-4 所示。

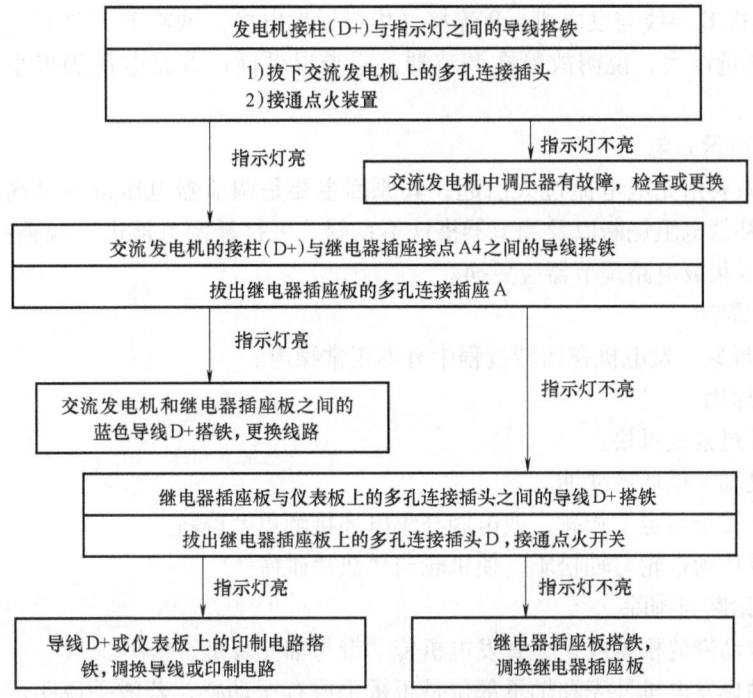

图 4-4　发动机运转但充电指示灯不熄灭故障的诊断与排除流程图

2. 蓄电池微弱（放电）的原因及检测

（1）蓄电池本身损坏　该故障包括极板硫化、自行放电、极板断路。

（2）全车线路漏电　用一只 0～200mA 的电流表接在蓄电池负极与搭铁之间降低量程，直至得到清晰读数。指针在 3mA 以下时，表示无漏电现象；如果指针在 3mA 以上，表示存在漏电现象。

（3）车辆频繁短时间行驶　这里指夜间车辆频繁短时间行驶。

（4）充电系统不充电或充电电流小

1) 不充电。在发动机运转情况下，用数字万用表 20V 档直接测量蓄电池，结果应在 14V 左右，否则应做以下检查：

① 检查发电机、蓄电池、线束之间的连线是否松脱、断路、传动带是否过松。

② 将发电机 F 线取下，另用一根导线将 + 与 F 接线柱连接（内搭铁发电机），或将发电机 E 线取下，用另一根线搭铁（反搭铁发电机）。若充电，则故障为调节器故障；若故障仍在，故障在发电机，应拆检发电机。

2) 充电电流过小。蓄电池接近充足状态时，充电电流小为正常现象，但若确认蓄电池存电不足而充电又充不进去，则充电电路的故障原因如下：

① 发电机传动带过松打滑，个别二极管短路，定子绕组有一相断路或连接不良，电刷磨损过多以及集电环油污使电刷与集电环接触不良等。

② 调节器故障。

检查方法如下：

① 检查发电机驱动传动带有无松动，若松动，予以调整。

② 将发电机 E 接线与发电机 +B 连接（内搭铁发电机）或将 E 与外壳连接（外搭铁发电机），若充电量增大，说明故障在调节器，应予以更换；若充电量仍很小，则应拆检发电机。

3. 蓄电池过量充电

过量充电主要由充电电流过大引起，其原因主要是调节器电压调节过高、低速触点烧结、磁化线圈补偿电阻烧断以及调节器搭铁不良等，可打开调节器进行调整或检修或更换。晶体管调节器或集成电路调节器应更换。

4. 发电机异响

（1）故障现象　发电机在运转过程中有不正常噪声。

（2）故障原因

1）传动带过紧或过松。

2）发电机轴承损坏或缺油。

3）发电机转子与定子相碰，或电刷与集电环接触角度偏斜。

4）发电机传动带轮与轴松旷，使带轮与散热片碰撞。

（3）故障诊断与排除

1）检查传动带的松紧度；检查发电机传动带与轴安装是否松旷。

2）用手触摸发电机外壳和轴承部位是否烫手或有振动感，若烫手说明定子与转子碰撞或轴承损坏。用一字槽螺钉旋具听诊发电机轴承部位，若声音清脆、不规则，说明轴承缺油或滚珠已损坏。

3）拆下电刷，检查其磨损和接触情况。

4）拆检发电机，检查其内部零件配合和润滑是否良好。若发电机噪声小而均匀，应检查二极管和定子绕组是否有短路或断路。

▶▶▶ 4.2　起动系统的故障诊断与排除

起动系统的故障有电气故障和机械部分的故障，常见的故障有起动机不转、起动机运转无力、起动机空转、起动机异响等。

4.2.1　起动系统的就车检查

如果故障在起动系统，则应首先检查起动机上的电压是否正常，检查时可不必从车上拆下起动机。就车检查可检查出蓄电池电压、起动机与蓄电池连接导线是否老化、氧化、连接点是否接好和起动机故障。

就车检查电压包括三个项目：蓄电池端子的电压（V_1），30 端子的电压（V_2）和 50 端子的电压（V_3），如图 4-5 所示。

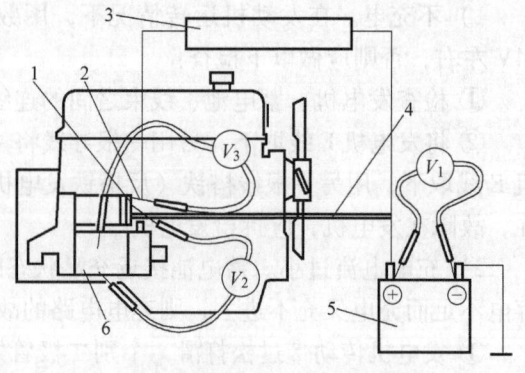

图 4-5　检查电压简图

1—30 端子　2—50 端子　3—点火开关电路
4—起动机电缆　5—蓄电池　6—起动电动机

1. 检查蓄电池端子电压

将点火开关旋至 START 位置，测量蓄电池端子电压。标准蓄电池端子电压不低于 9.6V。如果电压低于 9.6V，则更换蓄电池。

1）如果起动机不能旋转或旋转速度很低，则应首先查看蓄电池是否正常。

2）如果端子电压的测量结果正常，但由于蓄电池端子的锈蚀也会增大接触电阻，导致蓄电池施加在起动机上的实际电压下降，造成起动不良。

2. 检查 30 端子和 50 端子的电压

1）将点火开关旋至 START 位置，测量起动机 30 端子与起动机外壳之间的电压。标准电压应不低于 8V。如果电压低于 8V，则应检查起动机电缆线，并根据需要进行修理或更换。

2）测量起动机 50 端子与起动机外壳之间的电压，标准电压应不低于 8V。如果电压低于 8V，则应参照电路图逐个检查熔断器、点火开关、空档起动开关、起动机继电器、离合器起动开关等零件，修理或更换损坏的元器件。

4.2.2 起动系统常见故障的诊断与排除

起动机的实际电路因车型而异，但可粗略将其分为两类：一类是不带起动继电器，如图 4-6 所示；另一类带有起动继电器，如图 4-7 所示。带有自动变速器车辆的起动电路中还装有一个空档起动开关，只有在变速杆位于空档（N 位）或停车档（P 位）时，才能接通起动电动机。

1. 起动机不运转

（1）故障现象 将点火开关置于起动位置，起动机不运转。

（2）故障原因

1）蓄电池容量不足，其各导线连接松动、接触不良或断路。

2）起动继电器触点烧蚀或其线圈断路。

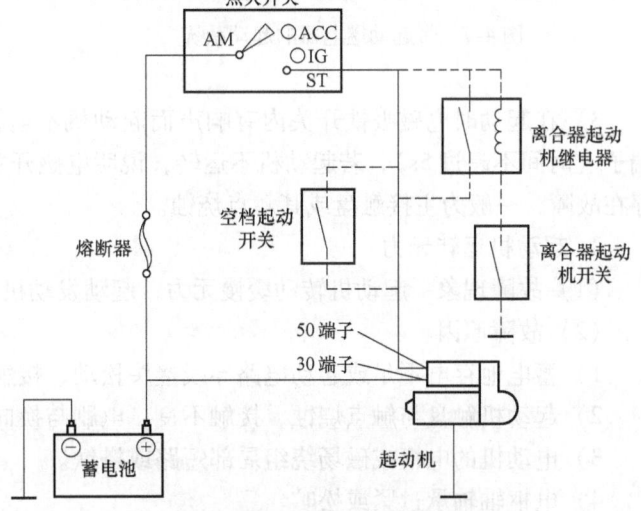

图 4-6 不带继电器的起动系统

3）起动机电磁开关的触点、触盘烧蚀，吸引线圈断路或保持线圈断路。

4）起动机的直流电动机磁场、电枢绕组断路或短路。

5）起动机的电枢轴弯曲，轴与轴承间隙过紧，换向器烧蚀，电刷磨损过度，电刷在架内卡住或电刷弹簧过软等。

（3）故障诊断与排除 接通起动开关但起动机不运转时，首先应检查蓄电池和导线特别是蓄电池搭铁电缆和相线电缆的连接情况，然后检查起动机和开关。

1）接通喇叭或前照灯，若灯光不亮或喇叭不响，说明蓄电池或电源线路有故障；若喇叭响，灯光明亮，说明蓄电池充电充足，故障出在电动机、电磁开关、起动继电器或控制线路。若点火钥匙转至起动位置后，电磁吸铁开关内无任何响声，一般为起动继电器触点烧蚀。

2）短接起动机 30 端子与 C 端子，如图 4-8 所示。若起动机不转，说明电动机有故障；如起动机空转正常，则说明电磁开关、起动继电器或控制线路出现故障。

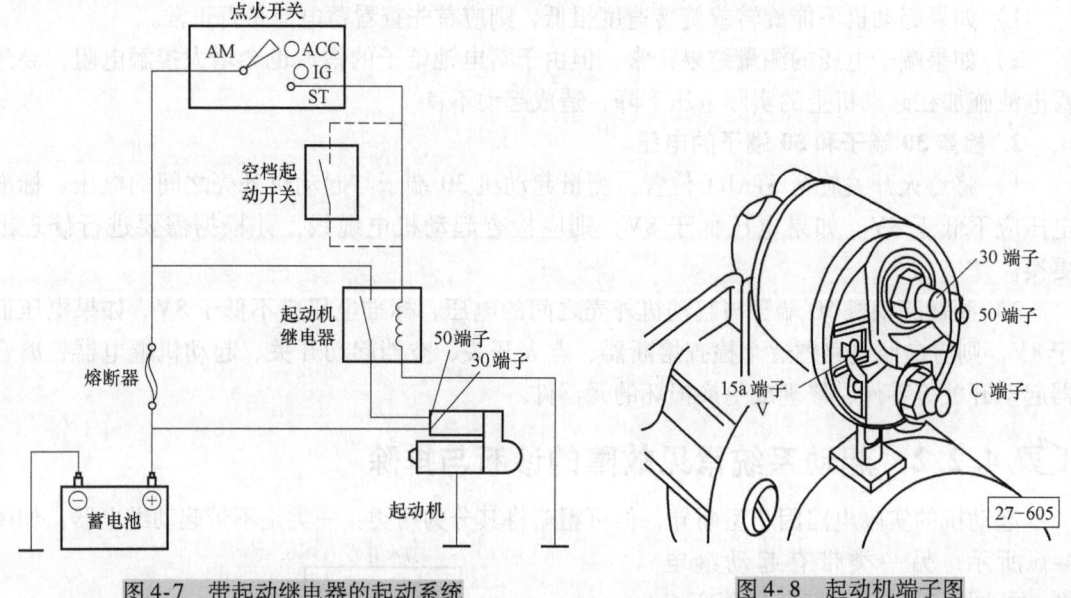

图 4-7　带起动继电器的起动系统　　　　图 4-8　起动机端子图

3）在起动时电磁吸铁开关内有响声而起动机不运转，可短接起动继电器 30 端子和 50 端子（时间不超过 5s），若起动机不运转，说明电磁开关或起动继电器、点火开关或其线路存在故障，一般为主接触盘或其触点烧蚀。

2. 起动机运转无力

（1）故障现象　起动机转动缓慢无力，起动发动机困难。

（2）故障原因

1）蓄电池存电不足或起动电路导线接头松动、接触不良。

2）起动机触盘与触点烧蚀，接触不良，电刷与换向器接触不良。

3）电动机的电枢或磁场绕组局部短路或搭铁。

4）电枢轴轴承过紧或松旷。

（3）故障诊断与排除

1）开前照灯、按喇叭，判断蓄电池是否亏电较多。必要时加以充电或更换。

2）检查起动电路各连接导线是否松动或搭铁，若有加以排除。

3）短接起动机两个主接线柱，如图 4-8 所示。若电流很大、运转正常表明蓄电池到起动机电路良好，故障在电磁开关，应修复或更换；若仍无力，则故障可能是起动机内部绕组有短路、搭铁或换向器故障。

3. 起动机空转

（1）故障现象　接通点火开关，起动机只是空转，驱动齿轮不能与飞轮齿啮合带动发动机运转。

（2）故障原因

1）单向离合器打滑或损坏。
2）拨叉变形，啮合弹簧折断或过软。
3）起动机主开关接通时机调整过早，或起动机固定螺钉松动等。

(3) 故障诊断与排除

1）接通起动开关后，若起动机空转，说明电动机技术状况良好，但动力不能传递到发动机飞轮，一般是由于单向离合器过度磨损后打滑所致。应重点对单向离合器进行故障诊断。

2）如果起动时只有起动机高速旋转声，但没有啮合声，则应检查单向离合器和驱动齿轮组件能否在轴上自由滑动而进入啮合位置。否则，应检查花键与花键轴间是否发卡或弹簧是否折断。

3）如果发动机起动后起动机发出一阵高速旋转声，则应检查单向离合器的单向性。向正、反两个方向转动驱动齿轮若均不滑转，说明单向离合器咬死。

4. 起动机异响

(1) 故障现象　起动发动机时，起动机发出"嘎、嘎……"的齿轮撞击异常响声，发动机曲轴不能随之转动。

(2) 故障原因

1）蓄电池充电不足或内部短路。
2）电磁开关保持线圈短路或搭铁不良。
3）电动机转子轴向间隙过大、装配过紧或转子轴弯曲等机械故障。

(3) 故障诊断与排除

1）起动机驱动小齿轮周期性地撞击飞轮齿环，发出"哒、哒……"声，一般是电磁开关的保持线圈或吸引线圈断路、短路或接触不良，蓄电池亏电。诊断方法如下：

① 首先检查蓄电池是否亏电（按喇叭，开前照灯，观察喇叭声音和灯光明亮程度是否正常），若蓄电池存电良好，则为电磁开关工作不良。

② 用万用表检查电磁开关的保持线圈和吸引线圈是否短路、断路或接触不良。

2）起动时起动机有"扫膛"现象，故障为转子轴向间隙过大，一般为铜套磨损或损坏，解体起动机更换铜套。

3）起动时有较大的响声并且转子转动无力，一般是装配过紧或转子轴弯曲等机械故障导致。此时必须解体起动机进行检查并按规定装配。

4.2.3　起动机性能试验

在起动机修复完毕之后，应进行性能试验，以确保起动机运行正常。试验时，先将蓄电池充足电，每项试验应在 3~5s 内完成，以防线圈被烧坏。

1. 空载起动性能试验

1）如图 4-9 所示，将起动机与蓄电池和电流表（量程为 0~100A 或以上的直流电流表）连接。蓄电池正极与电流表正极连接，电流表负极与起动机 30 端子连接，蓄电池的负极与起动机外壳连接。

2）如图 4-10 所示，用带夹电缆将 30 端子与 50 端子连接起来，此时驱动齿轮应向外伸出，起动机应平稳运转。当蓄电池电压大于或等于 11.5V 时，消耗电流应不超过 50A，用转速表测量电枢轴的转速应不低于 5000r/min。如电流大于 50A 或转速低于 5000r/min，说明起动机装配过紧或电枢绕组和磁场绕组有短路或搭铁故障。如电流和转速都低于标准值，说明电动机电路接触不良，如电刷与换向器接触不良或电刷弹簧弹力不足等。

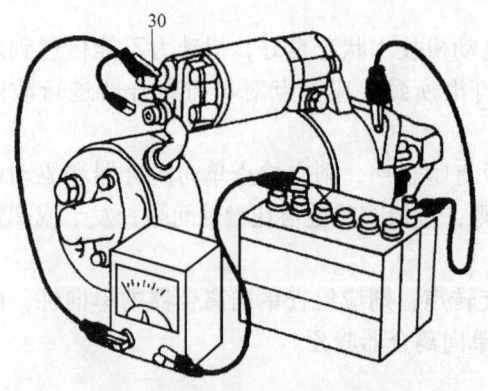

图 4-9　起动机空载试验线路连接

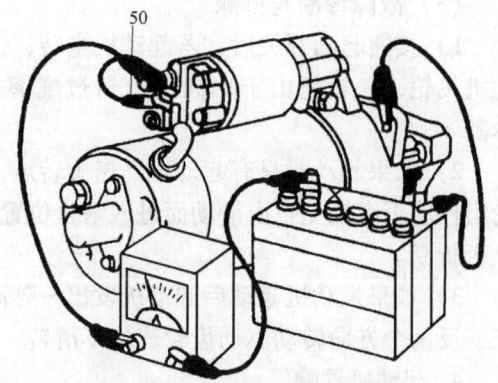

图 4-10　接通 50 端子进行测试

2. 电磁开关试验

（1）吸拉动作试验　将起动机固定到台虎钳上，拆下起动机 C 端子上的磁场绕组电缆引线端子，用带夹电缆将起动机 C 端子和电磁开关壳体与蓄电池负极连接，如图 4-11 所示。用带夹电缆将起动机 50 端子与蓄电池正极连接，此时驱动齿轮应向外移动。如驱动齿轮不动，说明电磁开关有故障，应予修理或更换。

（2）保持动作试验　在吸拉动作基础上，当驱动齿轮保持在伸出位置时，拆下电磁开关 C 端子上的电缆夹，如图 4-12 所示，此时驱动齿轮应保持在伸出位置不动。如驱动齿轮回位，说明保持线圈断路，应予修理。

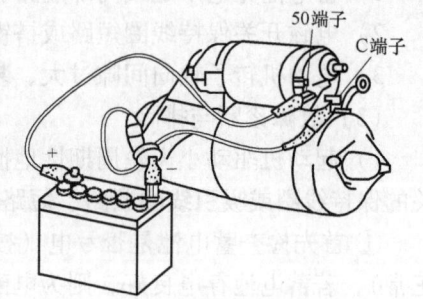

图 4-11　吸拉动作试验

（3）回位动作试验　在保持动作的基础上，再拆下起动机壳体上的电缆夹，如图 4-13 所示，此时驱动齿轮应迅速回位。如驱动齿轮不能回位，说明回位弹簧失效，应更换弹簧或电磁开关总成。

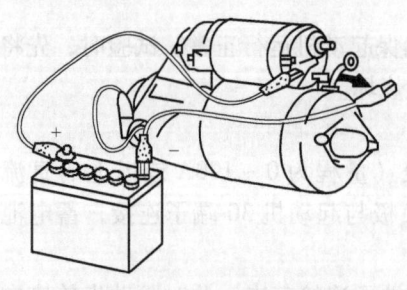

图 4-12　保持动作试验

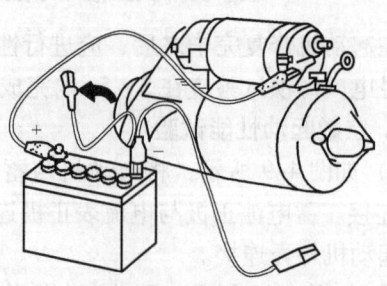

图 4-13　回位动作试验

4.3 汽车照明、信号与仪表系统的故障诊断与排除

4.3.1 照明与灯光信号系统的故障诊断与排除

照明与灯光信号装置的常见故障有两类：一是灯泡损坏；二是电路中的熔丝、继电器、导线、开关或插件故障。在熟悉电路的情况下，遇到故障首先要确定诊断范围。确诊故障部位的方法是，按照电路的走向，用测试电器工作是否正常的方法，来确定故障在哪一段。一般来说，若熔丝熔断，则为短路故障，应采用短路法逐段检查；若熔丝未熔断，则应采用试灯法逐段检查。

1. 前照灯系的故障诊断与排除

（1）前照灯的故障诊断与排除　前照灯控制电路如图4-14所示。

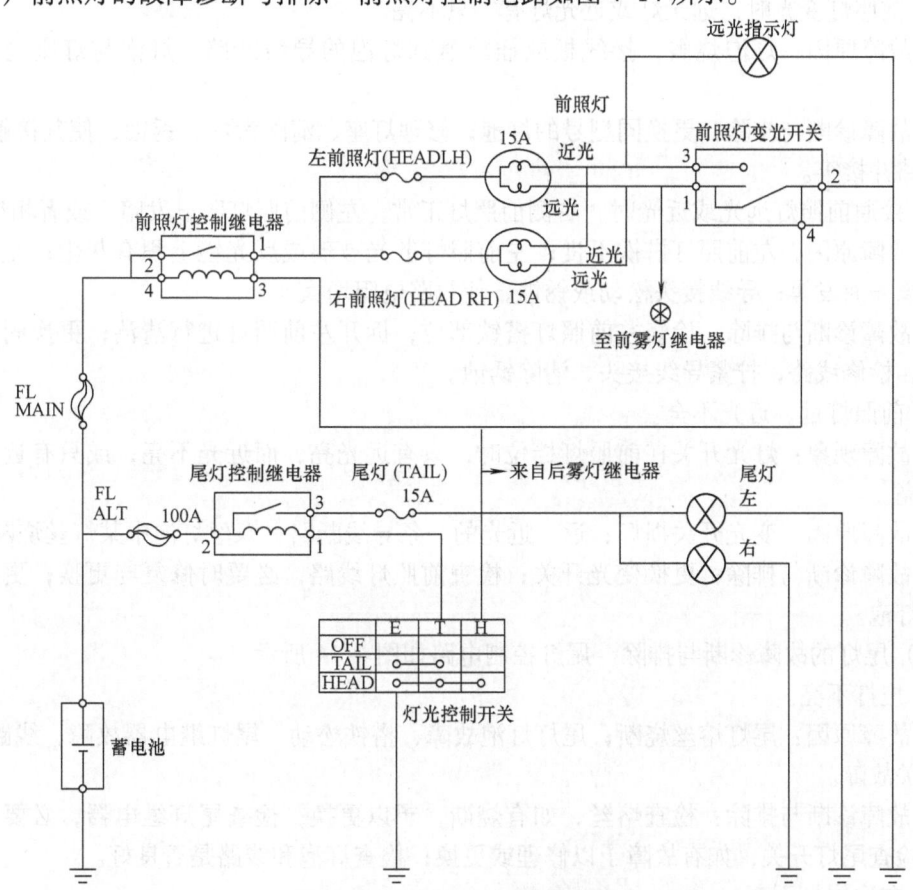

图4-14　前照灯及尾灯控制电路

1）前照灯不亮。

① 故障原因：前照灯熔丝烧断；前照灯变光开关有故障；前照灯配线或搭铁有故障；电源线松动和脱落断路。

② 故障诊断与排除：更换熔丝，仔细检查线路是否短路；检查灯光变光开关，必要时

进行更换；检查前照灯配线及前照灯搭铁是否良好，必要时进行修理和更换；检查电源线路是否有松动、脱落或断路，必要时进行紧固和更换。

2）前照灯灯光暗淡。

① 故障原因：蓄电池电量不足，端电压降低；发动机不发电或发电量不足；输出电压低；散光玻璃或反射镜上有尘埃；导线接头松动和锈蚀，使电阻增大。

② 故障诊断与排除：检查蓄电池并对它进行补充充电；拆开前照灯，清洁散光玻璃及灯座的接触部位和接头部位，必要时给予更换；检查发电机的传动带松紧度，修复或更换发电机，检查电压调节器，必要时给予调整、修理或更换。

3）灯泡经常烧坏。

① 故障原因：电压调节器调整不当或失调，使发电机输出电压过高。

② 故障诊断与排除：检查发电机输出电压是否过高，过高则重新调整电压调节器的限额电压值。

4）前照灯变光时，远光灯或近光灯有一只不亮。

① 故障原因：灯泡烧毁；接线板或插接器到灯泡的导线断路；灯泡与灯座之间接触不良。

② 故障诊断与排除：更换同型号的灯泡；修理灯座、清除污垢、锈蚀，使其接触良好；检修线路并接牢。

5）接通前照灯远光或近光时，右侧前照灯正常，左侧前照灯明显发暗，或者相反。

① 故障原因：左前照灯搭铁不良；左前照灯散光玻璃或反光镜上积有灰尘；左前照灯灯泡玻璃表面发黑；导线接头松动或锈蚀，使线路电阻增大。

② 故障诊断与排除：检修左前照灯搭铁部位；拆开左前照灯进行清洁；更换同一型号的灯泡；检修线路，拧紧导线接头，清除锈蚀。

6）前照灯远、近光不全。

① 故障现象：灯光开关在前照灯档位时，只有远光亮，而近光不亮，或只有近光亮而远光不亮。

② 故障原因：变光开关损坏；远、近光的一条导线断路；双丝灯泡中某灯丝烧断。

③ 故障诊断与排除：更换变光开关；检查前照灯线路，必要时修复与更换；更换同一型号的灯泡。

(2) 尾灯的故障诊断与排除　尾灯控制电路如图4-14所示。

1）尾灯不亮。

① 故障原因：尾灯熔丝烧断；尾灯灯泡故障；搭铁松动；尾灯继电器故障；线路断路；尾灯开关故障。

② 故障诊断与排除：检查熔丝，如有烧断，予以更换；检查尾灯继电器，必要时进行更换；检查尾灯开关，如有故障予以修理或更换；检查灯泡和线路是否良好。

2）左边尾灯不亮。

① 故障原因：灯泡烧毁；搭铁松动；线路断路。

② 故障诊断与排除：检查灯泡是否烧毁，烧毁则予以更换；检查搭铁和线路是否有松动和断路现象，有则予以修复。

(3) 雾灯的故障诊断与排除　雾灯控制电路如图4-15所示。故障表现为前雾灯不工作。

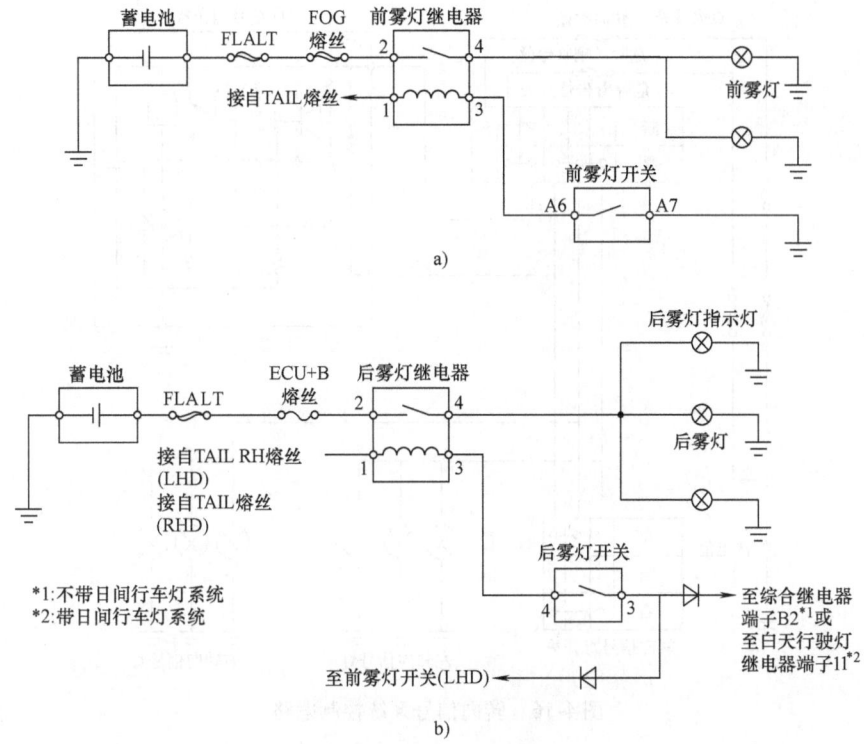

图 4-15 雾灯控制电路
a）前雾灯控制电路　b）后雾灯控制电路

1）故障原因：雾灯熔丝烧毁；雾灯继电器故障；雾灯开关故障；灯泡烧毁；搭铁故障线路断路。

2）故障诊断与排除：检查熔丝是否烧毁，否则予以更换；检查雾灯继电器和开关，必要时进行修复或更换；检查雾灯灯泡和线路情况。

后雾灯故障的诊断与前雾灯基本相同。

2. 信号装置故障诊断与排除

（1）转向信号灯的故障诊断与排除　转向信号系统控制电路如图 4-16 所示。

1）转向信号灯闪光频率不正常。

① 故障原因：转向灯线路松脱，一般为紧固线路松脱所致；左右转向灯功率不同。

② 故障诊断与排除：

a. 检查闪光继电器、转向开关及转向灯的搭铁端子，如有松脱处，进行紧固。

b. 检查转向灯泡，看功率是否符合要求，否则进行更换。

c. 如无上述原因，则检查闪光继电器是否调整不当，一般为 65~120 次/min，否则应调整闪光继电器。

2）转向信号灯不工作。

① 故障原因：熔丝熔断；闪光器工作不良；转向灯开关工作不良；转向灯灯泡损坏。

② 故障诊断与排除：

a. 检查熔丝盒里的转向灯熔丝是否烧毁，烧毁则予以更换。

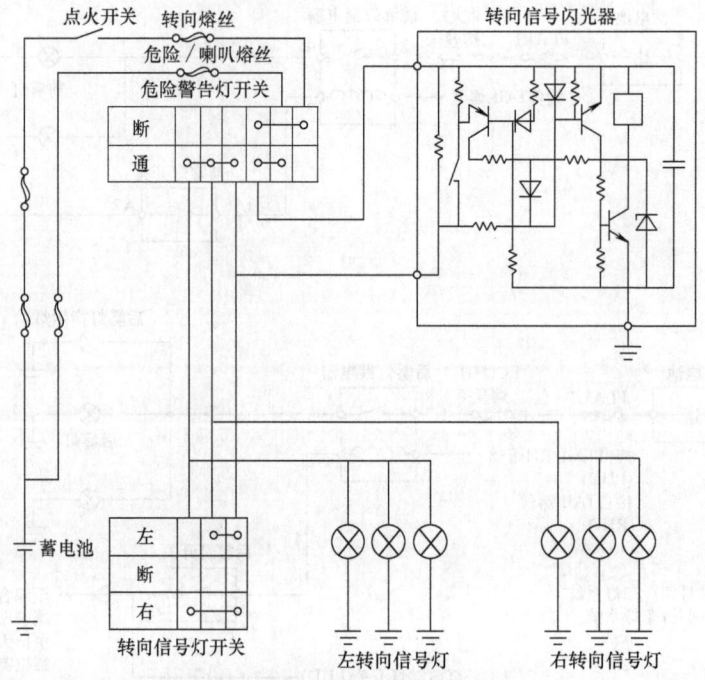

图 4-16 转向信号系统控制电路

b. 闪光器的检查,拔下闪光器,用跨接线连接电源与闪光器插座 L 端子,如果转向灯在打转向开关的两个位置都亮,则闪光器失效,应予以更换。

c. 如果无上述原因,则检查转向开关,方法为:分别操作左右转向,用万用表的导通档位测闪光器 L 端子与左右转向灯线路的导通情况,如不导通则为开关损坏,应进行修复或更换。

d. 如果转向开关工作正常,则检查转向灯泡是否烧毁,烧毁则予以更换。

(2)制动信号灯的故障诊断与排除 制动灯控制电路如图 4-17 所示。

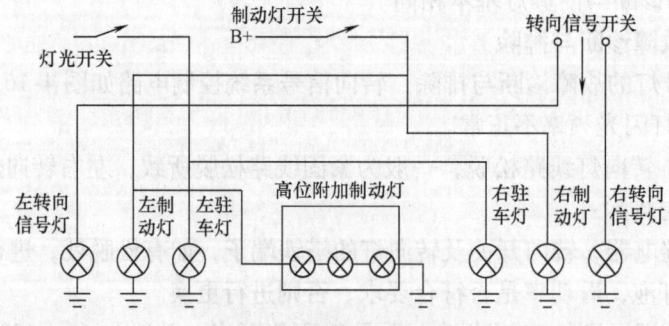

图 4-17 汽车制动灯电路

1)制动信号灯不亮。

① 故障原因:灯泡烧毁;熔丝熔断;制动开关失效;线路或搭铁问题。

② 故障诊断与排除:

a. 检查灯泡和熔丝是否烧毁,烧毁则予以更换。

b. 制动开关的检查，踩下制动踏板，用万用表检查开关是否导通。如不导通，则应更换制动开关。

c. 检查线路是否有断路，采用逐点搭铁法可以判定断路故障（用万用表电压档逐点检查线路是否在踩下制动踏板时有蓄电池电压）。

d. 检查搭铁线路是否良好，否则应紧固搭铁端子。

2）制动信号灯常亮。

① 故障原因：一般为制动开关调整不当或制动开关损坏，导致制动开关常闭合，使制动信号灯常亮。

② 故障诊断与排除：在不踩制动踏板的情况下，测量制动开关是否导通，如导通，则应进行调整，开关损坏的要进行更换。

3）制动灯只亮一个。

① 故障原因：不亮的制动灯灯泡烧毁，线路有断路，或者搭铁端子松脱。

② 故障诊断与排除：检查灯泡是否烧坏，线路是否断路，搭铁端子是否牢固。

(3) 倒车信号的故障诊断与排除　倒车灯在挂入倒档后不亮。

1）故障原因：灯泡烧毁；线路断路；倒档开关损坏；搭铁不良。

2）故障诊断与排除：

① 检查灯泡是否烧毁，烧毁则予以更换。

② 检查熔丝和线路是否断路，断路则予以修复。

③ 检查倒档开关是否损坏。检查方法：挂入倒档，用万用表检查开关是否导通，如不导通，则开关损坏，应进行更换。

④ 检查搭铁端子是否搭铁牢固，否则予以紧固。

4.3.2 电喇叭的故障诊断与排除

电喇叭电路有带继电器与不带继电器两类。目前以单线制带继电器的蜗牛形电喇叭应用较为广泛，其控制电路如图 4-18 所示。电喇叭的常见故障有电喇叭不响、电喇叭长鸣及电喇叭声音不正常等。

1. 喇叭不响

(1) 故障原因　喇叭损坏；喇叭继电器故障；线路断路；喇叭按钮损坏；电源或搭铁故障。

(2) 故障诊断与排除

1）检查相线是否有电，用螺钉旋具在喇叭继电器蓄电池接线柱上划火。

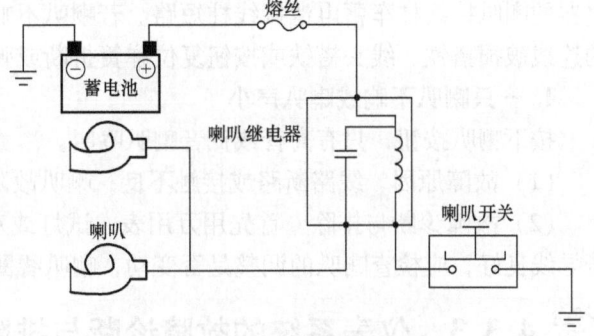

图 4-18　电喇叭控制电路

若无火，说明相线断路，应检查蓄电池—熔断器—喇叭继电器与蓄电池接线柱之间线路有无断路。

2）若相线有电，再用螺钉旋具将喇叭继电器的蓄电池与喇叭两接线柱短接。若喇叭响，说明喇叭继电器或按钮有故障，否则，喇叭本身或连接线有故障。

3）按下喇叭按钮，倾听继电器内有无声响（或打开盒盖观看），若有"咯嗒"声（或触点闭合），但喇叭不响，说明触点氧化或烧蚀。若无"咯嗒"声，再用螺钉旋具将继电器按钮接线柱搭铁。若喇叭响，说明按钮或连接线有故障；喇叭不响，但能听到继电器中有"咯嗒"声，为触点接触不良。听不到"咯嗒"声，搭铁时又无火花，为线圈断路；火花强烈，为线圈短路。

4）按下按钮，喇叭只发出"嗒"的一声就不响了，故障在喇叭内部。可拆下喇叭盖，再按下按钮，观察喇叭触点是否打开。若不能打开应重新调整；若能打开，则应检查触点间隙以及电容器或灭弧电阻是否短路。

5）若按下按钮，喇叭不响，检查电路发现熔丝盒跳开（或熔丝熔断），肯定是线路中有搭铁之处，可分段检查。

2. 喇叭响声不正常

当按下喇叭按钮时，喇叭声音沙哑、发闷或刺耳。

（1）故障原因　蓄电池电量不足；线路紧固端子松动；喇叭故障。

（2）故障诊断与排除　处理喇叭响声不正常，首先应检查蓄电池存电是否充足。接通前照灯开关，如果灯光暗弱，或者在发动机未起动前喇叭声音沙哑，但发动机起动并加速到中速以上运转时，喇叭声音恢复正常，则是蓄电池亏电所致。若蓄电池技术状况正常或发动机中速以上运转，喇叭声音仍沙哑，则应检查安装情况，若有松动应紧固，若无松动，应检查各部紧固情况，必要时检查喇叭膜片和调整音调与音量。若膜片破裂，更换时应使用同型号、同音调喇叭的膜片。

3. 喇叭长鸣

行车中，喇叭突然长鸣不停或按了喇叭按钮松开后，喇叭依然鸣叫。

（1）故障原因　喇叭继电器故障；喇叭按钮故障；按钮前控制线路有搭铁。

（2）故障诊断与排除　遇到这种情况，应迅速将接在继电器的蓄电池接线柱上的相线头拆下悬空，使喇叭停响。拆除继电器的按钮接线柱上的连接头，然后用前面拆下的蓄电池柱上的相线碰划蓄电池接线柱试验。若喇叭响，可能是继电器触点烧结，弹簧弹力过弱或继电器的喇叭接线柱车蓄电池接线柱短路。若喇叭不响，可能是继电器按钮接线柱至按钮之间的连线破损搭铁、线头搭铁或按钮复位弹簧折断或弹力过弱等。

4. 一只喇叭不响或喇叭声小

按下喇叭按钮，只有高音或低音喇叭鸣叫。

（1）故障原因　线路断路或接触不良；喇叭故障。

（2）故障诊断与排除　首先用万用表、试灯或对调两喇叭连接线，检查导线有无断路。若导线良好，应检查喇叭的调整是否变动，喇叭线圈是否断开，喇叭搭铁是否良好等。

4.3.3　仪表系统的故障诊断与排除

汽车仪表是用来监测汽车各个系统工作状况的装置。目前汽车装用的仪表主要有车速里程表、转速表、冷却液温度表、燃油表、机油压力警告灯、各种警告灯、指示灯以及维护提示器。现代汽车仪表一般由一台微处理器进行控制，并且具有一个内容丰富的自诊断系统。如果在受监控的传感器或部件中出现故障，那么这些带有故障类别说明的故障就以故障码的形式存储。在故障查询开始时，须进行故障自诊断。汽车仪表主要故障如下：

1）传感器故障。

2）仪表本身故障。

3）多路传输系统故障。

1. 仪表故障诊断与排除

以大众车系和 V. A. G1551 大众专用检测仪为例介绍仪表故障诊断与排除。

（1）自诊断　自诊断应在系统电路正常、电源电压不低于 9.0V 的条件下进行。

1）取出诊断转接器上面罩盖（位置在驻车制动手柄附近）。

2）把 V. A. G1551/3 电源线的插头插到诊断转接器上。

3）故障诊断仪显示器上的显示如图 4-19 所示。

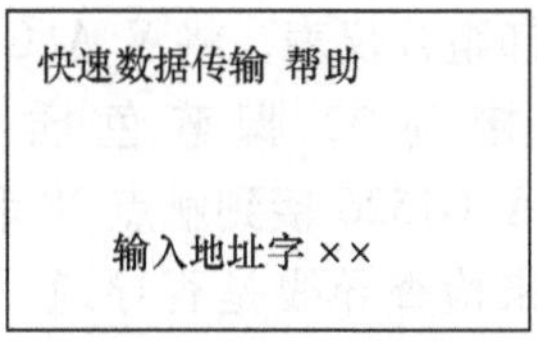

4）按下 1 键和 7 键，输入组合仪表地址码。

5）按 Q 键确认输入。

6）一直按→键，直到显示器上显示"查询故障存储器"。

7）按下 0 键和 2 键，选择"查询故障存储单元"按 Q 键确认。

8）显示器显示存储（存入）的故障数量。

9）依次（先后）显示和打印输出存储的故障。表 4-1 所列为部分故障码的含义。

图 4-19　显示器内容

表 4-1　组合仪表故障码表

V. A. G1551 打印信息	可能的故障原因	故 障 排 除
00562-机油油面/机油温度传感器 G266 ● 断路/对正极短路 ● 对搭铁短路 ● 不可靠信号	● 机油油面/机油温度传感器 G226 与组合仪表板间导线断路或短路 ● 机油油面/机油温度传感器 G266 损坏 ● 传感器内电子元器件损坏	● 按电路图查找故障 ● 排除导线断路 ● 更换机油油面/机油温度传感器 G266
00667-外部温度信号 ● 断路/对正极短路 ● 对搭铁短路 ● 不可靠信号（显示错误，不予考虑）	● 组合仪表与空调控制和显示单元 E87 之间断路或短路 ● 空调控制和显示单元 E87 损坏	● 按电路图查寻故障 ● 排除导线断路 ● 进行空调自诊断
00668-车上 30 号接线电压 ● 电压过低	● 蓄电池接线已拆下 ● 控制单元或传感器导线断路或短路	● 按电路图查寻故障，排除导线断路或短路故障 ● 清除故障码并继续观察车辆
00771-燃油表传感器 G ● 断路/对正极短路 ● 对搭铁短路	● 燃油表传感器 G 或燃油表传感器 2（G169）与组合仪表板间导线断路或短路 ● 燃油表传感器 G 或 G169 与组合仪表之间导线断路或短路 ● 燃油表传感器 G 或 G169 损坏	● 按电路图查寻故障 ● 排除导线断路 ● 更换燃油表传感器 G 或 G169
00779-外部温度传感器 G17 ● 断路/对正极短路 ● 对搭铁短路	● 导线断路或短路 ● 外部温度传感器 G17 损坏	● 按电路图查寻故障并排除导线断路短路故障 ● 更换外部温度传感器 G17
01039-冷却液温度传感器 G2 ● 断路/对正极短路 ● 对搭铁短路	● 冷却液温度传感器 G2 与组合仪表间导线断路或短路 ● 冷却液温度传感器 G2 损坏	● 按电路图查寻故障，排除导线断路或短路故障 ● 更换冷却液温度传感器 G2

(2) 检查车速信号 如果确定了车速表上的车速显示有故障，应检查车速表是否接收到信号。连接 V. A. S5051 或 V. A. G1551，读取测量数据块，选择显示组号 001 并进行试车。如果 V. A. G1551 上显示车速值，但它不等于组合仪表上的车速显示，说明组合仪表损坏，必须更换。如果 V. A. G1551 显示屏上未显示车速值，应检查组合仪表上多脚插头信号。拆卸组合仪表，将 V. A. G1598 用 V. A. G1598/25 接到 32 脚蓝色插头（图 4-20），将 V. A. G1526 接到触点 28 和汽车搭铁间，靠听觉来检查导线是否导通，在汽车被前后推动时（约 1m），检测仪上的振鸣信号应多次接通和断开。如检查不正常，须检查连接车速传感器的导线。按电路图检查导线连接，如导线正常，应更换车速传感器。

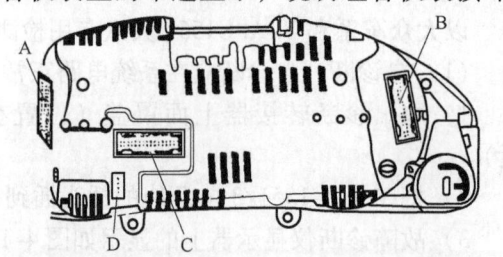

图 4-20 奥迪 A6 Highline 型组合仪表的插头连接
A—多孔插头（32 脚，绿色） B—多孔插头（32 脚，蓝色）
C—多孔插头（32 脚，灰色） D—遥控时钟多孔插头
（4 脚，黑色 Audi A6 中国型不接）

(3) 检查燃油表传感器 G 的信号 如果组合仪表上的燃油量指示有故障，应检查组合仪表是否接收到信号。连接 V. A. S5051 或 V. A. G1551，读取测量数据块，选择显示组号 002。如果 V. A. G1551 显示屏上显示燃油量，但它不等于组合仪表上显示的燃油量，说明组合仪表损坏，必须更换。如果 V. A. G1551 显示屏上未显示燃油量，应检查组合仪表上的多脚插头信号。

拆卸组合仪表，将 V. A. G1598 用 V. A. G1598/25 接到 32 脚蓝色插头上，将 V. A. G1526 接到触点 5 和触点 7（传感器搭铁）之间测量电阻，油箱全满时电阻值应为约 270Ω；油箱全空时电阻值应为约 70Ω。如果未达到规定值，按电路图检查组合仪表和燃油表传感器间导线连接；如果测得值为 0 或 ∞，说明油箱内有断路或短路处；如果既无短路也无断路，检查燃油表传感器 G。

(4) 检查燃油表传感器 G 拧下行李箱装饰板下面的连接法兰护板。如图 4-21 所示，松开并拔下 4 孔插头（箭头），用万用表 V. A. G1526 检测传感器触点 2 和 3 之间的电阻值（图 4-22）。

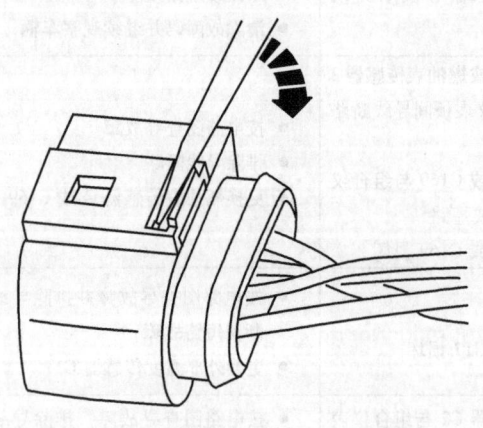

图 4-21 燃油表传感器 4 孔插头

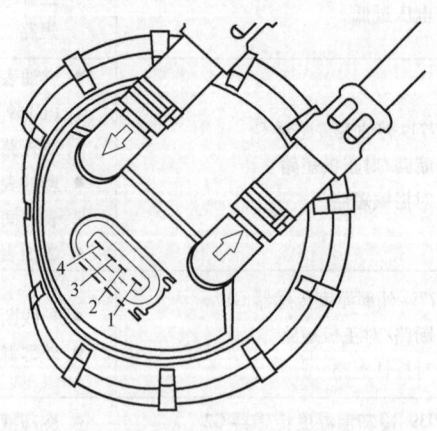

图 4-22 测量传感器触点间电阻

需要说明的是要想测量油箱满或油箱空时的燃油表传感器电阻,应拆下燃油表传感器,并将传感器浮子置于上止点或下止点处。油箱空时触点2和3之间的电阻应为约55Ω(传感器在下止点);油箱满时触点2和3之间的电阻值应为约270Ω(传感器在上止点)。如果达到规定值,说明组合仪表有故障,应更换组合仪表;如果未达到规定值,更换燃油表传感器G。

(5) 检查燃油消耗信号 起动发动机,注意组合仪表上的燃油消耗显示(也可试车)。燃油消耗显示可能有下面三种可能:

1)一直显示0.0L/100km,可能是信号线对蓄电池负极短路。关闭点火开关,将检测盒接到发动机控制单元上,拆下组合仪表。将V.A.G1598用V.A.G1598/25接到32脚蓝色插头上,将V.A.G1526的正极检测线接到V.A.G1598/25的触点25上,将负极检测线接到发动机控制单元检测盒上和发动机控制单元附属的燃油消耗信号触点上,测量其电阻。电阻值应小于2Ω。将V.A.G1526的正极检测线接到发动机控制单元检测盒上和附属燃油消耗信号触点上,将负极检测线接到蓄电池负极,测量其电阻。电阻值应大于9MΩ。如果达到规定值,说明导线连接正常。

2)一直显示51L/100km,可能是信号线断路。关闭点火开关,将检测盒接到发动机控制单元上。拆下组合仪表,将V.A.G1526用V.A.G1598/25接到32脚蓝色插头上,将V.A.G1526正极检测线接到V.A.G1598/25触点25上,将负极检测线接到发动机控制单元检测盒上和发动机控制单元附属燃油消耗信号触点上,测量其电阻。电阻值应小于2Ω。将V.A.G1526正极检测线接到发动机控制单元检测盒上和其附属燃油消耗信号触点上,将负极检测线接到蓄电池负极上,测量其电阻,电阻值应大于9MΩ。如果达到规定值,说明导线连接正常。

3)显示的油耗无意义或在不断变化。此时应进行燃油消耗显示自适应。

(6) 检查冷却液温度传感器G2的信号 如果组合仪表上的冷却液温度显示有故障,应检查组合仪表是否收到信号。

连接V.A.S5051或V.A.G1551,读取测量数据块,选择显示组号003。如果V.A.G1551显示屏上显示冷却液温度,但它不等于组合仪表上显示的冷却液温度,说明组合仪表损坏,必须更换。如果V.A.G1551显示屏上未显示冷却液温度,应检查组合仪表上的多脚插头信号。拆下组合仪表,将V.A.G1598用V.A.G1598/25接到32脚蓝色插头上,将V.A.G1526接到触点8和触点7(传感器搭铁)之间测量电阻。电阻值在冷却液温度60℃时应为约259Ω;在冷却液温度90℃时应为约107Ω;在冷却液温度120℃时应为约40Ω。如未达到规定值,检查接冷却液温度传感器的导线。如果导线正常,必须更换冷却液温度传感器G2。

2. 仪表内部故障检测

1)执行部件诊断。以帕萨特B5为例。

① 接通V.A.G1551故障诊断仪,选择"快速数据传输"操作状态1,接通点火开关,并且输入组合仪表地址码"17"。

② 按0键和3键(使用03选择"执行机构诊断"功能)。

③ 使用Q键确认输入。

④ 在按下Q键之后,同时有如下的现象:

a. 冷却液温度指针的运转经过整个指示范围（读数范围）。
b. 转速表指针的运转经过整个指示范围。
c. 车速表指针的运转经过整个指示范围。
d. 汽油液位指示器指针的运转经过整个指示范围。
⑤ 在指示范围的运转之后显示如下的固定值：

冷却液温度显示"90℃"；转速表显示"3000r/min"；车速表显示"100km/h"；汽油液面显示"1/2"。如果仪表未完成以上动作，则应更换仪表。

注意：
① 在发动机运转或车辆运动的情况下不可以进行组合仪表的诊断。
② C 键可以在任何时候退出测试功能流程。

2）更换组合仪表。组合仪表更换后，必须进行仪表控制单元匹配。完整的匹配过程包含控制单元编码和功能匹配。各个不同配置的车型，控制单元必须编码才能发挥其功能。功能匹配的目的是把旧的仪表的数据输入新的仪表。

① 仪表控制单元编码的过程：
a. 按 0 键和 7 键，使用 Q 键确认输入。
b. 输入仪表控制单元编码。
c. 按下→键。
d. 按 0 键和 6 键（使用 06 选择"结束输出"功能）。
e. 使用→键结束输出编码。

② 帕萨特 B5 仪表控制单元匹配。

适用匹配功能通过通道号来调用各自的功能（表 4-2），仪表控制单元存储如下的各种修改：

a. 维护周期显示（SIA）的匹配。
b. 在更换仪表板时里程计数器的匹配。
c. 复位维护周期。
d. 汽油储存量的匹配。
e. 燃油消耗指示的校正。
f. 适用于导航显示设备的语言种类的编码（仅适用于高档组合仪表）。

表 4-2 通道号与匹配功能表

匹配通道	匹配功能	匹配通道	匹配功能
03	消耗量指示 校正	11	适用于里程检验（INSP） -里程计数器的维护 -间隔数据
04	适用于驾驶人指示的语言选择（仅适用于高档组合仪表）	12	适用时间（单位：10，日间隔）检验 DSP -里程计数器的维护周期数据
09	里程显示的适配		
10	适用于更换机油维护（OEL） -里程计数器的维护 -间隔数据	30	汽油储存量指示的匹配

4.4 汽车辅助电气装置的故障诊断与排除

4.4.1 安全气囊系统的检测与故障诊断

安全气囊系统（Supplemental Restraint System，SRS），又称辅助乘员保护系统。它是一种当汽车遇到冲撞而急剧减速时能很快膨胀的被动安全装置，可以保护车内乘员不致撞到车厢内部。

1. 检修安全气囊系统的注意事项

1）安全气囊系统的故障是很难确认的，当安全气囊系统出现故障时，自诊断系统提供的故障码就成为故障诊断的重要依据。因此在检查和排除安全气囊系统故障时，应首先获取故障码。必须在拆下蓄电池负极电缆端子之前调取故障码。

2）检修、测试安全气囊系统各零部件必须在将点火开关转到锁止（LOCK）位置并且将蓄电池负极电缆端子拆下 90s 或更长一些时间（车型不同，时间也不同）后才能进行。因为安全气囊系统配有备用电源，若从蓄电池上拆下负极搭铁端子不到规定时间就开始维修工作，会很容易因备用电源而导致气囊误胀开，造成严重事故。另外，汽车音响系统、防盗系统、时钟、电控座椅和电控座椅安全带收紧系统等均具有存储功能，当蓄电池负极电缆端子拆下之后，存储的内容将会失去，因此，在检修之前，应将存储系统的内容做好记录，以便在维修工作结束后，重新设置其存储内容并调整时钟。

3）汽车在行驶过程中，即使只发生了撞击强度不大的轻微碰撞且 SRS 气囊并未胀开，也应对前碰撞传感器、驾驶人和乘员 SRS 气囊组件、座椅安全带收紧器进行检查。

4）安全气囊系统对零部件的工作可靠性要求极高，所有零部件均为一次性使用，碰撞传感器、SRS 气囊组件、SRS 计算机、安全带收紧器等部件决不能重复使用。如需要更换零部件时，应使用本车型安全气囊系统的新件，切勿使用不同型号车辆的零部件。在零部件表面上，均标有说明标牌或注意事项，检修和使用时必须遵守。

5）在检修汽车过程中，如可能有对安全气囊系统的传感器产生冲击作用的振动，则应在检修工作前拆下碰撞传感器，以防 SRS 气囊误胀开。

6）前碰撞传感器、SRS 计算机、安全气囊组件不得暴晒或接近火源。

7）绝对不能检测点火器（引爆管）的电阻，否则有可能导致气囊引爆。检测其他部件和检测安全气囊系统故障时，必须使用高阻抗（至少大于 10kΩ/V）的电压/电阻表，即最好使用数字式万用表。如果使用指针式万用表，由于其阻抗小，表内电源的电压加到气囊系统上就有可能引爆气囊。

8）当安全气囊系统检修工作完成之后，必须对 SRS 指示灯进行检查。当点火开关转到接通（ON）或辅助（ACC）位置时，SRS 指示灯亮 6s 左右自动熄灭，说明安全气囊系统正常。

9）安全气囊系统的防护碰撞传感器采用了汞开关式传感器。由于汞蒸气有剧毒，因此传感器更换之后，换下的旧传感器不能随意毁掉，应当作为有害废物处理。当车辆报废或更换 SRS 计算机时，应当拆下汞开关式传感器总成并作为有害废物处理。

10）在拆卸或搬运 SRS 气囊组件时，气囊装饰盖一面应当朝上，不得将 SRS 气囊组件重叠堆放，以防万一气囊误胀开，造成严重事故。

11）碰撞传感器的动作具有方向性，安装前碰撞传感器时，传感器壳体上的箭头必须指向汽车前方。

2. 汽车安全气囊系统故障诊断程序

（1）弄清 SRS 类型 仔细观察指示灯的闪烁情况，不同类型的安全气囊，其结构、性能都不会相同，其维修方法也不尽相同。按点火方式分：机械式——红旗轿车及1993年前生产的丰田 COROLLA 轿车等；电信号式——由 SRS 计算机控制触发点火信号，目前绝大多数轿车 SRS 都采用此种类型。按气囊布置分：单安全气囊（只装在驾驶人侧）；双安全气囊（驾驶人侧和乘客侧各有一个安全气囊）；后排安全气囊（装在前排座椅上）；侧面安全气囊（装在车门上或座椅扶手上，防止乘员受侧面撞击）。此外，要认真仔细地观察指示灯（SRS 灯或 SIR 灯或 AIR BAG 灯）的工况，有些车型 SRS 的故障从指示灯就可以进行判断：如马自达车系 SRS 有故障时，AIR BAG 灯会自动闪出故障码，无需跨接检查插接器；再如1993款福特车 SRS，SRS 灯亮即表示诊断线路或 SRS 计算机有故障，SRS 灯不亮表示 SRS 灯线路或诊断监视系统无电源，SRS 灯快速闪烁表示所有的碰撞传感器都断电。一般轿车如果 SRS 系统出现断路，SRS 指示灯就会亮（可先检查灯泡有无损坏，有无故障码显示）。如果点火开关置于 OFF 位置 SRS 指示灯还会亮，极有可能是指示灯电路短路。

（2）调故障码 一旦弄清是 SRS 有故障，调取 SRS 故障码是最简便、快捷诊断故障的方法。

（3）解除 SRS 工作 为了安全地对 SRS 进行检查和进行必要的电压、电阻等测试，必须对安全气囊进行解除，即解除处于工作状态下的安全气囊。

SRS 一般的解除工作步骤如下：
1）拆下蓄电池负极电缆。
2）等待约90s，待 SRS 计算机中的电容器（第2电源）放电完毕。
3）拆下驾驶人侧气囊组件插接器，如果引线线路接头内安装有短路片或短路棒，即可进行下面步骤；如果没有，必须用跨接线短接接头线端；如果是1994年后生产的本田车，必须使用在通路板内的红色短路插接器连接；如果是机械式安全气囊，应当将安全气囊锁定机构（在转向盘左侧下面的防护盖内）的解除螺钉逆时针方向旋出。
4）拆下乘客侧气囊插接器，按上述3）方法进行短接。
5）重新接上蓄电池负极电缆。

（4）检查与参数测试

1）检查。检查传感器外壳、托架有无变形、裂纹及安装松动等缺陷；检查 SRS 计算机线路连接、传感器连接及连接检查机构、过电检测机构是否可靠；检查各线路插接器和安全带收紧机构及双锁式插接器是否有损坏等。

2）测试。测试碰撞传感器的电阻、电压值；测试 SRS 计算机输入、输出电压值；测试各线路是否断路、短路等。有些车型 SRS 灯一直亮，没有故障码显示，一般是由于电源电压过低或备用电源电压过低，SRS 计算机未将故障码存入存储器中所引起的。此外，在 SRS 的故障诊断过程中，可以参照同类型（不同牌号）SRS 来分析故障原因和位置，也可更换某个零件做对比试验，还可采用症状模拟诊断，特别是诊断间歇性故障，症状模拟是不可缺少的。

(5) 检查 SRS 工况　维修好的 SRS 系统，应进行如下检测：接通点火开关，SRS 指示灯应亮约 6s 后熄灭，这表示 SRS 故障排除，工作正常，否则应重新检修。

3. 安全气囊系统的故障诊断与检修

下面以雷克萨斯 LS400 型轿车安全气囊为例介绍安全气囊系统故障的诊断与检查方法。图 4-23 所示为该车型单气囊系统控制电路及 ECU 连接形式。

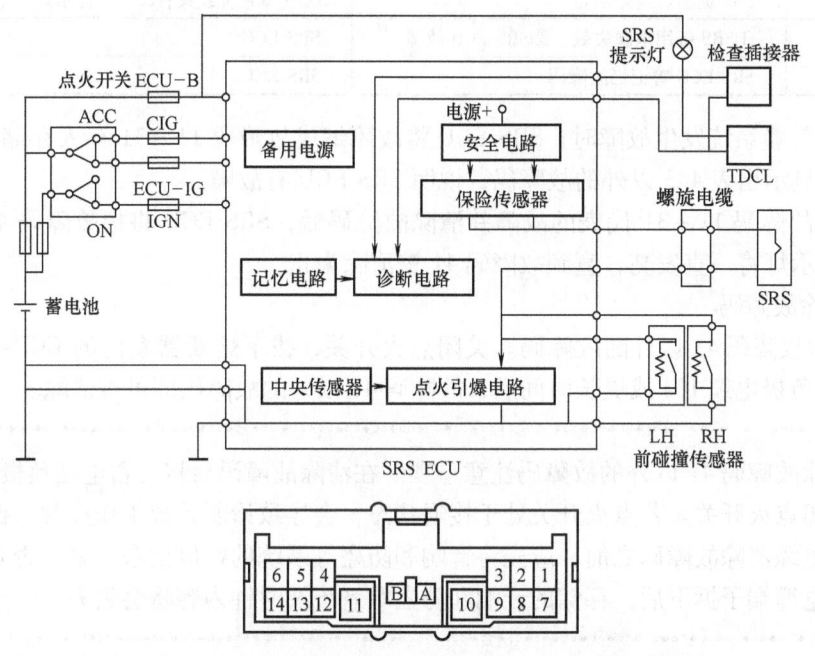

图 4-23　LS400 单气囊系统控制电路及 ECU 连接形式

(1) 故障自诊断

1) 读取故障码。雷克萨斯汽车安全气囊系统的故障码，可用一根跨接线跨接诊断插接器上的 TC、E1 两个端子，通过仪表板上的 SRS 提示灯闪烁规律读取。

① 检查 SRS 提示灯。将点火开关转到 ON 或 ACC 位置，如 SRS 提示灯亮 6s 后熄火，说明 SRS 提示灯及其线路正常，可以读取故障码。若 SRS 提示灯不亮，说明提示灯或其线路有故障，应检修后才能读取故障码。

② 将点火开关转到 ON 或 ACC 位置，并等待 20s 以上。

③ 用跨接线将 TDCL 诊断插接器的 TC、E1 两个端子短接。

④ 根据仪表板上的 SRS 提示灯闪烁情况读取故障码。故障码及含义见表 4-3。

表 4-3　SRS 故障码含义

故障码	故障原因	故障部位
11	①SRS 点火器搭铁；②前碰撞传感器线路搭铁	①气囊组件；②螺旋电缆；③前碰撞传感器；④SRS ECU
12	①SRS 点火器引线与电源线搭铁；②前碰撞传感器引线与电源线搭铁；③前碰撞传感器引线断路；④螺旋电缆与电源线搭铁	①气囊组件；②螺旋电缆；③传感器线路；④SRS ECU

(续)

故障码	故障原因	故障部位
13	SRS 点火器线路故障	①气囊点火器；②螺旋电缆；③SRS ECU
14	SRS 点火器线路断路	①气囊点火器；②螺旋电缆；③SRS ECU
15	前碰撞传感器线路断路	①气囊系统线束；②前碰撞传感器；③SRS ECU
22	SRS 提示灯线路断路	①气囊系统线束；②SRS 提示灯；③SRS ECU
31	①SRS 备用电源失效；②SRS ECU 故障	SRS ECU
41	SRS ECU 曾记忆故障码	SRS ECU

当安全气囊系统发生故障时，SRS ECU 将故障编成故障码 11~31 存入存储器中。如果 SRS 提示灯显示出表 4-3 以外的故障码，说明 SRS ECU 有故障。

当排除故障码 11~31 代表的故障并清除故障码后，SRS ECU 将把故障码 41 存入存储器，SRS 提示灯将一直发亮，直到故障码 41 被清除为止。

2）清除故障码

① 清除故障码 41 以外的故障码。关闭点火开关，拔下熔断器盒内的 ECU-B 熔断器或拆下蓄电池负极电缆 10s 或更长时间后，故障码 41 以外的故障码即可被清除。

清除故障码 41 以外的故障码注意事项。在清除故障码后接上蓄电池负极电缆时，必须关闭点火开关。若点火开关处于接通状态，会导致诊断系统工作失常。拆卸蓄电池负极电缆清除故障码之前，应先将音响和防盗等系统的密码记录下来。否则，蓄电池负极电缆端子拆下后，存储的音响和防盗等系统及时钟内容将会丢失。

② 清除故障码 41。安全气囊系统的故障码 41 必须采用特定程序才能清除：

取两根跨接线，将其分别与 TDCL 诊断连接器的 TC、AB 端子连接，如图 4-24 所示，接通点火开关并等待 6s 以上。

a. 将 TC 端子搭铁约 (1.0±0.5)s，然后离开搭铁，并在离开搭铁部位后 0.2s 内，将 AB 端子搭铁 (1.0±0.5)s。

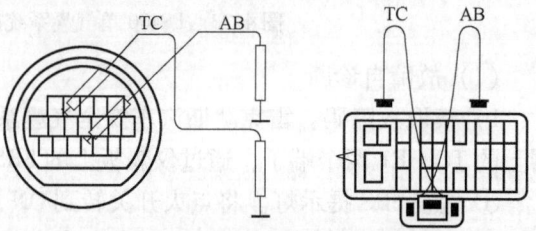

图 4-24 清除故障码 41 诊断座端子跨接图

b. 将 AB 端子离开搭铁部位之前 0.2s 内，将 TC 端子第二次搭铁 (1.0±0.5)s。

c. 将 TC 端子第二次离开搭铁部位之后 0.2s 内，将 AB 端子第二次搭铁 (1.0±0.5)s。

d. 将 AB 端子第二次离开搭铁部位之前 0.2s 内，将端子 TC 第三次搭铁。

e. 将 TC 端子第三次搭铁 0.2s 内，将 AB 端子离开搭铁部位，并将 TC 端子保持搭铁、AB 端子保持离开搭铁部位，直到数秒钟之后，SRS 提示灯以亮 64ms、灭 64ms 的闪烁周期闪烁时，故障码 41 即被清除。

清除故障码 41 的注意事项。清除故障码 41 时，必须按照上述规定的时间间隔进行操作，才能清除故障码 41，否则当时间间隔超出规定时，故障码 41 就不能清除。

(2) 故障诊断与检查 以雷克萨斯 LS400 型轿车故障码 11 为例说明安全气囊系统故障的诊断与检查方法。

1) 故障诊断。输出故障码 11 的原因如下：

① SRS 点火器引线搭铁。

② SRS 点火器失效。

③ 前碰撞传感器本身或线路故障。

④ SRS ECU 至螺旋电缆插接器之间的线束搭铁。

⑤ 螺旋电缆搭铁。

⑥ SRS ECU 故障。

2) 故障检查

① 检查准备。关闭点火开关，拆下蓄电池负极电缆，等待 90s 后，拆下 SRS 气囊组件。

② 检查前碰撞传感器电路。拔下 SRS ECU 线束插头，先检测线束插头上 +SR 与 -SR 端子、+SL 与 -SL 端子之间的电阻，其值应为 755~885Ω。若阻值不符，说明端子 +SR、-SR、+SL 或 -SL 至前碰撞传感器之间的线束搭铁或前碰撞传感器电路搭铁。

再检测 +SR、+SL 端子与车身之间的电阻，其阻值应为无穷大。如阻值正常，说明线束良好，故障出在传感器，即前碰撞传感器需要更换；否则，说明端子 +SR 或 +SL 至前碰撞传感器之间的线束搭铁，需要修理或更换线束。

③ 检查前碰撞传感器。脱开前碰撞传感器线束插接器插头，用万用表检测传感器插头各端子之间的阻值，阻值应当符合表 4-4 规定。否则，更换传感器。

表 4-4 前碰撞传感器的阻值

被测端子代号	阻值标准	被测端子代号	阻值标准
+S、+A	755~885Ω	-S、-A	<1Ω
+S、-S	∞		

④ 检查 SRS 点火器线路和螺旋电缆。拔下 SRS 组件与螺旋电缆之间的插接器插头，用万用表检测螺旋电缆一侧插头上端子 D+、D- 之间的电阻，其值应为无穷大。否则，将 SRS ECU 与螺旋电缆之间的插接器拔下，再次检测螺旋电缆一侧插头上端子 D+、D- 之间的电阻，其值应为 0。否则，修理或更换螺旋电缆。

⑤ 通过读取故障码检查 SRS ECU。先将 SRS ECU 线束插头插上，然后用导线将靠近 SRS 组件一端的螺旋电缆插头端子 D+、D- 连接起来，再将蓄电池负极电缆接上。20s 以后，接通点火开关，2s 后，用跨接线将诊断插接器 TDCL 上的端子 TC、E1 跨接，同时利用 SRS 提示灯读取故障码。若无故障码输出或不输出 11 号故障码，则说明 SRS ECU 正常；若输出 11 号故障码，则说明 SRS ECU 安装在一起的碰撞传感器有故障，需要更换 SRS ECU。当输出代码 11 以外的故障码时，可按故障码表示的故障进行检查。

⑥ 通过读取故障码检查 SRS 点火器。关闭点火开关，拆下蓄电池负极电缆，至少 20s 后将 SRS 组件插接器插上，再将蓄电池负极电缆接上。等待 20s 后，将点火开关接通。再等 20s 后，用跨接线将诊断插接器 TDCL 上的端子 TC、E1 跨接，同时利用 SRS 提示灯读取故障码。如无故障码输出或不输出 11 号故障码，说明 SRS 点火器正常；如输出 11 号故障码，说明 SRS 点火器故障，需要更换 SRS 组件。当输出代码 11 以外的故障码时，可按故障码表

示的故障进行检查。

4. 安全气囊系统报废处理

在报废汽车整车或报废 SRS 组件时，引爆工作应在远离电场干扰的地方进行，应在报废之前先用维修工具 SST 将气囊引爆，以免电场过强而导致气囊误爆。引爆 SRS 时，应按制造厂家规定的方法进行。有的规定在汽车上引爆，如图 4-25 所示，有的规定先从汽车上将 SRS 组件拆下，然后再按图 4-26 所示方法引爆。具体操作方法如下：

1）拆下蓄电池负极电缆。

2）拔下 SRS 组件与螺旋电缆之间的插接器。

3）剪断 SRS 组件线束，使插头与线束分离。

4）将引爆器接线夹与 SRS 组件引线连接。

5）先将引爆器放置距 SRS 组件 10m 以外距离，然后再将电源夹与蓄电池连接。

6）查看引爆器上的红色指示灯是否点亮，当红色指示灯点亮后才能引爆。

7）按下引爆开关引爆 SRS。待绿色指示灯点亮之后，将引爆后的 SRS 装入塑料袋内再作废物处理。

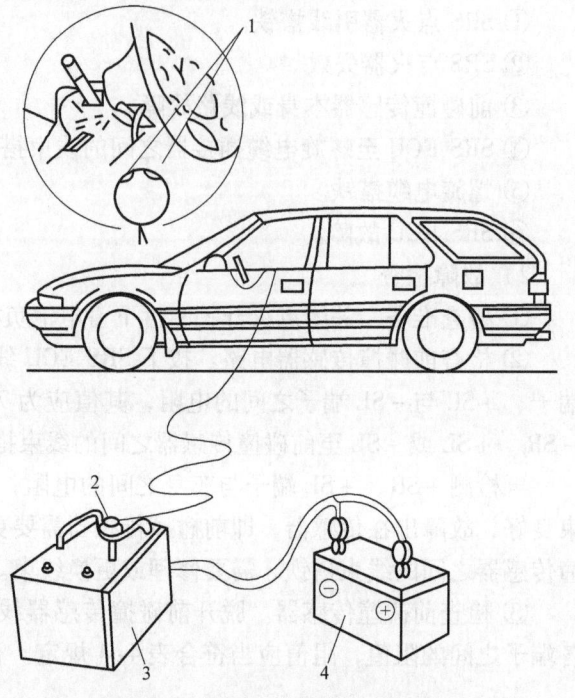

图 4-25 车上引爆安全气囊的方法

1—接线夹（黄色） 2—引爆开关 3—引爆器 4—蓄电池

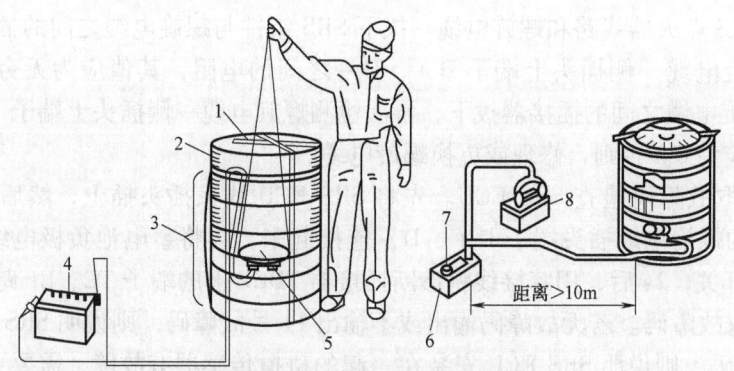

图 4-26 安全气囊的车下引爆

1—固定轮胎的绳子 2—未拆轮辋的轮胎 3—拆掉轮辋的轮胎 4、8—蓄电池
5—安全气囊组 6—引爆器 7—引爆开关

4.4.2 汽车空调系统的检测与故障诊断

汽车空调制冷系统是一个完全密封的循环系统，其中任何一个零部件损坏都会使空调性能下降或不能制冷、制热。由于系统密封性要求较高，给故障的诊断及排除带来一定的困难。制冷系

统的故障一般靠直观检查或利用专用仪器检测。直观检查主要是通过"看、听、摸"进行基本检查;"测"主要是通过用歧管压力表等专用工具、设备进行测试及诊断分析。

1. 汽车空调故障诊断的常用方法

汽车空调故障检修是通过看(察看系统各设备的表面现象)、听(听机器运转声音)、摸(用手触摸设备各部位的温度)、测(利用压力表、温度计、万用表、检测仪检测有关参数)等手段来进行的。同时还应仔细向驾驶人询问故障情况,判断是操作不当,还是设备本身造成的故障。若属前者,则应向驾驶人详细介绍正确的操作方法;若属后者,就应按上述四个方面进行综合分析,找出故障所在,查出故障原因,然后再进行修理。看、听、摸、测的具体应用如下:

(1)看 用眼睛来观察整个空调系统。首先,察看储液干燥器视液镜中制冷剂的流动状况,若流动的制冷剂中央有气泡,说明系统内制冷剂不足,应补充至适量。若视液窗呈透明,则表示制冷剂加注过量,应缓慢放出部分制冷剂。若流动的制冷剂呈雾状,且水分指示器呈淡红色,则说明制冷剂中含水量偏高,应缓慢放尽系统中的原有制冷剂,拆下储液干燥器,将其置于110℃烘箱内,对干燥剂作干燥处理,排除水分后再用。其次,察看系统中各部件与管路连接是否可靠密封,是否有微量的泄漏。若有泄漏,在制冷剂泄漏的过程中常夹有冷冻润滑油一起漏出,故在泄漏处有潮湿痕迹,并依稀可见粘附的一些灰尘。此时应将该处的连接螺母拧紧,或重做管路喇叭口并加装密封橡胶圈,以杜绝慢性泄漏,防止系统内制冷剂的减少。再次,察看冷凝器是否被杂物封住,散热翅片是否倾倒变形。若有此现象将影响流过冷凝器的冷却空气流量,导致冷凝器冷凝效果变差,使流经膨胀阀的制冷剂温度偏高,从而影响系统的制冷效果。这时应将冷凝器清扫干净,将变形的散热翅片修正。

(2)听 用耳朵聆听运转中的空调系统有无异常声音。首先,听压缩机电磁离合器是否发出刺耳噪声。若有噪声,则多为电磁离合器磁力线圈老化,通电后所产生的电磁力不足或离合器片磨损引起其间隙过大,造成离合器打滑而发出尖叫声。这时应重绕离合器磁力线圈或抽掉1~2片离合器调整片,减小离合器间隙,防止其打滑,以消除噪声。其次,听压缩机在运转中是否有液击声。若有此声,则多为系统内制冷剂过多或膨胀阀开度过大,导致制冷剂在未被完全汽化的情况下吸入压缩机。此现象对压缩机的危害很大,有可能损坏压缩机内部零件。应缓慢释放制冷剂至适量,或调整膨胀阀开度,及时加以排除。

(3)摸 在无温度计的情况下,可用手触摸空调系统各部件及连接管路的表面,触摸高压回路(压缩机出口—冷凝器—储液干燥器—膨胀阀进口),应呈较热状态,若在某一部位特别热或进出口之间有明显温差,则说明此处有堵塞。触摸低压回路(膨胀阀出口—蒸发器—压缩机进口)应较冷。若压缩机高、低压侧无明显温差,则说明系统存在泄漏或制冷剂不足的问题。

(4)测 通过看、听、摸这些过程,只能发现不正常的现象,但要作最后的结论,还要借助于有关仪表来进行测试。在掌握第一手资料的基础上,对各种现象做认真分析,才能找出故障所在,然后予以排除。

1)用检漏仪检漏。用检漏仪检查整个系统各接头处是否泄漏。

2)用万用表检查。用万用表可以检查出空调电路故障,判断出电路是断路还是短路。

3)用温度计检查。用温度计可以判断出蒸发器、冷凝器、储液干燥器的故障。正常工作时,蒸发器表面温度在不结霜的前提下越低越好;冷凝器入口管温度为70~90℃,出口管温度为50~65℃;储液干燥器温度应为50℃左右,若储液筒上下温度不一致,说明储液干燥器有堵塞。

4）用压力表检查。将歧管压力表的高、低压表分别接在压缩机的排气、吸口的维修阀上，在空气温度为30~35℃、发动机转速为2000r/min时检查。将风机风速调至高档，温度调至最冷档，其正常状况是高压端压力应为1.421~1.470MPa，低压端压力应为0.147~0.196MPa，若不在此范围，则说明系统有故障。

2. 使用歧管压力表进行故障诊断

歧管压力表的结构如图4-27所示，低压表既能显示低压力，又能显示真空度；高压表的测量值从0开始，直到最大压力。低压表和高压表都装在歧管压力表阀体上，阀体两端各有一个手动截止阀，下部分别连接高、低压接头和中间接头。

使用歧管压力表测量高低压管路的压力状况可以判断故障产生的原因。在新鲜空气温度30~35℃，发动机转速1500~2000r/min，风扇速度开关在最大，冷度开关在最强时，从歧管压力表上读取压力值。R134a空调系统歧管压力表读数：低压侧为0.1515~0.25MPa、高压侧为1.37~1.81MPa。R12空调系统歧管压力表读数：低压侧为0.147~0.196MPa；高压侧读数为1.442~1.471MPa。

连接好歧管压力表后，读取高低压力表的显示值，如图4-28所示。制冷系统的正常压力值见表4-5。

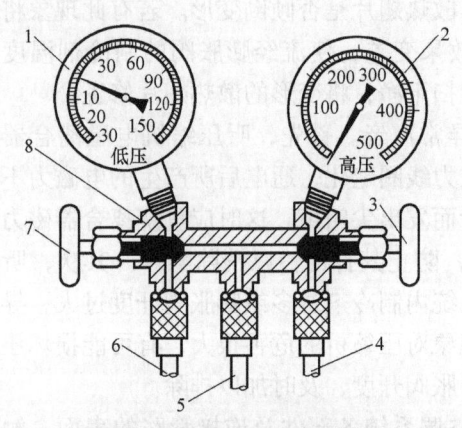

图4-27 歧管压力表的结构
1—低压表（蓝色） 2—高压表（红色）
3—高压手动截止阀 4—高压侧软管（红色）
5—维修用软管（绿色） 6—低压侧软管（蓝色）
7—低压手动截止阀 8—歧管座

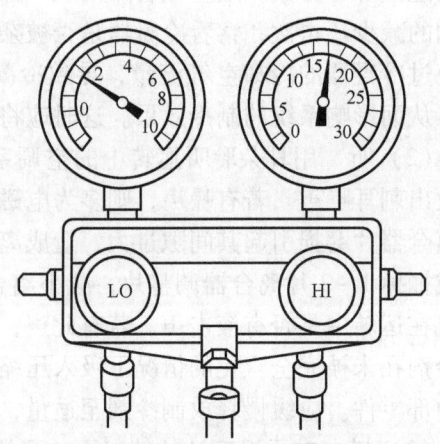

图4-28 高低压力表的显示

表4-5 制冷系统正常压力值

环境温度/℃	发动机不运转时制冷循环压力/kPa	发动机运转时制冷循环压力/kPa	
		高压	低压
15	390	—	—
20	470	—	—
25	550	1050~1250	100~150
30	660	1350~1550	150~200
35	450	1450~1810	200~250
40	880	1850~2530	250~300
45	980		

(1) 高压表和低压表压力均较低　高压表和低压表显示值比正常值低，如图4-29所示。另外，从视液镜内看到有气泡，冷气不凉，高压管温热，低压管微冷，温差不大。

故障原因：制冷剂不足或有泄漏。

排除方法：

1) 用检漏仪查找泄漏处，并予以修复。

2) 加注制冷剂。

(2) 高压表和低压表压力均太高　高压表和低压表显示值比正常值高很多，如图4-30所示。另外，从视液镜偶尔可看见气泡，冷气不凉。

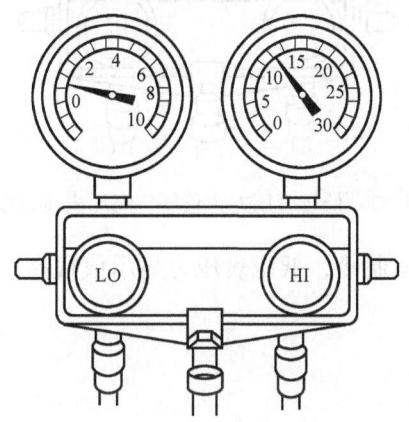

图4-29　高压表和低压表压力值均较低

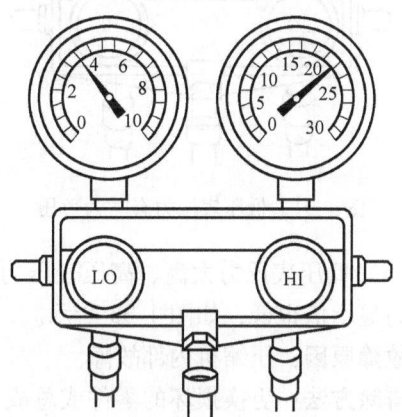

图4-30　高、低压表压力值均太高

故障原因：制冷剂过多；制冷剂系统中有空气；冷凝器冷却不足。

排除方法：

1) 更换储液干燥器。

2) 充分抽真空，重新充注制冷剂。

3) 清洗或更换冷凝器，检查风扇电动机及其电路。

(3) 低压表压力有时为负压（真空）　低压表压力显示值有时为负压（真空），有时正常，如图4-31所示，另外系统间歇制冷或不制冷。

故障原因：制冷系统存在水分。

排除方法：

1) 更换储液干燥器。

2) 反复抽真空。

3) 充注制冷剂适量。

(4) 低压表压力为负压（真空）、高压表压力很低　低压表压力显示值为负压（真空），高压表压力显示值很低，如图4-32所示。另外，在储液干燥器或膨胀阀前后管路上结霜或有露水；系统不制冷或间歇制冷。

故障原因：制冷剂不循环。

排除方法：

1) 按制冷剂系统中存在水分处理。

2) 更换膨胀阀。

3）更换储液干燥器。
4）检查制冷剂是否被污染。

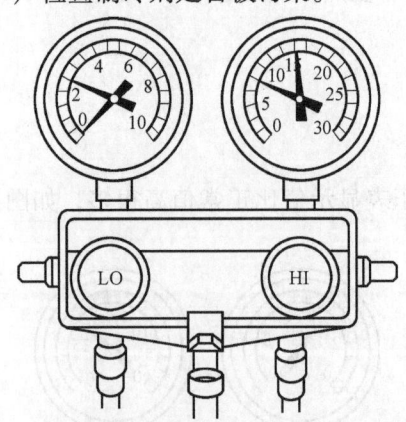

图 4-31　低压表压力有时为负压

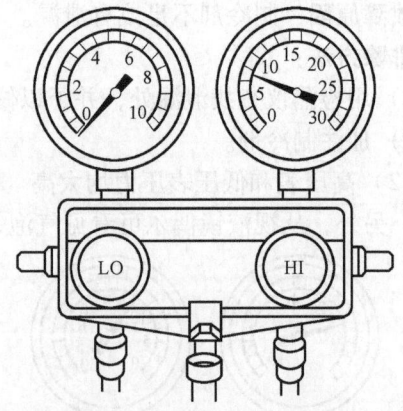

图 4-32　低压表压力为负压、高压表压力很低

（5）低压表压力太高、高压表压力太低　系统不制冷，低压表压力显示值很高，高压表压力显示值很低，如图 4-33 所示。

故障原因： 压缩机内部故障。

排除方法： 更换损坏的零件或总成。

（6）低压表压力太低、高压表压力太高　低压表压力显示值很低，高压表压力显示值很高，如图 4-34 所示。另外，冷凝器上部和高压管路温度高，而储液干燥器并不热。

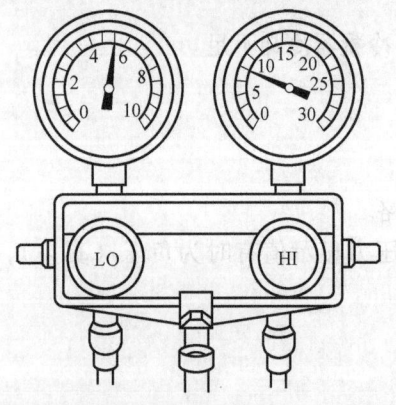

图 4-33　低压表压力太高、高压表压力太低

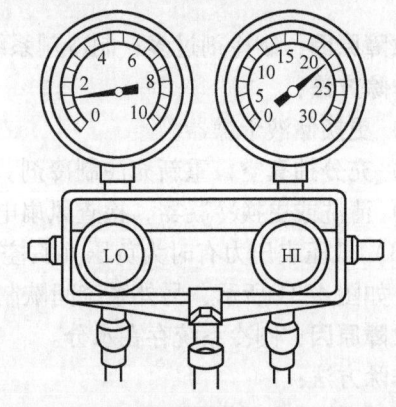

图 4-34　低压表压力太低、高压表压力太高

故障原因： 高压管路堵塞或被压扁。

排除方法：

1）清洗或更换零件。
2）检查冷冻润滑油是否被污染。

3. 汽车空调的常见故障诊断与排除

不同的空调系统维修作业时的具体修理技术及修理方法有所不同，但故障的因素及分析方法大同小异。根据这些判断及分析方法，可以较快找到故障的症结，制定出具体的修理方案。汽车空调常见的故障有暖风系统故障、制冷系统故障两大类。

(1) 系统不制冷故障诊断 起动发动机，打开空调开关，打开风机开关，温度设置在较低的位置，如出风口无冷风吹出，则应从电气和机械两方面去分析。

1) 电气方面故障。系统不制冷主要是指压缩机没工作，压缩机电磁离合器基本控制电路主要是由空调 A/C 开关、高压开关、低压开关及温控器组成的串联电路，只要有一个元件发生故障，空调压缩机就停止工作。排除故障应做如下检查：

① 检查压缩机主电路及其控制电路熔丝是否熔断，若熔断，应用万用表电阻档分段检查相关线路对搭铁电阻，找出线路中非正常搭铁点，排除故障。

② 拔下压缩机电磁离合器线束插头，直接将电源正极连到电磁离合器线圈电路接头上，若离合器工作说明离合器正常，否则更换或维修电磁离合器。

③ 检查电路中的 A/C 开关（风扇调速开关）、高压开关、低压开关、冷气继电器触点及温控器等。用短路法在接通电源时，分别短接所要检查的开关，如短接某开关时空调离合器工作，则该开关有故障。

2) 机械方面故障

① 压缩机驱动带断裂，压缩机停止工作。

② 制冷系统堵塞，制冷剂无法循环，导致系统不制冷。用歧管压力表检测系统内压力，如果低压侧压力很低，高压侧压力很高，系统最可能产生堵塞的部位是储液干燥器和膨胀阀。

③ 膨胀阀感温包破裂，内部液体流失，造成膨胀阀膜片上方压力为零，阀针在弹簧力作用下，将阀孔关闭，制冷剂无法流向蒸发器，因此，系统无法制冷。感温包破裂后，膨胀阀一般要换新件。

④ 系统内制冷剂全部泄漏。用歧管压力表测系统压力，若高、低压侧压力都很低，说明制冷剂已经泄漏。应用检漏仪详细检查确定其泄漏部位，进行修复。修复后要对系统抽真空，然后按规定加足制冷剂及冷冻润滑油。

⑤ 压缩机进、排气阀片损坏，制冷剂无法循环。用歧管压力表检测系统内压力，若高、低压侧压力接近相等，则说明阀片损坏。阀片损坏后，要拆卸压缩机进行修理或更换新件。

(2) 系统制冷不足故障诊断

1) 制冷剂和冷冻润滑油原因

① 系统内制冷剂不足。制冷剂不足，从膨胀阀喷入蒸发器的制冷剂减少，使蒸发器蒸发时吸收热量减少，故系统制冷能力下降。当诊断制冷剂不足时，可以从视液镜中看到偶尔冒出的气泡，说明制冷剂稍少，如果出现明显的翻腾气泡，说明制冷剂缺少很多。

② 制冷剂注入量过多。制冷剂多，所占容量大，影响散热效果。因制冷效果和散热效果是热力学吸热和放热的两个过程，所以散热不好将直接影响制冷效果。如果从视液镜中看不到气泡，制冷系统高、低压两侧压力都提高，可用歧管压力表排出多余的制冷剂。

③ 制冷剂和润滑油中含有脏物。由于脏物较多，在干燥器滤网上出现堵塞现象，使制冷剂流量减少，影响制冷效果。用手摸干燥器两端，正常情况是没有温差的，如感觉温差明显，说明干燥器堵塞。可用歧管压力表检测，如高压侧压力过高，低压侧压力过低，说明高压侧有堵塞。否则说明干燥器堵塞，需更换。

④ 制冷剂含有空气。空气是导热不良物质，在系统压力和温度下，它不能溶于制冷剂，制冷剂中混有空气影响其散热。有些空气随制冷剂在系统中循环，使膨胀阀喷出的制冷剂量

减少，导致制冷能力下降。当制冷剂通过膨胀阀节流孔时，由于其压力和温度迅速下降，空气中的水分在膨胀阀小孔处产生"冰阻"现象。停机一会儿，待冰融化后系统又恢复工作。这种情况须抽真空重新注制冷剂。

2）机械方面因素

① 检测压缩机进排气管口温度，如温差不大，用歧管压力表检测进排气口压力，如高压侧压力偏低，低压侧压力偏高，可诊断为压缩机漏气。原因为压缩机使用时间较长，由于气缸及活塞磨损，使气缸间隙增大及进、排气阀片关闭不严，造成漏气，使压缩机实际排气量远小于理论排气量。解决方法：更换压缩机。

② 压缩机驱动带松弛，工作时打滑，传动效率低。如有同步传感器的空调控制系统，可自动监控压缩机转速与发动机转速是否比例恒定，如超过某差值，将自动切断压缩机电磁离合器电路。解决方法：调紧驱动带。

③ 电磁离合器压板与带轮的结合面磨损严重或有油污，工作时出现打滑。如电磁离合器线路电阻过大或供电电压太低也会使电磁离合器线圈吸力不足造成离合器打滑。解决方法：首先观察离合器压板与带轮的间隙是否均匀，压板是否扭曲，如无法维修则更换离合器。

④ 冷凝器散热性能下降。冷凝器表面有污泥，被杂物覆盖或堵塞，翅片变形等。此外，冷却风扇驱动带松弛或转速过低等。解决方法：调整驱动带张力，清除冷凝器表面污物及覆盖物，修整好弯曲的翅片。

⑤ 出风口吹出的冷气量不足。蒸发器表面结霜或鼓风机转速下降，都会使吹出的冷气量不足。解决办法：检查风机调速开关、风机电动机、风机继电器等电路。

（3）制冷系统有噪声故障的诊断

1）制冷剂过量引起的高压管、压缩机的敲击声，此时应排放制冷剂，直至高压侧显示值正常为止。

2）制冷剂不足引起蒸发器进口的"嘶嘶"声故障，此时应查清有无泄漏。如有泄漏则应补漏，然后加足制冷剂。

3）制冷系统水分过量故障，此时应更换干燥器，排出原制冷剂，系统再次抽真空，充注制冷剂。

4）压缩机离合器异响。空调系统的异响主要来自压缩机和电磁离合器，异响的主要原因如下：

① 尖叫声。尖叫声主要由离合器结合时打滑发出，或者由于传动带过松或磨损引起。

② 振动。压缩机的振动以及轴的振动也可能是异响的来源。首先检查其支撑是否断裂，紧固螺栓是否松动，引起压缩机振动的还有传动带张力过紧或传动带轮轴线不平行。压缩机的轴承磨损过大，会引起轴的振动；传动带轮轴承润滑不良，也会引起异响。

（4）暖风系统故障的诊断及排除

1）不供暖或暖气不足故障诊断

① 通常为鼓风机或其控制电路故障。用万用表检查鼓风机电动机电阻，如鼓风机电动机电阻过大或过小，则应更换。

② 风机继电器、调温器故障。用万用表测继电器线圈电阻和调温器电阻，如为零或无穷大，则应更换。

③ 热风管道堵塞故障。清除堵塞物。

④ 温度门真空驱动器故障。检查真空驱动管路是否漏气，检查相关真空部件是否正常。如都正常更换真空驱动器。

⑤ 加热器漏风故障，应更换加热器壳。

⑥ 加热器芯内部有空气，应排出其内部空气。

⑦ 加热器翅片变形造成通风不良故障，对翅片进行校正或更换。

⑧ 温度门加热器管道积垢堵塞故障，应除垢使管道疏通。

⑨ 冷却液流动不畅，应维修或更换。

⑩ 热水开关或真空驱动器失效故障，应检修或更换。

⑪ 发动机冷却液石蜡节温器失效故障，应更换节温器。

⑫ 冷却液不足，应首先补足冷却液，并检查散热器盖是否漏气。

2）不送风故障及排除

① 风机电路或其控制电路熔丝熔断或开关接触不良，更换熔丝或开关。

② 风机电动机绕组短路或断路，维修或更换风机电动机。

③ 风机调速电阻断路、风机继电器故障、风机电路导线连接故障等，应维修或更换。

3）管路泄漏故障诊断

① 管路老化故障，更换软管。

② 接头不牢、密封不严故障，检修紧固接头。

③ 热水开关不能闭合故障，修复热水开关。

4）供暖过热故障诊断

① 调风门调节不当，应重新调整。

② 发动机节温器损坏，应更换节温器。

③ 风扇调速电阻损坏，应更换调速电阻。

5）除霜热风不足故障诊断

① 除霜门调整不当，应重新调整。

② 出风口堵塞，应清堵。

6）操作不灵敏故障诊断

① 操作机构卡死故障，应重新调定。

② 风门过紧，应修理。

③ 真空器失灵，应检查真空系统是否漏气，如真空系统正常则更换真空驱动器。

4.4.3 多路传输系统的故障诊断与排除

汽车网络的实现是通过在汽车各个原有计算机上加装通信控制IC、总线驱动器/接收器IC，通信电缆以及沟通不同网络的网关。在汽车内部采用基于总线的网络结构，可以达到信息共享、减少布线、降低成本以及提高总体可靠性的目的。通常的汽车网络结构采用多条不同速率的总线分别连接不同类型的结点，并使用网关服务器来实现整车的信息共享和网络管理，如图4-35所示。汽车上有三种信息：低速的车身电子信息、中速的参量传感器数据以及高速实时控制信号，特别是由动力控制模块（PCM）、防抱死制动系统（ABS）和安全气囊系统（SRS）等驱动的高速控制信号。汽车制造商基于降低成本的需要要针对不同网速建立几个不同的网络，然后通过网关把几个不同的网络连接起来。

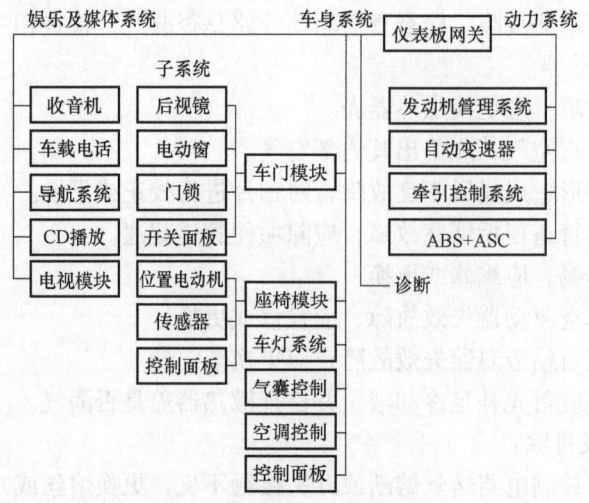

图 4-35　汽车多路传输系统

1. 汽车网络的标准

现今世界汽车网络的标准有美国的 Essex、德国博世公司的 CAN（Controller Area Network）、法国雷诺和标致雪铁龙的 VAN、通用汽车、英国 GEC、日本电装公司的 SMN 系统、日本三菱电气公司与日本东京工业公司协作研制的标准、日本日产公司的标准等。目前存在的多种汽车网络标准，其侧重的功能也有所不同。为方便研究和设计应用，根据这些标准产生的网速不同，SAE 车辆网络委员会将汽车数据传输网划分为 A、B、C 三类。A 类是面向传感器/执行器控制的低速网络，数据传输速率通常小于 10kbit/s，主要用于后视镜调整和电动窗、灯光照明等的控制；B 类是面向独立模块间数据共享的中速网络，传输速率在 10～125kbit/s，主要应用于车身电子舒适性模块、仪表显示等系统；C 类是面向高速、实时闭环控制的多路传输网，传输速率在 125kbit/s～1Mbit/s 之间，主要用于牵引控制、发动机控制、ABS 等系统。

2. 汽车网络的故障排除

（1）线路故障　如图 4-36 所示，C 类网络的电缆为双绞线，主要用于连接发动机控制、自动变速器控制、牵引控制、ABS 等系统。

如图 4-37 所示，B 类网络的电缆为双绞线，B 类是面向独立模块间数据共享的中速网络，传输速率在 10～125kbit/s，主要应用于车身电子舒适性模块、仪表显示等系统。

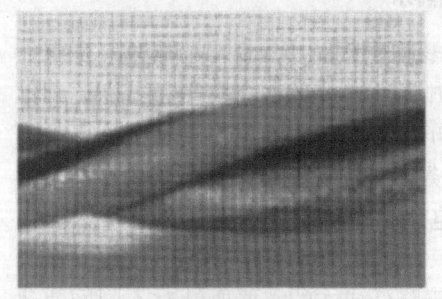

图 4-36　C 类网络线

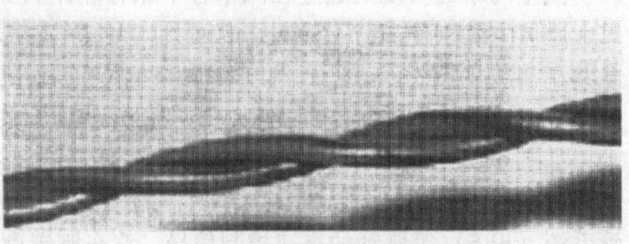

图 4-37　B 类网络线

图 4-38 所示为用示波器检查正常的网络电缆的信号。
图 4-39 所示为用示波器检查一条对搭铁有短路的电缆信号。

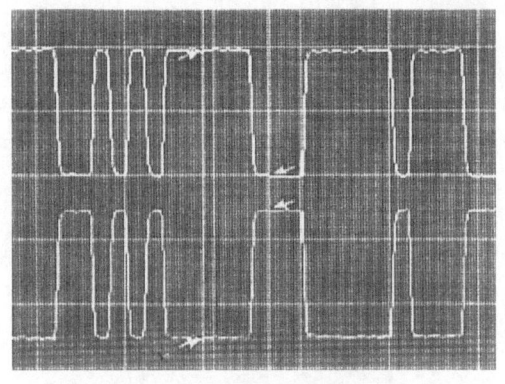

图 4-38　网络电缆的信号　　　　　图 4-39　搭铁短路信号

图 4-40 所示为用示波器检查一条对正极有短路的电缆信号。
图 4-41 所示为用示波器检查两条电缆之间有短路信号。

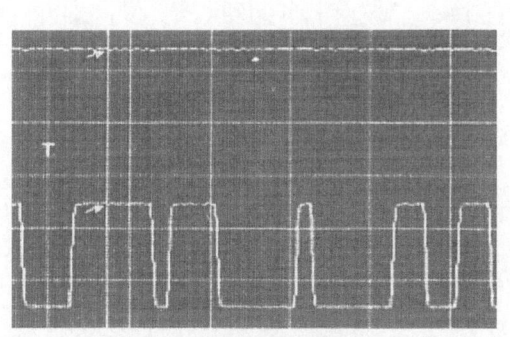 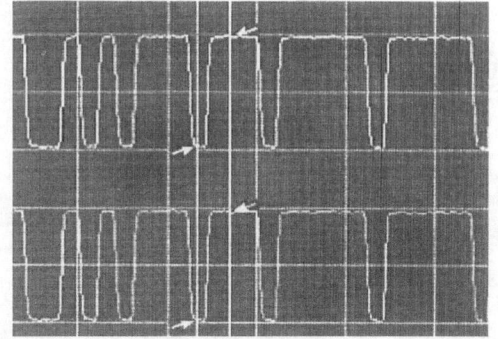

图 4-40　正极短路信号　　　　　图 4-41　短路信号

图 4-42 所示为用示波器检查多路传输是否处在睡眠状态。

（2）网关故障　如图 4-43 所示，网关是连接异型网络的接口装置。它综合了桥接器和路由器的功能以及从一个网络协议到另一个协议转换信息，是为处理多个 ECU 的 CPU 之间的通信而提供的一种综合接口装置。它只能用诊断仪进行诊断，判断其故障。

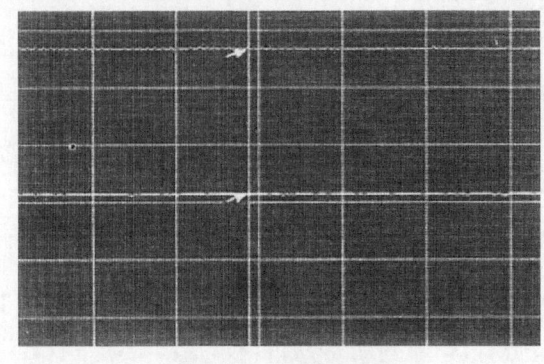 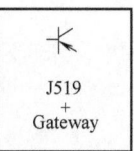

图 4-42　睡眠状态　　　　　　　　图 4-43　网关

练习与思考题

1. 如何诊断汽车充电系统不充电故障?
2. 如何检验起动机的性能?
3. 起动机运行中的常见故障有哪些?如何诊断故障?
4. 前照灯的常见故障有哪些?如何诊断与排除?
5. 信号灯系统有哪些故障?如何诊断?
6. 简述汽车安全气囊系统故障诊断程序。
7. 汽车空调的常用诊断方法有哪些?
8. 汽车空调常见的故障有哪些?如何诊断排除?

第5章 汽车主要技术性能的检测

> **基本思路：**
>   汽车技术性能检测主要是对汽车运行时的动力性能、环保性能、安全性能和经济性能的检测。汽车的每一性能都牵涉到汽车的不同系统或相关组合系统的工作状况，因此汽车技术性能检测能综合分析汽车运行的效能。本章学习和研究的关键要解决"做"的问题，就是如何正确地使用和操作相关检测设备来检测汽车有关性能的技术参数，客观地掌握汽车各系统的工作状态，及时反映汽车相关系统技术性能，以预防为主，减少和降低汽车故障的出现，延长汽车的使用寿命，降低使用风险和成本。

▶▶▶ 5.1 汽车底盘输出功率的检测

汽车底盘的技术状况关系到整车行驶的稳定性和安全性，同时还影响发动机的动力性和燃油经济性。因此，汽车底盘输出功率的检测是一个非常重要的检测项目。

底盘输出功率检测又称底盘测功。底盘测功的目的：一是为了获得驱动车轮的输出功率或驱动力，以便评价汽车的动力性；二是用获得的驱动车轮输出功率和发动机输出功率进行对比，并求出传动效率，以便评价汽车传动系统的技术状况。底盘输出功率的检测在底盘测功机上进行。

5.1.1 底盘测功机的基本结构与工作原理

底盘测功机又称底盘测功试验台，是模拟汽车在道路上行驶时受到的阻力，测量驱动轮输出功率以及加速、滑行等性能的设备。底盘测功机具有如下功能：

1）测量汽车驱动轮输出功率。
2）检验汽车滑行性能。
3）检验汽车加速性能。

4）校验车速表。

5）校验里程表。

6）配备油耗仪的底盘测功机可以在室内模拟道路行驶，测量等速油耗。

汽车底盘测功机主要由道路模拟系统、数据采集与控制系统、辅助装置等构成。

（1）道路模拟系统　底盘测功机的普通型道路模拟系统如图5-1所示。

1）滚筒装置。滚筒装置的作用相当于能够连续移动的路面。测功试验时，汽车驱动轮在滚筒上旋转，而车是静止的，因此没有空气阻力和非驱动轮滚动阻力，但试验台本身传动机构会消耗一部分能量。底盘测功机的滚筒装置有单滚筒和双滚筒两种类型，如图5-2所示。

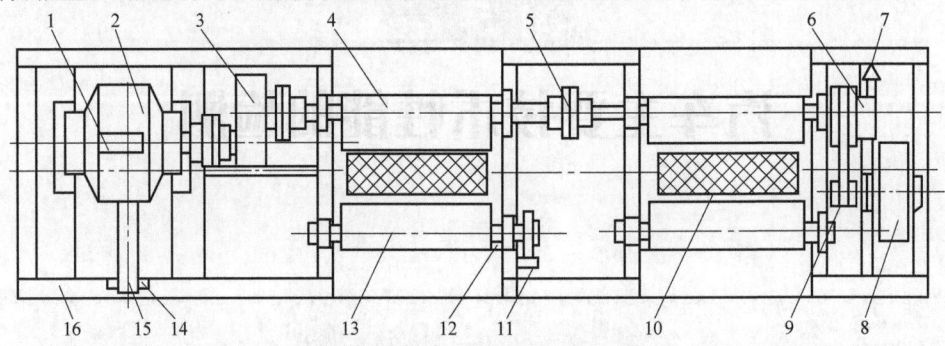

图5-1　底盘测功机的道路模拟系统

1—冷却液入口　2—电涡流测功器　3—变速器　4—主滚筒　5—转向节　6—离合器　7—电刷
8—飞轮　9—传动带轮　10—举升装置　11—速度传感器　12—轴承座　13—副滚筒
14—力传感器　15—测力杠杆　16—框架

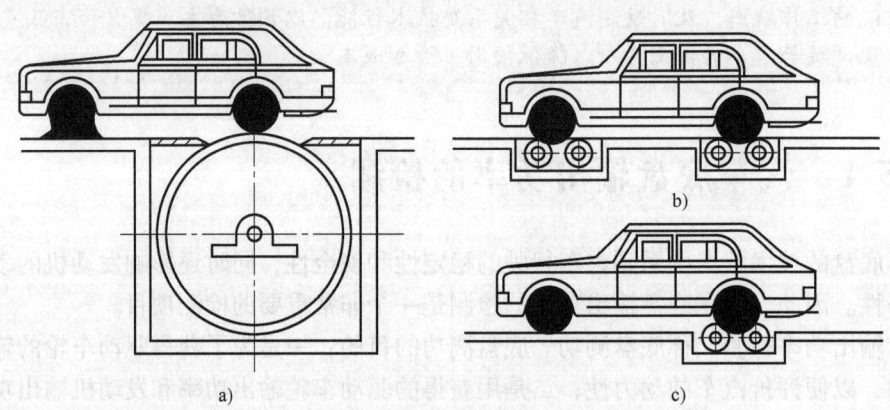

图5-2　底盘测功机的滚筒装置类型

a）单轮单滚筒式　b）双轮双滚筒式　c）单轮双滚筒式

① 单滚筒试验台。支承汽车两边驱动轮的滚筒为单个的试验台，称为单滚筒试验台。单滚筒试验台的滚筒直径一般较大，最大直径可达2500mm。滚筒直径越大，车轮轮胎与滚筒的接触就接近于车轮与路面接触的实际情况，且轮胎与滚筒的滑转率小，滚动阻力小，因而测试精度高。单滚筒试验台一般用于科研单位、大专院校和汽车制造部门，较少用于汽车维修企业和汽车综合性能检测站等检测诊断部门。

② 双滚筒试验台。双滚筒试验台采用前后两个滚筒来支承驱动轮。双滚筒试验台的滚筒直径要比单滚筒小得多，一般在185~400mm之间。由于滚筒的直径较单滚筒小，车轮轮

胎与滚筒的接触与车轮在路面上的受压情况相差较大，滑转率大，滚动阻力也较大。因此，其检测精度较低。双滚筒试验台，特别是图 5-2c 所示的单轮双滚筒试验台，因结构简单、安装使用方便，且成本低的优点，被广泛应用于维修企业和交通管理部门。

2）加载装置。加载装置俗称测功器，用来吸收和测量汽车发动机经传动系传至驱动车轮上的功率或牵引力。同时也可模拟车辆在道路上行驶时所受的各种阻力，使车辆在检测时的受力情况如同在实际道路上行驶一样。常用的测功器类型有：电涡流式、水力式、电力式。由于一般水力式测功器的可控性较电涡流式差，电力测功器的成本较高，因而国内所生产的汽车底盘测功机大多数采用电涡流测功器。

图 5-3 所示为水冷式电涡流测功器的结构示意图，它主要由转子和带有励磁绕组及涡流环的浮动定子组成，转子与滚筒相连，定子可绕其轴线摆动。电涡流测功器的定子内部沿圆周有励磁绕组和涡流环，转子的外圆上有均匀分布的齿与槽，齿顶与涡流环间留有一定的空气隙，转子在励磁绕组和涡流环内转动。

3）惯性模拟装置。惯性模拟装置是对其他项目，如起步加速性能、滑行性能等检测的必备装置。汽车在道路上行驶时汽车本身具有一定的惯性，即汽车的动能。而汽车在底盘测功机上运行时车身静止不动，是车轮带动滚筒旋转，在汽车减速工况时，由于系统的惯量比较小，汽车很快停止运行。检测汽车的减速工况和加速工况时，汽车底盘测功机必须配备惯性模拟系统，如图 5-4 所示。汽车底盘测功机转动惯量主要来自飞轮质量，飞轮的个数愈多，则检测的精度愈高。

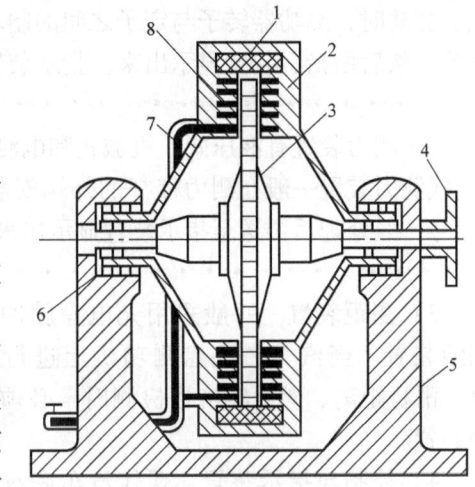

图 5-3 水冷式电涡流测功器
1—励磁绕组 2—定子 3—转子 4—转向节
5—底座 6—轴承 7—冷却液管 8—冷却室水沟

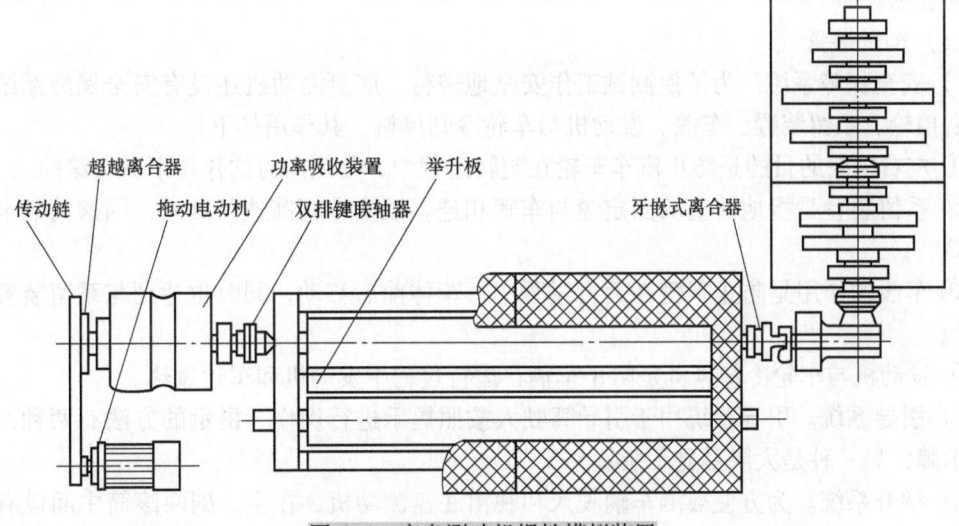

图 5-4 底盘测功机惯性模拟装置

(2) 数据采集与控制系统

1) 测速装置。测速装置用来测量试验车速,它一般由测速传感器、中间处理装置和指示装置组成。常见的测速传感器有光电式、磁电式、霍尔传感器式及测速发电机等多种形式。测速传感器的转子一般安装在副滚筒的一端,随滚筒一起转动。测试时,传感器将滚筒的转速信号转变为电信号,该信号经放大后送入处理装置,换算为车速(km/h)并在指示装置上显示出来。

2) 测力装置。测力装置可用来测量驱动轮上的驱动力,它由测力杠杆和测力传感器组成。测功时,测功器转子与定子之间的制动转矩通过与定子外壳相连的测力杠杆传给测力传感器,然后由指示装置显示出来。指示装置的显示值,即为驱动车轮的驱动力。

测力装置有液压式、机械式和电测式3种形式,目前应用较多的是电测式。电测式测力装置一般在测力杠杆的外端安装测力传感器,将测力杠杆传来的力变成电信号,经处理后再送至指示装置显示出来。

3) 测距装置。一般采用光电盘脉冲计数式测距装置。当汽车在底盘测功机上进行加速距离、滑行距离、燃油经济性检测时,必须使用测距装置。

4) 控制与指示装置。现代汽车底盘测功机广泛采用以微机为核心的控制系统,其电测控制部分的原理框图如图5-5所示。由测力、测速传感器传来的电信号输入控制装置,经微机处理

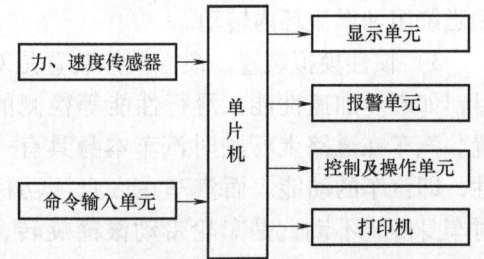

图5-5 底盘测功机电测控制部分的原理框图

后,在指示装置上直接显示输出功率(kW)、驱动力(N)和车速(km/h)。底盘测功机的控制与指示装置往往制成一体,构成控制柜。图5-6所示为一种汽车底盘测功机的控制指示柜面板图。

(3) 辅助装置

1) 安全保障系统。为了使测试工作安全地进行,底盘测功机还设有安全保障系统,包括左右挡轮、系留装置、车偎、发动机与车轮冷却风机,其作用如下:

① 左右挡轮的目的是防止汽车车轮在旋转过程中,在侧向力的作用下驶出滚筒。

② 系留装置是指地面上的固定盘与车辆相连,以防车辆高速行驶时,因滚筒的卡死飞出滚筒。

③ 车偎的作用是防止车辆在运行过程中,车体前后移动,同时也达到与系留装置相同的功能。

④ 发动机与车轮冷却风机是防止车辆在运行过程中发动机和车轮过热。

2) 引导系统。引导系统用于引导驾驶人按照提示进行操作。提示的方法有两种:一种是显示牌,另一种是大屏幕显示装置。

3) 举升系统。为方便被测车辆驶入和驶出底盘测功机,在主、副两滚筒中间设有举升装置。举升装置由举升器和举升平台组成。举升器有气动、液动和电动3种形式,以气动式举升装置为多见。

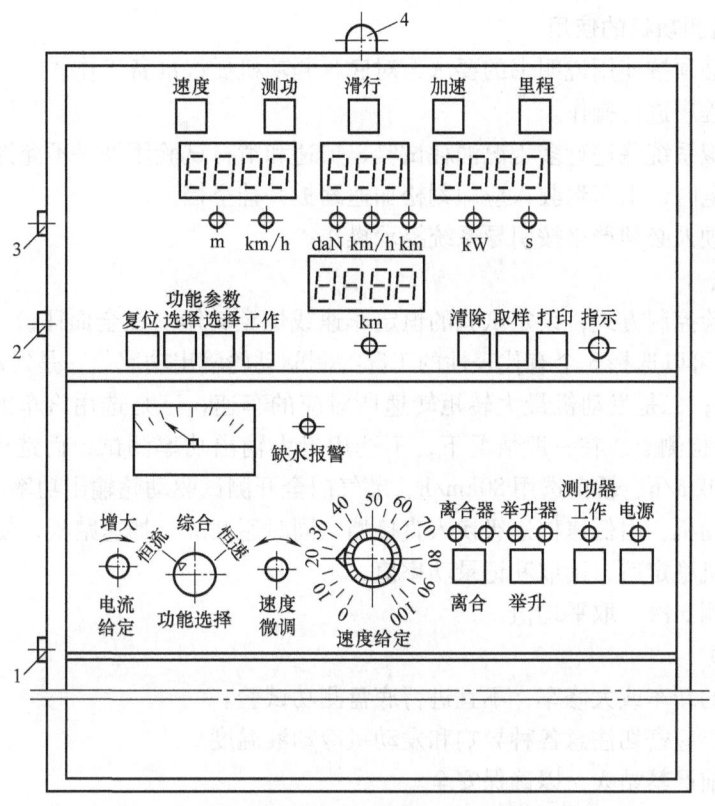

图 5-6　汽车底盘测功机的控制指示柜面板图
1—打印机电源插座　2—打印机数据线插座　3—采样盒插座　4—报警灯

4）滚筒锁止系统。滚筒锁止系统通常采用棘轮棘爪式，它由双向气缸、棘轮、棘爪、回位弹簧、杠杆及控制器组成。通过控制器控制压缩空气的通断，当某一方向通气后，空气推动气缸活塞运动控制棘爪与棘轮离合以达到锁止或放松滚筒的目的。

5.1.2　底盘测功机的使用方法

1. 使用前的准备工作

（1）车辆的准备

1）调整发动机供油系统及点火系统，使其处于最佳工作状态。
2）对汽车底盘传动系进行检查、调整、紧固并检查各部件润滑是否良好。
3）检查轮胎是否沾有水、油等或轮胎花纹沟槽内是否嵌有沙子，若有应先清除，且轮胎气压要符合规定值。
4）使汽车预热到正常工作温度。

（2）测功机的准备

1）对于水冷测功机，应将冷却水阀打开。
2）接通电源，升起举升器托板，根据被检车的功率，选择测试功率的档位。
3）用两个三角铁抵住停在地面上的车轮的前方，防止汽车在检测中由于误操作而冲出去。
4）为防止发动机过热，将一台冷却风扇置于被检汽车前方约 0.5m 处，对发动机吹风。
5）使汽车以 5km/h 的速度运行，观察有无异常。看冷却液指示灯是否点亮。

2. 汽车底盘测功机的使用

1）开机前必须按使用说明书的要求，对底盘测功机做好准备工作。
2）按规定程序进行操作。
3）惯性模拟系统除进行多工况油耗试验、加速和滑行试验用外，不允许任意使用。
4）突然停电时，引车驾驶人应即刻松加速踏板并挂空档。
5）引车驾驶人必须严格按引导系统提示操作。

3. 检测方法

1）选择试验控制方式，设定试验的恒定车速或恒定转矩。在全面评价汽车发动机及底盘技术状况时，可以选择3个有代表性的工况检测驱动轮输出功率：一是发动机额定功率转速所对应的车速；二是发动机最大转矩转速所对应的车速；三是选用汽车的常用速度（如经济车速）作为检测点。在一般情况下，不选用最大输出功率测试，而选取常用车速，如载货汽车选用50km/h、轿车选用80km/h，节气门全开测试驱动轮输出功率。
2）起动发动机，由低速档逐级换入直接档，同时逐渐踩下加速踏板，使节气门全开。
3）待发动机稳定后，读取和记录功率值。
4）重复检测3次，取平均值。

4. 注意事项

1）磨合期的新车或大修车，不宜进行底盘测功试验。
2）测功时，应密切注意各种异响和发动机冷却液温度。
3）被检车前严禁站人，以确保安全。

5.2 汽车排气污染物的检测

随着汽车工业的迅速发展，汽车保有量急剧增加，汽车排放的废气对大气已构成危害。这些排放的尾气恶化了人类的生存环境，影响了人们的身体健康，已发展成为严重的社会问题。检测汽车排放污染物的浓度，已成为汽车性能检测中重要的检测项目。

汽车排放的污染物，主要是一氧化碳（CO）、碳氢化合物（HC）、氮氧化物（NO_x）、铅化合物、二氧化硫（SO_2）、炭烟及其他一些有害物质。这些有害物质在大气中达到一定浓度后，将对人体和生物造成极大的危害，即排气公害。

为能有效地控制汽车尾气排放中有害物质的浓度，减少汽车尾气对环境的污染，必须对汽车尾气进行检测，使有害气体的排放符合国家标准的要求。另外，汽车尾气成分与燃烧质量有关，对汽车尾气进行分析，也是汽车故障诊断的有效手段之一。

汽车尾气排放的检测分为汽油机尾气检测和柴油机尾气检测。在相同工况下，汽油机的CO、HC、NO_x排放量比柴油机大，因此国家标准主要限制汽油机的CO、HC和NO_x排放量；而柴油机主要是产生炭烟污染，国家标准主要限制柴油机排气的烟度。

5.2.1 汽油机排气污染物排放的检测

汽油发动机在怠速运转时，由于节气门开度小、发动机转速低、残余废气量相对增大和燃烧温度低等原因，使得CO和HC的排放量明显增多。为此，在国家标准GB 18285—2005《点燃式发动机汽车排气污染物排放限值及测量方法（双怠速法及简易工况法）》中予以限制。该标准规定了点燃式发动机汽车急速和高急速工况下排气污染物排放限值及测量方法，同时规定了点燃式发动机轻型汽车稳态工况法、瞬态工况法和简易瞬态工况法等几种测量法。

1. 不分光红外线分析法的基本原理

汽车废气中的CO、HC等气体，都分别具有能吸收一定波长范围红外线的性质，而且红外线被吸收的程度与废气浓度之间有一定的关系。不分光红外线分析法就是根据这一原理，即根据废气吸收一定波长红外线能量的变化，来测量废气中各种污染物的浓度。例如CO主要吸收波长为4.7μm附近的红外线，为此可以让红外线通过一定量的汽车尾气，通过对比4.7μm红外线经过尾气前后能量的变化，来测定尾气中CO的含量。在各种气体混合的情况下，这种测量方法具有测量值不受影响的特点。

2. 不分光红外线气体分析仪的组成与工作原理

不分光红外线CO和HC气体分析仪，是一种能从汽车排气管中采集气样，并对气体中所含有的CO和HC的浓度进行连续测定的仪器。它主要由废气取样装置、废气分析装置、废气浓度指示装置及校准装置等构成。图5-7所示为佛山MEXA—324型不分光红外线废气分析仪。

（1）废气取样装置　如图5-8所示，废气取样装置由取样探头、滤清器、导管、水分离器和泵等构成。用探头、导管、泵从排气管采集废气，排气中的粉尘和炭粒用滤清器滤除，水分用水分离器分离出去，最后，将气体成分输送到分析部分。

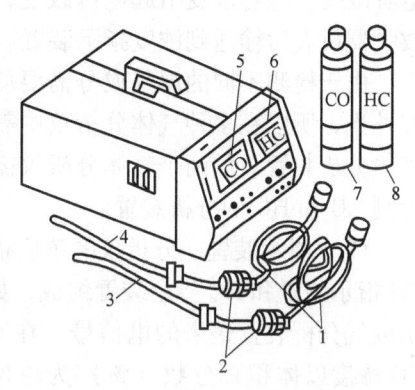

图5-7　MEXA—324型废气分析仪
1—导管　2—滤清器　3、4—取样探头
5—CO指示仪表　6—HC指示仪表
7—CO标准气体样瓶　8—HC标准气体样瓶

（2）废气分析装置　废气分析装置由红外线光源、

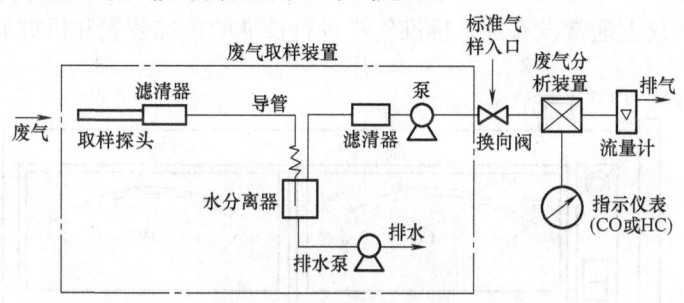

图5-8　废气取样装置

气样室、旋转扇轮、测量室和传感器等组成。从取样装置输送来的多种气体共存在废气中，通过不分光红外线分析装置分析测定气体CO、HC的浓度，用电信号将其输送到浓度指示装置，工作原理如图5-9所示。从两个红外线光源发出的红外线，分别通过标准气样室和测量气样室后到达测量室。在标准气样室里充有不吸收红外线的N_2，在测量气样室里充有被测量的废气。测量室由两个分室构成，在两个分室中间装有金属膜式电容微音器作为传感器。为了能够从废气中选择出只需要测量的成分，在测量室的两个分室内，分别充入与被测气体相同的气体。在测量CO的分析装置内充入CO气体；在测量HC的分析装置内充入正己烷气体。

当红外线通过旋转扇轮后断续地到达测量室时，通过测量气样室的红外线被所测气体按其浓度大小吸收掉一部分一定波长的红外线，而通过标准气样室的红外线没有被吸收，因此在测量室的两个分室内因红外线的能量差别而出现温度差，从而导致两个分室的压力差，致使金属膜片弯曲变形。废气中被测气体浓度越大（两个分室红外线的能量差越大），金属膜片弯曲变形愈大。膜片弯曲变形使电容改变，电容改变引起电压改变，该电压信号经放大器放大后输送到浓度指示装置。

由于检测不同的尾气成分需要使用不同波长的红外光，所以在多种气体分析仪中需要相应数量的气体分析装置，如两个气体分析仪需要有两个分别检测 CO 和 HC 的分析装置。

(3) 指示装置　分析仪的浓度指示装置主要由 CO 指示装置和 HC 指示装置组成，如图 5-10 所示。从废气分析装置送来的电信号，在 CO 指示仪表上 CO 浓度以体积百分数（%）为单位；在 HC 指示仪表上 HC 浓度以正己烷当量体积百万分数（10^{-6}）为单位直接显示出来。仪表的指示可利用零位调整旋钮、标准调整旋钮和读数档位转换开关等进行控制。

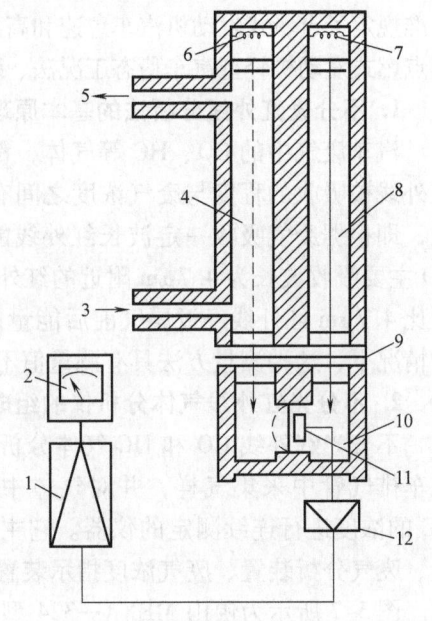

图 5-9　废气分析装置
1—主放大器　2—指示仪表　3—排气入口
4—测量气样室　5—排气出口　6、7—红外线光源
8—标准气样室　9—旋转扇轮　10—测量室
11—电容微音器　12—前置放大器

(4) 校准装置　校准装置是为了保持分析仪指示精度，使之能经常显示正确指示值的一种装置。在分析仪上通常设有加入标准气样进行校准的校准装置和机械的简易校准装置。

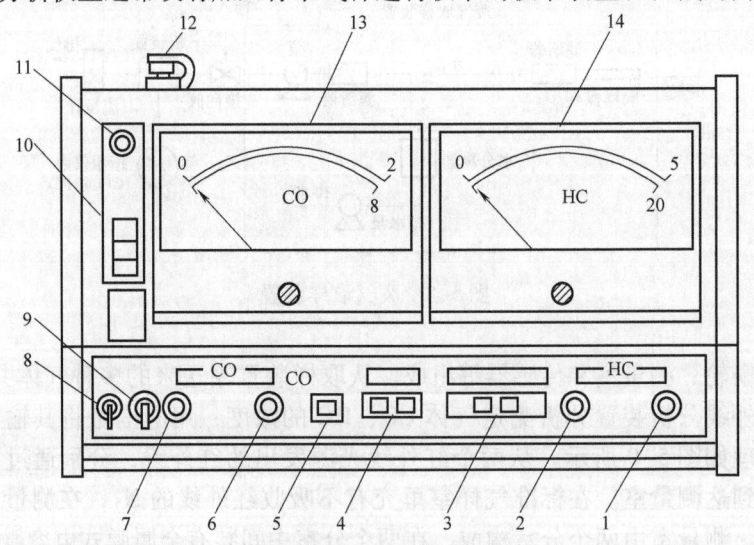

图 5-10　废气分析仪面板图
1—HC 标准调整旋钮　2—HC 零位调整旋钮　3—HC 读数转换开关　4—CO 读数转换开关
5—简易校准开关　6—CO 标准调整旋钮　7—CO 零位调整旋钮　8—电源开关
9—泵开关　10—流量计　11—电源指示灯　12—标准气体入口　13—CO 指示仪表　14—HC 指示仪表

1）标准气样校准装置是把标准气样从分析仪单设的一个专用注入口（图 5-10 的 12）直接送到废气分析装置，再通过比较标准气样浓度值和仪表指示值的方法来进行校准的装置。

2）简易校准装置是用遮光板把废气分析装置中通过测量气样室的红外线挡住一部分，用减少一定量红外线的方法进行简单校准的装置。

3. 四气体与五气体分析仪简介

鉴于目前实施的怠速工况只测定 CO、HC 两气体的排气检测手段已无法有效反映汽车排气中的 NO_x 和 CO_2，现多使用四、五气体分析仪来满足测量要求。四气与五气的分析仪区别在于五气分析仪可检氮氧化合物（NO_x）。

五气分析仪中 CO、CO_2、HC 通过不分光红外线不同波长能量吸收的原理来测定，可获得足够的测试精度，而 NO_x 与 O_2 的浓度采用一氧化氮和氧传感器测定。

氧（O_2）传感器，其基本形式是包括一个电解质阳极和一个空气阴极组成的金属-空气有限度渗透型电化学电池。氧传感器电流是一个电流发生器，其所产生的电流正比于氧的消耗率。此电流可通过在输出端子跨接一个电阻以产生一个电信号。如果通入传感器的氧气只是被有限度地渗透，利用上述信号可测氧气的浓度。

应用于汽车废气检测的氧电池，使用一种塑料膜作为渗透膜，其渗透量受控于气体分子撞击膜壁的强度，如果气体压力增加，分子的渗透率增加。因此，输出的结果直接正比于氧的分压且在整个浓度范围内呈线性响应。由氧传感器输出的信号经放大后，送至仪器的数据处理系统的 A/D 输入端，进行数字处理及显示。

NO_x 的传感器是在氧传感器基础上发展起来的电化学电池式传感器。

4. 汽油车双怠速法污染物的检测方法

（1）仪器的准备 按使用说明书要求做好各项检查工作，校准仪器。以 MEXA—324E 为例，首先用标准气样校准仪器。

1）接通电源，仪器预热 30min。

2）按标准气体的浓度把量程切换开关置于要校正的量程。

3）取下水分离器，导入新鲜空气。

4）指针稳定后，旋转零位调整旋钮将指针调零。

5）关掉分析仪上的泵开关。

6）将标准气瓶嘴插入标准气入口并压紧，直到指针稳定。

7）旋转标准调整旋钮，使 CO 分析仪指针与标准气瓶所标明的浓度相符，使 HC 分析仪指针与换算出的正己烷浓度相符（标准气样为丙烷），按照"正己烷换算浓度＝标准气样（丙烷）浓度×换算系数"的关系进行换算。换算系数是分析仪的给出值，常标在分析仪右侧，一般为 0.472～0.578。每台仪器的换算系数各不相同。

（2）车辆的准备

1）应保证被检测车辆处于制造厂规定的正常状态，发动机进气系统应装有空气滤清器，排气系统应装有排气消声器，并不得有泄漏。

2）应在发动机上安装转速计、点火正时仪、冷却液和润滑油测温计等测量仪器。测量时，发动机冷却液和润滑油应不低于 80℃，或者达到汽车使用说明书规定的热车状态。

3）取样探头插入排气管深度应不小于 400mm，否则排气管应接管加长，但必须保证接口处不漏气。

4）按规定调整怠速和点火正时。

（3）检测方法

1）发动机由怠速工况加速至 0.7 倍额定转速，维持 30s 后降至高怠速状态，并使转速稳定；把量程转换开关调到最高量程档位。

2）取样探头插入排气管中，深度等于 400mm，并固定于排气管。

3）发动机在高怠速状态，维持 15s 后开始读数，由具有平均值功能的仪器读取 30s 内的平均值，或者人工读取 30s 内的最高值和最低值，其平均值即为高怠速污染物测量结果。

4）发动机从高怠速降至怠速状态 15s 后，由具有平均值功能的仪器读取 30s 内的平均值，或者人工读取 30s 内的最高值和最低值，其平均值即为怠速污染物测量结果。

5）对于使用闭环控制电子燃油喷射系统和三元催化转化器技术的汽车，还应同时读取过量空气系数 λ 的数值。

6）若发动机为多排气管，检测结果取各排气管检测结果的平均值。

7）测试中保证仪器处于废气浓度的合适量程档位。

8）检测工作结束后，从排气管中取出取样探头，吸入新鲜空气约 5min，仪器指针回零后关掉电源。

5. 检测标准

汽车怠速排气污染物排放限制应符合表 5-1 规定的数值。

表 5-1 汽车怠速排气污染物排放限值（体积分数）

车 型	类 别			
	怠 速		高 怠 速	
	CO(%)	HC(10^{-6})	CO(%)	HC(10^{-6})
2005 年 7 月 1 日起新生产的第一类轻型汽车	0.5	100	0.3	100
2005 年 7 月 1 日起新生产的第二类轻型汽车	0.8	150	0.5	150
2005 年 7 月 1 日起新生产的重型汽车	1.0	200	0.7	200
2000 年 7 月 1 日起生产的第一类轻型汽车	0.8	150	0.3	100
2001 年 10 月 1 日起生产的第二类轻型汽车	1.0	200	0.5	150
2004 年 9 月 1 日起生产的重型汽车	1.5	250	0.7	200

5.2.2 柴油车自由加速烟度的检测

柴油车排气烟度检测目前实施 GB 3847—2005《车用压燃式发动机和压燃式发动机汽车排气烟度排放限值及测量方法》，按标准规定车型核准批准车型生产的在用汽车，应该按该标准附录 I 的要求进行自由加速试验，所测得的排气光吸收系数不应大于车型核准批准的自由加速排气烟度排放限值，再加 $0.5m^{-1}$。标准规定 2001 年 10 月 1 日起生产的在用汽车，应该按该标准附录 I 的要求进行自由加速试验，所测得的排气光吸收系数，自然吸气式不应大于 $2.5~m^{-1}$，涡轮增压式不应大于 $3.0m^{-1}$。自 1995 年 6 月 30 日以前生产的在用汽车，应按附录 K 的要求进行自由加速试验，所得的烟度值应不大于 5.0Rb，自 1995 年 7 月 1 日至 2001 年 9 月 30 日期间生产的在用汽车，应按附录 K 的要求进行自由加速试验，所得的烟度值应不大于 4.5Rb。

自由加速工况的定义：在发动机怠速下，迅速但不猛烈地踩下加速踏板，使喷油泵供给最大油量。在发动机达到调速器允许的最大转速前,保持此位置。一旦达到最大转速,立即松开加速踏板,使发动机恢复至怠速。

柴油车排气烟度的测量,从测量方法、测量仪器到烟度的允许限值,到目前为止没有形成世界性的统一标准,各国都根据本国的具体情况制定了有关规定。GB 3847—2005 规定在用车可以继续使用滤纸式烟度计。

1. 滤纸式烟度计的结构

滤纸式烟度计是应用最广的烟度计之一,有手动、半自动和全自动 3 种形式。其结构都是由废气取样装置、染黑度检测与指示装置和控制装置等组成。图 5-11 所示为佛山 FBY—1 型烟度计结构示意图。

(1) 废气取样装置 废气取样装置由取样探头、抽气泵和取样软管等组成。取样探头有台架用和整车试验用两种类型。整车试验用取样探头带有散热片,并有安装夹具以便固定在排气管上。取样探头在抽气泵的作用下抽取废气。

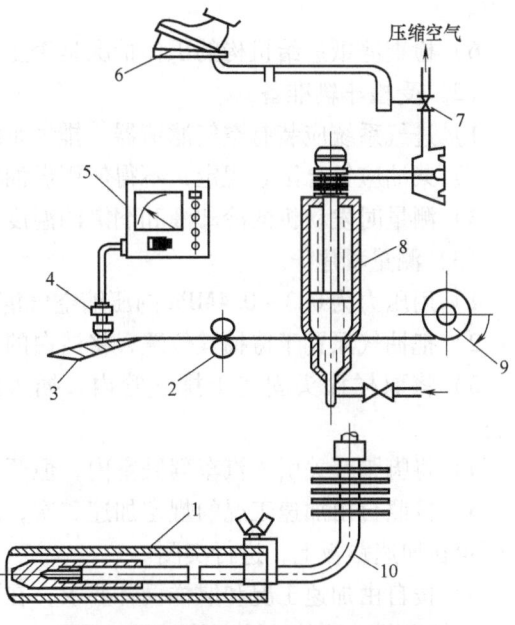

图 5-11 滤纸式烟度计结构示意图
1—排气管 2—进给机构 3—滤纸
4—光电传感器 5—指示电表 6—脚踏开关
7—电磁阀 8—抽气泵 9—滤纸卷 10—取样探头

(2) 染黑度检测与指示装置 染黑度检测与指示装置如图 5-12 所示,它由光源(白炽灯泡)、光电元件(环形硒电池)和指示电表等组成。根据光学反射作用,由光源的光线射向已被炭烟染黑的滤纸,光线一部分被黑色炭烟吸收,一部分被滤纸反射至光电元件,从而产生相应的光电流。

(3) 控制装置 控制装置包括用脚操纵的抽气泵开关、滤纸进给机构和压缩空气清洗机构等。压缩空气清洗机构能在取样前,用压缩空气清洗取样探头和取样软管内的残留废气炭粒。

2. 柴油车自由加速烟度的检测方法

(1) 仪器准备

1) 通电前,检查指示仪表指针是否在机械零点上,若不在,则用零点调整螺钉使指针与 0 的刻度重合。

2) 接通电源,仪器进行预热。打开测量开关,在检测装置上垫 10 张全白滤纸,调节粗调及微调电位器,使表头指针与 0 的刻度重合。

3) 在 10 张全白滤纸上放上标准烟样,并对准检测装置,仪表指针应指在标准烟样的染黑度数值上,否则应进行调节。

4) 检查取样装置和控制装置中各部件的工作情况,特别要检查脚踏开关与活塞抽气泵动作是否同步。

5) 检查控制用压缩空气和清洗用压缩空气的压力是否符合

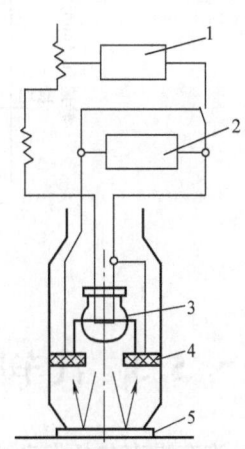

图 5-12 染黑度检测与指示装置结构示意图
1—电源 2—指示电表
3—光源 4—光电元件
5—滤纸

要求。

6）检查滤纸进给机构的工作情况是否正常。检查滤纸是否合格，应洁白无污。

（2）受检车辆准备

1）进气系统应装有空气滤清器，排气系统应装有消声器并且不得有泄漏。

2）柴油应符合国家规定，不得使用燃油添加剂。

3）测量时发动机的冷却液和润滑油温度应达到汽车使用说明书所规定的热状态。

（3）测量程序

1）用压力为 0.3~0.4MPa 的压缩空气清洗取样管路。

2）把抽气泵置于待抽气位置，将洁白的滤纸置于待取样位置，将滤纸夹紧。

3）将取样探头固定于排气管内，插入深度等于 300mm，并使其轴线与排气管轴线平行。

4）将脚踏开关引入汽车驾驶室内，但暂不固定在加速踏板上。

5）按照自由加速工况的规定加速 3 次，以清除排气系统中的积存物。然后，把脚踏开关固定在加速踏板上，进行实测。

6）按自由加速工况和取样循环要求，在取样期间内完成抽气泵抽气、走纸、抽气泵回位、滤纸夹紧、读数、清洗等过程。测量 4 次，取后 3 次读数的算术平均值为所测烟度值，如图 5-13 所示。注意每次循环取样应在 20s 内完成。

7）当汽车发动机黑烟冒出排气管的时间与抽气泵开始抽气的时间不同步时，应取最大烟度值作为所测烟度值。

8）检测结束，及时关闭电源和气源。

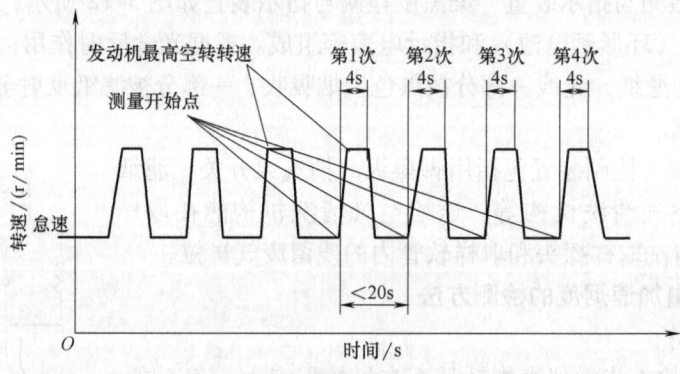

图 5-13　自由加速烟度测量规程

5.3　汽车噪声检测

汽车噪声包括发动机噪声、排气管噪声、车体振动噪声、传动机构噪声、高速行驶轮胎噪声和喇叭声级等。随着汽车保有量的急剧增加，功率和行驶速度的提高，汽车噪声已成为城市环境中最主要的噪声源。噪声对人的危害是极大的，且具有游走性、影响范围大、干扰时间长、受害人员多的特点。控制汽车噪声污染越来越引起人们的重视。对汽车噪声进行检测，就是要把噪声控制在标准值范围内，最大限度地减少汽车噪声对人们的危害。

1. 噪声的评价指标

噪声的主要物理参数有声压与声压级、声强与声强级和声功率与声功率级,其中声压与声压级是表示声音强弱的最基本的参数。声压是指由于声波的存在引起在弹性介质中压力的变化值。声音的强弱取决于声压,声压越大,听到的声音越强。人耳可以听到的声压范围是 $2 \times 10^{-5} \sim 20Pa$,相差 100 万倍,用声压的绝对值表示声音的强弱会感到很不方便,为此人们常用声压级来表示声音的强弱。声压级是指某点的声压 P 与基准声压 P_0 ($2 \times 10^{-5} Pa$) 的比值取常用对数再乘以 20 的值:$L_p = 20\lg(P/P_0)$,单位为分贝 (dB)。

人耳对声音的感觉不仅与声压有关,还与声音的频率有关。声压级相同的声音,如果频率不同,听起来也会不一样。相反,不同频率的声音,虽然声压级也不同,但有时听起来却一样响,用声压级测定的声音强弱与人们的生理感觉往往不一样。对噪声的评价常采用与人耳生理感觉相适应的指标。为了模拟人耳对不同频率有不同的灵敏性,在声级计内设有一种能够模拟人耳的听觉特性,把电信号修正为与听觉近似值的网络,这种网络称作计权网络。通过计权网络测得的声压级,已不再是客观物理量的声压级,而是经过听感修正的声压级,称作计权声级或噪声级。

2. 声级计

汽车噪声的检测一般用声级计。声级计是一种能把工业噪声、生活噪声和交通噪声等按人耳听觉特性近似地测定其噪声级的仪器。声级计一般由传声器、放大器、衰减器、计权网络、滤波器、指示表头和电源等组成。图 5-14 所示为我国生产的 ND_2 型精密声级计。

3. 汽车噪声检测标准

根据 GB 7258—2012《机动车运行安全技术条件》国家标准要求,检测标准如下:
1) 汽车驾驶人耳旁噪声级不应大于 90dB (A)。
2) 客车以 50km/h 的速度匀速行驶时,客车内噪声不应大于 79dB (A)。
3) 汽车应具有连续发声功能,其工作应可靠。喇叭声级的值应为 90~115dB (A)。

4. 汽车噪声测量方法

(1) 汽车驾驶人耳旁噪声测量

1) 汽车空载,处于静止状态且变速杆置于空档位,发动机应处于额定转速状态,门窗紧闭。
2) 测量位置应符合图 5-15 所示 B 点位置。
3) 环境噪声应低于被测噪声值至少 10dB (A)。
4) 声级计置于 A 计权、快档。

(2) 客车内噪声测量方法

1) 测量位置应符合图 5-15 所示座椅的 A 点位置,且座椅不能坐人。座椅位置应在车的中部或后部。
2) 测量按以下两种方法之一进行:

① 汽车在上述规定的车速范围内慢加速行驶。加速度应足够小,以测得与稳定车速行驶时的相同声级,在所选择的车速上读取 A 声级数值。

② 汽车以所选择的车速匀速行驶,读取相应的声级数值,测量时间至少 5s。变速器应处于最高档位,使不必换档即可覆盖规定的速度范围。

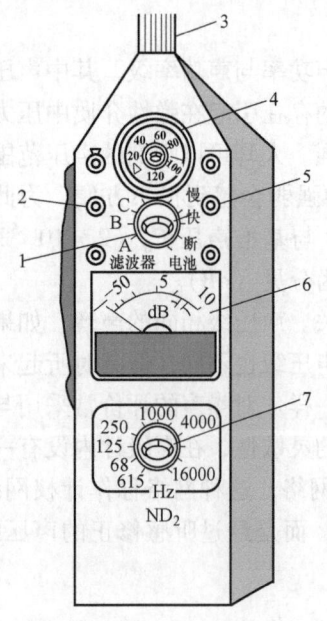

图 5-14 ND₂型精密声级计

1—计权网络按钮 2—外接滤波器
3—电容传声器 4—衰减器
5—放大器输出 6—指示表头
7—滤波器旋钮

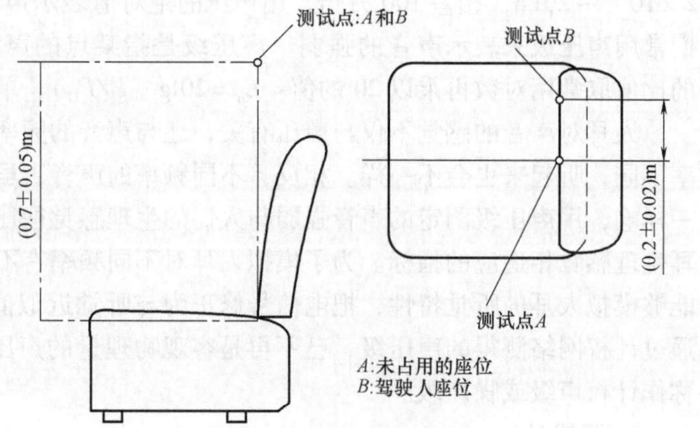

图 5-15 测量位置

3）变速器档位在噪声测试过程中不得改动。

4）如果发动机转速为额定转速的90%时，最高档的车速超过120km/h，则变速器应该降低一档。但对于4档或5档变速器来说不得低于第3档。

（3）汽车喇叭声级测量

GB 7258—2012 对汽车喇叭声级作出如下要求：

在距车前2m、离地高1.2m处测量时，喇叭声级应为90～115dB（A）；测量次数在两次以上，喇叭声音应悦耳。

5.4 车轮侧滑量检测

检测前轮侧滑量的主要目的是为了确知前轮前束与前轮外倾角的配合是否恰当。当二者配合恰当时，汽车前轮保持稳定的直线行驶状态。侧滑量的检测采用侧滑试验台，有滑板式和滚筒式之分，其中，滑板式侧滑试验台（以下简称为侧滑试验台）在我国获得了广泛的应用。

5.4.1 侧滑试验台的检测原理

侧滑试验台是让汽车在滑动板上驶过，用测量滑动板左、右方向移动量的方法，来检测车轮侧滑量并判断是否合格的一种检测设备。其基本原理是：若转向轮外倾和前束配合不当，则汽车直线行驶时，转向轮将处于边滚边滑状态，轮胎与地面间由于滑动摩擦的存在而产生相互作用力。若使汽车驶过可以横向自由滑动的滑板，则该作用力将使滑板产生侧向滑动，如图 5-16 所示。侧滑量的大小反映了汽车转向轮外倾和前束的匹配情况，但并不能表示外倾和前束的具体数值。当汽车转向轮外倾和前束匹配情况理想时，侧滑量为零，汽车行驶时转向轮处于纯滚动状态，轮胎磨损轻，行驶阻力小，转向轻便，操纵稳定性好。应明确说明的是：转向轮外倾和前束均合格时，侧滑量合格；但是，当侧滑量合格时，只能说明转向轮的外倾和前束配合得恰到好处，不一定保证外倾和前束都合格。

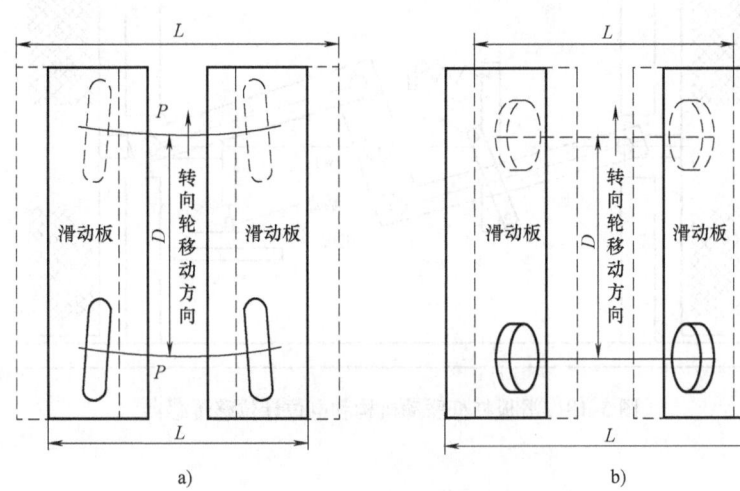

图 5-16 侧滑检测原理

a）前束引起的侧滑　b）外倾引起的侧滑

5.4.2 侧滑试验台的结构与工作原理

滑板式侧滑试验台，按其结构可分为单板式与双板式两种。前者只有一块滑动板，检验时汽车只有一侧车轮从滑动板上通过；后者共有左、右两块滑动板，检验时汽车两侧车轮同时从滑动板上通过。目前国内多采用双板式侧滑试验台。

图 5-17 所示为双板联动式侧滑试验台的结构简图，该试验台主要由机械部分、测量装置、侧滑量定量指示装置和侧滑量定性显示装置等几部分组成。

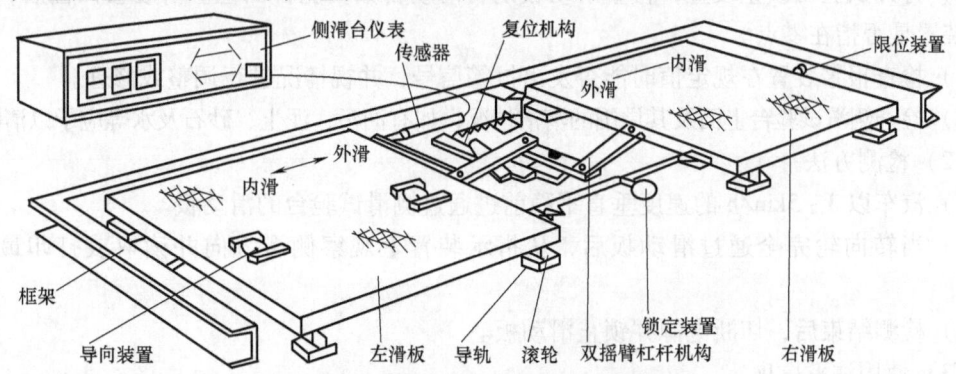

图 5-17 双板联动式侧滑试验台的结构

机械部分主要包括左右滑板、双摇臂杠杆机构、复位装置、导向和限位装置等。通常由于侧滑试验台的规格型号不同,滑板的纵向长度也不同,双滑板联动式侧滑试验台左右两块滑板由杠杆联动(图5-18),同时向外或向内移动,且移动量相等;在其中一块滑板上还装有位移传感器,将滑板的位移量变成电信号传送给侧滑量显示装置。不同试验台所用位移传感器可能不一样,主要有电位计位移传感器(图5-18)、差动变压器位移传感器和自整角电动机位移传感器。

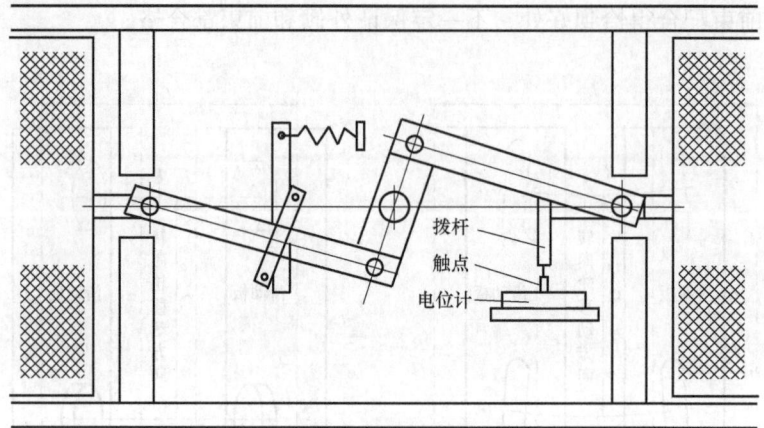

图5-18　滑板杠杆联动机构和电位计位移传感器

5.4.3　侧滑试验台的使用方法

不同型号、规格的侧滑试验台的使用方法不尽相同,在使用前一定要仔细阅读使用说明书。各侧滑试验台的使用方法大致如下:

(1) 检测前的准备工作

1) 轮胎气压应符合规定。

2) 清理轮胎,轮胎表面应无油污、泥土、水,花纹槽内无石子嵌入。

3) 检查侧滑试验台导线连接情况,在导线连接良好的情况下打开电源开关,查看指针式仪表的指针是否在机械零点上,并视情况进行调整,或查看数码管亮度是否正常并都在零位上。

4) 打开试验台锁止装置,检查滑动板是否滑动自如,能否回位。滑动板回位后,检查指示装置是否指在零点。

5) 检查报警装置在规定值时能否发出报警信号,并视情况进行调整或修理。

6) 检查侧滑试验台上面及其周围的清洁情况,如有油污、泥土、砂石及水等应予以清除。

(2) 检测方法

1) 汽车以3~5km/h的速度垂直平稳前进通过侧滑试验台的滑动板。

2) 当转向轮完全通过滑动板后,从指示装置上观察侧滑方向并读取或打印最大侧滑量。

3) 检测结束后,切断电源并锁止滑动板。

(3) 使用注意事项

1) 避免侧滑试验台超载。

2) 不允许汽车在滑动板上转向、制动或停放。

3）保持侧滑试验台内、外及周围环境的清洁。

（4）诊断参数标准　根据国家标准 GB 7258—2012 的规定，用侧滑试验台检测转向轮的侧滑量时，其值应在 ±5m/km 间。

（5）检测后轴技术状况　对于后轮没有定位的汽车，可用侧滑试验台按下列方法检测后轴是否弯曲变形和轮毂轴承是否松旷：

1）检测时，使汽车后轮从侧滑试验台的滑动板上分别前进和后退驶过。

① 如两次侧滑量读数均为 0，表明后轴无任何弯曲变形。

② 如两次侧滑量读数都不为 0，且前进和后退驶过滑动板后，侧滑量读数相等而侧滑方向相反，表明后轴在水平面内发生弯曲。

a. 若前进时滑动板向外滑动，后退时又向内滑动，说明后轴端部在水平面内向前弯曲，这相当于后轮有了前束。

b. 若前进时滑动板向内滑动，后退时又向外滑动，说明后轴端部在水平面内向后弯曲，这相当于后轮有了负前束。

③ 如两次侧滑量读数不为 0，且前进和后退驶过侧滑板后，侧滑量读数相等而侧滑方向相同，表明后轴在垂直平面内发生弯曲。

a. 若滑动板向外滑动，说明后轴端部在垂直平面内向上弯曲，相当于后轮有了负外倾。

b. 若滑动板向内滑动，说明后轴端部在垂直平面内向下弯曲，相当于后轮有了正外倾。

2）后轮多次驶过侧滑试验台滑动板，每次读数都不相等，说明轮毂轴承松旷。

对于后轮有定位的汽车，仍可按上述方法检测后轴是否变形和轮毂轴承是否松旷，只是需要在检测结果中减去车轮定位值，剩余值即为后轴弯曲变形造成的。

5.5　汽车车速表的检测

汽车驾驶室内的车速表是提供行驶速度信息的重要仪表，驾驶人在行车途中能够正确控制车速是保证行车安全和提高运输生产力的关键。车速表经长期使用，指示误差会越来越大，车速表故障或失灵将影响驾驶人对汽车行驶速度的判断。因此，为确保车速表的指示精度，保证行车安全，必须适时对车速表进行检测、校正。

5.5.1　车速表误差的形成与测量原理

1. 车速表误差的形成

车速表有磁感应式和电子式等类型，由于零件在使用过程中发生自然磨损、磁性元件的磁性发生变化和轮胎滚动半径发生变化等原因，都会造成车速表指示误差增大。不管是磁感应式车速表还是电子式车速表，在本身技术状况正常的情况下，轮胎滚动半径的变化是造成车速表误差的主要原因。轮胎滚动半径的变化主要是由于轮胎磨损、气压不足或气压过高等原因造成的。

汽车行驶速度的计算公式：

$$v = 0.377 \frac{rn}{i_g i_0}$$

式中　v——汽车行驶速度（km/h）；
　　　r——轮胎半径（m）；
　　　n——发动机转速（r/min）；
　　　i_g——变速器传动比；
　　　i_0——主减速器传动比。

由上式可知，汽车实际行驶速度与车轮滚动半径成正比关系。因此，即使车速表的技术状况正常，车速表的指示值也会因车轮滚动半径的变化，与实际车速形成误差。

2. 车速表误差测量原理

目前，车速表的检测一般用台架实验法。车速表误差是利用车速表试验台测出车速与车速表上显示的车速进行比较确定的。试验时，将车速表有传动关系的车轮置于滚筒上，如图5-19所示，利用

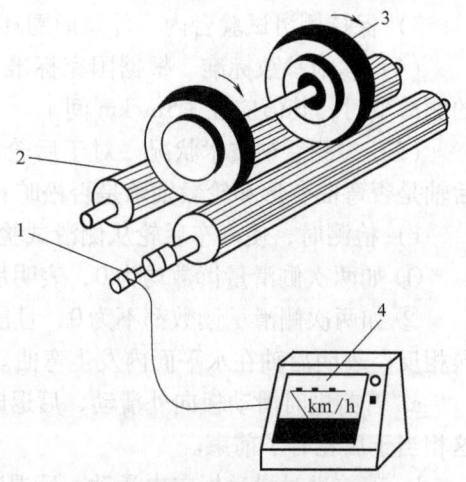

图5-19　车速表误差检测原理
1—速度传感器　2—滚筒　3—车轮
4—速度指示仪表

发动机的动力或试验台本身的动力，使车轮和滚筒旋转。滚筒端部装有速度传感器，能发出与滚筒转速成正比的电信号。

滚筒表面的线速度、滚筒圆周长度和滚筒转速之间的关系，可用下式表示：

$$v = Ln \times 60 \times 10^{-6}$$

式中　v——滚筒表面的线速度（km/h）；
　　　L——滚筒的圆周长度（mm）；
　　　n——滚筒的转速（r/min）。

由于滚筒表面的线速度就是车轮的线速度，因此上述计算值即汽车的实际车速，由车速表试验台上的速度指示仪表显示，又称试验台指示值。车轮带动滚筒或滚筒带动车轮转动时，汽车驾驶室内的车速表也显示车速值，称为车速表指示值。

5.5.2　车速表试验台

车速表试验台的种类繁多，但常用的主要有两种：第一种是标准型车速表试验台，此种试验台是依靠被测车轮带动滚筒旋转来进行测量的；第二种是驱动型车速表试验台，这种试验台是用电动机带动滚筒旋转进行测量的。

1. 标准型车速表试验台

标准型车速表试验台由速度测量装置、速度指示装置和速度报警装置等组成，结构如图5-20所示。

（1）速度测量装置　速度测量装置由滚筒、速度传感器和举升器等组成。滚筒分两组共4个（或2个），直径为185mm（或370mm），滚筒的每端通过滚动轴承安装在底座框架上。试验时为防止汽车差速器齿轮滑转，试验台的两前滚筒由转向节或普通联轴器连在一起，以便于4个滚筒同步转动。速度传感器一般采用测速发电机（现在多用光电式或霍尔式），装在滚筒的一端，测出滚筒转速信号，转化成电压信号或脉冲信号经处理后送到速度指示装置。为使汽车进出试验台方便，在前、后滚筒之间设有举升器。举升器与滚筒装置联动，举升器升起时，滚筒被制动而不能转动。

（2）速度指示装置 速度指示装置根据速度传感器传来的电信号（电压或脉冲数）与滚筒外圆周长等参数，经处理后驱动速度指示仪表指示车速，以 km/h 为单位显示。

（3）速度报警装置 速度报警装置是为判断车速表误差是否在合格范围内设置的。在速度低于或超过某个速度时就用报警灯或蜂鸣器进行报警，以引起注意。

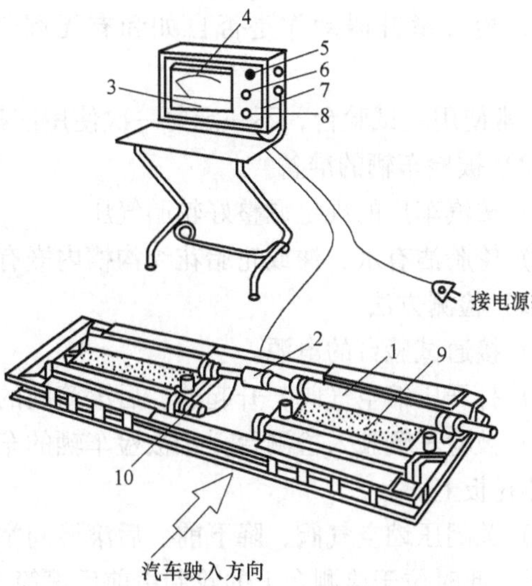

2. 驱动型车速表试验台

前置发动机的汽车，由于发动机与车速表的距离近，车速表由变速器的输出轴通过软轴来驱动；后置发动机的汽车，由于发动机与车速表距离远，如果用软轴驱动车速表，会因软轴过长出现软轴使用寿命缩短和传动精度低等问题。因此有些汽车的车速表用从动车轮（转向轮）来驱动，对这种车辆只能采用电动机驱动型车速表试验台。

图 5-20 标准型车速表试验台
1—滚筒 2—转向节 3—零点调整螺钉 4—速度指示仪表
5—蜂鸣器 6—报警灯 7—电源灯 8—电源开关
9—举升器 10—速度传感器

电动机驱动型车速表试验台，本身带有驱动装置。测试时，由电动机驱动滚筒转动，滚筒带动从动轮旋转，从动轮经软轴带动车速表工作。通过比较车速表的指示值与滚筒的实际线速度之差，检测车速表误差。这种试验台往往在滚筒与电动机之间装有离合器，试验时将离合器分离，可作为标准型试验台使用，如图 5-21 所示。

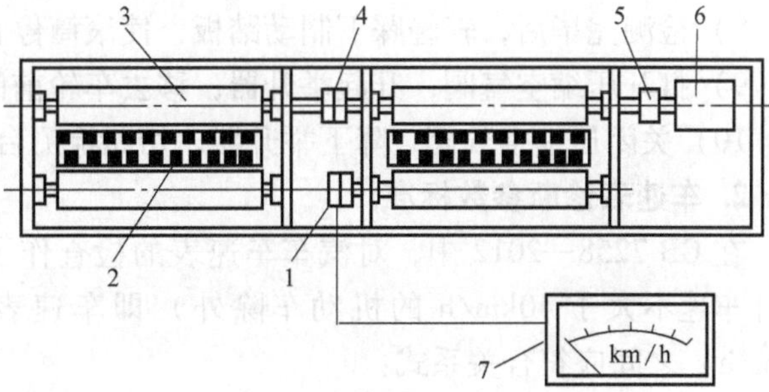

图 5-21 驱动型车速表试验台
1—测速发电机 2—举升器 3—滚筒 4—转向节
5—离合器 6—电动机 7—速度指示仪表

此外，还有一种是把车速表试验台与制动试验台和底盘测功机的功能组合在一起的综合型车速表试验台。

5.5.3 车速表的检测方法及诊断参数标准

1. 车速表的检测方法

车速表的检测方法因试验台的形式不同而检测方法各不同，应根据使用说明书进行操作。车速表试验台通用的检测方法如下：

（1）车速表试验台的准备

1）在滚筒静止状态检查指示仪表是否在零点上。若指针不在零点上，可用零点调整螺钉进行调整。

2）检查滚筒上是否有油、水、泥等杂物。若有，要清除干净。

3) 检查举升器动作是否自如和有无漏气部位。若动作阻滞或有漏气部位, 应予以修理。

经常使用的试验台, 不一定每一次使用前都要进行上述检查。

(2) 被检车辆的准备

1) 按汽车厂的规定调整好轮胎气压。

2) 轮胎沾有水、油或轮胎花纹沟槽内嵌有小石子时, 应清除干净。

(3) 检测方法

1) 接通试验台的电源。

2) 打开压缩空气阀, 升起前、后滚筒间的举升器托板。

3) 被检车辆驶入检测台, 让被检车辆的车轮尽可能地与滚筒成垂直状态停放在检测台举升器托板上。

4) 关闭压缩空气阀, 降下前、后滚筒间举升器托板, 直到轮胎与举升器的托板完全脱离接触。此时位于检测台上的轮胎由前后滚筒支承。

5) 为使汽车在检测时不至于从检测台上滑出, 用三角挡块抵住前轴车轮的前方。

6) 起动汽车, 变速器由低档逐级换入最高档, 缓慢地踩下加速踏板, 使汽车驱动轮平稳加速运转。

7) 当汽车车速表的指示值达到规定检测速度值时, 读取检测台指示仪表上的读数; 或当检测台指示仪表的读数达到测量车速时, 读取汽车车速表上的读数。

8) 检测完毕后, 轻轻踩下制动踏板, 使滚筒停止转动。

9) 打开压缩空气阀, 升起举升器, 移去车轮前的三角挡块, 将被测汽车驶离检测台。

10) 关闭压缩空气阀, 降下举升器, 切断检测台电源。

2. 车速表诊断参数标准

在 GB 7258—2012 中, 对汽车车速表的检查作了如下的规定: 车速表指示误差(最高设计车速不大于 40km/h 的机动车除外)即车速表指示车速 v_1 (km/h) 与实际车速 v_2 (km/h) 之间应符合关系式:

$$0 \leqslant v_1 - v_2 \leqslant \frac{v_2}{10} + 4$$

即当实际车速为 40km/h 时, 车速表的指示值应为 40~48km/h, 或当汽车车速表指示值为 40km/h 时, 实际车速为 32.8~40km/h, 超过上述范围为车速表的指示不合格。

▶▶▶ 5.6 汽车制动性能检测

汽车制动性能是汽车重要的使用性能之一。制动性能良好, 可确保行车安全, 避免交通事故, 同时, 制动性能的好坏还影响汽车动力性的发挥。因此, 必须对汽车的制动装置和制动性能进行严格的检测, 并进行定期的维护。

根据国家标准 GB 7258—2012 的规定, 机动车制动性能的检验方法可分为路试制动性能检验和台试制动性能检验两种。

机动车安全技术检验时, 机动车制动性能的检验宜采用滚筒反力式制动检验台或平板制动检验台检验制动性能, 其中前轴驱动的乘用车更适合采用平板制动检验台检验其制动性能。不宜采用制动检验台检验制动性能的机动车及对台试制动性能检验结果有质疑的机动车应路试检验制动性能。

5.6.1 汽车制动性能的路试检测

路试制动性能检验方法是指利用必要的仪器，通过道路试验进行汽车制动性能的检测。路试法检测制动性能的特点是能够直观、简便、真实地反映汽车实际行驶过程中汽车动态的制动性能，如轴荷转移的影响；能综合反映汽车其他系统的结构性能对汽车制动性能的影响，如转向机构、悬架系统结构等，且不需要大型设备与厂房。

1. 路试制动性能检测项目

路试制动性能检测项目主要有：行车制动性能检测、应急制动性能检测、驻车制动性能检测。行车制动性能检测有如下两种方法。

1）用制动距离检测行车制动性能。参数包括：①制动距离；②制动稳定性。

2）用充分发出的平均减速度检测行车制动性能。参考包括：① 平均减速度（FMDD）；②制动协调时间。

充分发出的平均减速度：$FMDD = \dfrac{v_b^2 - v_e^2}{25.92(S_e - S_b)}$

式中　v_b——$0.8v_0$ 车辆的速度（km/h）；

v_0——制动初速度（km/h）；

v_e——$0.1v_0$ 车辆的速度（km/h）；

S_b——在速度 v_0 和 v_b 之间的车辆驶过的距离（m）；

S_e——在速度 v_0 和 v_e 之间的车辆驶过的距离（m）。

2. 路试制动性能的检测条件

路试法一般是在受检车辆上装置检测仪器（如第五轮仪和减速度仪），使车辆在道路上行驶，检测车辆的制动性能、制动减速度和制动协调时间。路试检测是检验机动车制动性能的最基本的方法，也是最可靠的方法。路试制动性能的检测条件如下：

（1）试验车辆

1）试验时应按规定调整好轮胎气压，胎压偏差不超过 ±10kPa；花纹深度不少于原深度的 20%。

2）按规定要求装载。

3）制动气压或制动踏板力要符合 GB 7258—2012 的规定。

4）试验车辆其他技术条件均应按 GB 7258—2012 要求达到标准。

（2）试验环境　国家标准 GB 7258—2012 中规定：机动车路试应在平坦、硬实、干燥和清洁且轮胎与路面间的附着系数不小于 0.7 的水泥或沥青路面上进行，路试检测制动时发动机应脱开；试验应在晴天或阴天，风速不大于 5m/s 的条件下进行。其他环境及条件要求均应符合 GB 7258—2012 的规定。

3. 路试检测的内容及方法

（1）行车制动性能检测

1）制动距离。车辆在规定的初速度下的制动距离和制动稳定性应符合表 5-2 的要求。

在进行路试时,制动踏板力或制动气压力应按下列规定:

① 满载检测时

气压制动系统:气压表指示气压≤额定工作压。

液压制动系统:踏板力≤500N(座位数小于9的载客汽车)或踏板力≤700N(其他车辆)。

② 空载检测时

气压制动系统:气压表指示气压≤600kPa。

液压制动系统:踏板力≤400N(座位数小于9的载客汽车)或踏板力≤450N(其他车辆)。

在表5-2中制动稳定性要求规定了车辆任何部位不得超出试车道的宽度。在进行路试制动性能之前,应事先按表5-2相应规定画出试车道,检验时,车辆沿试车道中线行驶到规定的初速度时急踩制动踏板,若车辆的任何部位都不超出规定的试车道边线,即为合格。

对空载检验制动性能有质疑时,可用表5-2中满载检验的制动性能要求进行检验。

表5-2 制动距离和制动稳定性要求

机动车类型	制动初速度/(km/h)	空载检验制动距离要求/m	满载检验制动距离要求/m	试验通道宽度/m
三轮汽车	20	≤5.0		2.5
乘用车	50	≤19.0	≤20.0	2.5
总质量不大于3500kg的低速货车	30	≤8.0	≤9.0	2.5
其他总质量不大于3500kg的汽车	50	≤21.0	≤22.0	2.5
铰接客车、铰接式无轨电车、汽车列车	30	≤9.5	≤10.5	3.0
其他汽车	30	≤9.0	≤10.0	3.0
两轮普通摩托车	30	≤7.0		—
边三轮摩托车	30	≤8.0		2.5
正三轮摩托车	30	≤7.5		2.3
轻便摩托车	20	≤4.0		—
轮式拖拉机运输机组	20	≤6.0	≤6.5	3.0
手扶变型运输机	20	≤6.5		2.3

2)充分发出的平均减速度(FMDD)。车辆可用FMDD和制动协调时间来检验行车制动性能。

① FMDD。汽车、汽车列车在规定的初速度下急踩制动时FMDD和制动稳定性应符合表5-3的要求。对空载检验制动性能有质疑时,可用表中满载检验的制动性能要求进行检验。

② 制动协调时间。制动协调时间是指在急踩制动踏板时,从踏板开始动作至车辆减速度(或制动力)达到表5-3规定的车辆FMDD(或表5-5规定制动力)75%时所需时间。对采用液压制动系统的车辆制动协调时间不得大于0.35s;对采用气压制动系统的车辆制动协调时间不得大于0.56s。

车辆的路试行车制动性能检测能符合上述1)或2)两项要求之一即为合格。

表 5-3　制动减速度和制动稳定性要求

机动车类型	制动初速度/(km/h)	空载检验充分发出的平均减速度/(m/s²)	满载检验充分发出的平均减速度/(m/s²)	试验通道宽度/m
三轮汽车	20	≥3.8		2.5
乘用车	50	≥6.2	≥5.9	2.5
总质量不大于3500kg的低速货车	30	≥5.6	≥5.2	2.5
其他总质量不大于3500kg的汽车	50	≥5.8	≥5.4	2.5
铰接客车、铰接式无轨电车、汽车列车	30	≥5.0	≥4.5	3.0
其他汽车	30	≥5.4	≥5.0	3.0

(2) 应急制动性能检测　车辆在空载和满载状态下，按表5-4所列出的初速度进行应急制动性能检验。测量出的从应急制动操纵始点至车辆停止时的制动距离（或平均减速度）应符合表5-4的要求。

在进行应急制动前，应使被测车辆的行车制动系统的一处管路失效，然后按检验要求检验。

表 5-4　应急制动性能要求

车辆类型	制动初速度/(km/h)	制动距离/m	FMDD/(m/s²)	允许操纵力不大于/N	
				手操纵	脚操纵
座位数≤9的载客汽车	50	≤38	≥2.9	400	500
其他载客汽车	30	≤18	≥2.5	600	700
其他汽车	30	≤20	≥2.2	600	700

(3) 驻车制动性能监测　所谓驻车制动性能是指车辆在一定坡度上，利用驻车制动系统，使车不下滑的能力。国标规定，试验用坡道表面附着系数大于0.7，在空载时，总质量为整备质量1.2倍以下的车辆，其驻车制动应保持在15%的坡道，其他车辆驻车制动应保持在20%坡道上，固定不动时间为5min，而且正反两方向均应满足此要求。

检验时的操作力：手操纵时，对于座位数小于或等于9的载客汽车应不大于400N；对于其他车辆应不大于600N；脚操纵时，对于座位数小于或等于9的载客汽车应不大于500N；对于其他车辆应不大于700N。

5.6.2　制动性能的台架检测

制动性能的台架检测即采用制动试验台来检测车辆的制动性能。由于制动试验台能迅速、准确地检测制动性能，且经济、安全，不受气候条件限制，试验重复性好，并能定量地测量出各个车轮的制动力或制动距离，因而台架检测已成为检测车辆制动性能的常用方法，并将逐渐取代路试法。

汽车试验台有多种类型，按测试原理的不同，可分为反力式和惯性式两种；按试验台支承车轮形式不同，可分为滚筒式和平板式两类。目前，单轴反力式滚筒制动试验台应用最为普遍，国内、外汽车检测站所用制动检测设备多为这种形式。

利用制动试验台检测汽车制动性能时，其制动的参数标准是以轴制动力占轴荷的百分比为依据的，因此必须在测得轴荷和轴制动力后才能评价制动性能是否符合国标要求。用于检测车轴轴载质量的设备称为轴重检测台，又称轴重仪。电子轴重仪一般由机械部分和显示仪表组成。双载荷台板式轴重仪的外形如图 5-22 所示。

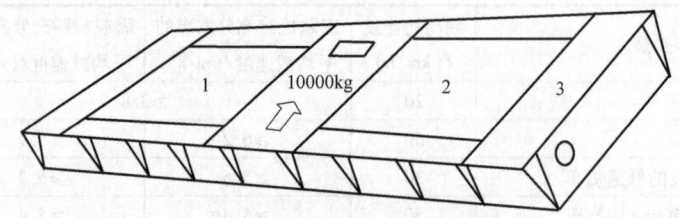

图 5-22 双载荷台板式轴重仪外形图
1—左称体 2—右称体 3—框架

1. 用反力式滚筒制动试验台检测制动性能

（1）反力式滚筒制动试验台的结构与工作原理

1）结构。单轴反力式滚筒制动试验台的结构如图 5-23 所示。它由框架、驱动装置、滚筒装置、测量装置、举升装置和指示与控制装置等组成。为使制动试验台能同时检测车轴两端左、右车轮的制动力，除框架、指示与控制装置外，其他装置都是独立设置的。

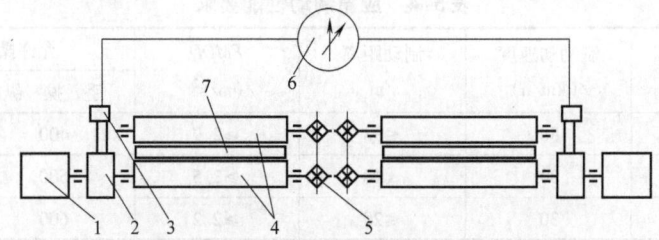

图 5-23 单轴反力式滚筒制动试验台简图
1—电动机 2—减速器 3—测量装置 4—滚筒装置
5—链传动 6—指示与控制装置 7—举升器

① 驱动装置。该装置由电动机、减速器和链传动等组成。电动机的动力经减速器后驱动主动滚筒，主动滚筒又通过链传动带动从动滚筒。

② 滚筒装置。滚筒装置由左、右独立设置的两对滚筒构成。被测车轮置于两滚筒之间，滚筒相当于活动路面，用来支承车轮并在制动时承受和传递制动力。

③ 测量装置。测量装置由测力杠杆和传感器组成，传感器将测力杠杆传来的力或位移转变成电信号，送入指示与控制装置。

④ 举升装置。该装置由举升器、举升平板和控制开关等组成。举升装置的功能是便于汽车平稳地出入制动试验台。

⑤ 指示与控制装置。指示装置有数字显示和指针显示两种，带微机的控制装置多配置数字式显示器。

2）工作原理。反力式滚筒制动试验台测量车轮制动力的原理如图 5-24 所示。把被检测的汽车驶入试验台，使车轮停于滚筒之间。随后由电动机驱动滚筒，滚筒再驱动车轮转动。当被检测的汽车施行制动时，汽车的车轮给滚筒一个与滚筒驱动力方向相反的力。此力将迫使测力杠杆摆动，从而使测力秤（传感器）动作，测出汽车车轮的制动力。

（2）反力式滚筒制动试验台的使用方法

1）如果指示装置为指针式仪表，检查指针是否在机械零点，如果不在零点应进行调整。

2）检查并清除制动试验台滚筒上的泥、水、砂、石等杂物。

3）核实汽车各轴轴荷，不得超过制动试验台的允许值。

4）检查并清除汽车轮胎上的泥、水、砂、石等杂物。

5）检查汽车轮胎气压是否符合汽车制造厂的规定，如不符应充至规定气压。

6）将制动试验台举升器升起。

7）被测车轴在轴重计或轮重仪上检测完轴荷后，汽车应尽可能顺垂直于滚筒的方向驶入制动试验台。先前轴，再后轴，使车轮处于两滚筒之间。

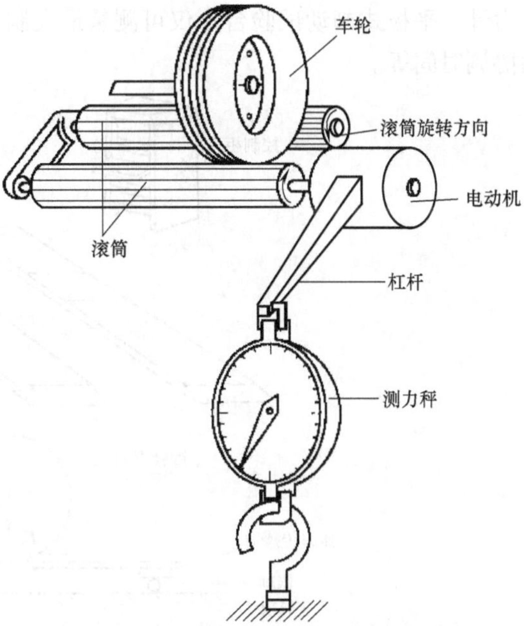

8）汽车停稳后变速杆置于空档位置，行车制动器和驻车制动器处于完全放松状态，能测制动时间的试验台还应把脚踏开关套在制动踏板上。

9）降下举升器，至举升器平板与轮胎完全脱离为止。

10）对于带有内藏式轴重测量装置的制动试验台，则应在此时测量轴荷。

11）起动电动机，使滚筒带动车轮转动，先测出制动拖滞力。

12）用力踩下制动踏板，检测轴制动力。一般在1.5～3.0s后或带有第三滚筒的发出信号后，制动试验台滚筒自动停转。

13）读取并打印检测结果。

14）升起举升器，开出已测车轴，开入下一车轴，按上述同样方法检测轴荷和制动力。

15）当与驻车制动器相关的车轴在制动试验台上时，检测完行车制动性能后应重新起动电动机，在行车制动器完全放松的情况下用力拉紧驻车制动器操纵杆，检测驻车制动性能。

16）所有车轴的行车制动性能及驻车制动性能检测完毕后，升起举升器，汽车开出制动试验台。

17）切断制动试验台电源。

2. 平板式制动试验台

平板式制动试验台的结构如图5-25所示，由面板、底板、钢球和力传感器等组成。底板底座固定在混凝土地面上，面板通过压力传感器和钢球置于底板上，其纵向通过拉力传感器与底板相连。压力传感器用于测量作用在面板上的垂直力；拉力传感器则用于测量沿汽车行驶方向，轮胎作用在面板上的水平力。水平力和垂直力的大小变化分别对应拉力传感器和压力传感器所输出的电信号的变化。拉力传感器和压力传感器所输出的电信号由计算机采集、处理后，换算成制动力和轮荷的大小分别在显示装置上显示出来。如果装用无线式踏板

图5-24 反力式滚筒制动试验台工作原理

压力计，平板式制动试验台不仅可测量最大制动力，还可提供制动力随时间变化的曲线、制动协调时间等。

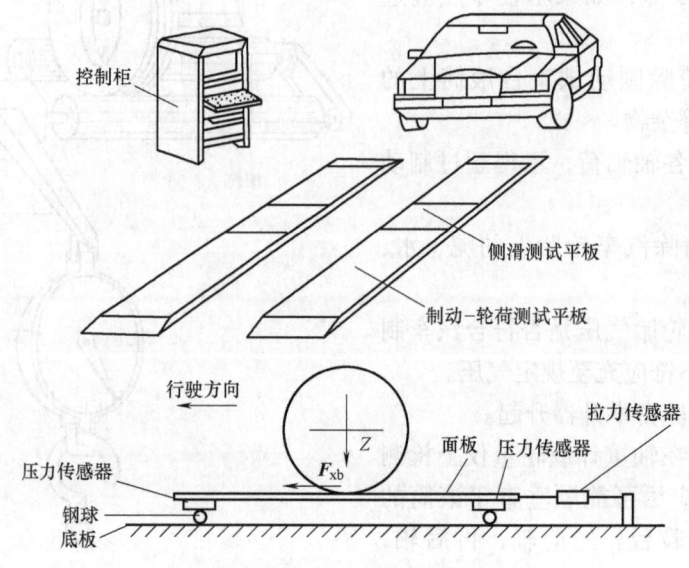

图 5-25 平板式制动试验台示意图

平板式制动试验台上的制动试验过程接近汽车在道路上行驶时的制动过程。但平板式制动试验台存在测量重复性误差且重复性试验较麻烦、占地面积大、需要助跑车道、不利于流水作业和不安全等缺点，因此不如反力式滚筒制动试验台应用广泛。

3. 台架检测制动性能诊断参数标准

（1）行车制动性能监测

1）制动力。台架检测出的制动力应符合表5-5的规定。在进行台架检测时，车辆一般可在空载状态下进行。测试时，只乘坐一名驾驶人。

检测时制动踏板力或制动气压要求与路试测制动距离相同。

表 5-5 台架检验制动力要求

机动车类型	制动力总和与整车质量的百分比(%)		轴制动力与轴荷[①]的百分比(%)	
	空载	满载	前轴[②]	后轴[②]
三轮汽车	—	—		≥60[③]
乘用车、其他总质量不大于3500kg的汽车	≥60	≥50	≥60[③]	≥20[③]
铰接客车、铰接式无轨电车、汽车列车	≥55	≥45	—	—
其他汽车	≥60	≥50	≥60[③]	≥50[④]
普通摩托车	—	—	≥60	≥55
轻便摩托车	—	—	≥60	≥50

① 用平板制动检验台检验乘用车时应按左右轮制动力最大时刻所分别对应的左右轮动态轮荷之和计算。
② 机动车（单车）纵向中心线中心位置以前的轴为前轴，其他轴为后轴；挂车的所有车轴均按后轴计算；用平板制动试验台测试并装轴制动力时，并装轴可视为一轴。
③ 空载和满载状态下测试时应满足此要求。
④ 满载测试时后轴制动力百分比不做要求；空载用平板制动检验台检验时应大于等于35%；总质量大于3500kg的客车，空载用反力滚筒式制动试验台测试时应大于等于40%，用平板制动检验台检验时应大于等于30%。

2) 制动力平衡要求。在制动力增长全过程中同时测得的左右车轮制动力差的最大值，与制动力增长全过程中测得的该轴左右轮最大制动力中较大者之比，对前轴不得大于20%；对后轴，当后轴制动力大于或等于后轴轴荷的60%时，不得大于24%，当后轴制动力小于后轴轴荷的60%时，不得大于后轴轴荷的8%。

3) 制动协调时间。制动协调时间的定义与限值与路试检测的要求相同。

4) 车轮阻滞力。车轮阻滞力是指行车和驻车制动装置处于完全释放状态，变速杆置于空档位置时，试验台驱动车轮所需的作用力。汽车各车轮的阻滞力不得大于该轴轴荷的5%。

5) 制动完全释放时间。制动完全释放时间是指从松开制动踏板到制动消除所需要的时间。单车的制动完全释放时间不得大于0.8s。

(2) 制动力平衡要求（两轮、边三轮摩托车和轻便摩托车除外）

在制动力增长全过程中同时测得的左右轮制动力差的最大值，与全过程中测得的该轴左右轮最大制动力中较大者（当后轴及其他轴，制动力小于该轴轴荷的60%时为与该轴轴荷）之比，对新注册车和在用车应分别符合表5-6的要求。

表5-6 台架检验制动力平衡要求

	前轴	后轴（及其他轴）	
		轴制动力大于等于该轴轴荷60%时	制动力小于该轴轴荷60%时
新注册车	≤20%	≤24%	≤8%
在用车	≤24%	≤30%	≤10%

(3) 驻车制动性能监测 当采用制动试验台检验车辆驻车制动器的制动力时，车辆空载，乘坐一名驾驶人，使用驻车制动装置，测得的驻车制动力的总和应不小于该车在测试状态下整车质量的20%，对总质量为整备质量1.2倍以下的车辆，此值为15%。

5.7 前照灯性能的检测

前照灯是汽车在夜间或在能见度较低的条件下，为驾驶人提供行车道路照明的重要设备，而且也是驾驶人发出警示、进行联络的灯光信号装置，所以前照灯必须有足够的发光强度和正确的照射方向。由于在行车过程中，汽车受到振动，可能引起前照灯部件的安装位置发生变动，从而改变光束的正确照射方向，同时，灯泡在使用过程中会逐步老化，反射镜也会受到污染而使其聚光的性能变差，导致前照灯的亮度不足。这些变化，都会使驾驶人对前方道路情况辨认不清，或在与对面来车交会时造成对方驾驶人眩目等，从而导致事故的发生。因此，保持汽车前照灯良好的性能非常重要。

5.7.1 汽车灯光光学基础

1. 光的度量

(1) 电光源 它是将电能转化为光能的装置。汽车的前照灯、信号灯等均是电光源。

(2) 发光强度 它是表示光源发光强度的物理量，计量单位为坎德拉（cd）。

(3) 照度 表示受光表面被照明的程度的物理量，计量单位是勒克斯（lx）。

(4) 发光强度与照度的关系 在不计光源大小的情况下（看作是点光源），照度与离开

光源距离的平方成反比（倒数二次方法则），即

$$照度 = \frac{发光强度}{离开光源距离^2}$$

2. 前照灯的光学特性

前照灯的特性有配光特性、全光束和照射方向，如图 5-26 所示。

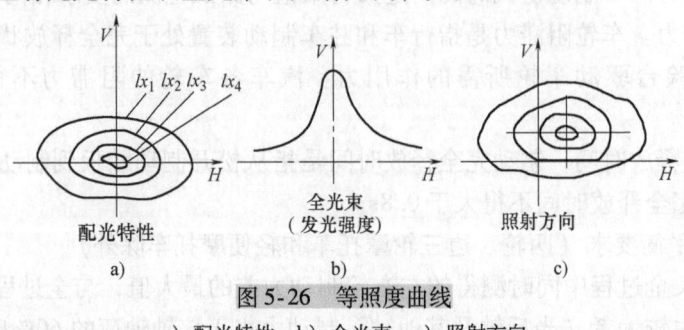

图 5-26　等照度曲线
a）配光特性　b）全光束　c）照射方向

（1）配光特性　配光特性是指前照灯灯光的光形分布特性。如果将照度相同的点连成一条等照度曲线，则等照度曲线的形状与分布就反映出了前照灯的配光特性，如图 5-26a 所示。对称式配光特性，其等照度曲线应左右对称，不偏向一边，上下的扩展也不太宽，如图 5-26a 所示。非对称式配光特性，其光形分布是不对称的，如图 5-27 所示。非对称式配光特性又有两种形式：一种是在配光屏幕上明暗截止线水平部分在 V-V 线的左半边，右半边与水平线成 15°的斜线，如图 5-27a 所示；另一种是明暗截止线的左半边平行且低于 h-h 水平线 25cm，而右半边为一与水平线成 45°的斜线，至与 h-h 水平线相交时，又转折为与 h-h 线重合的水平线，如图 5-27b 所示。

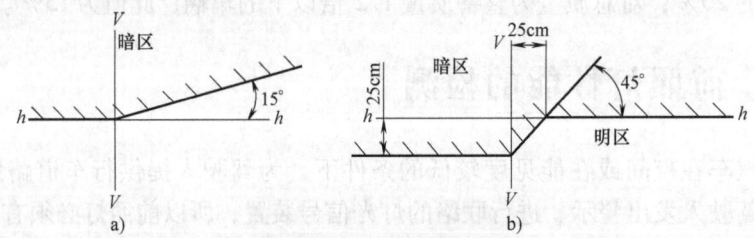

图 5-27　非对称配光示意图
a）情况（1）　b）情况（2）

（2）全光束　光束用明亮度分布纵断面的配光特性曲线来表示，该端面的积分值（该曲线的旋转体积）即为全光束。可以认为，全光束是光源发出的光的总量，如图 5-26b 所示。

（3）照射方向　一般情况下，可把前照灯光束最亮处看作是光轴。光轴中心对水平、垂直坐标轴交点的偏离，表示光轴的照射方向，也即表示光束的照射方向，如图 5-26c 所示。

5.7.2　屏幕法检测前照灯光束照射位置

1. 屏幕法检测前照灯光束照射位置的检验标准

根据 GB 7258—2012 的规定，汽车前照灯的检验指标为光束照射位置的偏移值和发光强度（cd）。前照灯光束照射位置应符合以下要求：

1）检验前照灯的近光光束照射位置时，在距离屏幕 10m 处，乘用车前照灯近光光束明

暗截止线转角或中点的高度应为 $0.7 \sim 0.9H$（H 为前照灯基准中心高度），其他机动车应为 $0.6 \sim 0.8H$；机动车前照灯近光光束水平方向位置向左偏不允许超过 170mm，向右偏不允许超过 350mm。

2）检验前照灯远光光束及远光单光束灯照射位置时，在距离屏幕 10m 处，要求在屏幕上光束中心离地高度，乘用车为 $0.85 \sim 0.95H$，其他机动车为 $0.8 \sim 0.95H$；机动车前照灯远光光束水平位置要求，左灯向左偏移不允许超过 170mm，向右偏移不允许超过 350mm；右灯向左或向右偏均不允许超过 350mm。

2. 屏幕法检测前照灯光束照射位置的检测方法

1）检测的准备工作。被检验的车辆应空载、轮胎气压正常、乘坐一名驾驶人。将车辆停置于屏幕前，并与屏幕垂直，使前照灯基准中心距屏幕 10m，在屏幕上确定与前照灯基准中心离地面距离 H 等高的水平基准线，及以车辆纵向中心平面在屏幕上的投影线为基准确定的左、右前照灯基准中心位置线。分别测量左、右远近光束的水平或垂直照射方位的偏移值，如图 5-28 所示。

屏幕上画有 2 条垂直线和 3 条水平线：中间垂直线 $V\text{-}V$ 与被检车辆的纵向中心垂直面对齐；两侧的垂直线 $V_L\text{-}V_L$ 和 $V_R\text{-}V_R$ 分别为被检车辆左右前照灯基准中心的垂直线。

水平线中的 $h\text{-}h$ 线与被检车辆前照灯的基准中心等高，距地面高度为 H，H 为被检车辆前照灯基准中心距地面的高度，视被检车型而定。中间水平线与被检车辆前照灯远光光束的中心等高，距地面高度为 H_1；下侧水平线与被检车辆前照灯近光光束的中心等高，距地面高度为 H_2。H_1 和 H_2 的值根据 GB 7258—2012 中的检验标准计算。

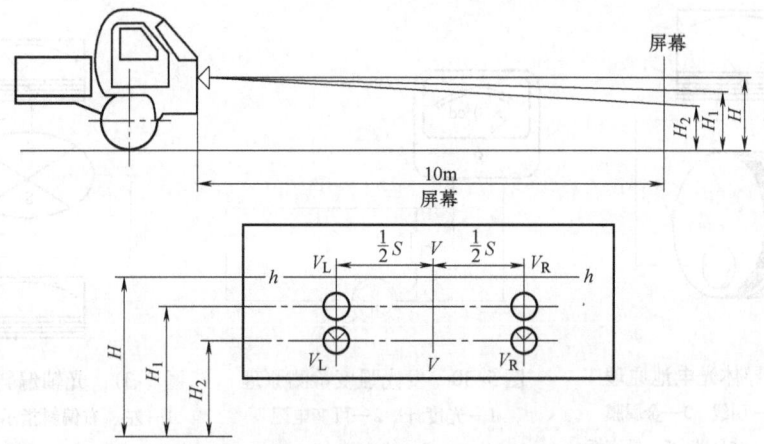

图 5-28 用屏幕法检测前照灯光束照射位置

2）检测时，先遮盖住一边的前照灯，然后打开前照灯的近光开关，未被遮盖的前照灯的近光明暗截止线转角或光束中心应落在图中下边水平线与 $V_L\text{-}V_L$ 或 $V_R\text{-}V_R$ 垂线的交点位置上，否则为光束照射位置偏斜。其偏斜方向和偏斜量可在屏幕上直接测量，用同样方法检测另一边前照灯近光光束照射位置。

根据检测标准，检测调整前照灯光束的照射位置时，对远、近双光束灯应以检测调整近光光束为主。对于远光单光束前照灯，则要检测远光光束的照射位置。其光束中心应落在中间水平线与 $V_L\text{-}V_L$ 或 $V_R\text{-}V_R$ 垂线的交点位置上。

用屏幕法检测前照灯简单易行，但只能检测出光束的照射位置，不能检测发光强度。为适应不同车型的检测，需经常更换屏幕，检测效率低，同时，需要占用较大场地。目前广泛采用前照灯校正仪对汽车前照灯进行检测。

5.7.3 使用前照灯检测仪检测前照灯性能

1. 前照灯检测仪的检测原理

用于检测汽车前照灯性能的设备，称为前照灯检测仪。前照灯检测仪是一种专用的光学仪器镜，使用的主要元器件是硅半导体光电池和聚光透镜。光电池用于吸收前照灯发出的光能，将其转变成光电池的电流，按该电流的大小来确定前照灯的发光强度与光轴偏移量。

光电池构造如图5-29所示，它是由结晶硅、金属薄膜、底板和引线等组成。当光电池受到光照射后，光能使金属薄膜和硅晶体上下部之间产生电动势，使结晶硅上部带负电，下部带正电。因此在金属薄膜和铁底板上接出引线后，即可将电路接通，从而使电流表指针偏转。

（1）发光强度的检测原理　如图5-30所示，将光电池与光度计用导线连接起来，在规定的距离使前照灯灯光照射光电池后，光电池产生对应于前照灯发光强度大小的电流使光度计指针偏转，从而检测出前照灯的发光强度。

（2）光轴偏斜量的检测原理　如图5-31所示，把光电池分成S_1、S_2、S_3、S_4四份。S_1和S_3之间接有上下偏斜指示针，S_2和S_4之间接有左右偏斜指示针。当前照灯光束照射光电池后，各分光电池分别产生电流。当S_1和S_3或S_2和S_4受光面不一致时，产生的电流也不一致，根据其差值，可使左右偏斜指示针或上下偏斜指示针动作，指示出光轴的偏斜量。

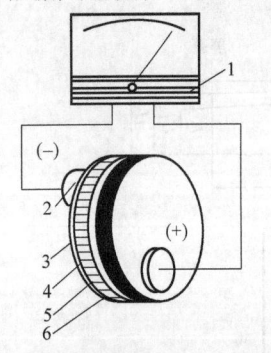

图5-29　半导体光电池原理

1—电流表　2—引线　3—金属膜
4—非结晶硅　5—结晶硅　6—铁底板

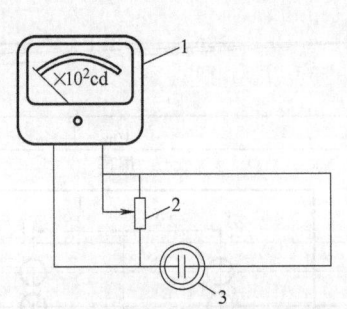

图5-30　发光强度检测原理

1—光度计　2—可变电阻
3—光电池

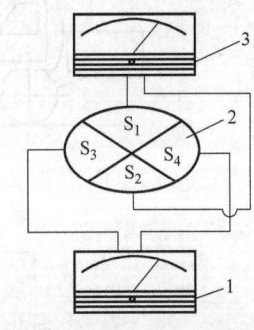

图5-31　光轴偏斜量的检测原理

1—左、右偏斜指示针　2—光电池
3—上、下偏斜指示针

2. 汽车前照灯检验仪的组成

根据结构特征与测量方法，前照灯检验仪可分为聚光式（图5-32）、屏幕式（图5-33）、投影式（图5-34）和自动追踪光轴式（图5-35）等几种。这些不同类型的前照灯检验仪都是由接受前照灯光束的受光器、使受光器与汽车前照灯对正的校准装置、前照灯发光强度指示装置、光轴偏斜量指示装置、支柱、底座、导轨、汽车摆正找准装置等组成。

3. 使用前照灯仪检测前照灯的方法

以屏幕式前照灯检测仪为例，介绍前照灯仪检测前照灯的方法。

屏幕式前照灯检验仪是把前照灯的光束照射到屏幕上，从而检验发光强度和光轴偏斜量。屏幕式前照灯检验仪的构造如图5-33所示。在固定的屏幕上装有可以左右移动的活动屏幕，在活动屏幕上装有能上下移动的内部带光电池的受光器。检验时，移动受光器和活动屏幕，根据光度计指示值为最大时的位置找到主光轴的方向，然后由固定屏幕和活动屏幕上的光轴刻度尺即可读出光轴偏斜量，同时可从光度计的指示值得出发光强度。

1) 将被检车尽可能地与检验仪的屏幕或导轨保持垂直方向驶近检验仪，使前照灯与检验仪受光器相距3m。

2) 用汽车摆正找准器使检验仪与被检汽车对正。

3) 开亮前照灯，用前照灯找准器使

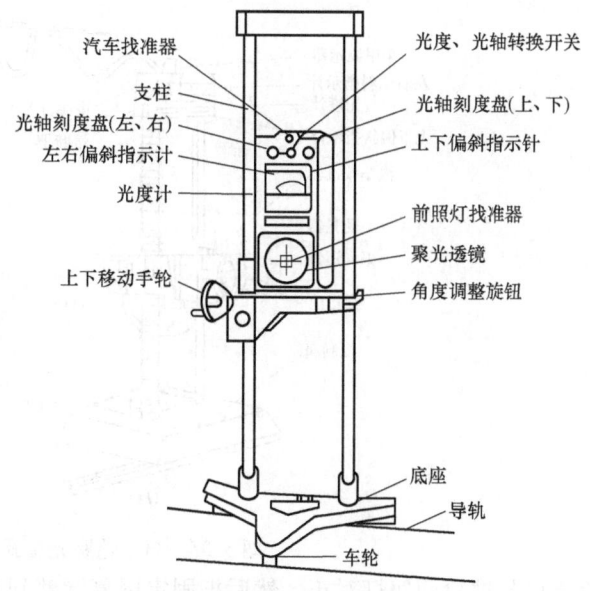

图 5-32 聚光式前照灯检测仪

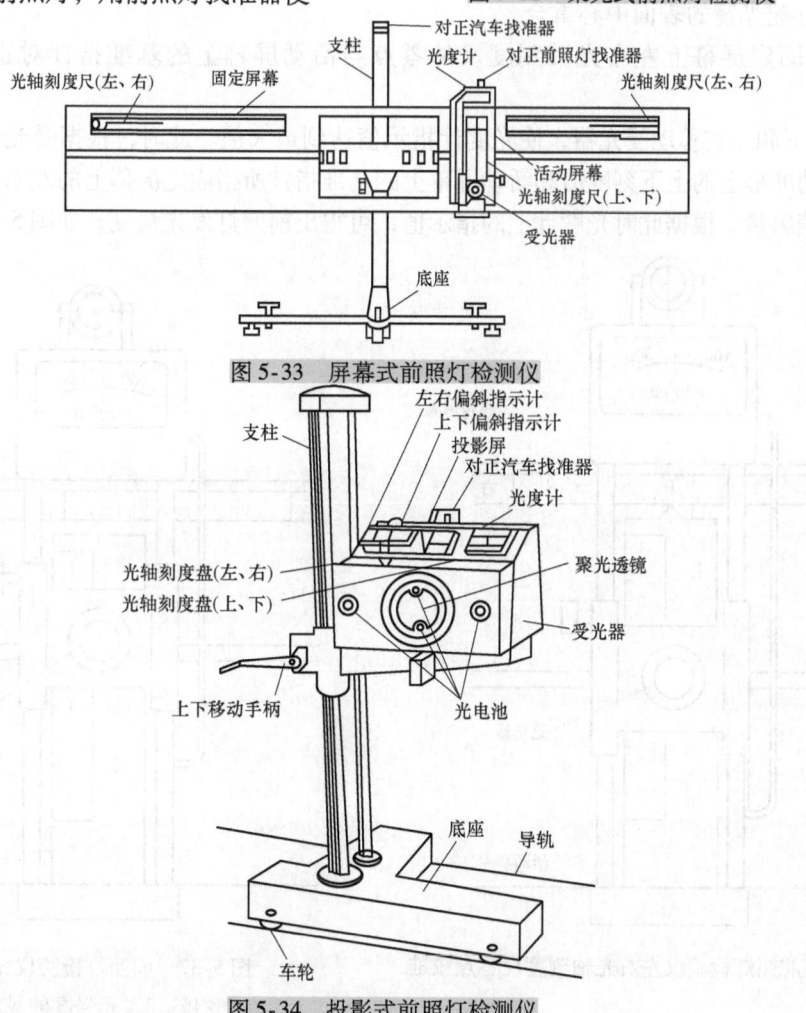

图 5-33 屏幕式前照灯检测仪

图 5-34 投影式前照灯检测仪

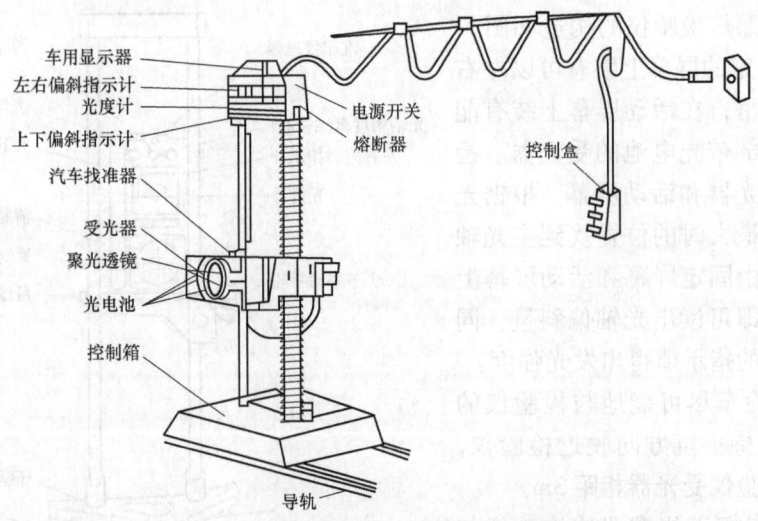

图 5-35 自动追踪光轴式前照灯检测仪

检验仪与被检前照灯对正。然后把固定屏幕调整到与前照灯一样高,要特别注意使受光器与被检前照灯配光镜的表面中心重合。

4) 使固定屏幕上左右光轴刻度尺的零点与活动屏幕上的基准指针对正,如图 5-36 所示。

5) 上下和左右移动受光器,使光度计指示值达到最大值。此时,根据受光器上的基准指针所指活动屏幕上的上下刻度值和活动屏幕上的基准指针所指固定屏幕上的左右刻度值,即可得出光轴偏斜量。根据此时光度计上的指示值,可得出前照灯发光强度,如图 5-37 所示。

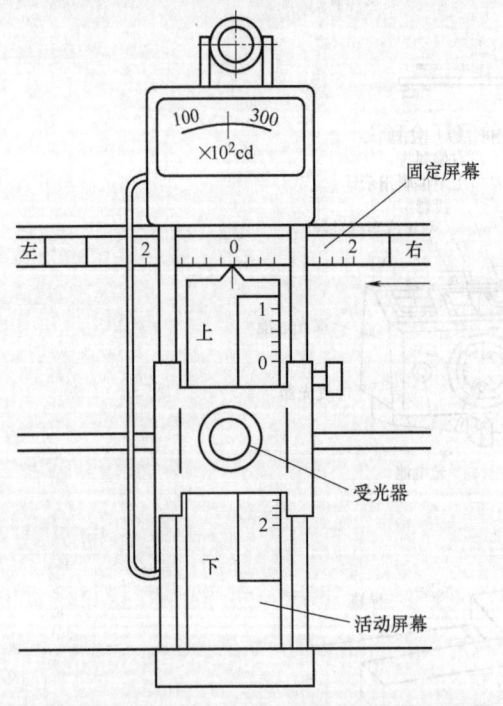

图 5-36 前照灯检验仪左右光轴刻度尺零点校准

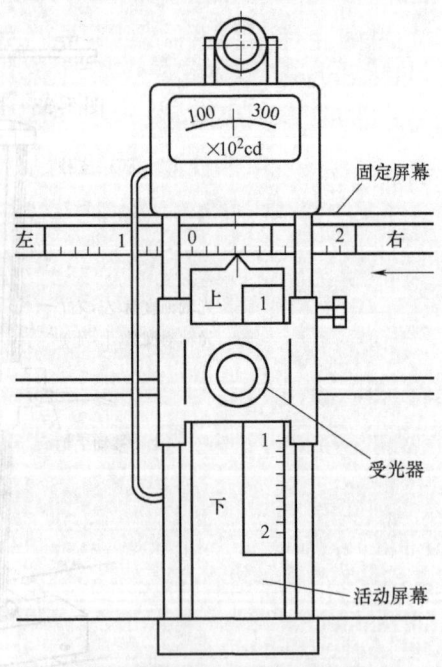

图 5-37 前照灯检验仪光轴偏斜量和发光强度的显示

4. 诊断参数标准

根据 GB 7258—2012 的规定，前照灯的光束照射位置和发光强度应符合表 5-7 的要求。

表 5-7 前照灯远光光束发光强度最小值要求　　　　　　（单位：cd）

机动车类型		检查项目					
		新注册车			在用车		
		一灯制	二灯制	四灯制[①]	一灯制	二灯制	四灯制[①]
三轮汽车		8000	6000	—	6000	5000	—
最大设计车速小于 70km/h 的汽车		—	10000	8000	—	8000	6000
其他汽车		—	18000	15000	—	15000	12000
普通摩托车		10000	8000	—	8000	6000	—
轻便摩托车		4000	3000	—	3000	2500	—
拖拉机运输机组	标定功率 >18kW	—	8000	—	—	6000	—
	标定功率 ≤18kW	6000[②]	6000	—	5000[②]	5000	—

① 四灯制是指前照灯具有四个远光光束；采用四灯制的机动车其中两只对称的灯达到两灯制的要求时视为合格。
② 允许手扶拖拉机运输机组只装用一只前照灯。

练习与思考题

一、填空题

1. 底盘测功试验台，一般由_____、_____、_____、_____4 部分组成。
2. 柴油车自由加速烟度的检测应在自由加速工况下，采用_____，按测量规程进行。
3. 汽车前照灯的检验指标为_____和_____。
4. 车速表试验台按有无驱动装置可分为_____和_____。
5. 我国的排放法规主要限制汽油机的_____、_____和_____的排放量和柴油机排气的_____。
6. GB 7258—2004/XG3—2008 中，对噪声进行了限制，规定汽车驾驶人耳旁噪声应不大于_____dB（A），客车以_____的速度匀速行驶时，客车车内噪声应不大于_____。
7. 按照结构特征与测量方法不同，常用汽车前照灯校正仪可分为聚光式、屏幕式、_____和_____4 种类型。
8. 侧滑量反映转向轮_____与_____相互配合的综合结果。二者匹配情况理想时，侧滑量为_____，汽车行驶时转向轮处于纯滚动状态。
9. 制动试验台按试验台测量原理不同，可分为_____式和_____式两类。

二、问答题

1. 简述底盘测功机的基本功能、结构与工作原理及使用方法。
2. 如何进行双急速排放试验？
3. 如何进行柴油机自由加速烟度试验？
4. 国家标准对汽车噪声及测量方法作了哪些规定？
5. 简述滑板式侧滑试验台的基本结构、工作原理和使用方法。

6. 简述反力式滚筒制动试验台的基本结构、工作原理和使用方法。
7. 简述制动性能的诊断参数标准。
8. 对汽车前照灯的要求有哪些？如何使用前照灯检测仪进行前照灯的检测？
9. 如何进行车速表检测？
10. 汽车噪声的检测包括哪些方面？如何进行检测？

汽车检测站

基本思路：

汽车检测站在我国根据管理部门和检测任务的不同配备有不同的检测线。对本章学习和研究的关键是要对不同类型的检测线所需配备的检测设备及工位进行合理布置。

▶▶▶ 6.1 汽车检测站综述

汽车检测站是综合运用现代化检测技术，对汽车实施不解体检测、诊断的机构。它具有现代化的检测设备和检测方法，能在室内检测出车辆的各种参数，并诊断出可能出现的故障，为全面、准确评价汽车的使用性能和技术状况提供依据。随着汽车制造业和汽车运输业的迅速发展，汽车保有量越来越大。汽车检测站不仅代表政府车管机关或行业对汽车技术状况进行检测和监督，而且已成为现代汽车制造业、汽车运输业、汽车维修业中不可缺少的组成部分。

6.1.1 检测站的任务

根据 GB 18565—2012《道路运输车辆综合性能要求和检验方法》与 GB 7258—2012《机动车运行安全技术条件》的规定和要求，汽车检测站的主要任务如下：

1）对在用运输车辆的技术状况进行检测诊断。

2）对汽车维修行业的维修车辆进行质量检测。

3）接受委托，对车辆改装、改造、报废及其相关工艺、新技术、新产品、科研成果等项目进行检测，提供检测结果。

4）接受公安、环保、商检、计量和保险等部门的委托，为其进行有关项目的检测，提供检测结果。

6.1.2 检测站的类型

按不同的分类方法，检测站可以分为不同的类型。

1. 按服务功能分类

如果按服务功能分类，检测站可以分为安全检测站、维修检测站和综合检测站3种。

安全检测站是国家的执法机构，不是营利型企业。它按照国家规定的车检法规，定期检测车辆中与安全和环保有关的项目，以保证汽车安全行驶，并将污染降低到允许的限度。这种检测站对检测结果往往只显示"合格"、"不合格"两种，而不作数据显示和故障分析，因而检测速度快，生产效率高。检测合格的车辆凭检测结果报告单办理年审签证，在有效期内准予车辆行驶。这种检测站一般由车辆管理机关直接建立，或由车辆管理机关认可的汽车运输企业、汽车维修企业建立，也可多方联合建立。

维修检测站主要是从车辆使用和维修的角度，担负车辆维修前、后的技术状况检测。它能检测车辆的主要使用性能，并能进行故障分析与诊断。它一般由汽车运输企业或汽车维修企业建立。

综合检测站既能担负车辆安全、环保方面的检测任务，又能担负车辆维修方面的技术状况检测，还能承接科研、制造和教学部门的有关汽车性能试验和参数测定。这种检测站设备多而齐全，自动化程度高，既可以进行快速检测，以适应年检要求，又可进行高精度的测试，以满足技术评定的需要。

2. 按检测的职能分类

按检测站的职能不同，检测站可分为A、B、C三级。

A级站：能承担国产车、进口车技术状况全面检测的任务，即能检测车辆的制动、侧滑、灯光、转向、前轮定位、轴重、制动踏板力、车速、加速能力、车轮动平衡、底盘输出功率、发动机功率、转矩、供给系统和点火系统状况、燃料消耗、异响、磨损、变形、裂纹、噪声、废气排放等状况。

B级站：能承担在用车辆技术状况和车辆维修质量的检测，即能检测车辆的制动、侧滑、灯光、转向、轴重、制动踏板力、车轮动平衡、燃料消耗、发动机功率、点火系统状况及异响、变形、噪声、废气排放等状况。

C级站：能承担在用车辆技术状况的检测，即能检测车辆的制动、侧滑、灯光、转向、车轮动平衡、燃油消耗、发动机功率及异响、噪声、废气排放等状况。

A级站和B级站出具的检测结果证明，可以作为维修单位维修质量的凭证。

6.2 汽车安全环保检测站

安全环保检测站主要检测汽车安全与环保的有关项目，包括制动、侧滑、前照灯、废气排放、噪声等。这类检测站又称安全-环保型检测站，隶属公安部门管理。

6.2.1 检测内容与设备

1. 检测项目

按照国家标准 GB 7258—2012《机动车运行安全技术条件》国家标准的要求，安全与环保检测站主要检测以下项目。

（1）外观检查　外观检查属人工检测项目，要检查的项目总共达 60 项左右，可大致分为车上和车下两大部分。为便于检查车底部分，往往需要一条地沟。外观检查项目主要有：

1）车辆外表，如喷漆、喷字是否完好，牌照是否符合规定等。
2）各种灯光、后视镜、刮水器、喇叭、仪表等设备是否齐全有效。
3）驾驶室及车厢的密封情况，门窗的开闭、门窗玻璃升降是否正常。
4）转向盘、离合器、制动踏板的自由行程是否符合要求。
5）油、水、电、气系统的泄漏情况。
6）转向系统、制动系统和传动系统各部件是否连接牢固、转动灵活。
7）前后桥、传动轴、车架等装置是否有明显的断裂、损伤、变形等问题。
8）排气管、消声器、燃油箱、蓄电池、减振器、冷却风扇等的连接是否可靠等。

（2）前轮侧滑量　使用侧滑试验台检测前轮侧滑量。

（3）轴重测量　测量轴重使用轴重仪。有时将轴重仪与制动试验台制作在一起。

（4）制动效果检查　制动效果检查是安全检测站最重要的检测项目之一。检测制动力使用制动试验台。

（5）车速表校验　车速表校验在车速表试验台上进行。

（6）噪声测量　包括车内噪声和喇叭声级。测量噪声使用声级计。

（7）前照灯检验　目前在检测站测量近光灯较困难，所以以测量远光为主，包括前照灯的发光强度和照射方向，使用的仪器是前照灯检验仪。

（8）排气污染物检测　检查废气排放，是检测站的一项重要任务。对于汽油车来说，要检测 CO 和 HC 的排放，对柴油车则检查排气的烟度。

2. 检测设备的布置

为了提高检测效率，将上面 8 个检测项目及 2 台计算机适当地组合成几个检测单元，称为若干工位。每个工位可安排一辆汽车接受该组项目的检测。工位数也就是检测线上同时接受检测的汽车数。一般的检测线可设计成 3~5 个工位，工位数太少，则检测效率太低；工位数太多，检测线将会太长，占地过多。

目前我国引进的某些国外检测线的布置，一般设置如下几个工位：车体上部的外观检查工位，称为上工位或简称 L 工位（Lamps and Safety Device Inspection，灯光与安全装置检查）；将侧滑、制动和车速表的检测放在一起，称为 ABS 工位（A——alignment tester，侧滑试验台；B——brake tester，制动试验台；S——speedometer tester，车速表试验台）；把前照灯与废气检测放在一起，称为 HX 工位（H——headlight tester，前照灯检测仪；X——exhaust gas tester，废气分析仪）；另设车底检查工位，称为 P 工位（pit inspection）。

图 6-1 所示是 4 工位检测线设备布置的一个例子。其中，第一工位为车辆申报和外观检查工位，第二工位为 ABS 及噪声检查工位，第三工位是 HX 工位，第四工位是车底检查及结果打印工位。也有的检测线是将外观检查和车底检查合并在一个工位的。各工位指示器位于该工位的前上方，图中未画出。

我国自行设计的检测线，不一定都采用这种布置方式。目前国内的检测线都设计成微机控制的自动检测系统。所以检测线除了需要上述检测设备外，还需要一些控制设备。首先是两台计算机：一台放在检测线入口处，用于输入被检车辆有关信息，另一台则是全系统的主控计算机，放在检测线出口处，用于系统监控、数据采集处理、结果打印和档案管理等。对全自动检测线来说，为了提示各工位检测流程和显示检测结果，常使用工位操作指示器。

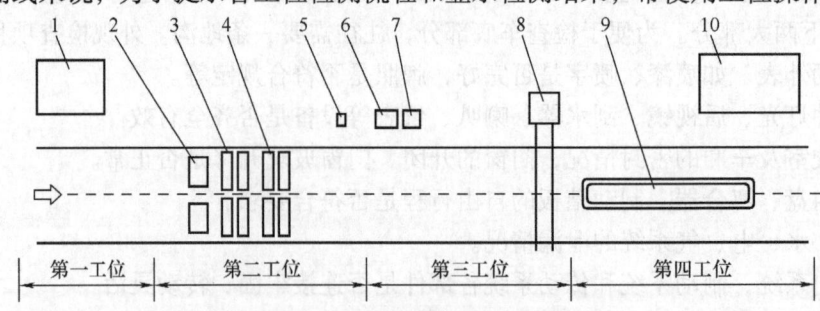

图 6-1　汽车安全环保检测线布置图

1—资料输入及安全装置外部检查工位　2—侧滑试验台　3—制动试验台　4—车速表试验台
5—声级计　6—尾气分析仪　7—柴油机烟度计　8—前照灯检测仪　9—车底检查工位　10—主机室

6.2.2　检测流程

检测流程即某一汽车接受检测的全过程，以目前国内大多数检测站所采用的设备和图 6-1 所示检测线布置为例进行说明。检测方法所依据的标准是目前通用的《机动车运行安全技术条件》国家标准第 3 号修改单。

1. 第一工位

一般在检测线入口处设一个红绿灯。当第一工位空闲时，绿灯亮，受检车可以驶入。在该工位一方面做外观检查，同时要将受检车辆的有关资料输入入口计算机。这些资料包括：车牌号、发动机号、底盘号、厂牌型号、车主、燃料类别、驱动形式（前驱动或后驱动，因为不同的驱动方式在 ABS 工位的检测顺序不同）、前照灯制式（二灯或四灯，因为不同灯制检测标准不同）、检验类型（初检或年检等）、检验次数等。同时也要将外观检查结果输入同一计算机。

检测结束时，程序指示器会显示检测结果。当第二工位无车时，指示器会显示"前进"，提示本工位的车可进入第二工位。

2. 第二工位

受检车进入第二工位后，若是一般后驱动、后驻车制动（驻车制动作用在后轮）的车，检测操作按以下程序进行：

1）侧滑检测时，让汽车低速驶过侧滑试验台，此时不可转动转向盘。通过后，第二工位指示器即可显示侧滑检测结果。

2）将前轮驶上轴重仪测量前轴重。

3）将前轮驶上制动试验台测量前轴制动力。按工位指示器的提示，将制动踏板踩到底，即可测得前轴制动效果。此时指示器会显示出检测结果。若结果不合格，允许重测一次。

4）后制动检测时，将后轮驶上制动试验台，按指示器的提示踩住制动踏板。指示器会显示后制动结果。若不合格，允许重测一次。

5）测驻车制动（手制动）方法与测量前、后轮制动相同。可按指示器的提示拉住驻车制动杆。若不合格，允许重测一次。

6）车速表校验时，将后轮驶上车速表试验台，驾驶人手持测试按钮，慢踩加速踏板，当车速表指示 40km/h 时按下测试按钮。指示器可显示检测结果,若不合格允许重测一次。测完后放松加速踏板,令车轮停转。

7) 噪声或喇叭音量测试时,按提示要求按喇叭约 2s,或按要求测量车内噪声。测完后,指示器会显示检测结果。

需要注意的是:检测顺序与驱动轮的位置以及驻车制动器安装位置有关,处理的原则是测完前轮的项目之后,再测后轮的项目,以免车辆倒退。例如不同结构的车辆可采用以下不同的检测顺序:

① 后驱动、后驻车:前制动—后制动—驻车制动—车速表。
② 前驱动、前驻车:前制动—驻车制动—车速表—后制动。
③ 前驱动、后驻车:前制动—车速表—后制动—驻车制动。

该工位测完后,若第三工位空闲,则工位指示器会提示"前进",否则会显示"暂停"。

3. 第三工位

受检车进入该工位后,按以下步骤操作:

1) 将汽车停在与前照灯检测仪一定距离处(一般距离是 3m),面向正前方。前照灯检测仪会自动驶入,分别测量左右灯远光的发光强度和照射方向。检测结果会在工位指示器上显示。

2) 按指示器要求检测废气或烟度。测废气时,令发动机处于怠速状态,将探头插入排气管,几秒钟之后指示器即显示检测结果。测烟度时,应在发动机怠速状态下,将加速踏板迅速踩到底。几秒钟之后指示器也会显示检测结果。烟度检测要求测 3 次,取平均值。

4. 第四工位

此工位以人工方式检查车底情况,如部件连接是否牢固、有无变形、断裂,水、电、油、气有无泄漏等。检测人员通过对讲机或自制的按钮板等设备,将结果送至主控微机。工位指示器会给出检测结果。

主控微机汇总检测数据后,经过处理,打印出检测清单。检测清单的样式见表 6-1。

表 6-1 机动车安全检测记录单

×××机动车安全检测站			代号:×××				检测流水号:×××		
号牌(自编)号			车　　主						
号牌种类			车辆类别				前照灯制		
厂牌信号			燃料种类				检验类别		
发动机号			驱动形式				检测项目		
VIN(或车架)号			驻车轴				登记员		
出厂年月			初次登记日期				检验日期		
台试检测数据							引　车　员		

代号	项目	轮(轴)质量/kg		最大制动力/daN		过程差最大差值点/daN		制动率(%)	不平衡率(%)	阻滞率(%)		单项判定	项目判定	单项次数
		左	右	左	右	左	右			左	右			
B	制动	一轴												
		二轴												
		三轴												
		四轴												
		驻车												
		整车												

(续)

		项目	远 光	远光偏移		近光偏移		灯中心高/mm
			光强度/cd	垂直/(cm/dam)	水平/(cm/dam)	垂直/(cm/dam)	水平/(cm/dam)	
H	前照灯	左外灯						
		左内灯						
		右内灯						
		右外灯						
X	排放	高怠速	CO(%)	HC/×10⁻⁶	判定	急速 CO(%)	HC/×10⁻⁶	判定
		加速模拟工况	CO(%)		HC/×10⁻⁶		NO/×10⁻⁶	判定
			光吸收系数(m⁻¹)		烟度(Rb)		平均值	
N	喇叭声级							dB(A)
S	车速表							km/h
A	侧滑							m/km
人工检测结果								
1	外观检查不合格项					检验员		
2	底盘动态检查不合格项					检验员		
3	地沟检查不合格项					检验员		
主任检验员意见及盖章						整车判定/总不合格项目		
备注						单位盖章		

注：daN = 10N；dam = 10m。

6.3 汽车综合性能检测站

汽车综合性能检测站是对道路运输车辆进行综合性能技术监督检测、汽车维修质量监督检测、汽车性能诊断检测的技术服务机构，它是道路运输管理机构从事道路运输管理的重要技术基地。交通部《汽车运输业车辆综合性能检测站管理办法》（[1991]第29号部令）对汽车综合性能检测站的建设、管理、职责、基本条件、认定等都作了详细规定，是汽车综合性能检测站管理的法律依据。

6.3.1 对检测站的要求

1. 检测项目及设备要求

综合性能检测站的检测项目与检测设备要求见表6-2。

第6章 汽车检测站

表6-2　汽车综合性能检测项目及设备要求

检测项目		检测设备	配备要求 A级站	配备要求 B级站
动力性	发动机功率	汽车发动机检测仪	✓	
	底盘输出功率	汽车底盘测功机	✓	*
	加速时间		✓	
经济性	等速百公里油耗	汽车底盘测功机（或五轮仪）、油耗仪	✓	
制动性能和滑行性能	轴载质量	轴重仪	✓	✓
	制动力	制动试验台	✓	✓
	制动力平衡			
	车轮阻滞力			
	驻车制动力			
	制动系统协调时间			
	制动踏板力	制动踏板力计	✓	✓
	驻车制动装置操纵力	操纵力计	✓	✓
	ABS性能	ABS检测仪	✓	✓
	滑行距离或滑行时间	汽车底盘测功机	*	*
转向操纵性	侧滑量	侧滑检测仪	✓	*
	车轮定位	车轮定位检测仪	✓	*
	转向角	转向角检测仪	✓	✓
悬架特性	振幅或频率	悬架性能检测仪	*	*
	吸收率			
	左右轮吸收率差			
废气排放	汽油车废气排放	废气分析仪	✓	✓
	柴油车废气排放	烟度计	✓	✓
前照灯	前照灯发光强度	前照灯检测仪	✓	✓
	前照灯光轴偏斜量			
车速表、里程表		车速表试验台（或汽车底盘测功机）	✓	✓
汽车噪声	客车内噪声	声级计	✓	✓
	驾驶人身旁噪声			
	车外噪声			
车身防雨密封性		喷淋装置	*	×
汽车侧倾角		汽车侧倾角检测仪	*	✓
整车外观		轮胎气压表、钢卷尺、漆膜光泽测量仪、钢板尺、轮胎花纹深度尺	✓	✓
发动机诊断		汽车发动机检测仪、发动机示波器、曲轴箱窜气量检测仪、气缸压力表	✓	
底盘诊断		车轮动平衡机、汽车底盘间隙检测仪、传动系游动角度检测仪、不解体探伤仪、测温计、秒表	✓	

注：✓—必须执行项；*—选择执行项；×—不执行项。

2. 对计算机控制检测系统的要求

国家标准 GB/T 17993—2005 规定，如综合性能检测站采用计算机控制检测系统，应满足下列要求：

1）控制系统应具有车辆信息的登录、规定项目与参数的受控自动检测、检测数据的自动传输与存档、检测报告与统计报表的自动生成、指定信息的查询等功能，所有记录（包括报告和报表）格式及内容均应符合有关规定。

2）控制系统配置的计算机等硬件和操作系统等软件应符合相关标准的要求。

3）控制系统应建立适用检测车型数据库和适用检测标准项目、参数限值数据库，并符合相关委托检测行业管理的要求。

4）控制系统不应改变联网检测仪器设备的测试原理、分辨力、测量结果数据有效位数和检测结果数据，检测参数的采集、计算、判定应符合有关标准。

5）应具有人工检测项目和未能联网的检测仪器设备检测结果的人工录入功能（IC 卡或其他方式）。

6）应设置检测标准、系统参数等数据修改的访问权限及操作日志。

7）计算机控制系统其他要求应符合 JT/T 478—2002 的有关规定。

3. 对检测站技术人员的要求

1）检测站应设站长（或其他称谓）、技术负责人、质量负责人、计算机控制网络系统管理员、检测员、引车员以及仪器、设备（维护）管理员、文件资料档案管理员等主要岗位。

2）应制定人员培训制度，并有效实施，保证检测有关人员能按新的检测标准开展检测工作。

3）对持证上岗从业人员，应通过专门培训，取得岗位从业资格证书后，方可上岗。

6.3.2 检测站设备的布置

以 A 级综合检测站为例进行说明。

检测站一般设计成两条检测线，一条就是普通的安全检测线，另一条为其他专用设备。图 6-2 给出了一种综合检测线布置图。

1. 安全检测线部分

安全检测线为三个工位。

第一工位除车辆数据录入之外，还包括车速表、废气（或烟度）和侧滑检测。之所以把这几个检测项目放在一起，是考虑它们的污染都比较大，置于检测线入口处，有利于通风。

第二工位包括灯光、喇叭和外观检查，所以该工位有一条地沟。

第三工位包括轴重、制动以及主机打印等。

2. 综合检测线部分

综合检测线也是三个工位，这里对有关项目和设备稍加解释。

第一工位的设备主要包括发动机综合分析仪、油耗计和底盘测功机等。发动机综合分析仪是测试发动机功率、点火等工作状况的仪器，底盘测功机和油耗计用于测量汽车的驱动力、功率、加速性等动力性能和燃料消耗情况。

第二工位的设备主要包括传动系游动角度检测仪、气缸漏气量检测仪和润滑油质量检测仪等，分别用于测量传动系游动角度、气缸漏气量和分析润滑油质量。

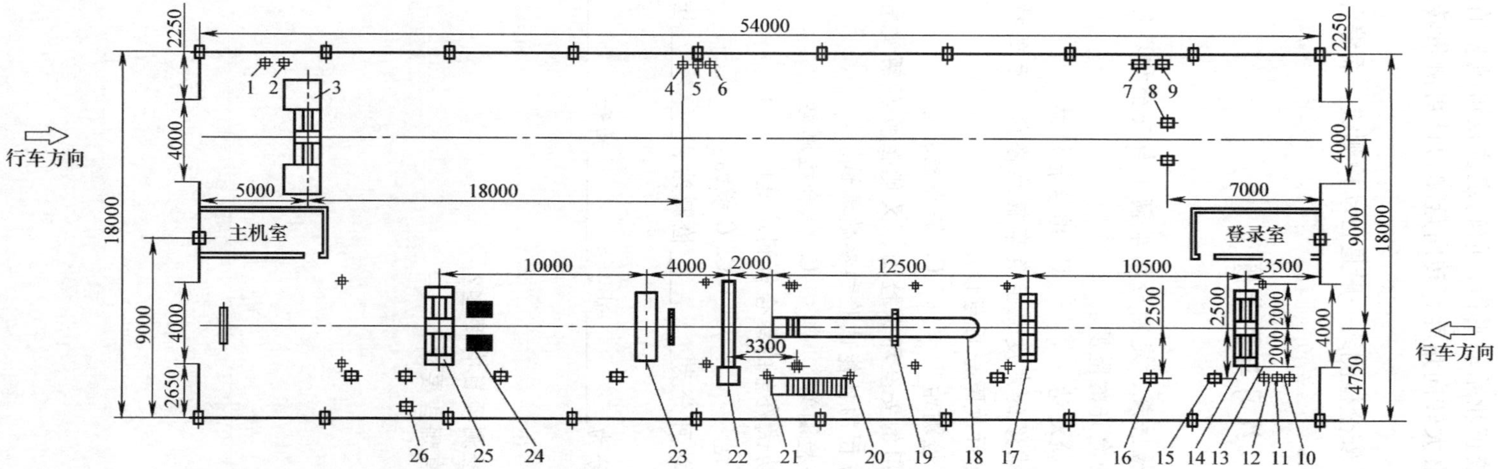

第6章 汽车检测站

图 6-2 综合检测线设备布置图

1—发动机综合参数测试仪 2—油耗仪 3—底盘测功机 4—传动系游动角度测试仪 5—气缸漏气量检测仪 6—润滑油质量检测仪 7—动平衡仪 8—前轮定位仪 9—测力转向盘 10—轮胎气压表 11—气体分析仪 12—烟度仪 13—光电地沟 14—车速表试验台 15—设备通信仪 16—广角镜 17—测滑试验台 18—外检地沟 19—工位显示屏 20—外检表试验台 21—声级计 22—前照灯检测仪 23—轴重仪 24—制动试验台搭板 25—外检通信仪 26—液压式踏板力计

第三工位主要包括车轮动平衡机、前轮定位仪、转向角度测试仪、转向盘测力计等设备。其中车轮动平衡机用于检验和校正轮胎动平衡，前轮定位仪可测量前轮定位的 4 个参数，转向角度测试仪用于测量前轮最大转向角度，转向盘测力计可测量转动转向盘时所用的力。

需要说明的是，综合检测站中，安全检测线一般是自动检测线，而综合检测线由于有些设备需手工操作，所以一般是手动线。

练习与思考题

一、选择与填空题

1. (　　)是按照国家规定的车检法规，定期检测车辆中与安全和环保有关的项目，以保证汽车安全行驶，并将污染降低到允许的限度。

　　A. 安全检测站　　　　B. 维修检测站　　　　C. 综合检测站

2. (　　)主要是从车辆使用和维修的角度，担负车辆维修前、后的技术状况检测。它能检测车辆的主要使用性能，并能进行故障分析与诊断。

　　A. 安全检测站　　　　B. 维修检测站　　　　C. 综合检测站

3. (　　)既能担负车辆管理部门的安全环保检测，又能担负车辆使用、维修企业的技术状况诊断，还能承接科研或教学方面的性能试验和参数测试。

　　A. 安全检测站　　　　B. 维修检测站　　　　C. 综合检测站

4. 一般来说，具有汽车底盘测功试验台的综合检测站是(　　)。

　　A. A 级站　　　　　　B. B 级站　　　　　　C. C 级站

5. 按服务功能分类，汽车检测站可分为_____检测站、_____检测站和_____检测站 3 种。

6. 综合检测站按职能分类，可分为_____站、_____站和_____站 3 种类型。

二、问答题

1. 检测站的任务是什么？
2. 汽车安全与环保性能检测站检测项目有哪些？
3. 对汽车综合检测性能检测站有哪些要求？

参 考 文 献

[1] 杨海泉. 汽车故障诊断与检测技术[M]. 北京：人民交通出版社，2004.
[2] 蒋智庆. 汽车电气设备构造与维修[M]. 重庆：重庆大学出版社，2005.
[3] 秦海滨. 汽车底盘电控技术[M]. 大连：大连理工大学出版社，2007.
[4] 安相璧，马麟丽. 汽车检测诊断技术[M]. 北京：北京理工大学出版社，2005.
[5] 杨永先. 汽车故障诊断与综合检测[M]. 北京：人民交通出版社，2006.
[6] 刘希恭. 德国大众系统轿车维修手册[M]. 沈阳：辽宁科学技术出版社，1998.
[7] 张建俊. 汽车诊断与检测技术[M]. 北京：人民交通出版社，2003.
[8] 云皓，等. 丰田汽车维修手册车身电脑电气系统[M]. 长春：吉林科学技术出版社，1996.
[9] 廖发良. 汽车典型电控系统的结构与维修[M]. 北京：电子工业出版社，2007.
[10] 闵思鹏，江冰. 汽车底盘电控系统原理与维修[M]. 北京：北京大学出版社，2007.
[11] 刘仲国. 丰田凌志轿车故障诊断与维修手册[M]. 北京：机械工业出版社，2003.
[12] 王盛良. 汽车自动变速器技术与检修[M]. 北京：机械工业出版社，2009.
[13] 刘占峰，林丽华. 汽车故障诊断与检测技术[M]. 北京：北京大学出版社，2008.
[14] 林钢. 汽车空调原理与维修[M]. 北京：北京大学出版社，2008.